ISBN 978-0-428-26112-2
PIBN 10347837

MITTHEILUNGEN

DES

DEUTSCHEN UND OESTERREICHISCHEN ALPENVEREINS.

REDIGIRT

VON

TH. TRAUTWEIN.

BAND IX.

JAHRGANG 1883.

SALZBURG, 1883.

VERLAG DES DEUTSCHEN UND OESTERREICHISCHEN ALPENVEREINS
IN SALZBURG.

IN COMMISSION DER J. LINDAUER'SCHEN BUCHHANDLUNG IN MÜNCHEN.

Inhalt.

Vereins-Nachrichten.

Berichte der Sectionen.

Nachrichten von anderen Vereinen.

Vereinshütten und Unterkunftshäuser. Wegbauten.

(S. auch die Berichte der Sectionen.)

Führerwesen.

Personalien.

Mittheilungen und Auszüge.

Naturwissenschaftliches.

Nachrichten aus den Alpen.

Verkehrs-Nachrichten.

Verschiedenes.

Touristische Notizen.

Meteorologische Berichte aus den Ostalpen 1883:

Literatur und Kunst.

Referate und Notizen.

Periodische Literatur.

Eingesandt.

MITTHEILUNGEN

DES

DEUTSCHEN UND OESTERREICHISCHEN ALPENVEREINS.

No. 1. SALZBURG, JANUAR. 1883.

Vereinsnachrichten.

Circular No. 72 des Central-Ausschusses.

Salzburg, Januar 1883.

I.

Die letzte General-Versammlung des Deutschen und Oesterreichischen Alpenvereins am 14. August 1882 hat der Section Salzburg die grosse Ehre erwiesen, ihr die Leitung des Gesammtvereins für die Jahre 1883 bis 1885 anzuvertrauen. Seit der Gründung des Vereins ist es das erste Mal, dass eine Section in einer kleineren Stadt zu dem verantwortungsvollen Amt berufen wird. So sehr wir uns nun der Schwierigkeiten bewusst sind, welche dadurch für den neugewählten Central-Ausschuss erwachsen, und so sehr wir genöthigt sein werden, die Nachsicht unserer verehrten Vereinsgenossen in Anspruch zu nehmen, so konnten wir uns doch der Erwägung nicht verschliessen, dass es dem föderalen Charakter unserer Vereinseinrichtungen entspricht, wenn die Ehre und Last der Central-Leitung abwechselnd von verschiedenen Sectionen getragen wird, und dass diejenige, welche von der Gesammtheit hiezu berufen wird, sich nicht weigern darf, auch unter schwierigen Verhältnissen ihre Hingebung an die Zwecke des Vereins durch Annahme eines solchen Rufes zu bethätigen.

Unsere Vorgänger in der Leitung des Gesammtvereins haben mit solchem Erfolg an der Hebung und Vergrösserung desselben und an der Erfüllung der ihm gesetzten Aufgaben gearbeitet, dass wir einerseits kaum hoffen können, solchen Beispielen gleich zu kommen, andererseits aber für die meisten Richtungen unserer Thätigkeit erprobte Pfade und Beispiele vorfinden. Wir werden diesen Mustern um so lieber folgen, als die Aufrechthaltung der vorhandenen Traditionen gerade für einen Verein mit wechselnder Leitung ein Gebot seiner Erhaltung ist, und wir in ihnen einen Schatz erblicken, den zu bewahren unsere erste Pflicht ist.

Die vornehmste dieser Traditionen ist ohne Zweifel die Erhaltung eines richtigen Verhältnisses zwischen der literarischen und der praktischen Thätigkeit des Vereins. Dieser doppelseitigen Wirksamkeit verdankt der Verein ohne Zweifel seine ausserordentliche Verbreitung, einerseits in den grossen Städten der Ebene unter den Freunden des Gebirges und in literarischen Kreisen, andererseits in den abgelegenen Thälern des Hochgebirges unter der dortigen ländlichen Bevölkerung.

Wir werden daher beide Richtungen, wie das bisher geschehen, mit gleichem Interesse pflegen. Wir werden aber auch darauf achten müssen, innerhalb dieser Richtungen Dasjenige herauszufinden, was im gegebenen Augenblick als besonderes, vielleicht neues Bedürfniss auftritt. Wenn bis vor kurzem die Erbauung von Schutzhütten als die weitaus wichtigste praktische Aufgabe unseres Vereins erschien, welche mit besonderer Vorliebe gepflegt wurde, so werden wir zwar auch in Zukunft noch immer auf diesem Gebiet viele dankbare Arbeiten finden, es darf aber nicht übersehen werden, dass gegenwärtig, wo in den österreichischen und deutschen Alpen von unserem Verein allein mehr als fünfzig Unterkunftshäuser erbaut worden sind, das Bedürfniss nach solchen Unternehmungen sich einigermaassen vermindert hat, sowie dass mit der Zahl der errichteten Bauten die Anforderungen für die Erhaltung dieser so vielfach gefährdeten Objekte sich ausserordentlich vermehren. Ausserdem haben sich längst andere Forderungen eingestellt, welche befriedigt werden sollen und müssen; so die Führercurse- und -Bibliotheken, die Führerversicherung, die Unterstützung invalider Führer, die Aufforstung und die Hilfeleistung bei Elementar-Ereignissen in den Alpen. Wenn letztere Anforderung bei der Ueberschwemmung in Tirol und Kärnten in Folge der ausserordentlichen Opferwilligkeit unserer Vereinsgenossen mit nur geringer Beihilfe der Centralcasse in glänzender Weise erfüllt werden konnte, so ist doch die Aufgabe, an der Aufforstung der entwaldeten Theile der Alpen mitzuwirken, um ähnliche Katastrophen wenigstens einigermaassen abzuschwächen, um so dringlicher geworden.

Ebenso wie bei den praktischen Unternehmungen haben auch in der literarischen Thätigkeit des Vereins seit seiner Gründung mancherlei Verschiebungen stattgefunden. Die anfänglich fast allein herrschende Beschreibung unternommener Touren musste mit der rasch wachsenden Vertrautheit der Leser auch mit abgelegeneren Theilen der Alpen an Reiz verlieren, die Anforderungen an die Qualität der Kunstbeilagen und Karten stiegen mit der Möglichkeit, immer Vollkommeneres zu bieten. Während einerseits der wissenschaftliche Aufsatz einen immer grösseren Raum in der

Zeitschrift beanspruchte, schuf das Bedürfniss nach rascher Verständigung die »Mittheilungen«.

Auch hier wird es nun unser Bestreben sein, den Anforderungen, welche ein geläutertes Urtheil stellen kann, immer mehr gerecht zu werden. Wir werden uns bemühen, den Inhalt der Zeitschrift mehr und mehr zu vertiefen, und dieses Organ, welches wohl von allen ähnlichen Unternehmungen die weiteste Verbreitung besitzt, immer mehr zu einem Sammelpunkt der auf die Alpen bezüglichen wissenschaftlichen Leistungen zu machen, — andererseits aber nicht vergessen, dass unser Verein keine gelehrte Gesellschaft ist, und daher alle Artikel in jener geläuterten und vollendeten Form dargeboten werden sollen, welche selbst einen abstrakten Inhalt allgemein verständlich und anziehend macht. Auch die touristische Beschreibung wird stets einen Platz in unserer Zeitschrift beanspruchen dürfen, besonders wenn sie Unternehmungen zum Gegenstand hat, die durch Neuheit und Schwierigkeit sich auszeichnen. Denn wollten wir uns dagegen ablehnend verhalten, so würden wir unseren Ursprung verläugnen, welchen wir doch nur Jenen verdanken, die zuerst unter Verachtung von Mühe und Gefahr in die einst noch unwirthlicheren Hochalpengegenden vorgedrungen sind. Doch wird die Gegenwart auch hier die Eleganz der Form und den Ausschluss aller Plattheiten gebieterisch erfordern.

Die Mittheilungen, welche bestimmt sind, den Verkehr der einzelnen Glieder unseres Vereins untereinander und mit den fremden Vereinen zu vermitteln, und die Mitglieder von den wichtigsten literarischen und anderen Ereignissen auf alpinem Gebiet in Kenntniss zu setzen, werden ein Gegenstand unserer besonderen Sorgfalt sein und nach wie vor von jeder Polemik freigehalten werden. Den Sectionen ist durch Beibehaltung der directen Versendung die Möglichkeit eines raschen Bezuges gewährt.

Da die »Anleitung zu wissenschaftlichen Beobachtungen auf Alpenreisen« mit der unlängst ausgegebenen V. Abtheilung vollendet ist, so wird es die Sorge des Central-Ausschusses sein, das Interesse des Vereins an der Wissenschaft auf andere Weise zu bethätigen. Wir sind der Meinung, dass es nach dieser Richtung der Stellung des Vereins am besten entsprechen wird, wenn er von nun an, nach Maassgabe der vorhandenen Mittel, mit selbständigen wissenschaftlichen Unternehmungen vorgeht. Mit verhältnissmässig bescheidenem Aufwand lässt sich auf den Gebieten der Kartographie, Gletscherkunde oder Meteorologie Dankeswerthes erreichen, wenn die Aufgaben mit Vorsicht und Sachkunde gestellt werden. Haben die betreffenden Publicationen des Vereins schon bisher einen angesehenen Platz eingenommen, so hoffen wir, auf diese Weise ihre Geltung in der alpin-geographischen Literatur noch weiter zu heben.

Unser Verein hat sich seinen Statuten entsprechend von aller Politik jederzeit gänzlich ferne gehalten. Es versteht sich von selbst, dass wir von diesem obersten Gesetz unserer Existenz nicht abweichen werden. Auf ihm beruht die Möglichkeit der Erhaltung unserer Organisation, und in dieser ruht unsere Kraft und Zukunft.

Die hohen Staatsbehörden sämmtlicher Länder, über welche sich die Thätigkeit des Vereins erstreckt, haben in geneigter Würdigung unserer gemeinnützigen Bestrebungen uns vielfache Förderung und Unterstützung zu Theil werden lassen. Wir werden es uns angelegen sein lassen, dieses für uns so werthvolle Einvernehmen auch in Zukunft mit aller Sorgfalt zu pflegen.

Schliesslich empfehlen wir uns nochmals dem Vertrauen und dem freundlichen Entgegenkommen unserer verehrten Vereinsgenossen, welches allein uns die Hoffnung einer gedeihlichen Wirksamkeit gewähren kann.

II.

Die geehrten Sectionen und Vereinsmitglieder werden hiermit ersucht, alle Schreiben und Sendungen, welche sich auf die Casse beziehen, an Herrn Franz Gugenbichler, Salzburg, Bahnhof; solche, die sich auf die Redaction beziehen, an Herrn Th. Trautwein, München, Ludwigstrasse 23; alle übrigen Correspondenzen, also auch Bestellungen und Reclamationen bezüglich der Publicationen, an den Central-Ausschuss des D. und Ö. Alpenvereins in Salzburg, Sigmund Haffnergasse 9, zu richten.

III.

Unter Bezugnahme auf Circular Nr. 71, Absatz III, ersuchen wir diejenigen Sectionsleitungen, welche den erbetenen zweiten Nachtrag zum Mitglieder-Verzeichniss noch nicht an die Redaction eingesendet haben, dies nunmehr ungesäumt zu bewerkstelligen. Verzeichnisse, welche nach dem 1. Februar einlaufen, können nicht mehr in die alphabetische Reihenfolge aufgenommen werden.

Ebenso ersuchen wir um gefällige Einsendung der Jahresberichte ebenfalls direct an die Redaction.

IV.

Wir sind in der angenehmen Lage, Ihnen die Bildung dreier neuen Sectionen anzeigen zu können, nämlich der 87. in Erfurt, der 88. in Ingolstadt und der 89. in Mainz.

Der Central-Ausschuss

des Deutschen und Oesterreichischen Alpenvereins.

Eduard Richter, k. k. Professor, I. Präsident.
Hans Stöckl, k. k. Bezirks-Commissär, II. Präsident.
A. Posselt-Csorich, k. k. Regierungs-Concipist, I. Schriftführer.
Dr. **M. Zeppezauer**, Advocat, II. Schriftführer.
F. Gugenbichler, Privatier, Cassier.
Th. Trautwein, Cassier der k. Staatsbibliothek in München, Redacteur.
Carl Petter, Magister der Pharmazie, Beisitzer.
Dr. **Aug. Prinzinger**, Advocat, Beisitzer.
L. Purtscheller, k. k. Turnlehrer, Beisitzer.
Eduard Sacher, k. k. Professor, Beisitzer.

Hochwasserschäden in Tirol und Kärnten.

Der k. k. Landes-Präsident in Kärnten, Herr Franz Ritter von Schmidt-Zabierow richtete an den Central-Ausschuss in Wien aus Anlass der Beendigung seiner Leitung dieses Vereins folgendes Schreiben:

Bei Ablauf der statutenmässigen Functionsdauer des geehrten Central-Ausschusses gereicht es mir zum besonderen Vergnügen, demselben für seine höchst erspriessliche Thätigkeit im Interesse des Alpenlandes Kärnten, ganz besonders aber für sein aufopferndes und sehr erfolgreiches Wirken aus Anlass der im vorigen Herbst über Kärnten hereingebrochenen Ueberschwemmungen wiederholt meine vollste Anerkennung und meinen wärmsten Dank auszusprechen.

Der geehrte Central-Ausschuss kann auf das glänzende Ergebniss seiner bezüglichen Bestrebungen, wie dasselbe mit dem geschätzten Schreiben vom 14. December v. J. gütigst anher bekannt gegeben wurde, mit gerechter Genugthuung zurückblicken in dem Bewusstsein, durch die von ihm eingeleitete Hilfsaction und namentlich durch die im Wege der Sectionen unmittelbar und so reichlich vertheilten Liebesgaben wesentlich zur Linderung der Nothlage der von den Ueberschwemmungen Betroffenen beigetragen, und dadurch der Geschichte des Vereins eines der ehrenvollsten Blätter eingefügt zu haben.

Klagenfurt am 5. Jänner 1883.

Der k. k. Landes-Präsident:
Schmidt-Zabierow m. p.

IX. Sammel-Liste

des Deutschen und Oesterreichischen Alpenvereins für die Ueberschwemmten in Tirol und Kärnten.

Section Prag des D. u. Ö. A.-V. (I. u. II. Rate) 2208 fl. 41 kr.; Section Darmstadt des D. u. Ö. A.-V. (VIII. Rate) 3438 M. 89 Pf.; Section Hamburg des D. u. Ö. A.-V. (X. Rate) 2000 M., davon 300 M. für Sulden; Section Berlin des D. u. Ö. A.-V. (VI. Rate) 1087 fl. 56 kr.; Hilfscomité in Bremen (II. Rate) 784 fl. 48 kr.; Section Frankfurt des D. u. Ö. A.-V. (VII. Rate) (nur für das Hilfs- und Actionscomité in Bozen) 714 fl. 31 kr.; Section Nürnberg des D. u. Ö. A.-V. (V. Rate) 1006 M. und 10 fl.; Section Gera des D. u. Ö. A.-V. durch den Geraer Anzeiger (II. Rate) 951 M. 45 Pf. (davon 782 M. 35 Pf. für Tirol und 169 M. 10 Pf. für Kärnten); Section Wiesbaden des D. u. Ö. A.-V. (IV. u. V. Rate) 837 M. 28 Pf.; Comité der Stadt Weissenburg in Baiern 738 M. (für Tirol); Wohlthätigkeits-Vorstellung in Teplitz durch Herrn Adolf Sigmund 500 fl.; Hilfscomité in Worms (II. Rate) 605 M. und 17 fl. 90 kr., Concert und Theatervorstellung, arrangirt von den Amberger Alpenvereins-Mitgliedern 353 fl. 35 kr.; Abendunterhaltung in Bilin durch Dr. Tschan 348 fl.; Section Schwarzer Grat des D. u. Ö. A.-V. (hiebei vom Oberschwäbischen Anzeiger in Ravensburg 136 M. 77 Pf.) (II. Rate) 505 M. 20 Pf.; Section Constanz des D. u. Ö. A.-V. (II. u. III. Rate) 470 M. (darunter Skatklub in Eitorf 27 M. 50 Pf. und Mitglied Strauss in Eitorf 22 M. 50 Pf.); Section Chemnitz des D. u. Ö. A.-V. (II. Rate) 419 M. und 2 fl.; Section Breslau des D. u. Ö. A.-V. (V. Rate) 415 M. 20 Pf. und 2 fl. 40 kr.; Section Regensburg des D. u. Ö. A.-V. (V. Rate) 400 M., davon 250 M. für Dölsach; Kommerzienrath L. E. Ranninger Sammlung in Altenburg für Toblach und Inichen 229 fl.; Section Augsburg des D. u. Ö. A.-V. (V. Rate) 375 M. 35 Pf.; W. Schröder & Comp. in Crefeld 300 M. für Südtirol; Redaction des Statthalters in Schopfheim 275 M.; Expedition des Nördlinger Anzeigers 100 fl. für Tirol, 48 fl. für Kärnten; Section Coburg des D. u. Ö. A.-V. (VI. u. VII. Rate) 290 M.; Section Dresden des D. u. Ö. A.-V. (IV. Rate) 200 fl. und 55 fl.; Rhönclub in Fulda (II. Rate) 260 M. (Concerterträgniss mit 194 M. 16 Pf. inbegriffen); Section Weilheim-Murnau des D. u. Ö. A.-V. (II. Rate) 256 M.; Section Frankenwald des D. u. Ö. A.-V. (I. Rate) 236 M.; Section Tölz des D. u. Ö. A.-V. (II. Rate) 222 M.; Section Greiz des D. u. Ö. A.-V. (V. u. VI. Rate) 220 M.; Dr. Soltau in Zabern Concerterträgniss 200 M. (für Tirol); Section Rheinland des D. u. Ö. A.-V. (IV. Rate) 190 M.; Section Innsbruck des D. u. Ö. A.-V. (hiervon 15 fl. nach Stubai gesendet) 115 fl.; Neues Wiener Tagblatt (IV. Rate) 104 fl.; Zwickauer Wochenblatt (II. Rate) 151 M. 95 Pf.; Section Jena des D. u. Ö. A.-V. (III. und IV. Rate) 148 M. 65 Pf.; Section Rosenheim des

D. u. Ö. A.-V. (VIII. Rate) (hiebei Mühldorfer Anzeiger 38 M. und Rotthaler Bote 60 M.) 119 M. 13 Pf.; Section Würzburg des D. u. Ö. A.-V. (V., VI. und VII. Rate) 114 M. 82 Pf.; Stadtrath zu Zwickau 118 M. (hievon 55 M. für Deutschtirol); Section Traunstein des D. u. Ö. A.-V. (IV. und V. Rate) 112 M. und 3 fl.; Section Krain des D. u. Ö. A.-V. (III. Rate) (krainischer Guts- und Alpenbesitzer 50 fl. und kleinere Spenden 7 fl.); Frau Anna Tomola 50 fl.; Section Passau des D. u. Ö. A.-V. (II. Rate) 96 M. 30 Pf. und 3 fl.; Section Memmingen des D. u. Ö. A.-V. (III. Rate) 82 M. 10 Pf.; Vilsbiburger Anzeiger 78 M.; Naturwissenschaftlicher Verein in Gotha 75 M. (für Tirol); Sammlung des Herrn Carl Bindernagel in Friedberg 71 M. 50 Pf.; Section Erzgebirge-Voigtland des D. u. Ö. A.-V. (IV. Rate) 70 M. 70 Pf.; Section Linz des D. u. Ö. A.-V. (III. Rate) 37 fl.; Section Innerötzthal des D. u. Ö. A.-V. (I. Rate) für Tirol 35 fl.; Section Fichtelgebirge des D. u. Ö. A.-V. (II. Rate) 52 M. 60 Pf.; Hermann Reyss & Comp. in Elberfeld 50 M.; Richard Sigl in Mähr.-Schönberg 25 fl.; Zwei Unbekannte 23 fl.; Trayvons Rapp & Delasalle in Lyon 50 Frcs.; Lehrer-Zeitung Nachtrag 26 M.; Ritterbund »Güldener Humpen« 14 fl.; Tischgesellschaft im Hôtel de France in Wien (für Kärnten) 11 fl.; die Herren Dr. Lütkemüller, S. A., M. S. J. L., Dr. Kiemann in Wien, Ernst Grützner in Glauchau, Bacher & Leon in Berlin und Frau Elise Mauthner von Markhof (für Bekleidung von Schulkindern in Tirol) je 10 fl.; Ch. Langenheim (für Pusterthal) 10 M.; Tilsiter Zeitung 9 M. 50 Pf.; Section Fürth des D. u. Ö. A.-V. Nachtrag 9 M.; Section Salzburg des D. u. Ö. A.-V. Nachtrag, die Herren Dr. Matzka in Lundenburg, Ditmar, Nagel und Felix v. Meyer in Budapest, M. v. Pflügl, Schmidt, Popp und ein Sectionsgeologe (für Tirol) je 5 fl.; die Herren Jules Clerc und C. Ciffre in Paris je 10 Frcs.; Verkauf des Gedichtes die Hochfluth in Tirol von Friedr. Schwab 4 fl. 25; kleinere Beiträge 25 fl.

Summe 16 582 fl. Hiezu die bereits ausgewiesenen 106 917 fl. 29 kr. Zusammen 123 499 fl. 29 kr.

X. Sammel-Liste.

Abschluss am 31. December 1882.

Redaction der Neuen Freien Presse in Wien 3819 fl. 83 kr.; Section Freiburg des D. u. Ö. A.-V., Handelskammer und Stadt Freiburg im Breisgau 3195 M. 50 Pf. und 148 fl. 60 kr.; Spenden ausserhalb der Vereinskreise direct an das Hilfs- und Actionscomité in Bozen übersendet 1533 fl. 74 kr.; Section Hamburg des D. u. Ö. A.-V. (XI. Rate) 1895 M. 51 Pf.; Section Schwaben des D. u. Ö. A.-V. (II. Rate) 896 fl. 58 kr.; Section Leipzig des D. u. Ö. A.-V. (III. Rate) 750 fl.; Section Bozen des D. u. Ö. A.-V. eigene Sammlung, (davon 77 fl. 56 kr. für Lessachthal) 480 fl. 89 kr.; Section Berchtesgaden des D. u. Ö.

A.-V. 769 M. 29 Pf.; Ortenauer Bote in Offenburg 238 M. 60 Pf.; Section Landshut des D. u. Ö. A.-V. 217 M. 90 Pf.; Section Traunstein des D. u. Ö. A.-V. (VI. Rate, nur für Tirol) 100 fl.; Neues Wiener Tagblatt (V. Rate) 60 fl.; Concerterträgniss durch Dr. Seigl in Saalfeld 101 M.; Section Moravia des D. u. Ö. Alpenvereins (III. Rate) 57 fl.; Section Heidelberg des D. u. Ö. A.-V. (IV. Rate) 68 M. 50 Pf.; Kegelgesellschaft durch Notar Dr. Topscher 32 fl.; die Herren Dr. Rigele, Notar in Wolkersdorf und Josef Pochtler je 20 fl.; Section Vogtland des D. u. Ö. A.-V. (II. Rate) 27 M. 60 Pf.; Julie, Richard und Karoline 15 fl.; 14 Tage Urlaub in Kärnten und Tirol 14 fl.; Galizischer Tatraverein 10 fl.; die Herren Dr. Josef Schwach, Dr. Alex. Schwach, Pucher, A. Ritter Michel von Westland, Apotheker Altenberg, Frau Baronin Mayer, v. Döry und Lechner's Universitätsbuchhandlung je 10 fl.; Christabend-Tombola in Wien 7 fl. 20 kr.; die Herren Dr. Josef Fruhwald, C. C. Pöschmann, Ministerialrath Dr. Chiari, M. V. R. und Wolf je 5 fl.; kleinere Beträge 24 fl. 89 kr.

Summe 11 883 fl. 8 kr.; ferner diverse Einnahmen 1208 fl. 85 kr. Hiezu die bereits ausgewiesenen 123 499 fl. 29 kr.; Gesammt-Summe **136 519 fl. 22 kr.**

VII. Verwendungs-Ausweis.

	fl. kr.
Hilfs-Comité in München direct an das Hilfs- und Actionscomité der Alpenvereins-Sectionen in Bozen	4000.—
Nördlinger Anzeiger an das Hilfs- und Actionscomité in Bozen (für Tirol)	100.—
Kommerzienrath L. E. Ranninger Sammlung in Altenburg direct an die Section Hochpusterthal für Toblach und Inichen	229.—
Section Innsbruck im eigenen Gebiet verwendet .	15.—
An Curat Eller in Sulden specielle Widmung der Section Hamburg 175 fl. 5 kr. und 500 fl. aus den allgemeinen Sammelgeldern	675.05
Aus der Sammlung der Section Salzburg im eigenen Gebiet verwendet	600.—
An die Section Klagenfurt für das obere Möllthal	700.—
Summe	6319.05
Hiezu die bereits ausgewiesenen	91850.42
Somit im Ganzen verwendet	98169.47

VIII. Verwendungs-Ausweis.

	fl. kr.
Central-Ausschuss an:	
1) Das Hilfs- und Actionscomité in Bozen incl. der besonderen Widmungen	28343.51
2) Das Hilfscomité in Dölsach einschliesslich der besonderen Widmungen für Dölsach und Nicolsdorf	646.—
3) Die Section Villach einschliesslich der besonderen Widmungen für Gail-, Lieser- und Lessachthal	1163.83
4) Die Section Klagenfurt für das obere Möllthal	500.—
5) Die Section Möllthal für das untere Möllthal .	500.—
Beim Hilfs- und Actions-Comité in Bozen direct eingegangen:	
6) Von der Section, Handelskammer und Stadt Freiburg i. B.	1981.05
7) An diversen Spenden von Körperschaften ausserhalb der Vereinskreise	1533.74
8) Von der Section Leipzig des D. und Ö. A.-V.	750.—
9) Von der Section Bozen des D. u. Ö. A.-V. im eigenen Gebiet verwendet	403.33
10) Von der Section Bozen an die Section Klagenfurt für Lessachthal	77.56
Summe	35899.02
Hiezu die bereits ausgewiesenen	98169.47
Somit im Ganzen verwendet	134068.49

Wien, am 31. December 1882.

Der Central-Ausschuss des Deutschen und Oesterreichischen Alpenvereins

Dr. B. J. Barth, Edler von Wehrenalp,
I. Präsident.

Berichte der Sectionen.

Austria. Programm der Vorträge etc. vom Januar bis Ende April 1883. I. Monats-Versammlungen: 31. Januar: Herr k. k. Regierungsrath Prof. Dr. A. Freiherr v. Seckendorff: über Wildbäche. Ausserdem findet die ordentliche Jahres-Versammlung statt. — 28. Februar: Herr Prof. Dr. Friedrich Umlauft: über Wasserscheiden in den Alpen. — 28. März: Herr k. k. Forstrath Prof. Adolf R. v. Guttenberg: über Wald und Waldwirthschaft im Hochgebirge. — 25. April: Herr Prof. Dr. Friedrich Simony: über die Gletscher des Dachsteingebirges. — II. Wochen-Versammlungen: 3. Januar: Herr Theodor Zelinka: über das Breit- und Muthorn in den Zillerthaler Alpen. — 10. Januar: Herr Franz Kraus: das Gamserthal bei Hieflau. — 17. Januar: Herr Oscar Baumann: Wanderungen in den Bergamasker Alpen. — 7. Februar: Herr Carl Pfeiffer: Adelsberg, der Zirknitzer See und die Triester Ausstellung 1882. — 21. Februar: Herr Dr. Gustav Hože: Arlscharte und Hochgolling. — 7. März: Herr Dr. Bruno Wagner: Hochtouren in der Schweiz und in Tirol. (Eine vergleichende Betrachtung.) — 21. März: Herr Dr. Franz Krischker: über das Birnhorn, und Herr Dr. Wolf-Eppinger: Erinnerungen aus Tirol. — 4. April: Herr Eduard Suchanek: Turnerkamp und Rossruckscharte, und Herr Dr. Max Freiherr v. Mayr: über den Hocheiser. — 18. April: Herr Carl Ritter v. Adamek: Wanderungen in den Dolomiten und Ersteigung der Rosetta und der Marmolada.

Nachfolgende Wochen-Versammlungen sind lediglich dem geselligen Vergnügen gewidmet: 24. Januar, 14. Februar, 14. März und 11. April. Am 15. Januar findet das Alpenvereins-Kränzchen und im Frühjahr ein gemeinschaftlicher Ausflug statt. —

Die Monats-Versammlung am 20. December wurde durch den Sectionsvorstand Exc. Freiherrn v. Hofmann mit geschäftlichen Mittheilungen eröffnet, worauf Herr Adolf Obermüllner seinen Vortrag über den Bregenzer Wald hielt. Der Vortragende schilderte den Uebergang von Stuben am Arlberg in den Schröcken, den letzten Ort des Inneren Bregenzer Waldes, sein stilles einsames Leben alldort bei dem mit der Geschichte seiner Heimath vertrauten Wirth Jochum und sodann die Wanderung über Schoppernau, Bezau und Bizau nach Egg, sowie einen Ausflug auf die Gerachalpe in reizend stimmungsvoller Weise und wusste in die Naturschilderungen, die ab und zu in das friedliche Thal eindringenden Nachrichten über den damals stattfindenden deutsch-französischen Krieg mit den hiedurch hervorgerufenen verschiedenartigen Ansichten und Meinungen, Episoden über die im Schwefelbadl Hopfereben herrschenden Gepflogenheiten, den Bauerndichter F. M. Felder, die Eigenthümlichkeiten der Bewohner des Waldes, deren einstige politische Sonderstellung und eigenthümliche Gerichtsbarkeit, die jetzigen Culturzustände, über die Beschäftigung der Leute und deren Alpenwirthschaft einzuflechten. Illustrirt war der Vortrag durch Studien und Skizzen des Vortragenden aus dem Bregenzer Wald und Trachtenbilder. Zur Ausstellung gelangten weiter die Oelgemälde Ferleiten und Blick von der Schmittenhöhe von Leopold Munsch (Eigenthum des Herrn Carl Ritter v. Zimmermann-Göllheim), Motiv aus dem Todten Gebirge mit Blick auf den Dachstein von Georg Schönreiter (Eigenthum der Kunstabtheilung) und Photographien aus den Dolomiten, Ortler-Alpen und vom Bodensee, durch Herrn Oscar Kramer.

Wochen-Versammlungen. Am 6. December sprach Herr Carl Boess über Wanderungen in der Bocca di Cattäro, schilderte die Einfahrt in den Golf von Cattaro, und die Tour von Cattaro ausgehend durch die Dobrota, über S. Matteo und die den Katarakt von Orahovac übersetzende Franz Josephsbrücke längs des Ufers nach Risano; von dort die Bergpartie beginnend über Knezlac am Fuss des Zagvosdag durch das Dorf Han nach Dragalj, über den aussichtreichen Kozmac an der Bergfeste Klobuk und dem Grenzfort Ozizie vorbei nach Trebinje und sodann durch den Landstrich Poporopolj auf breiter guter Strasse nach Ragusa. Der Vortrag war durch Karten und Photographien illustrirt. — Am 13. December trug Herr Dr. W. Fikois Reiseerinnerungen aus dem Jahre 1879 vor und schilderte seine im Verein mit Dr. Krischker unternommenen Touren auf den erst am 24. Juli 1879, also 2 Tage früher zum erstenmal von Baron Roland Eötvös bestiegenen Elferkogel, die Hochbrunnerschneide und den Col dei bagni in den Sextener Dolomiten, die Ersteigung des Olperer von der Westseite und des Dachstein, sowie der Dirndln, indem er die Anstiegrichtungen an den schwierigen Punkten durch Zeichnungen an der Tafel erläuterte. — Am 27. December fand die Sylvesterfeier der Section statt, welche durch eine den 600jährigen Gedenktag der Belehnung des Hauses Habsburg mit Oesterreich in schwungvoller Weise besprechende Rede des Vorstandstellvertreters Herrn Schneider eröffnet wurde, woran sich ein reiches und gediegenes Programm von musikalischen und declamatorischen Vorträgen, der Neujahrsgruss und ein animirter Tanz anschloss. Die an diesem Abend für den Sections-Bergführerunterstützungs-Fond (Carl Schneider-Fond) aufgestellten Sammelbüchsen ergaben ein Resultat von 105 fl. 36 kr.

Graz. In der letzten Monats-Versammlung hielt Herr Robert Wegschaider einen Vortrag über seine diesjährigen Ersteigungen der Punta di S. Matteo und der Presanella. Von der Schaubach-Hütte bei Sulden ausgehend, stieg der Vortragende in Begleitung des Führers Peter Reinstadler über das Königsjoch, erstieg die Königsspitze und übernachtete sodann auf der italienischen Seite, in der Malga Casina im Val Cedeh. Am nächsten Morgen wurde der Fornobach überschritten, der Zunge des gewaltigen Fornogletschers zugesteuert und am Westrand dieses Eisstroms, erst über Fels, dann Firn, die letzte Erhebung der Punta di S. Matteo erreicht. Die Ersteigung derselben musste gewaltiger Klüfte und einsturzdrohender Schneewächten wegen auf der Südseite vorgenommen werden. Die Rundschau zeichnet sich besonders dadurch aus, dass man sich im Mittelpunkt einer durch und durch polaren Welt befindet; die Spitze selbst ist von stundenlangen Eisströmen umfluthet, auch im weiten Bergkranz ringsum dominirt unbedingt das blendende Weiss des Firns, vereint mit dem frostigen Blaugrün der Gletscherschründe. Der Gipfel ist insoferne dem des Venediger ähnlich, als auch ihn eine gewaltige gegen Norden überhängende Schneewächte krönt. Der Abstieg erfolgte über den Giumella-Gletscher in das Val Piana, nach Pejo im Val del Monte, in herrlicher Lage wie zu einer Touristenstation geschaffen, jedoch nur des daselbst befindlichen Sauerbrunnens wegen von Gästen viel besucht, deren touristische Leistungen sich auf den Umkreis von einer Viertelstunde um den Ort beschränken. Der Vortragende begab sich sodann von Pejo thalabwärts nach Fucine und Pizzano an der Tonalstrasse und erreichte am nächsten Morgen durch das Val Stavel den Presanellagletscher und von Norden den Gipfel der Presanella. Die Aussicht war theilweise durch Wolken beschränkt. Trotz der sich günstiger gestaltenden Witterung musste der vorgeschrittenen Stunde wegen der Abstieg über den Nardisgletscher in's Val Nardis und nach Pinzolo angetreten werden.

Hamburg. In der Sectionssitzung am 6. November hielt Herr Rechtsanwalt Dr. John Israel einen Vortrag über den Krieg in Tirol im Jahre 1703, in dem er besonders einzelne Ereignisse des denkwürdigen, wenn auch den Kriegszügen von 1809 an Bedeutung nicht gleichkommenden Feldzuges, so bei Pontlatz, an der Martinswand, hervorhob.

Die Sectionssitzung vom 4. December brachte einen Bericht des Herrn Dr. Johannes Burchard über seine im Sommer 1881 ausgeführte Besteigung des Matterhorns. Redner brach am 1. August um Mitternacht mit dem Führer Peter Taugwalder Sohn und einem Träger von Zermatt auf, gelangte nach 2 St. an den Schwarzsee und erstieg von hier aus den nach dem Furggengletscher steil abfallenden Grat, welcher das Hörnli mit dem Matterhorn verbindet. 4 U. war die 1880 neuerbaute Hütte des S. A. C. 3275 m erreicht. Da wegen eines am vorhergehenden Abend stattgehabten Gewitters viele Steinlawinen zu befürchten waren, so blieb man am 2. August in der Clubhütte und begann am folgenden Tage Morgens 3 U. die Erklimmung des eigentlichen Bergmassivs, welche der Vortragende als eine Kletterpartie im wahren Sinn des Worts bezeichnete. Gegen 6 U. gelangte man zu der alten Hütte, welche in einer Höhe von 3843 m unmittelbar an der NO.-Schneide liegt. Im Innern derselben war Alles vereist. Oberhalb finden sich an einzelnen Stellen Ketten, Handhaben und Seile in den Felsen; doch darf man sich den Seilen nicht allzusehr anvertrauen. Nach ferneren 1 $\frac{1}{2}$ St. war die s. g. Schulter, ein kleiner runder Felsvorsprung und um 8 U. die Spitze 4482 m erreicht, woselbst ein herrlicher, klarer Rundblick für die Mühen reichlich belohnte. Dass der sehr gefährliche Abstieg mit äusserster Vorsicht vorgenommen werden musste, bedarf keiner weiteren Darlegung. Er wurde auf demselben Weg ausgeführt und brachte die Touristen 5 $^1/_2$ U. Nachmittags wieder nach Zermatt.

Krain in Laibach. Am 20. November erstattete Herr Gymnasialprofessor Dr. Gartenauer Bericht über den alpinen Congress und die General-Versammlung in Salzburg. Der Vortragende hatte eine Sammlung photographischer Landschaftsbilder von Salzburg und Umgebung ausgestellt und wusste in seinem fesselnden Vortrag die wesentlichsten Momente der Verhandlungen hervorzuheben und die brillanten von der Stadt Salzburg den Gästen gegebenen Feste lebhaft zu schildern. Hierauf sprach Obmann Deschmann über die Taubengrotten (Golobine) und deren Bewohner, die Grottentaube (Columba livia), welche allgemein als Stammart der Haustaube angenommen wird. Obschon diese Taubenart auch in mehreren Innerkrainer Grotten angetroffen wird, als in der Kleinhäusler-Grotte bei Planina, in der St. Canzianer- und der Luegger-Grotte, so ist doch ihr eigentlicher Verbreitungsbezirk das Karstgebiet im Küstenland, namentlich im Triester Territorium und in Istrien. Ein reichhaltiges Material über ihr Vorkommen in diesem Gebiet und über die Taubenjagd, welche die Triester mit Vorliebe betreiben, hatte Herr Zenari, Director der krainischen Escomptebank in Laibach, dem Vortragenden geliefert. Aus der Grotte Jamiano wurden ausgestopfte Exemplare vorgewiesen, darunter eine interessante Abart der Grottentaube mit schwarzen Flecken auf dem Oberrücken und Flügeln, welche bei der gewöhnlichen Grottentaube fehlen. Die Taubengrotten mit engen Ausgängen werden hie und da zum Fang der aufgescheuchten Vögel mit Netzen überspannt; meist erlauben sich die Bauern solche unbefugte Eingriffe in fremde Jagdrechte. Die Jagd auf Grottentauben erheischt viel Vorsicht und Geduld. Eine der interessantesten Golobinen ist jene bei Jamiano im District von Monfalcone. Der ziemlich lange und tiefe Grottengang hat zwei Ausgänge in's Freie, der eine, von den Tauben zum Ausflug benützt, hat kaum drei Meter im Durchmesser und kann leicht mit einem Netz überspannt werden, man gewahrt ihn bei der Wanderung durch die öde Karstlandschaft erst dann, wenn man unmittelbar an seinem Rand steht. Er senkt sich anfangs mit mässiger Neigung und stürzt dann etwas steil in den eigentlichen Grottengang ab, der weiterhin horizontal verläuft. Man kann jedoch in die Grotte auch noch durch einen anderen, mit grosser Vorsicht zu passirenden schlotartigen, mit Gebüsch bewachsenen Ausgang gelangen, durch welchen die Tauben nicht in's Freie fliegen können. Unter den erlegten Stücken befand sich kein einziges Weibchen, sondern lauter Männchen. Man könnte dies dahin deuten, dass die Weibchen im Herbst fortgezogen waren; ein anderer Erklärungsgrund wäre nur der, dass die Männchen viel scheuer sind, als die Weibchen, welch letztere sich durch den Eindringling von ihren gewöhnlichen Nistplätzen nicht vertreiben liessen.

Innsbruck. Mit dem 20. October 1882 wurde wieder die Reihenfolge der monatlichen Versammlungen in Eck's altdeutscher Stube eröffnet. In derselben hielt Herr Julius Prochaska einen Vortrag über seine im letzten Sommer ausgeführte Besteigung der Gefrornenwand-Spitze, des Riffler und Olperer. — In der Versammlung vom 10. November trug Herr Dr. Isidor Müller aus seinen literarischen Producten einige gelungene ernste und heitere Bilder und Geschichten aus den Tiroler Bergen vor. — Am 15. December hielt Herr Professor Dr. v. Dalla-Torre einen Vortrag über den Vesuv und eine Tour auf denselben. Redner wies zuerst auf die Stellung der eruptiven Gesteine in den verschiedenen Erdperioden hin, erläuterte dann historisch und kritisch die Theorien über den Vulkanismus, besprach weiter die topographischen Verhältnisse des Vesuv, gab einen historischen Ueberblick über die Eruptionen desselben mit Hervorhebung der specifischen Erscheinungen hiebei und führte schliesslich die Modalitäten der Besteigungen des Berges aus. Der Vortrag war durch grössere, theils schematische, theils ausgeführte Zeichnungen gestützt, und zur Erläuterung wurde eine Reihe von Vesuv-Mineralien und Eruptiv-Producten vorgelegt.

München. Am 6. und 13. December beendigte Herr Jos. Bessinger seinen Vortrag über Reisen im Innern von Russland (s. S. 316 des vorigen Jahrgangs). — Am 20. December erfreute Herr Dr. Karl Stieler eine ungewöhnlich zahlreiche Versammlung durch den Vortrag neuerer hochdeutscher Dichtungen, worunter der zu Hugo Kauffmann's »Sommerfrischler« gehörige Cyklus, sowie von Dichtungen in oberbairischer Mundart. — Die am 27. December abgehaltene General-Versammlung der Section beschloss u. A., sich mit M. 500.— durch Abnahme von 5 Antheilscheinen an dem vom Verein Wendelstein-Haus begonnenen Unternehmen zu betheiligen (s. S. 15), welcher Beschluss zur Folge hat, dass die Mitglieder sämmtlicher Sectionen des D. u. Ö. A.-V. dieselbe Preisermässigung geniessen werden wie die Mitglieder des Vereins Wendelstein-Haus, sodann wurden M. 375.— für Wegbauten und -Markirungen zwischen Isar und Inn und M. 875.— für Wegbauten und -Verbesserungen an der Zugspitze ausgesetzt; von diesem Betrag sollen M. 300.— auf bessere Gangbarmachung des Grats zwischen West- und Ostgipfel (Mittheilungen 1882, S. 289) verwendet werden. — Die Section zählt z. Z. 1075 Mitglieder. — Am 30. December fand eine von der Section veranstaltete Familien-Unterhaltung mit Weihnachtsfeier statt. Zur Aufführung gelangte u. A. ein allegorisches Festspiel »Weihenacht« von Adolf Rest.

Nachrichten von anderen Vereinen.

Wendelstein-Haus. Nach der am 10. September stattgehabten Hebebaum-Feier wurde noch das Dach gedeckt und noch alle Arbeiten vorgenommen, welche vor Eintritt des Winters nöthig waren, und das im Aeussern fertige Haus mit der amtlichen Schätzung von Mark 8390.— in die Immobiliar-Versicherung aufgenommen.

Der Verein zählte Ende November 1882 87 Mitglieder; das Unternehmen erfordert sammt der noch zu erstellenden inneren Einrichtung einen Aufwand von M. 14000.—, von denen z. Z. noch ca. M. 1300.— zu decken sind.

In Folge des Beschlusses der Section München, sich an dem Unternehmen durch Abnahme von 5 Schuldscheinen à M. 100.— zu betheiligen (s. S. 14 dieser Nr.) werden alle Mitglieder des D. und Ö. Alpenvereins im Hause Preisermässigung geniessen.

Personalien.

Herr *Hartwig Peetz*, k. Rentamtmann in Traunstein, Verfasser mehrerer culturgeschichtlicher Werke, besonders über den Chiemgau, ist bei seiner Versetzung nach München von der Stadt Traunstein zum Ehrenbürger ernannt worden.

Mittheilungen und Auszüge.

Beobachtungen am Langthaler Ferner (Oetzthal). Eine am 5. August v. J. durch Herrn Otto Reinthaler vorgenommene Messung der von der Section Meran durch die Mühewaltung des genannten Naturforschers 1879 am Langthaler Ferner angebrachten Marken (s. Mittheilungen 1879 S. 204) ergab folgendes Resultat: Am 7. October 1879 betrug die Entfernung des Gletschereises von der untersten auf einem isolirten sehr grossen Quarzschieferblock angebrachten Marke 74 m, jene der auf weissgelbem Kalk nördlich und seitwärts befindlichen Marke 9 m; die Messung am 5. August 1882 ergab eine Distanz von 112 m für die untere und von 23 m für die seitliche Marke; der Gletscher ist somit in dieser Zeit in der Längsrichtung um 38, in der Seitenausdehnung um 14 m zurückgegangen. *M.*

Touristische Notizen.

Stubaier Gruppe.

Hoher Burgstall. In der Zeitschrift 1882 S. 276 macht Herr Dr. Lorinser die Bemerkung, dass meine Angabe der Entfernung von ½ Stunde zwischen Vulpmes und der Fronebenalpe (s. Mittheilungen 1882, S. 267) auf Irrthum beruhen müsse. Dem entgegen bemerke ich nun, das man von Vulpmes nach Froneben, also aufwärts, allerdings ¾ St. benöthigt, abwärts aber mit ½ St., ja beim Abschneiden einer Wegserpentine über eine steile Wiese hinunter mit noch weniger Zeit auskommt. Wenn Herr Dr. Lorinser nebst seinen Begleitern 1½ St. zum Abstieg brauchte, ist dies nur ein Beweis, dass der Weg gänzlich verfehlt wurde und besagte Herren statt unmittelbar auf Vulpmes und zwar nicht sehr ferne westlich des Schlickerbachs, wahrscheinlich weiter thaleinwärts geriethen.

Wer von der Fronebenalpe nach Vulpmes will, muss unmittelbar zwischen den Alpenhütten durchgehen, er wird dann sofort den ganz bequemen fahrbaren Weg haben, dessen steinigen Stellen man rechts auf dem Fussteig ausweicht. Wer dagegen von Froneben nach Kaserstatt strebt, gehe von ersterer Alpe etwa 10 Minuten thaleinwärts, bis sich rechts am Weg ein rothes Kreuz zeigt. Hier 5 Minuten auf wenig sichtbarem Pfad links hinan zur Kammhöhe, worauf jenseits der neue Fahrweg nach Kaserstatt beginnt.

Ich kann dabei nicht umhin, den Anstieg auf den Burgstall von Vulpmes über die Froneben- und Kaserstatt-Alpe als den bequemsten und wohl auch schönsten nochmals ausdrücklich zu empfehlen und zwar besonders jenen, die durch das Stubaithal einwärts wandern und dabei den Burgstall besuchen wollen. Für die Thalausschreitenden wäre der Anstieg über Vulpmes allerdings ein Umweg, und empfiehlt sich in solchem Fall Neustift (oder falls man die Mühe nicht scheut, das Bärenbad, s. Lorinser a. a. O. S. 277) als Ausgangspunkt, wobei dann der Abstieg über die Froneben- und Kaserstatt-Alpe genommen werden könnte. Auch Lorinser gedenkt der Schönheit des Kaserstattweges, und an Bequemlichkeit übertrifft er, wie schon gesagt, alle andern.

Als Ergänzung zu Lorinser's Aufsatz lese man: A. Auer »der hohe Burgstall« in Amthors Alpenfreund, Band XI., S. 43; es findet sich dort besonders der von Lorinser nicht beschriebene Anstieg von der Schlickeralpe auf unsern Berg besprochen. Besondere Reize kommen indess diesem Weg nicht zu. Wohl ist der stete Anblick der fast an die Dolomiten Südtirols erinnernden, bizarren Kalkkögel recht hübsch, allein man bleibt zu lange im Schlickerthal ohne freie Aussicht eingeschlossen und die Kalkkögelschau entwickelt sich auch, von Neustift oder Vulpmes ansteigend, sofort beim Erreichen der Kammhöhe. Auch kann der ohne Führer Gehende unter dem Gipfel leichter sich verirren, als beim Anstieg von der anderen Seite. Indess bietet der Schlickerthalweg zum Burgstall botanisches Interesse. Der Wechsel von Kalk und Schiefer bedingt das gleichzeitige Vorkommen des *Rhododendron ferrugineum* und *Rh. hirsutum*, was zur Bildung von Bastarden zwischen beiden Anlass gab, die Kerner zuerst hier auffand.

Was die von Lorinser beklagte schlechte Stelle am Burgstallgipfel selbst betrifft, so hat die Section Innsbruck schon 1879 durch Stubaier Führer dieselbe verbessern lassen, d. h. den Auftrag hiezu und eine Subvention ertheilt.

Innsbruck. *C. Gsaller.*

Zur Nomenclatur der Tribulaune. Fort und fort wird für den höchsten der Tribulaune, den imposanten, scheerengipfligen Pflerscher Tribulaun 3096 m O-A. als Synonym die angeblich von den Gschnitzern angewandte Bezeichnung »Scharer« gebraucht. Dies ist aber nichts als eine Verstümmlung des ortsüblichen Sprachgebrauchs. Es wäre wohl angezeigt, der localen Aussprache und der Etymologie der Ortsnamen mehr Aufmerksamkeit zu schenken, damit nicht mehr ein »Feuerstein« zu einem »Fussstein«, eine »Grawawand« zu einer »Grabenwand«, eine »Scheere« zu einem »Scharer« etc. umgewandelt werde. Die Gschnitzer nennen jenen Berg, den die Pflerscher kurzweg »Tribulaun« und welchen die Karten nach Fickers Vorgang*) den Pflerscher Tribulaun heissen, — »die Schara«. Das End-a in diesem Wort ist aber keineswegs er, sondern nur dialektisches Anhängsel. Anderwärts und manchmal auch im Gschnitzthal spricht man nur »die Schar«, gleichbedeutend mit schriftdeutsch »die Scheere«. Man hat also entweder »die Schar« oder die »Scheere« zu sagen; denn »Schara« ist zu local. Im allgemeinen wird man von den Ortsanwohnern mit die »Schar« leichter verstanden werden, die Alpenfreunde unter sich können immerhin »die Scheere» sprechen.

Im übrigen wird es wohl das Beste sein, die von Ficker eingeführten Unterscheidungen der 3 Tribulaune nach den Thälern, wo jeder einzelne eben »Tribulaun« heisst, also die in der A.-V.-Specialkarte der Oetzthaler und Stubaier Gruppe und der Sp.-K. jetzt verwendeten Namen »Pflerscher Tribulaun« für die »Schara« der Gschnitzer, »Gschnitzer Tribulaun« für den ostwärts des ersteren aufstrebenden, von den Gschnitzern als »Tribulaun« benannten mächtigen, stumpfen Felskegel und »Obernberger Tribulaun« für den »Grossen Tribulaun« der Obernberger in erster Linie auch in der Literatur zu verwenden. Die von G. Hofmann gebrauchte Bezeichnung »Grosser Tribulaun«**) für den Pflerscher Tribulaun wäre als den höchsten der Tribulaune markirend, an und für sich wohl passend; aber nachdem, wie vorhin angedeutet, nach mir gewordener verlässlicher Nachricht, die Obernberger einen von den Hofmann'schen verschiedenen »Grossen« und ebenso einen »Kleinen Tribulaun« schon haben, wäre durch Hofmann's Bezeichnung die Möglichkeit von Confusionen gegeben. Dass es ferner dem Gesagten zufolge, abgesehen von der nicht vorhandenen Ortsüblichkeit, kaum angeht, den ganz unselbständigen Ostzacken des Pflerscher Tribulaun den »Kleinen Tribulaun« zu nennen, ergibt sich von selbst. Man könnte vielleicht einwenden, dass man ja nur »Kleiner Pflerscher Tribulaun« zu sagen brauchte und alle Schwierigkeit damit behoben wäre. Allein ein ganz unbedeutender und mit dem Hauptgipfel nur eine Gestalt, fast nur einen Zacken desselben bildender Nebengipfel verdient keinen eigenen Namen.

Wir hätten also nur einen »Pflerscher Tribulaun« (Schar), einen »Gschnitzer Tribulaun« und einen »Grossen«, sowie »Kleinen Obernberger Tribulaun«. Den vorletzten wird man natürlich den Obernberger Tribulaun kurzweg nennen.

Innsbruck. *C. Gsaller.*

---

*) Zeitschrift des D. A-V., Band III., S. 35.
**) Siehe Zeitschrift des D. u. Ö. A.-V., Band VI., S. 135.

Dolomit-Alpen.

Neue Touren im Rosengartengebiet.*)

Directer Uebergang aus dem ***Vajolett-*** in's ***Scalierett-Thal*** über die ***Dirupi di Larsec*** und Besteigung der ***Cima di Scalierett*** 2876 m Aner. Am 26. August 1881 von Tiers in directem Aufstieg über das Gartl an den Fuss des Rosengarten (Federerkogel) und von da aus in's Vajolett-Thal gelangt, übernachtete ich dortselbst auf schlechtem Heulager in einer ärmlichen Hütte der Sojal-Alm (1963 m An.). Am 27. August wegen Regens erst um 10 U. 30 Aufbruch mit Giorgio Bernard aus Campidello, mit welchem alle die nun folgenden Touren gemacht wurden; zunächst stiegen wir den der Hütte gegenüberliegenden Felswall der Dirupi di Larsec direct gegen O. an. Die ausserordentliche Steilheit der Felsen, sowie Bedeckung einzelner Stellen mit trügerischem feinen Gries liess uns nur langsam vorrücken. Erst um 3 U. erreichten wir nach $^1/_2$stündiger Rast eine Scharte (2537 m An.) zwischen dem dritten und vierten Felskopf, von der eigentlichen Dirupi-Spitze an gezählt. Wir stiegen nun in's Scalierett-Thal hinab (in der Sp.-K. findet sich eine Bezeichnung A. Scalierett im Vajolett-Thal, was nicht richtig), verfolgten den oberen nördlichen Lauf desselben bis zu einem Punkt (2510 m An.), von welchem aus der Anstieg an den Gebirgswall gemacht wurde, welcher in rein östlicher Richtung streichend, die Gruppe der Dirupi mit jener der Lausa verbindet. Die höchste Erhebung dieses Walles, welche zugleich die höchste Erhebung beider Gruppen und die dritthöchste im ganzen Rosengartengebiet ist, die Cima di Scalierett (2876 m An.), wurde 5 U. 10 erreicht. Den Abstieg nahmen wir direct über das zum Kesselkogel hinüberziehende Gehänge, an welchem der Pass von Antermoja heraufführt, hinab in's oberste Vajolett-Thal und erreichten die Sojal-Hütte 7 $^1/_2$ U.

Erste Ersteigung des mittleren und höchsten der ***Thürme von Vajolett*** 2793 m An. Am 28. August konnte die Hütte in Folge starken Nebels erst 7 U. 5 verlassen werden. Wir durchschritten das Vajolett-Thal in seinem ganzen Lauf und erstiegen den Wall, welcher den hintersten Thalast abschliesst und gegen den Kesselkogel hinzieht. Unsere Absicht war, einen gegen das Tschamin-Thal vorgeschobenen Gipfel, dessen grossartige Form uns am vorhergehenden Tage von der Cima di Scalierett aus so sehr imponirt hatte, zu ersteigen. Bald mussten wir die Höhe des Walles aufgeben und in eine muldenförmige Vertiefung hinabsteigen; aus dieser wieder hinauf auf einen vorgelagerten Felszug, dann erreichten wir 9 U. 30 einen mächtigen Felskopf (2680 m An.),

---

*) Mit diesen Zeilen sollen nur die nothdürftigsten Daten der gemachten Touren angegeben werden, deren ausführlichere Beschreibung zur Zeit Gegenstand einer für die Zeitschrift bestimmten grösseren Arbeit ist, in welcher die hier angewendete Namensbezeichnung für verschiedene Thäler, Flüsse und Spitzen des Näheren begründet werden wird und wodurch in die bisher stark controverse, ja confuse Nomenclatur dieses interessanten Alpengebietes mehr Klarheit gebracht werden soll.

welcher vom Kesselkogel nur mehr durch eine kleinere Erhebung getrennt ist. Hier zeigte sich die Unausführbarkeit des geplanten Unternehmens, da tiefe, unüberschreitbare Schluchten uns vom Ziel trennten. Auch hätten wir gegen den ausserordentlich heftigen eisigen Nordoststurm nicht länger ankämpfen können. Unsern erhabenen Standpunkt aufgebend, stiegen wir wieder in die Mulde hinab, verliessen dieselbe nach eingenommenem Frühstück um 11 U., hielten uns entlang der Felsmauern, welche zu den Thürmen von Vajolett, respective zum Gartl hinziehen, stiegen dieselben bald an, die gewaltigen Abstürze durch Passirung eingerissener rinnenartiger Vertiefungen überwindend, deren Verbindung über schmale Felsgesimse möglich war. Auf schmalen Gesimsen wurde der erste nordöstlich gelegene Thurm umgangen und eine Scharte zwischen diesem und dem mittleren Thurm erreicht, hierauf auch der mittlere Thurm zur Hälfte umgangen bis zu einer zweiten Scharte, von welcher aus der Anstieg versucht wurde. Die Wände widerstanden lange unseren Angriffen und erst nach ausserordentlichen Anstrengungen konnten die unteren Partien überwunden werden. Verhältnissmässig leichter ging es weiter oben, so dass um 4 U. der Gipfel (2793 m An.) erreicht wurde. Ab 4 U. 20, Sojalhütte 7 U. 30.

Am 29. August wurde der ***Rosengarten*** (Federerkogel) erstiegen, und zwar vom Gartl aus in 50 Minuten, Abends 7 U. wurde Pera erreicht.

31. August. Erste Ersteigung der höchsten der gegen Vajolett gelegenen ***Mugonispitze*** 2768 m An. Von Pera 6 U. 10 verreisend, 7 U. 30 an der Sojalhütte, stiegen wir die südwestlichen begrasten Hänge hinan und traten in die ungemein steile Schlucht ein, welche die gegen Coronelle zu gelegene Spitze von der mittleren und höchsten der gegen das Vajolett-Thal gelegenen Spitzen trennt. Die starke Neigung, der feine Gries, welcher in der unteren Partie der Schlucht die Sohle derselben bedeckte, erschwerte den Anstieg. Derselbe wurde bald durch festes Eis abgelöst, in welchem das nun nöthige Stufenschlagen sehr zeitraubend wurde. Erst 10 ¼ U. ward eine apere Scharte gegen das Vajolonthal erreicht (2610 m An.). Dieselbe musste sogleich wieder aufgegeben werden. Wir machten Kehrt und betraten eine östlich führende Seitenschlucht, deren Beginn 30—40 m unter der Scharte liegt, und welche in bedeutender Steilheit von eisenhartem Eis bedeckt ansteigt. Um 12 U. war eine Scharte zwischen einem Nebengipfel und unserer Spitze erreicht. Heftiges Schneegestöber und dicker Nebel erschwerten die Orientirung. Mit Mühe fanden wir durch das Felsengewirr einen Weg zur Spitze, die wir um 12 U. 30 erreichten. Unter immer heftigerem Schneesturm, halb erstarrt, dieselbe nach wenigen Minuten verlassend, fanden wir die blanke Eisdecke und unsere mühsam gehauenen Stufen schon von einem halben Fuss Schnee bedeckt, indem der heftige Sturmwind allen Schnee gerade in die Schlucht hereintrieb. Fast erschöpft erreichten wir 3 U. wieder die apere Vajolscharte, und da bei solchem Wetter der Rückweg in's Vajolett-Thal durch die vereiste Schlucht eine Unmöglichkeit gewesen wäre, stiegen wir auf eisfreiem Weg mühelos in's Vajolon-Thal hinab und erreichten

durch dasselbe über S. Giuliano, Vigo rechts lassend, bei abscheulichem Wetter Pera 5 U. 30.

1. September: Von Pera über Le Selle-Pass nach S. Pellegrino; 2. September: Eingeschneit in S. Pellegrino; 3. September: In Folge Unausführbarkeit anderweitiger geplanter Unternehmungen über Fuchiada-Pass in das Contrin-Thal und nach Campidello.

4. September 1881. Erste Besteigung der beiden höchsten ***Mugoni-Spitzen*** 2776 und 2740 m An. Ab Campidello 7 U. 30 Morgens, über Pera in's Vajolon-Thal. Da wo die am meisten in's Thal vorgeschobene Spitze in fast 1000 m hohen Mauern abstürzt, klommen wir die gegen NO. ziehende Schlucht hinan, verliessen dieselbe aber nach einiger Zeit, indem wir eine gegen W. ziehende Seitenschlucht nahmen. Als dieselbe ungangbar ward, stiegen wir die Wände unseres Gipfels selbst an. Theils über wenig ausgetiefte Couloirs, theils über Felsbänder, erreichten wir 2 $^1/_2$ U. die Spitze (2740 m An.), welche sich zu unserem Bedauern als die zweithöchste erwies. Wir folgten dem langgestreckten Grat, dessen höchste Erhebung die verlassene Spitze bildet, mehrere Felsköpfe theils übersteigend, theils umgehend, kletterten an den westlichen Wänden in schräger Linie gegen Norden hinab, und erreichten endlich eine Scharte, welche den Anstieg zur höchsten Spitze vermitteln sollte. In steilem Anstieg, doch über gangbaren Fels ward dieselbe (2776 m An.) 3 $^3/_4$ U. erreicht. Der Abstieg ward vom Gipfel aus durch mehrere Kamine und durch eine direct in's oberste Vajolon-Thal hinabführende Schlucht (die dritte vom eben erwähnten Absturz gerechnet) genommen, unter beständigem Regen 6 $^1/_2$ U. Vigo und nach kurzer Rast 10 U. Campidello erreicht.

Erste Ersteigung der ***Tschamin-Spitzen*** 2759 und 2745 m An. Unter diesem Namen sind die am meisten gegen das Tschamin-Thal vorgeschobenen beiden Gipfel zu verstehen, welche sich von Bozen aus als zwei dem Kesselkogel vorgelagerte Pyramiden präsentiren. Am 17. Juli 1882 verliess ich, wiederum mit Giorgio Bernard, Tiers 5 U. 30 früh. Dem Tierser Thal folgend, liessen wir bald den Bach links in der Tiefe und erreichten nach 2 St. Steigens das zu den erwähnten Gipfeln hinziehende Gehänge. Dasselbe auf verfallenem Schäfersteig ersteigend, erreichten wir 8 $^3/_4$ U. den Fuss der Felsmauern, welche die beiden Gipfel verbinden. Nach $^1/_4$ St. Rast Anstieg gegen die Wände in NO.-Richtung. Bei ausbrechendem Regen gezwungen, Schutz zu suchen, verloren wir fast 1 St. — 11 U. 10 bei aufklärendem Wetter über gut gangbaren Fels bis zum eigentlichen Gipfelbau. Nach halbstündigem Klettern Ausbruch eines furchtbaren Gewitters mit Hagelschlag. Schrecklicher Steinfall zwingt uns in der grössten Eile nothdürftigen Schutz zu suchen. Nach 1 $^1/_2$ St. erst von neuem Aufbruch, dann aber trennte uns nach viertelstündigem Klettern nur mehr eine 3—4 m hohe senkrechte Wand, die einzige bedeutende Schwierigkeit, vom Gipfel, der um 1 U. erreicht wurde. Heftiger Hagel und Nebel nöthigten zum Bleiben bis 1 U. 35.

Nach Ueberwindung des Wändchens stiegen wir auf der Seite gegen das Tschaminthal ein Stück weit unter dem Grat und diesem folgend hinab. 2 U. 10 nahmen wir wieder die Tierser Seite und befanden uns, den südwestlichen Abhang umgehend, 2 U. 40 vor einem Couloir, welches den Zugang zur zweiten Spitze vermittelt. Hier sind die Schwierigkeiten grösser. Um das Couloir zu erreichen, musste an einer Felswand traversirt werden, welche kaum Halt gewährt. Sobald dieselbe überwunden, kletterten wir in 15 Min. durch das Couloir auf den Grat und erreichten über diesen die niedrigere Spitze 3 U. 10. Abermals Hagel und Nebel. 3 U. 30 aufbrechend ging es rasch zum Fuss der Felsen hinab, bis zu dem Punkt, wo wir des Morgens aufgestiegen, 4 U. 45. $\frac{1}{2}$ St. Rast, hierauf überaus steiler Anstieg über Geröll, steile Schneefelder und rutschigen Gries gegen den Felswall zwischen den Tschaminspitzen und den Thürmen von Vajolett. 6 U. 50 war die tiefste Scharte in diesem Wall (Vajolett-Pass 2484 m An.), welche in's Vajolett-Thal hinabführt, erreicht. Unter strömendem Regen eilenden Schritts durch das Thal hinaus, und etwas oberhalb des Dorfes Sojal auf den Campediè hinauf, in stürmischer Nacht auf der anderen Seite nach Vigo hinab. Ankunft 10 U.

19. Juli 1882. Erste Ersteigung des ***Kölblegg*** 2780 m An. Wir verreisten von Vigo 4 $\frac{1}{4}$ U. früh, nahmen den Weg in's Vajolon-Thal, dessen obere Terrasse wir 6 $\frac{3}{4}$ U. erreichten. Nun steil hinauf in den grossartigen Felskessel, dem schönsten im ganzen Rosengartengebiet, welchen die Steilabstürze der Mugoni, des Coronelle und des Kölblegg umstehen, weiter über eine steilere Geröllhalde hinan. Nach 1 St. Rast auf eine zweite, von den Felsmauern des Kölblegg herabziehende Geröllhalde hinauf und direct über den Fels in SW.-Richtung Anstieg an steilen aber festen Felsen bis zu einem Couloir. Durch dasselbe hindurch, weiter an den Wänden hinan und zuletzt auf schmalen Gesimsen traversirend, bis zu einem engen Kamin, diesen durchkletternd, bis seine obere Oeffnung durch einen überhängenden Stein geschlossen ist, die schwierigste Stelle des Anstiegs. Nach Ueberwindung derselben folgen noch einige Traversirungen, allein bald war der Grat erreicht und denselben verfolgend in kurzer Zeit auch die Spitze (9 $\frac{3}{4}$ U.). Nach Rundwanderung über den fast kreisförmigen, vielfach durchbrochenen und zerrissenen Grat und langem Aufenthalt, welcher bei brillantem Wetter zum Studium des Gebirges benutzt wurde, in dessen Formation hier besonders günstiger Einblick, verliessen erst 3 U. 5 den herrlichen Gipfel und erreichten Vigo 6 U. 45.

München. *Gottfr. Merzbacher.*

Marmolada-Gruppe.

Sasso di Val Fredda 2986 m Sp.-K. Erste Ersteigung. Am 20. Juli 1882 von Vigo über Moëna nach Pellegrino. Am 21. Juli 4 U. 50 ab Pellegrino, den Weg in's Val Fredda einschlagend, 8 U. 30 hoch oben an den Felsen etwa 500 m unter einer Scharte, die den Zugang in's Val Ombretta vermittelt, und von welcher ein SO. streichender Felszug zu unserer Spitze führt. Statt zur Scharte empor zu steigen und von derselben aus den directen Anstieg zu versuchen, was, wie es sich später zeigte, das einzig Richtige gewesen wäre, liessen wir uns durch falsche Rathschläge sogenannter gebirgskundiger Gemsjäger verleiten, das Gehänge in SO.-Richtung zu umgehen, um den Anstieg von der O.-Seite zu machen.

9 U. 20 traten wir eine vollständige Umwanderung des Berges an, welche ebenso zwecklos als zeitraubend war und deren einziger Vortheil, Wanderung durch die grossartigsten Felsen-Scenerien mit herrlichen Ausblicken auf die rundum mündenden Thäler und in der Nähe aufsteigenden Gebirge, aufgehoben wurde durch ein ausbrechendes Gewitter, das uns einen zweistündigen Aufenthalt unter Felsen aufzwang. Alle strahlenförmigen Ausläufer des Gipfelbaus wurden überschritten, eine Anzahl Scharten passirt, welche lehrreichen Einblick in die Formation des Gebirgsstockes erlaubten, und endlich gegen 1 U. der Gipfel direct ober jener Scharte erreicht, welche wir am Vormittag unberücksichtigt liessen. 2 U. verliessen wir die Spitze, über eine schwierige Wand hinabsteigend bis zu einer Scharte, welche gerade zwischen Val Fredda und dem Plateau vor der Forca rossa liegt. Da ich unbedingt noch nach Caprile hinaus wollte, sandte ich Giorgio hinab zur Scharte, um über dieselbe den am Vormittag nicht weit von derselben zurückgelassenen einen Rucksack zu holen und am Thalweg zur Forca rossa zu bringen, während ich allein den directen Abstieg über eine steile Wand zum vorerwähnten Plateau hinab machte. Die Schwierigkeiten waren grösser als ich vermuthete, da die Wand durchweg aus stark geneigten Platten bestand, was ich von oben aus nicht bemerken konnte. Nach einer aufregenden Kletterei erreichte ich 4 U. 35 die zur Forca hinaufziehende Geröllhalde, bei welcher ich mich wieder mit Giorgio vereinte. Nach 25 Min. Rast erreichten wir 5 U. 10 den ganz unvergleichlich grossartigen Pass der Forca rossa, dem ich unbedingt die Krone unter allen Pässen der Dolomiten zuerkenne, stiegen in's herrliche Val Franzedaz hinab, waren 7 U. an der Malga di Sotto Ciapello, $7^3/_4$ U. an der Sottoguda und 9 U. in Caprile.

München. *Gottfr. Merzbacher.*

Agordinische Alpen.

Sasso di Bosco nero 2509 m. An. Merzb. Zweite Besteigung mit Führer Aless. Lacedelli von Cortina. Neuer Anstieg auf der Ostseite. 7 U. 45 verreist von Forno di Zoldo bei theilweise bewölktem Himmel. Auf gutem Weg durch Val di Bosco nero aufwärts, 11 U. über Geröll und Schnee mühsam zur Scharte (circa 2100 m Goldsch.) zwischen Sfornioi und Cima Bosco nero. 12 U. 5. Wegen Nebel warteten wir bis 2 U. 35, da wir den Aufstieg gar nicht kannten. Bei minutenlanger Helle etwas abwärts gegen Valbona auf ebenes Band und in südlicher Richtung auf Schafweg traversirend. Erster Versuch in breiter Schlucht über Rasen direct zum Grat, der sich jedoch ungangbar erwies, zurück zum Band und weiter traversirt; zweiter Versuch verlief ähnlich, und da wir absolut nicht vor uns sahen, wagten wir nicht, schwierige Passagen zu forciren, sondern kehrten unverdrossen zurück in die Tiefe. Endlich auf ziemlich breitem, von S. nach N. absteigendem, anfangs mit Latschen bewachsenem Band quer durch die Wand, dann um eine vorspringende Ecke. Das Band mündet in eine steile Schlucht. Nun in dieser über kleine Absätze, Kamine und Platten, im ganzen ohne besondere Schwierigkeit aufwärts. Das Missliche unserer Situation bestand darin, dass wir keine 20 Schritte weit sahen und jeden höheren Felszacken für den Gipfel hielten. Endlich, 4 U. 45, erreichten wir die Spitze; etwas unterhalb zierliches Steinmanndl, vergebens suchten wir nach Karten und Notizen der ersten Ersteiger. Dieselben erreichten den Grat durch eine Schlucht von der Westseite, während wir den ganzen Anstieg auf der Seite von Valbona vollführten und erst mit der Spitze selbst den Grat erreichten. (Circa 2450 m an Goldsch.); Nebel. Abgang 5 U. 15, hinab durch die Schlucht. Der Nebel war so dicht, dass wir trotz eines Steinmanndls das obere Band nicht wieder zu finden vermochten und schliesslich direct abstiegen. Allein auch das untere Band suchten wir vergeblich und wanderten lange am abschüssigen, mit Rasen und Latschen bekleideten Berghang auf und nieder, bis wir auf einen Schafweg stiessen, der in unseren alten Weg mündete. 8 U. 40 standen wir wieder auf der Scharte und waren damit mit genauer Noth einem Bivouak entronnen, das ohne Proviant, Wettermantel und Feuerzeug in der kühlen feuchten Nacht nichts Verlockendes gehabt hätte. Nun rasch hinab durch Val di Bosco nero. 11 U. 40 Ankunft in Forno.

Mit der Merzbacher'schen Route (Zeitschrift Band X, S. 332 ff.) verglichen, bin ich geneigt, den Anstieg auf der Ostseite für den besseren zu halten, da man nirgends die erreichte Höhe wieder aufgeben muss und keine einzige grössere Schwierigkeit antrifft. Es handelt sich nur darum, das obere Band zu treffen. Dasselbe ist jedoch durch Latschen gut markirt. Der Gang auf diesem Band und der hiebei nöthige Kampf mit den Latschen auf engem Raum ist wohl das einzige Unangenehme auf dem ganzen Weg. Immerhin setzt diese Art der Besteigung einen hellen Tag voraus, da sie sonst leicht einen abenteuerlichen Verlauf nehmen kann.

Augsburg. *Gustav Euringer.*

Sextener Gebirge.

Haunold 2940 m. Den in der Zeitschrift 1882 von mir geschilderten »Sextener Hochtouren« lasse ich hier einen Bericht über die Besteigung des Haunold folgen, welche ich nachträglich im Sommer 1882 ausführte.

Der Haunold (im Pusterthal wohl auch Zwölfer genannt) wird durch das liebliche Innerfeld, einen Zweig des Sextenthals, von der Gruppe des Schuster geschieden. Er bildet den nordwestlichen Eckpfeiler des Sextener Gebiets und ist ein Glanzpunkt der Inicher Gegend. Lange stand er im Ruf der Unzugänglichkeit, bis er zuerst 1878, dann 1880 und 1881 von mehreren Einheimischen erstiegen ward (s. Mittheilungen 1878 und 1881).

Bei einer Expedition stürzten 1881 mehrere Theilnehmer in dem steilen Schneecouloir an der Nordseite und wurden mit Mühe gerettet. Seitdem steht der Haunold in der Gegend in schlimmerem Ruf als je, und wurde daher auch die am 25. August 1881 ohne Führer vollführte Ersteigung der Herren Emil und Otto Zsigmondy mehr oder minder angezweifelt.

Merkwürdiger Weise ist der Haunold von der Südseite leicht und gefahrlos zu ersteigen, allein die Schneerinne an der Nordseite übt einen unheimlichen Reiz.

Nachdem ich mit Führer Bergmann vergeblich unterhandelt hatte, gewann ich den Führer Alois Micheler für meinen Plan und verreiste am 30. Juli 1882 7 U. Morgens von Inichen. Auf einem Fussweg passirt man in $^1/_2$ St. Wildbad Inichen und bald darauf die Schmidlwiese. Von da erreichten wir über Weidegrund und durch Krummholz $8^3/_4$ U. das erste Geröll. 10 U. betraten wir das Couloir, durch das der eigentliche Anstieg führt. Reizend liegt Inichen im Thal, während von oben das abenteuerlich überhängende höchste Horn der Haunoldspitze niederdroht. Von hier hat die Art der Besteigung Aehnlicheit mit jener des Zwölfer — ein eis- und schneeerfülltes Couloir, nur mit dem Unterschied, dass wir hier an schlimmen Stellen auf den Fels übergehend ausweichen können. Wir fanden gutbeschaffenen Schnee und nur wenig Eis und stiegen wohlgemuth empor, ohne das Seil zu verwenden. Dagegen thaten die Steigeisen gute Dienste. Bei einer Theilung des Couloirs hält man sich links. Oben wird die Rinne steiler (45^0), und hier ereignete sich im vorigen Jahre auch der erwähnte Unfall.

1 U. standen wir ohne jeden Zwischenfall auf der Scharte, leider bereits in Nebel gehüllt; man geht nun nach links etwas abwärts und gewinnt sodann in kurzem, über leichten Fels ansteigend die Spitze selbst. Wir betraten sie nach reichlichen Rasten 1 U. 36. In einer Flasche die Karten der Ersteiger vom 4. August 1881, die Karte der Herren Emil und Otto Zsigmondy (bei Nebel 25. August 1881), ferner eine unleserliche Notiz, vielleicht von einer der anderen Expeditionen herrührend.

Nebel verdarb die Aussicht total und nach wenigen Minuten begann ein heftiges Schneegestöber mit empfindlicher Kälte. 2 U. 30 traten wir halb erstarrt den Rückweg an. Wir gingen nach S. ab. Diese Route ist vollständig harmlos und führt 1 St. über feines Geröll abwärts in's Kohlenbrententhal und eine weitere Stunde durch Latschen, über Rasen und in einer trockenen Bachrinne in's Innerfeld, das man bei der Wiese erreicht. 5 U. 45 gewannen wir die Strasse und kamen, vom Regen überrascht und von einem Wagen aufgenommen, 6 U. 15 in Inichen an.

Selbst ein mittelmässiger Steiger kann den Haunold von der Südseite erreichen, während die Gangbarkeit des Couloirs auf der Nordseite sich immerhin nach den jeweiligen Schnee- und Eisverhältnissen richtet. Bei einiger Vorsicht und mit der geeigneten Ausrüstung wird jedoch auch dieser Weg nach meiner Meinung ohne besondere Schwierigkeiten zu passiren sein.

Augsburg. *Gustav Euringer.*

Karawanken und Julische Alpen.

Obir, Koschuta, Stou und Manhart. Am 6. August Morgens setzten Freund Scherl und ich uns von dem deutschen Gasthaus Zeirowski's in Galizien in Bewegung, um den bekannten, durch rothe Markirung gut gekennzeichneten Weg beim Wildensteiner Wasserfall vorbei durch den gleichnamigen Graben auf den Obir 2141 m einzuschlagen Wir langten Mittags nach 5stündigem Marsch oben an und genossen durch 3 St. die vielfach bekannte und doch noch viel zu wenig gewürdigte Aussicht dieses leicht erreichbaren Punktes, der überdies ein vorzügliches Schutzhaus besitzt. Wir stiegen den (gelb markirten) directen Weg zur Schaida über die Alpe Na Bronu ab (1 St.), um nach kurzer Rast unter Führung des Josef Mak in Zell den Graben zwischen Droger und Pipan vrh aufwärts, unterhalb des Kalischnikthurms vorbei bis zum Sattel zwischen Freibach und Planinabach aufzusteigen und von hier den Uebergang über die zwei von den riesigen Ostabstürzen der Koschuta gebildeten Fels- und Geröllkessel zur Šenkova-Alpe zu nehmen. Beide Kessel sind durch einen scharfen Felsgrat getrennt und ist deren Durchwanderung keineswegs harmlos und ohne Führer nicht zu empfehlen. Es sind insbesondere schmale Schuttbänder ober Felsabstürzen zu überschreiten, der Weg grossen Theils nicht sichtbar, an einer Stelle mussten wir einer überhängenden Wand halber in der tiefen Kniebeuge vorwärts. Wir langten nach 4stündigem Marsch bei Dunkelheit auf der Alpe an, wo uns die primitive slovenische Hütte Unterstand bot.

Am nächsten Tag stiegen wir unter Führung des Halters Anton Voncer in $1^3/_4$ Stunden zum Koschutathurm auf. Der Weg ist sehr steil, führt meist über Matten, ist aber darum noch nicht, wenigstens für nicht Schwindelfreie, ungefährlich, indem er sich an einzelnen Stellen sehr schmal ober Felswänden und durch steile Geröllbänder hinzieht. Die Aussicht vom Koschutathurm 2135 m ist durch die umliegenden Berge beschränkt und nur durch den über 300 m betragenden Absturz gegen Zell und die Nähe der Felsmassen des Grintouz, der Kotschna und des Storschiz imposant. Wir wollten ursprünglich den ganzen Kamm der Koschuta bis zur Scarbina begehen, standen aber mit Rücksicht auf die damit verbundene Mühe und die in Aussicht stehenden zahllosen Umgehungen von Felswänden davon ab, und gelangten in südlicher Richtung mit dem Führer verdankter, geschickter Umgehung der Felswände rasch herab zum Koschutnikbach, welchen wir bis zu seiner Mündung in's Feistritzthal bei Medvodje verfolgten, um auf der schönen Fahrstrasse bis Dolina zu gehen. (4 St.) Diese Fahrstrasse sei für Wanderer von Neumarktl empfohlen, nachdem an ihrem weiteren Verlauf die berühmte Teufelsbrücke gelegen ist. Wir verfolgten sie aber nicht, sondern gingen nach einer bei vollständigem Wirthshausmangel in einem Bauernhaus erdollmetschten Herzstärkung über den Sattel beim Bela petsch nach Na Plazu an der Loiblstrasse und in's Gasthaus des Zvirz. ($1 \frac{1}{2}$ St.)

Andern Tags fuhren wir an einem Quecksilberbergwerk vorbei nach St. Anna am Loibl und gingen durch den St. Annagraben über colossale Geröllmassen zwischen Boguntschiza und Zeleniza auf den von beiden gebildeten Sattel 1535 m und zur Zeleniza-Alpe. (2 St.) Dort gewannen wir in einer der auf Pfählen gebauten Hütten der Bewohnerin Herz, Käse und Butter durch Verabreichung eines Weissbrotes und genossen eines herrlichen Ausblicks auf den durch die Flanken des Zeleniza-Grabens wie in einen Bildrahmen eingeschlossenen Veldeser See. Da wir keinen Führer hatten, wagten wir nicht, den weitaus kürzeren Weg über den Sattel zwischen Srednji vrh und Zeleniza (Vertatscha) zu dem rothmarkirten, vom Boden- und Bärenthal kommenden Stouweg einzuschlagen, sondern stiegen etwas thalab zu einer Zwiesel und nun auf einem zum grössten Theil nur auf der Specialkarte bestehenden Weg durch einen steilen Jungwald aufwärts zu den Alpenmatten des Stou. Ursprünglich durch den ausserordentlichen Edelweissreichthum aufgehalten, stiegen wir schliesslich rascher den Kleinen Stou hinan und gelangten von diesem auf den Grossen Stou 2239 m, $^1/_2$7 Uhr Abends. Die Aussicht von diesem ist entschieden die grossartigste der Karawankenkette. Die blaue Adria, der vollkommen freistehende Triglav, die riesigen Felsmassen seiner Umgebung, Dolomiten, die Tauernkette, das Drauthal mit seinen Seen, die Karawanken und Sannthaler, endlich ein grosser Theil von Unterkrain bis Laibach bilden die markantesten Punkte derselben und mag diesbezüglich auf das vorzügliche und mustergiltig klare Panorama von Pernhart verwiesen werden. Wir hatten nicht viel Zeit zu vergeuden, schlugen daher rasch den uns am kürzesten scheinenden Weg, die Geröllhalde zwischen Grossem und Kleinen Stou ein, den rothmarkirten zweiten Kärntner Weg verfolgend, bis er sich dem Veinasch-Sattel zuwendet. Unser weiterer Abstieg ist nicht nachahmenswerth, mag aber als abschreckendes Beispiel erwähnt werden. Die Dunkelheit nahm zu, die Breite der steilen Geröllhalde ab, zu beiden Seiten erhoben sich mässige Wände, bis endlich zu unseren Füssen eine unmässige gähnte. Rasch entschlossen stiegen wir die Wand zu unserer linken hinauf, bis wir wieder auf Alpenboden waren. Nun ging es im Zickzack hinab, indem wir in der nunmehr eingetretenen Finsterniss eine weisse Geröllhalde als Leitstern benützten. Immer wieder versperrte uns der erwähnte Absturz den Weg. Endlich kamen wir in einen grasigen Graben, in welchen wir vorsichtig bremsend abfuhren und glücklich auf einer Schutthalde anlangten. Diese vorsichtig, ihrer Steilheit wegen misstrauisch, hinabschreitend kamen wir zu unserem Leitstern — wir hatten die Wand trotz Finsterniss umgangen. Nun fanden wir die Alpenhütten und mit Hilfe eines aus dem Schlafe getrommelten Hirten das Berghaus leicht, nach 2$^1/_2$stündigem etwas aufregenden Marsch. Es sei hier eine Bemerkung gestattet. Der Stou verdient eine Weganlage von krainerischer Seite und ein Schutzhaus, zu welchem das demnächst unbenützt bleibende Berghaus vorläufig umgestaltet werden könnte. Möge beides der Section Krain empfohlen sein.

Der nächste Tag fand uns auf dem bequemen mit der Aussicht auf die Triglav-Gruppe ausgestatteten Weg beim Rovnik vorbei zur Sterma strana ($1^{3}/_{4}$ Std.). Hier trennten wir uns, Freund Scherl führte seinen Führer, einen Urlauber, über den Medjidoh in's Bärenthal, ich ging durch den Javornikgraben beim Wasserfall vorbei nach Jauerburg, übernachtete in Moistrana und fuhr nach Besichtigung des imposanten Peritschnikfalles mit 2 Wienern nach Weissenfels. Nachmittags gingen wir mit Führer Josef Rogar über die Weissenfelser Seen zur sogenannten alten Alpe, also nicht den gewöhnlichen Geröllweg über die Lahn, und von da zuerst auf einem stellenweise bedenklichen Steig über die »Stiege« und an kleineren Wänden, schliesslich über Matten zur Manhartscharte und zum Schutzhaus (4 St.), welches jetzt leider vom Unwetter zerstört ist. Am nächsten Morgen stiegen wir in 2 St. auf den Manhart 2678 m. Der Weg ist unbedenklich, die sogenannte Platte ganz ungefährlich, nur einzelne Stellen allenfalls unbehaglich. Aussicht hatten wir nur unterbrochen durch Nebelfetzen, welche uns den Anblick von Nebelbildern gewährten. Uebrigens sahen wir den grössten Theil des grossartigen Panoramas. Wir stiegen dann in raschem Tempo auf den Predil und nach Raibl ab. Ich ging zum Ueberfluss noch Nachmittags auf den Luschariberg und schloss damit meine diessjährige Tour.

Mögen diese Zeilen Anregung zu häufigerem Besuch dieser wilden Felsengebirge geben.

Wolfsberg. *Dr. Hoegel.*

Meteorologische Berichte aus den Ostalpen

December 1882.)*

Station	Luftdruck					Temperatur					Niederschlagsmenge des Monats in Millimetern
	Mittel	Maximum		Minimum		Mittel	Maximum		Minimum		
	mm	mm	am	mm	am	0 C.	0 C.	am	0 C.	am	
Reichenau	714·3	727·4	20.	703·2	23.	1·6	11·8	28.	—6·1	3.	51
Windisch-Garsten	703·0	714·9	20.	689·5	23.	0·9	15·0	10.	—15 0	1.	290
Salzburg	719·6	732·2	20.	704·4	7.	—0·5	10·8	31.	—11·3	3	134
Traunstein	706·2	719·5	20.	691·0	23.	—0·8	10·9	28.	—14·9	3.	133
Rosenheim	—	—	—	—	—	—0·5	13·6	28.	—15·1	3.	57
Hohenpeissenberg	671·12	686·1	20.	656·2	7.	0·27	9 5	14.	—13 5	3.	50
Lindau	—	—	—	—	—	1·85	10·5	26.	—7·1	3.	95
Klagenfurt	720·3	734·5	20.	706·9	23.	—0·20	3 8	18.	—10·2	3.	76
Judenburg	693·3	707·0	20.	680·0	23.	—1·6	9·6	31.	—12·8	1.	85
Toblach	656·0	668·0	20.	643	23.	—6·0	1·5	28.	—20.	3.	60
Innsbruck	706·6	719·5	20.	692·1	7.	3·7	9·0	14.	—13·0	3.	76
Tüffer	739·3	754·2	20.	725·4	23.	3·8	13·0	29.	—8·6	3.	93
Laibach	732·9	747·6	20.	718·8	23.	2·2	10·2	16.	—9·6	3.	114
Bozen	736·0	749·0	20.	722·3	23.	2·1	8·6	19.	—3·2	3.	83
Hochobir	589·0	600·1	20.	576·5	23.	—5·4	1·2	16.	—17·3	3.	52
Schmittenhöhe November	—	615·	1.	607·	29.	3	13	18.	1	8.	154

*) Die bisher im Anhang zu dieser Tabelle veröffentlichten Berichte über besondere meteorologische Erscheinungen hoffen wir künftig in

Literatur und Kunst.

Die Hochwasserschäden in Tirol im Herbst 1882. Betrachtungen über ihre Ursache und Rathschläge zur Abhilfe für die Zukunft. Von einem Tiroler. München 1882, L. Finsterlin. —.20 Pf.

Unter diesem Titel ist uns ohne Nennung des Verfassers, jedoch von sehr schätzbarer Seite ein Schriftchen zugekommen, dessen Reinertrag dem Hilfscomité der vereinigten Südtiroler Sectionen des Deutschen und Oesterreichischen Alpenvereins zufliessen soll.

In demselben wird in kurzen Zügen, aber mit lebhaften Farben und mit einer offenbar auf eigener Beobachtung beruhenden Kenntniss der Vorgang geschildert, der zu den furchtbaren Hochwasserkatastrophen im September und October 1882 geführt hat. Es ist dabei besonders das Gebiet der Dolomiten, des Eisack und der Etsch in's Auge gefasst, woselbst das über die Alpenländer hereingebrochene Unheil ohne Zweifel die grösste Ausdehnung und die verderblichsten Folgen gehabt hat.

Anknüpfend an die Schilderung jener Naturereignisse und ihrer Ursachen werden einige Rathschläge ertheilt, wie für die Folge der Wiederholung solcher Katastrophen vorgebeugt werden kann.

Der Verfasser legt mit Recht den grössten Werth auf jene Massregeln, welche das Uebel schon im Entstehen bekämpfen, er empfiehlt daher Aufforstung und Bewaldung, Einführung einer strengen und consequenten Forstwirthschaft in den höchsten Thalstufen und Hochthälern, Verbot des Kahlschlages und Inbannlegung des Waldes an allen steilen Gehängen. Weniger hält er von der Anlage von Thalsperren, die aber doch anderwärts, namentlich im südöstlichen Frankreich, systematisch durchgeführt und in Verbindung mit der Aufforstung, sich gut bewährt haben sollen.

Ferner wünscht der Verfasser die »Bildung einer neutralen Zone im Inundations-Rayon des Wildbaches«, worunter wohl das Verbot der Ablagerung von Hölzern in unmittelbarer Nähe der Bäche zu verstehen sein wird, dann »Beschränkung des Holzhandels in den Hochthälern und Reform der forstwirthschaftlichen Einrichtungen«. Leider ist dieser Theil der Brochüre so kurz gefasst, dass des Näheren nicht zu ersehen ist, wie Verfasser die Durchführung dieser Rathschläge sich denkt.

---

einem Jahresbericht vereint bringen zu können. Wir ersuchen die Herren Berichterstatter trotzdem um monatliche Einsendung auch dieser Notizen, welcher Bitte wir jene um raschere Uebermittlung — und zwar bis längstens zum 5. je des nächsten Monats — anreihen.

Nachstehend genannte Herren haben auch für 1883 die Berichterstattung übernommen und sprechen wir denselben hiemit unseren verbindlichen Dank aus: Die Herren Oberlehrer Fr. Haas in Reichenau a. S., Apotheker E. Zeller in Windisch-Garsten, Professor Carl Ebner in Salzburg (nachdem Herr Professor Jos. Döttl die Beobachtungen an der Salzburger meteorologischen Station an diesen Herrn abgegeben hat), Reallehrer Schneider in Traunstein, Salinenwerkmeister Inzinger in Rosenheim, Pfarrer Bangratz in Hohenpeissenberg, Revisionsbeamter Fleischmann in Lindau, Bergrath F. Seeland in Klagenfurt, Bürgerschul-Director M. Helff in Judenburg, Ingenieur J. Rienzner in Toblach, Professor Dr. K. W. v. Dalla Torre in Innsbruck, Bezirksrichter Joh. Castelli in Tüffer, Museal-Custos Carl Deschmann in Laibach, Professor A. Pölt in Bozen.

Vom December 1882 an werden wir in der Lage sein, durch die Güte des Herrn R. Prugger in Eisenkappel monatliche Berichte von der Station Hochobir 2031 m und ebenso durch die Güte des Herrn Gasthofbesitzer Hubinger im Winter zweimonatliche, im Sommer monatliche Berichte von der Station Schmittenhöhe 1935 m zu bringen.

Soweit uns das bisher giltige österreichische Forstgesetz vom Jahre 1852 bekannt ist, fehlt es demselben nicht an wirksamen Bestimmungen zur Erhaltung der Gebirgswaldungen, wenn sie nur auch seither überall strenge und consequent gehandhabt worden wären! Wo aber in Folge alter Vernachlässigung der Schutz- und Bannwald, selbst die frühere Bestockung mit Latschen, bereits verschwunden ist, da werden allerdings die bisherigen gesetzlichen Bestimmungen zur Wiederherstellung nicht genügen, und wird die letztere vor Allem eine Geldfrage sein.

Die folgenden Vorschläge zur Bildung einer stabilen Wildwasser- und Uferschutz-Commission aus Fachingenieuren und Forstleuten und zur Regulirung des Eisack und der Wildbäche im Etschgebiet verdienen unter allen Umständen die Beherzigung der massgebenden Kreise, und können wir nur wünschen, dass die mit der Projektirung und Ausführung der erforderlichen Massregeln betrauten Techniker seinerzeit die kräftigste Unterstützung der Bevölkerung und der Verwaltungsbehörden erfahren werden und dass die hiezu nothwendigen Staatsmittel bereitwilligst gewährt werden.

Möge die weiteste Verbreitung der vorliegenden Schrift hiezu das Ihrige beitragen!

M. *v. R.*

Kögler Karl, Tirol als Gebirgsland. Streiflichter auf Vergangenheit und Gegenwart. (Sammlung wissenschaftlicher Vorträge von Virchow und Holtzendorff, Heft 384). Berlin, Habel. —.60 Pf.

Trotz des einschränkenden Zusatzes »Streiflichter« erregt der Titel Erwartungen, die bei der geringen Anzahl von 32 Textseiten nicht erfüllt werden. Uebrigens hat Verf. seinen Stoff, besonders in der zweiten Hälfte, mit rühmenswerther Wärme behandelt. Nachdem er zuerst kurz die Bedeutung Tirols als Uebergangsland, die Züge über den Brenner im Mittelalter, die durch Tirol führenden Handelsstrassen erwähnt, geht er auf die sprachliche Gestaltung in Tirol über, auf die deutschen Ueberreste und Sprachinseln in Wälsch-Tirol. Es werden dann die Charakterzüge des Volkes hervorgehoben, so das kräftige Festhalten am Alten und der poëtische Sinn, dem so viele Dichter, Künstler und Gelehrte entsprossen sind. Hierauf folgt das Land im Kampf mit den Elementen, mit eingedrungenen Feinden. Wir besuchen die einsamen Gehöfte hoch über der Thalsohle, wir sehen das harte Arbeiten und Ringen um den dürftigen Unterhalt, und darüber thront die Bergwelt mit den lauernden Lawinen, Stürzen und Eisströmen; daran geknüpft sind die Sagen von den bösen Gewalten, den holden »saligen Fräulein«, dem Hochmuth des Sennen, und wie er durch plötzlich einbrechende Gletscher bestraft wird. — Obwohl der Sinn für die Reize der Natur uralt ist, so erwachte das Gefallen an der Grossartigkeit und düstern Erhabenheit der Alpen erst spät, im 18. Jahrhundert, und zwar zuerst in der Schweiz (Albrecht von Haller's Gedicht »Die Alpen«). Hier wurde auch von dem erst »entdeckten« Chamonix aus im Jahre 1741 die erste Gletscherfahrt unternommen. Später trat auch Tirol in den Reigen der von den wahren Naturfreunden besuchten Länder ein. Hieran reiht Verf. eine begeisterte Schilderung der Pracht von Tirols Alpen, die sowohl den Kalkalpen, wie auch den mit den weiten Firnmeeren geschmückten Central-Alpen in reichstem Maasse verliehen ist, und es liest sich geradezu wie ein in Prosa geschriebener Hymnus auf die Alpen, wenn er über die wunderbare Herrlichkeit des Sonnen-Unter- und Aufgangs in den Hochalpen, aber auch über den, das Gebirge überfluthenden Sturm und Nebel in gehobener Sprache sich ergeht. Wenn endlich Verf. am Schlusse sich dahin äussert: »Vermögen diese kurzen Mittheilungen, welche den Gegenstand durchaus nicht erschöpfen sollen, den Nachweis zu liefern, dass Tirol dem Bewunderer einer grossartigen Natur sowie eines kräftigen Volkes, dem Freunde historischer Erinnerungen wie auch linguistischer Studien das Gesuchte in reichstem Maasse bietet, so ist ihr Zweck vollkommen erfüllt«, so darf man wohl zugestehen, dass dieser anregende Nachweis jedenfalls gebracht worden ist. *A. H.*

Schildereien aus dem Alpenland. Dreissig Lichtdruckbilder nach Gemälden von **Carl** und **Ernst Heyn**, Gedichte von **Rudolf Baumbach.** Randzeichnungen von **Johann Stauffacher.** Leipzig 1882, Liebeskind.

In Prachtband 55 M.—.

Ein gelungenes Zusammenwirken des Malers mit dem Dichter, dessen beflügeltes Wort die Stimmung befestigt, in welche den Beschauer die trefflichen Lichtbilder versetzen. Diese sind alle dem Alpenlande, vom Walchensee bis zum Lago Maggiore entnommen; von den Hochfernern des Ortler bis zum olivenumsäumten Gardasee fehlt keines der Hauptmotive, welche den Wanderer entzücken. Von den sämmtlich mit Meisterhand entworfenen Gemälden möchte Referent als besondere alpine Specimina hervorheben: Klamm bei Peutelstein — Bernina — Klosterkeller am See — Madatschfernet — Kapelle im Saasthal — Monte Cristallo — Am Ortler — Jochhöhe — Kirchhof im Hochgebirge. Zu letzterem Bilde singt Baumbach:

»Drei Monden Sommer, neun Monden Schnee,
Ein Gott, ein Dach, zwei Geisen. —
Die Menschen sterben vor Heimatweh,
Wenn in die Fremde sie reisen.

Ein Kirchtag und ein Fastnachtstanz
Und jährlich dreimal Schlachten —
Ein volles Fass zum Erntekranz
Und Weizenbrot Weihnachten.

Die Greise rühmen die alte Zeit —
Die Mädchen küssen die Knaben —
Es wird geworben und gefreit,
Geboren, gestorben, begraben.«

Nicht immer aber hält sich der Dichter ganz streng an seinen Gegenstand. B.'s schalkhafter Humor tritt auch da hervor, wo man ihn nicht in erster Linie suchen würde. So bemerkt er im Gedicht über den .Watzmann:

Fasse die Gelegenheit
Ist ein weiser Satz,
Und in meinem Eingeweid'
Hat ein Trunk noch Platz.

Beim Madatschferner:

Meiner Erdensorgen Pein
Könnt' ich fort mir spülen,
Wäre der Champagnerwein
Alle mein
Den man hier kann kühlen.

Zum Misurina-See spricht er:

Nimm meinen Wandersegen
Bevor ich ziehe fort,
Dass dich des Himmels Güte
Vor malenden Backfischlein
Und angelnden Briten behüte
Und Wirthen mit sauerem Wein.

Hervorragend aus dem duftigen Liederkranz, den uns Baumbach bietet, sind ferner noch das Einleitungs-Gedicht, die Einsiedelei und das Etschthal. In letzterem ruft B. in patriotischem Schwung die Manen Walthers von der Vogelweide an, auf dass er uns das verwälschte Land neu erstreite.

Gelungene Randzeichnungen von Johann Stauffacher (Alpenblumen in künstlerisch ausgeführten Holzschnitten darstellend) begleiten die Gedichte, und so wäre denn alles vereint, was dem Auge und dem Herzen Freude bietet, aber: der Preis des Bandes ist 55 Mark, eine für gewöhnliche Börsen schwer erschwingliche Summe. Die »Schildereien aus dem Alpenlande« werden erst dann in's Volk dringen, wenn ihm eine minder prachtvolle Ausgabe, aber zu bedeutend niedrigerem Preis geboten werden wird. *v. Cz.*

Einen **Katalog der Müller-Wegmann'schen Sammlung** versendet die Section Uto des S. A. C.; es ist dies eine überaus reichhaltige Sammlung von Panoramen und Gebirgsansichten in Originalzeichnungen sowohl als Copien, theilweise von ihm selbst, theilweise von anderen, welche Herr Müller-Wegmann der Section überlassen hat. Wie reich dieselbe ist, mag daraus ersehen werden, dass der Catalog 56 Seiten 8° in compressem Satz enthält; die Sammlung ist in 24 Gruppen abgetheilt, von denen 18 schweizerisches Gebiet behandeln; eine Karte ist der leichteren Auffindung wegen beigegeben; die Sammlung steht den Mitgliedern im Clublocal zur Einsicht zu Dienst; ausgeliehen wird nur mit besonderer Genehmigung; Vervielfältigung behufs Veröffentlichung ist nicht gestattet.

Hochgebirgs-Photographien. Herr J. Beck in Strassburg versendet einen zweiten Supplement-Katalog seiner bekannten herrlichen Naturaufnahmen. Der Katalog, welcher einen im Vorjahr ausgegebenen provisorischen (Mittheilungen 1881, S. 198) zu ersetzen bestimmt ist, zeigt insoferne eine Neuerung, als die Aufnahmen nunmehr je nach ihrem photographischen Werth durch beigesetzte Buchstaben in 5 Kategorien classificirt sind; so bedeutet **A** »in jeder Hinsicht sehr gut und sehr interessant«, **D** »mittelmässig« etc.; die Preise sind jetzt nicht mehr nach Serien auf 1 Fr. 50 und 3 Fr., sondern nach dem Werth der Aufnahmen auf 1 Fr. 25 bis 3 Fr. angesetzt. 1882 hat Herr Beck in der Umgebung von Grindelwald, vom Gipfel des Schwarzhorns, vom Oeschinengrat, von der Bella Tola, vom Lötschengrat, von Bellalp, von der Concordiahütte, vom Finsteraarhorn (Gipfel wegen Nebel nicht erreicht), im Bagnethal und am Autemma-Gletscher Aufnahmen gemacht, mit welcher Mühsal, das lässt sich bei den wenigen schönen Tagen des Sommers leicht ermessen.

Die Aufnahmen des Herrn Beck sind bekanntlich nicht im Handel (und sie wären auch gewiss, wie leider alle Hochgebirgsphotographien, kein »lucrativer Artikel«), — doch versendet Herr Beck Cataloge und macht auf besonderen Wunsch auch, soweit thunlich, kleinere Ansichtssendungen.

Periodische Literatur.

Neue Alpenpost.*) Band XVI. Nr. 22—26. Aus dem Tagebuch eines Freundes (S. Simon). — Das verlorene Buch. — Rheineck. — Jagdbericht pro 1882 aus Graubünden. — Paláczy, ein Tag am Wetternsee. — Scheidegruss von J. E. Grob.

Oesterreichische Alpen-Zeitung. Nr. 102, 103. Diener, Unglücksfälle in den Alpen. — v. Lendenfeld, Traversirung des Täschhorns. — Kellner, die Wälder Tirols.

Schweizer Alpen-Zeitung.**) 1883. Nr. 1. 2. Lavater, die Gletscher. Schweizer, Weissmies und Bietschhorn. — Kleinere Mittheilungen.

---

*) Die Neue Alpenpost hört mit Ende des Jahres 1882 wegen Ablebens des einen der beiden Redacteure, Herrn J. J. Binder, und wegen Versetzung des andern, Herrn J. E. Grob, in den Zürcherischen Regierungsrath, besonders aber wegen Mangel an der nöthigen Abonnentenzahl zu erscheinen auf, was bei der umsichtigen Leitung dieses Organs gewiss nur zu bedauern ist.

**) Die Section Uto des S. A. C. hat es, nachdem die Neue Alpenpost Ende 1882 aufhört und die »deutschen Sectionen des S. A. C. so wenig als die

Annuaire du Club alpin Français VIII. année 1881. Courses et ascensions: Duhamel, l'Aiguille du Plat de Selle. — Belleville et Reymond, ascension de l'Aiguille de Polset. — Arpollet, la vallée des Allues et les Aiguilles de Verdon et du Fruit. — Charlet-Straton, Aiguilles Rouges. — Reymond, deux jours de détresse a l'Aiguille du Gouter, et ascension du Mont-Blanc. — Puiseux, le Beichgrat et l'Aletschhorn. — Barrel, courses dans l'Oisan. — Guignes, Hautes Alpes. — Leclercq, le vulcan de l'Hécla depuis l'éruption de 1878. — Rabot, un été aux-dessus du cercle polaire. — Durier, une excursion au Maroc. — Déchy, le massif du Kirchinjunga vue du couvent de Rinchingpoong. — Sciences et arts: Daubrée, études experimentales sur l'origine des cassures terrestres. — Prudent, le Club alpin Français dans les Pyrenées espagnoles. — Ferrand, de l'orthographie des noms de lieux. — Prompt, de la visibilité des terres éloignées. — Deshaylas, note sur les richesses minerales des Alpes valaisannes. — Relevés hypsométriques résultant d'observations barométriques, faites par les membres du C. A. F. — Miscellanées. — Nécrologie. — Chronique du C. A. F.

Mittheilungen der Section für Höhlenkunde des Ö. T. C. Nr. 2. Schwalbe, Beitrag zur Frage über die Entstehung der Eishöhlen.

Tourist. Nr. 23, 24. Lindenschmit, Grosse Bettelwurfspitze und Speckkarspitze. — Martinez, Sommerfrischen in Steiermark (Forts.) — Gemböck, Naturbeobachtungen auf einer Fussreise durch die Alpen von Ober-Oesterreich, Baiern, Salzburg, Tirol und Italien. — Erler, die Poesie in den Alpen. — Burkhard, Helft den Alpenländern!

Oesterreichische Touristen-Zeitung. Nr. 23, 24. Prugger, die Obir-Naturklüfte. — Schneider, Wanderungen in den Dolomit-Alpen und in den Hohen Tauern. — Pokorny, das Pischenzathal.

---

französischen eines Organs entbehren können, in welchem sie einander sowohl, als den Freunden der Alpen überhaupt ihre Bestrebungen mittheilen«, unternommen, »eine Zeitung ins Leben zu rufen, die in reducirter Gestalt und zu billigem Preis alle 14 Tage berichtet«. Redacteur ist Herr Pfarrer H. Lavater in Oberstrass-Zürich. Die vorliegenden zwei ersten Nummern (15. und 29. Dec.) enthalten 8 und 12 Octavseiten. Der Preis ist jährlich 5 fr., pr. Post 5 fr. 50, für das Ausland M. 5. oder 3 fl. ö. W. Silber. Verlag von Fr. Schulthess in Zürich.

Druckfehler-Berichtigung.

Im Circular 71 (Mittheilungen 1882, S. 302), ist durch ein beim Abschreiben erfolgtes Versehen der Name des Central-Cassiers, Herrn **Ad. Leonhard,** weggeblieben. — Ebendort muss es S. 298, Z. 8 v. u. heissen »ist«.

Die »Mittheilungen« erscheinen jährlich in 10 Nummern zu 2 Bogen, und zwar am 20. jeden Monats mit Ausnahme der Monate August und September. Die Mitglieder des Vereins erhalten dieselben unentgeltlich. Für Nicht-Mitglieder ist der Preis des Jahrgangs im Buchhandel 4 Mark.

Druck von Anton Pustet in Salzburg.

MITTHEILUNGEN

DES

DEUTSCHEN UND OESTERREICHISCHEN ALPENVEREINS.

No. 2. SALZBURG, FEBRUAR. 1883.

Vereinsnachrichten.

Circular No. 73 des Central-Ausschusses.

Salzburg, Februar 1883.

I.

Der Central-Ausschuss hat am 27. Januar von Sr. Excellenz dem Herrn k. k. Statthalter in Tirol und Vorarlberg folgende Zuschrift erhalten:

Seine k. und k. Apostolische Majestät haben mit Allerhöchstem Handschreiben vom 18. Jänner l. J. allergnädigst anzuordnen geruht, dass für besonders verdienstliche Leistungen bei Bekämpfung der in Folge der jüngsten Ueberschwemmungen in Tirol eingetretenen Gefahren für Leben und Eigenthum dem deutschen und österreichischen Alpenvereine der Ausdruck der Allerhöchsten Anerkennung bekannt gegeben werde.

Es gereicht mir zum besonderen Vergnügen, dem geehrten deutschen und österreichischen Alpenvereine in Folge Eröffnung des Herrn Ministerpräsidenten und Leiters des Ministeriums des Innern vom 22. Jänner d. J. Zahl 387/M. J. von dieser Allerhöchsten Anerkennung seines hervorragend verdienstlichen Wirkens aus Anlass der Ueberschwemmungen die Mittheilung zu machen.

Innsbruck, am 25. Jänner 1883.

(gez.) **Widmann.**

Indem wir uns beehren, die Mitglieder des Vereins von dieser für uns so überaus ehrenvollen und erfreulichen Allerhöchsten Anerkennung in Kenntniss zu setzen, fühlen wir uns gedrungen, bei dieser Gelegenheit allen grossmüthigen Spendern von Unterstützungen, welche den Verein in die Lage versetzten, den bedrängten Bewohnern Tirols und Kärntens eine ausgiebige Hilfe zu verschaffen, im Namen des Vereins den wohlverdienten Dank auszusprechen; desgleichen auch jenen beiden Corporationen, welche sich um die

Aufbringung der Gelder, sowie um deren zweckmässige Vertheilung die grössten Verdienste erworben haben: nämlich dem früheren Central-Ausschuss des D. u. Ö. A.-V. in Wien und dem Hilfs- und Actionscomité der vereinigten Südtiroler Sectionen in Bozen.

II.

Wir können abermals die Bildung einer neuen Section, der 90. unseres Vereins, zur Anzeige bringen, und zwar der Section Lausitz, gegenwärtig mit dem Sitz in Löbau im Königreich Sachsen.

III.

Im Einvernehmen mit der Section Passau wurde die diesjährige General-Versammlung auf den 28. August festgesetzt. Das Programm wird in der nächsten Nummer der Mittheilungen bekannt gegeben werden.

Der Central-Ausschuss
des Deutschen und Oesterreichischen Alpenvereins.
E. Richter,
I. Präsident.

XI. Sammel-Liste

des Deutschen und Oesterreichischen Alpenvereins für die Ueberschwemmten in Tirol und Kärnten.

Ungar. Karpathen-Verein 18 fl. 60 kr.; Section Frankfurt des D. u. Ö. A.-V. 110 M. 90 Pf.; Werdauer Tagblatt 5 M.; Lahrer Zeitung 30 M. 10 Pf.; Ig. Mössl (nur für Tirol) 10 fl.; Nellenburger Bote 37 M. 50 Pf.; Oxford Alpine Club 10 Pf. St.; Herr B. George 2 Pf. St.; Section Karlsruhe des D. u. Ö. A.-V. 125 M.; Siebenbürgischer Karpathen-Verein 50 fl.; Section Schwarzer Grat des D. u. Ö. A.-V. 20 M.; Section Coburg des D. u. Ö. A.-V. 10 M.; Section Augsburg des D. u. Ö. A.-V. 32 M.; Expedition des Regierungsblattes für das Herzogthum S.-Meiningen in Meiningen 105 M. 75 Pf.; Section Coburg des D. u. Ö. A.-V. 26 M.; Gustav Wolfrum 2 M. 50 Pf.; Section Salzburg des D. u. Ö. A.-V. 14 fl.; Section Pinzgau des D. u. Ö. A.-V. 20 fl.; Section Jena des D. u. Ö. A.-V. 91 M. 60 Pf.; Section Chemnitz des D. u. Ö. A.-V. 140 M.; Schweizer Alpen-Club 4000 Frcs.; Section Austria des D. u. Ö. A.-V. 3632 fl. 93 kr.; Vogesen-Club in Strassburg 540 M.; Wiener Tagblatt 100 fl.; Section Moravia des D. u. Ö. A.-V. 24 fl.; Section Wels des D. u. Ö. A.-V. (nur für Tirol) 11 fl.; Herr M. Z. 8 fl.; Section Berlin des D. u. Ö. A.-V. 651 M. 70 Pf. und 12 fl.; St. M. 1 fl. 32 kr.; Section Linz des D. u. Ö. A.-V. 5 fl.; Section Darmstadt des D. u.

Ö. A.-V. 141 M. 56 Pf.; Section Breslau des D. u. Ö. A.-V. 97 M. 85 Pf.; Section Memmingen des D. u. Ö. A.-V. 5 M.; Sammlung durch Herrn Carl Kneissl in Budweis 53 fl.; desgleichen durch Herrn Goldberg in Warnsdorf 10 fl.; die Smichower Schiess-Gesellschaft 12 fl.; Zwickauer Wochenblatt 10 M.; Wiener Deutsche Zeitung 3 fl. 60 kr.; Herr Oskar Kramer in Wien 8 fl.; Siebenbürgischer Karpathen-Verein 110 fl.

Im Ganzen		öst. W. fl.	4103.45
in Mark	2182.46 =	» » »	1091.23
in Francs	4000.— =	» » »	1600.—
in Pfund Sterling	12.— =	» » »	120.—
Agio-Erlös		» » »	505.55
		öst. W. fl.	7420.23

Hiezu die bereits ausgewiesene Summe von fl. 136 519.22
oder richtiger öst. W. fl. 136 591.22

Gesammt-Summe öst. W. fl. **144 011.45**

IX. Verwendungs-Ausweis.

	fl. kr.
1) An das Hilfs- und Actionscomité in Bozen inclusive der speciellen Widmungen	3 200.—
2) An die Section Villach inclusive der speciellen Widmungen	650.—
Summe	3 850.—
Hiezu die bereits ausgewiesenen	134 068.49
Somit im Ganzen verwendet	137 918.49

Salzburg am 31. Januar 1883.

Der Central-Ausschuss
des Deutschen und Oesterreichischen Alpenvereins
E. Richter,
I. Präsident.

Berichte der Sectionen.

Augsburg. Die Winter-Versammlungen wurden am 26. October durch Herrn Vorstand Rechtsanwalt Otto Mayr mit einem Bericht über die General-Versammlung in Salzburg eröffnet. — Am 9. November schilderte Herr G. Euringer auf Grund zahlreicher Expeditionen die

Ampezzaner Gebirgswelt überhaupt und den Cristallostock insbesondere. — Am 16. November sprach Herr Pfarrer Wagner von Oberreitnau über Vulkantheorien und speciell über den alten Vulkan Sasso di Damm in Südtirol. — Am 23. November Gesellschafts-Abend. — Doppeltes Interesse in seiner Beziehung auf die jüngsten Ueberschwemmungen in den österreichischen Alpenländern bot am 30. November ein Vortrag des Herrn Bauamtsassessor Stengler über Gebirgshydrotechnik. — Am 7. December hatte die Section einen verehrten Gast in ihrer Mitte. Herr Dr. Karl Stieler trug seinen Defregger-Cyclus, sowie den Cyclus »Bauernhochzeit« zu den Zeichnungen von Kauffmann vor, — prächtige, stimmungsvolle Dialectdichtungen, theils ernsten, theils heiteren Genres, durchweg frisch und packend und vereint mit dem unwiderstehlichen Vortrag des Dichters stürmischen Beifall erntend. — Am 14. December bot Herr C. Muesmann eine treffliche Charakteristik der Thäler Südtirols. — Am 21. December folgte die spannende Schilderung einer Orientreise durch Herrn Eust. Martin. — Ein Vortrag des Herrn Professor Dr. Pfeiffer aus Dillingen am 28. December über eine Zugspitzpartie, verbunden mit Betrachtungen über das proportionelle Verhältniss der Gebirge zu den Continenten, schloss das Vereinsjahr 1882.

Austria. In der Wochen-Versammlung vom 3. Januar trug Herr Reich in Folge Verhinderung des Herrn Theodor Zelinka über des letzteren Besteigung des Breitnock und Mutnock in den Zillerthaler Alpen vor, schilderte den Weg zur Zamseralpe, die sich von der neuen Dominicus-Hütte darbietende Ansicht des Schlegeisthals, den Weg in das Schlegeisthal, die sich von der Furtschagelalpe eröffnende Aussicht auf den Tuxer Hauptkamm, den Olperer, die Gfrornewandspitzen, Riepenkar und Riepenkees, Schrammacher etc. und bezeichnet die neuerbaute, auf den Karten noch nicht verzeichnete Furtschagelalpe als gutes Nachtquartier mit freundlicher Aufnahme. Er schilderte sodann in anschaulicher Weise die Besteigung über die Neveser Scharte und den Grat auf die bisher nicht erstiegenen Spitzen des Breitnock und Mutnock und die sich von dort darbietende, zwar nicht sehr umfassende, doch die nähere Umgebung besonders schön zeigende Aussicht und skizzirt dann in kurzen Zügen den auf demselben Weg erfolgten Abstieg. — In der Wochen-Versammlung vom 10. Januar trug Herr Franz Kraus über das Gamser Thal bei Hieflau vor und bespricht zuerst die geographische Lage des Gamser Thals als eines Seitenthals des steierischen Salzathals, sodann die Zugänge von Palfau, über den Tausendguldensteg und den $^{3}/_{4}$ Stunden langen Weg von Landl nach Gams. Nach einer Schilderung des Ortes selbst wendet sich Redner der Besprechung der Krausgrotte, des früher sehr beschwerlichen Zugangs derselben und der seither zur Zugänglichmachung derselben unternommenen eingreifenden Arbeiten zu, welche jetzt einen bequemen Besuch der durch den Ueberzug mit blendend weissen Gypskristallen besonders interessanten Höhle gestatten. Er bespricht sodann die Höhle mit ihren Hallen, Gängen, steinernem Wasserfall und Tropfsteinkristallen und führt an, dass dieselbe höchst wahrscheinlich noch grössere, bisher unbekannte, tiefer gelegene Räume habe, an deren Aufschliessung demnächst gearbeitet werden soll. Der Vortragende schildert sodann die Fortsetzung des Thals nach Passirung der sehr interessanten Felsenge »die Noth«, und die sich von dem dort eröffnenden schönen Boden darbietenden Uebergänge über die Annerlbauernalpe und den Thorsattel, mit welchem sich der Besuch der sehr schönen Eishöhle am Beilstein verbinden lässt, wesshalb derselbe besonders zu empfehlen ist, und schliesst mit einem warmen Appell an alle Gebirgsfreunde zum Besuch von Gams. Illustrirt war der Vortrag durch eine Reihe von Originalaufnahmen von Gams, der Noth, der Krausgrotte und der Umgebung von Gams. — In der Wochen-Versammlung am 17. Januar trug Herr Oscar Baumann über Wanderungen in den Bergamasker Alpen vor, schilderte zuerst die geographische Lage dieser von den Alten Montes Orobii genannten Gebirgsgruppe, sodann die Hauptthäler dieses Alpenzuges, das Val Brembana, Val Seriana und Val di Scalve, bespricht sodann die dominirenden Höhen und den 3042 m erreichenden Culminationspunkt Monte Redorta und die Gletscherbildung, welche nicht besonders bedeutend ist. Redner geht sodann über auf seine Tour von Bergamo über San Pellegrino, ein modern-elegantes Jodbad, nach Piazza Brembana, von da über Val negra, Branzi nach Pagliari, von wo der Pizzo del Diavolo angestiegen, wegen schlechten Wetters jedoch nicht erreicht, sondern unterhalb der Spitze ins Val secca abgestiegen wurde; er schildert weiter die Ersteigung des Monte Gleno von Fiumero, wobei der grösste Gletscher der Bergamasker Alpen, die Vedretta del Trobbio passirt wurde, und den Abstieg in das Val di Scalve, schliesslich die Apricastrasse über das Belvedere d'Aprica mit seiner prachtvollen Ansicht des Veltlin. Der Vortragende wusste den Vortrag mit Schilderungen von Land und Leuten und Erzählungen episodischer Vorfälle angenehm zu würzen und empfahl angelegentlich den Besuch dieses schönen und so wenig gekannten Alpengebietes. — Zur Ansicht lagen neue Aufnahmen des südtirolischen Inundationsgebietes von Gugler in Bozen auf.

Am 15. Januar fand das geschlossene Kränzchen der Section im Sofiensaale statt, welches sehr zahlreich besucht war und höchst animirt ausfiel. Ueber das Erträgniss und dessen Verwendung berichten wir nächstens. — Am 24. Januar fand ein geselliger Abend mit musikalischen und declamatorischen Vorträgen statt.

Ordentliche Jahres-Versammlung am 31. Januar. Se. Exc. Freiherr v. Hofmann eröffnet die Jahres-Versammlung mit der Bekanntgabe der dem Deutschen und Oesterreichischen Alpenverein aus Anlass seiner besonderen Verdienste um die Hilfsaction bei der Ueberschwemmung in Tirol zu Theil gewordenen allerhöchsten Anerkennung, widmet dem dahingeschiedenen Sectionsmitglied Herrn Maler Schönreiter einen warmen Nachruf und ertheilt sodann dem I. Schriftführer der Section Herrn Ebner das Wort zur Erstattung des Jahresberichts, nach dessen Genehmigung der Cassier Herr Reisner den Rechenschaftsbericht erstattet. Auf Antrag der Revisoren wird dem Cassier sowie dem Ausschuss das Absolutorium ertheilt und sodann der Voranschlag für 1883 genehmigt. Die Festsetzung des Jahresbeitrages mit 6 fl. und die Vertheilung der Stimmenabgabe bei der General-Versammlung in Passau erfolgt ohne Debatte nach dem Antrag des Ausschusses. Bei der hierauf vorgenommenen Ergänzungs- beziehungsweise Neuwahl für den Ausschuss werden mit absoluter Stimmenmehrheit gewählt: Zum Vorstand: Se. Exc. Freiherr v. Hofmann; zum I. Schriftführer Herr Carl Ritter v. Adamek; zum II. Schriftführer Herr Emil Ebner; zu Ausschussmitgliedern die Herren Carl Böss, Dr. J. M. Jüttner, Dr. Gust. Ad. Koch und Dr. Alois Klob; zu Rechnungs-Revisoren die Herren August Hartinger und Peter Keiss. — Ausgestellt waren das photographische Panorama des Matterhorns von Vittorio Sella und zwei Gipfelaufnahmen des Matterhorns von demselben, sowie 80 Hochgebirgsaufnahmen aus der Finsteraarhorn-Gruppe, Bella Tola, Lötschenpass, Niesen und sonstigen Hochgebirgsgruppen der Schweiz von Herrn J. Beck in Strassburg, welche, ebenso exact in Ausführung als bewundernswürdig wegen des hohen Standpunktes der Aufnahme, mit Recht allgemeine Bewunderung erregten, ferner 48 Aufnahmen der Gotthardbahn durch Herrn Oscar Kramer.

Berlin. In der Sitzung vom 11. Januar trägt Herr Winckelmann eine Uebersetzung von Mathews' Alpine Obituary im Alpine Journal, November 1882, vor. Dieses alpine Todtenregister theilt die Namen der in der Eisregion in den letzten 30 Jahren Verunglückten mit, bespricht die Ursachen, die zu ihrem Untergang führten, und stellt Grundsätze auf, durch deren Befolgung ähnliche Unglücksfälle zu vermeiden sind. Es knüpfte sich an diese Mittheilung eine Discussion, an der sich die Herren Dr. J. Scholz, Dr. Darmstädter und Dr. Scholle betheiligten, und als deren Ergebniss zu betrachten ist, dass zwar Mathews' Ansichten nicht überall auf die deutschen und österreichischen Alpen und auf den D. u. Ö. A.-V. passen, dass aber, wie auch Mathews hervorhebt, bei gehöriger Vorsicht und Erfahrung das Bergsteigen nicht gefährlich ist. — Hierauf liest Herr K. Dielitz die »G'schicht' vom Brandner Kaspar« von Franz v. Kobell vor, auf dessen Hinscheiden der Vorsitzende vorher hingewiesen hatte.

Darmstadt. Von den in 1882 zur Mittheilung gekommenen Vorträgen und Reiseschilderungen sind noch folgende aufzuzählen: Herr E. Merck, Reise in Egypten; Herr Rechtsanwalt Metz I, die Jahres-Versammlung in Salzburg; Herr Fabrikant Gg. Anton, Besteigung des Schwarzensteins; Herr Kaufm. Ph. Orth, die liparischen Inseln; Herr Gymnasiallehrer Dr. Windhaus, Touren im Oetzthal; und zum Schluss ein interessanter Vortrag über eine Säntis-Besteigung mit Erinnerungen an Scheffel's Ekkehard, mit welchem der bekannte Schriftsteller, Herr Hauptmann Zernin erfreute. »Jetzund, vieltheurer Zuhörer, umgürte deine Lenden, greif' zum Wanderstab und fahr' mit uns zu Berge!« Mit diesen Worten des Dichters begann Herr Zernin seinen Vortrag, und es war kein ermüdendes und langweiliges Hinterdreinschleichen durch ein ödes, farbloses Landschaftsbild, sondern ein fröhliches Wandern an der Seite eines humorvollen, poetisch gestimmten Reisegefährten, der mit ihm hinaufzieht von den lachenden Gestaden des Bodensees aus durch die lieblichen Vorberge des Appenzeller Landes zu den Hochgebirgsgründen des Säntis. Und wie dann die Berge steiler und höher werden und sich enger zusammenschieben, in düsterer Kluft ein wildes Wasser rauscht, ein klarer Bergsee aus tiefem Tannendunkel heraufschimmert, und der rauhere Pfad dem Wanderer den eisenbewehrten Bergstock in die Hand zwingt, da weiss er sicher wie ein kundiger Führer in die Fusstapfen Ekkehards einzulenken, und durch manch' duftiges Sagengebild, das wie ein alter Sang um die felsigen Wände schwebt, geht es hinan zur ersehnten Höhe. Der Umstand, dass Herr Zernin mit dem Dichter des Ekkehard eng befreundet ist, verlieh seinen Worten einen besonderen Reiz; auch überraschte er die Anwesenden mit dem Vortrag eines prächtigen, bis jetzt noch ungedruckten Gedichtes, das Scheffel in jener Gegend gesungen.

Dresden. In der General-Versammlung am 6. December fand die Neuwahl des Vorstands statt. — Von den zur Deckung des Kostenaufwands der neuen Martell-Hütte ausgegebenen Antheilscheinen wurden 30 Nummern zur Verloosung gebracht. — In der Sitzung vom 20. December schilderte Herr Dr. Krug eine von ihm vor 26 Jahren unternommene Alpenreise, welche zu höchst interessanten Vergleichen zwischen sonst und jetzt Anlass gab. — In der Versammlung vom 4. Januar, welche zumeist die Erledigung geschäftlicher Angelegenheiten zum Gegenstand hatte, theilte der Vorsitzende mit, dass nunmehr Angesichts des grösseren Unheils am Rhein die Sammlung zum besten der überschwemmten Tiroler geschlossen sei. — Es ist dem Vorstand gelungen, Herrn Dr. Karl Stieler aus München zu einem Vortrag über Defregger und seine Werke zu gewinnen, der am 24. Januar stattfand.

Klagenfurt. In der General-Versammlung am 27. Januar berichtete der Vorstand, Herr Baron Jabornegg, über den Zubau zum Glocknerhaus auf der Pasterze, und wurde beschlossen, heuer die Pläne über den Bau zu machen, damit derselbe effectuirt werden könne. Weiter erstattete Herr Bergrath Seeland Bericht über den Ausbau der Salms-Hütte am Schwertkopf in der Oberen Leiter, welcher Bau im Juni 1883 definitiv eröffnet werden soll, und beantragte eine Erhöhung der präliminirten Baukostensumme von 560 fl. auf 608 fl., welche genehmigt wurde.

Nachdem der Vorstand Herr Markus Freiherr v. Jabornegg erklärte, eine Wiederwahl nicht anzunehmen, wurde Herr Bergrath Ferd. Seeland zum Obmann gewählt. Zum Schlusse brachte das Mitglied Herr Forstinspektor Suda den Antrag wegen Einflussnahme des Alpenvereins hinsichtlich der Aufforstung am Dobratsch ein, welcher von Seite der Section unter Beiziehung des Antragstellers einer eingehenden Prüfung unterzogen werden wird.

Küstenland. Die am 12. Januar abgehaltene Jahres-Versammlung der Section, deren Mitgliederzahl auf 196 gestiegen ist, hat beschlossen: 1. auf Antrag Baron Czoernig's die Wiederherstellung der Schneeberghütte, deren Rückwand eingestürzt; 2. auf Antrag des Herrn Professor Urbas die festliche Begehung des 10jährigen Bestandes der Section im Juni d. J., zu welchem Zweck ein zwölfgliedriges Fest-Comité gewählt wurde; 3. auf Vorschlag des Herrn Heinrich Müller die Zugänglichmachung der Dante-Grotte bei Tolmein.

Lausitz. Eine Anzahl Alpenfreunde von Löbau, Görlitz, Zittau und Bautzen trat Ende December in erstgenannter Stadt zusammen, um eine neue Section mit dem Namen Section Lausitz zu bilden. Der Wunsch hiezu erschien um so gerechtfertigter, als die den Lausitzern zunächst liegenden Sectionen Dresden, Breslau, Berlin und Prag zu entfernt sind, um eine rege persönliche Theilnahme an den Versammlungen zu ermöglichen. Nachdem der interimistische Vorsitzende, Herr Rechtsanwalt Grille von Löbau, die Anwesenden begrüsst und die Zwecke des Vereins dargelegt hatte, trat man in die Berathung der Statuten ein und wurden hiebei jene der Sectionen Dresden und Austria zu Grunde gelegt.

Möllthal. Die Hochwasser-Katastrophen im September und October 1882 haben auch mehrere von der Section aus eigenen Mitteln geschaffene Weg- und Stegeinrichtungen zerstört und beschädigt, so den Steg in der Raggaschlucht, welcher, 1881 und 1882 mit einem Kostenaufwand von fl. 985.78 gebaut, zu $^5/_6$ seiner ganzen Anlage von den wilden Fluthen erfasst und mitgerissen wurde. So betrübend diese Nachricht, ebenso freudig wurde die Kunde aufgenommen, dass der Central-Ausschuss zum Wiederbau des Raggaschlucht-Steges fl. 600.— widmete. Noch vor Juli hofft die Section diese Steganlage wieder und zwar praktischer und gesichert gegen jede denkbare Hochfluth angelegt zu haben.

In Ausführung eines Sections-Beschlusses werden im Lauf des Winters Bergführer-Curse in den Pfarrorten Obervellach, Teuchel, Malnitz und Flattach durch die dortigen Lehrer, zugleich Sections-Mitglieder: Herren Grübler, Zaderer, Müller und Hamerle abgehalten werden, und hat sich bereits die gewünschte Zahl geeigneter Männer nebst den schon autorisirten Bergführern als Hörer gemeldet, welche nach dem Programm über folgende Gegenstände Anweisung erhalten sollen: 1. Bergführerdienst, Pflichten und Rechte eines autorisirten Bergführers; 2. Geographische Begriffe und successive Ausbildung im Kartenfach, genaue Kenntniss der zugetheilten Gebiete und der Touren, Kenntniss der Rundschau vom Polinik und Ankogel; 3. Benützungsweise des Compasses, Thermometers und des sonstigen Bergführer-Ausrüstungszeuges.

München. Am 3. Januar sprach Herr Advokat Schuster über das Zillerthal, die früher geringe Frequenz der inneren Gründe in Folge schlechter Wege und mangelhafter Unterkunft und die jetzt vollzogene erhebliche Besserung durch Weg- und Hüttenbauten und entsprechende

Gasthäuser besonders hervorhebend. Redner schloss mit einer von Taufers ausgeführten Besteigung des Hochfeiler.

Am 10. Januar schilderte Herr Trigonometer Waltenberger mit sprudelndem Humor eine führerlose Bergtour, welche, — es war nur ein an sich ganz bequemer Uebergang beabsichtigt — durch Verfehlen eines abkürzenden Weges zu einer abenteuerlichen Irrfahrt wurde und mit einer nothgedrungenen Ersteigung eines Gipfels endigte, welche die einzige Möglichkeit des Weiterkommens bot und auch bei strömendem Regen und finsterer Nacht vollführt wurde.

Am 18. Januar schilderte Herr Oberamtsrichter Nibler seine Reise in die Hohe Tatra (Central-Karpathen), die er von Bad Schmecks aus besuchte; diesem Vortrag schloss sich am 25. Januar ein zweiter an, welcher die Fahrt auf dem Dunajec und dann einen Besuch der Dobschauer Eishöhle schilderte. Die Dunajec-Fahrt ist wenig gekannt, aber gefürchtet, nur bei mässigem Wasserstand möglich, bei hohem geradezu gefährlich. Der Dunajec entspringt am nördlichen Abhang der Hohen Tatra und gehört dem Gebiet der Weichsel an; er bildet hier die Grenze zwischen Ungarn und Galizien und durchbricht das Gebirge in engem Felsenthal, indem seine Breite zwischen 20 und 50 Schritt wechselt. Von Poprad fährt man zunächst in 7 Std. über die Zipser Städtchen Kesmark (früher Kaisermark) und Bela, dann über die weitgedehnte waldreiche Zipser Magura mit ihrem Pass nach Altendorf, einem grossen Dorf mit bereits polnischer Bevölkerung am Dunajec, wo der Wirth die etwas bedenkliche Fahrgelegenheit auf dem Fluss vermittelt. Da dieser bald seichte steinige Stellen, bald reissende tiefe Stromschnellen aufweist, so erprobt sich zur Fahrt nur ein langes schmales Floss: zwei dicke, in der Mitte ausgehöhlte Föhren, fest zusammengebunden, die Lücken mit Tannenzweigen verstopft, ein Brett darüber zum Sitzen, für die Füsse die Höhlung, und das Fahrzeug ist fertig. Zwei Goralen in ihrer bunten malerischen Tracht, dem Fremden zu Ehren im vollen Sonntagsstaat, einer vorn, einer rückwärts stehend, lenken mit langen Stangen das schwanke Schiff an den steilen Riffen vorbei und durch die wüthenden Wellen mit so grosser Sicherheit und so beruhigender Geschicklichkeit, dass man die reissenden Stromschnellen bald nicht mehr scheut, sondern sich darauf freut. Angesichts der galizischen Ruine Czorstyn und dem gegenüber liegenden ungarischen Schlosse Nedec nehmen wir Platz. Der Fluss macht hier eine grosse Biegung, fliesst ziemlich ruhig und ist bis zur Hälfte seiner Breite ziemlich seicht. Diese Umstände benützt die Dorfjugend und macht Spalier, Mädchen und Buben mitten im Wasser, zugleich auf langen Stangen oder Fähnchen Blumen spendend und Almosen erbittend. Nach 1 ½ Std. Fahrt zwischen prächtigen Waldufern, bald über seichte Stellen, bald auf wilden Wellen erreicht man das sogenannte Rothe Kloster auf ungarischer, gegenüber auf galizischer Seite das Dorf Sromowze nyznie, die einzigen menschlichen Wohnungen auf der ganzen Fahrt. Nun geht es gewaltig rasch gegen den Kronenberg los, an welchem der Dunajec eine so scharfe Krümmung bildet, dass die Wellen weisschäumend aufbrausen und das gebrechliche Fahrzeug über und über mit Wasser bespritzen, welches dann der Steuermann an der nächsten ruhigen Stelle mit einer Geste ausschöpft, die sofort klar macht, dass das Duschbad, welches der Passagier erhält, ein normales und programmässiges gewesen. Eine Felspartie reiht sich jetzt an die andere, deren Charaktere eben so schwer zu schildern als deren Namen auszusprechen oder im Gedächtniss zu behalten sind. Zwischen dem Felsgewirre, das bald in Gruppen, bald in Einzeln-Spitzen, bald in kahlen Wänden, bald in waldumsäumten Thürmen unmittelbar an beiden Ufern steil aufsteigt, hat sich der Dunajec seine Bahn erkämpft und erzwungen und dieses ist ihm nur gelungen in unzähligen und meist so gedehnten Krümmungen und Windungen, dass sich dieselben gar oft fast bis zum Ausgangspunkt zurückerstrecken und so den Anblick des geschilderten Felsenlabyrinths fast von allen Seiten ermöglichen. Er stürzt bald reissend schnell in freier Bahn dahin, bald steht er schier stille wie ein friedlicher See, bald braust er wild schäumend über die ihn hemmenden Gesteinstrümmer — endlich ist das alles überwunden, noch eine letzte Biegung und nach 1 ½ St. Fahrt vom Rothen Kloster — nach 3 Std. Fahrt von Altendorf aus, ist der Landungsplatz bei Szczawniza erreicht, allwo sich auf einem steilen Felsen ein aus Holz geschnitzter Gorale in Lebensgrösse erhebt und die beiden wackeren Goralen, ein Knie beugend und den Saum der Kleider küssend, sich dankbar verabschieden. Zwei Fackelträger und ein Dutzend Mädchen, welche lange blumengezierte Stangen zu Triumphbögen zusammenhalten, empfangen den Reisenden singend und geleiten ihn also zum nahen Ort.

Nach einer Schilderung des in grossem Aufschwung befindlichen Bades Szczawniza folgte ein Besuch der berühmten Dobschauer Eishöhle, welche 1870 von dem Bergingenieur Eugen Ruffinyi erschlossen wurde, nachdem sie vorher nur als Eisloch bekannt war. Sie ist die grösste bekannte Eishöhle und ist bequem zugänglich gemacht; sie bildet zwei Abtheilungen übereinander und hat eine Ausdehnung von 8874 qm, von denen 7171 qm mit Eis bedeckt sind; die Eismasse wird auf 125 000 cbm geschätzt. Die Temperatur in der Höhle steigt und fällt im allgemeinen mit der äusseren und beträgt 0° C bis —3° C. Die höchste bis jetzt beobachtete Temperatur ist +5°, die tiefste —9° C; in den letzten Jahren wurde die Höhle von durchschnittlich 1300 Personen besucht.

Den Schluss des durch Karten, Photographien von Landschaften und Volkstrachten und Zeichnungen illustrirten Vortrages bildete die Vorlesung eines Kapitels aus dem »Ungarischen oder Dacianischen Simplicissimus«, einem 1683 ohne Angabe des Druckorts erschienenen Buch, das, weit weniger bekannt als sein deutscher Namensbruder, 1834 durch Dr. J. A. Seiz in Leipzig bei einer Auction entdeckt und 1854 bei Otto Wigand in Leipzig in wenig veränderter Form neu herausgegeben wurde. Im 13. Kapitel dieses merkwürdigen Buches wird eine Karpathentour geschildert; man staunt, zu jener frühen Zeit in diesen abgelegenen Gegenden Bergtouren mit der nöthigen (wenn auch etwas absonderlichen) Ausrüstung als etwas nicht Ungewöhnliches, das Führerwesen, sogar in raffinirter Weise, entwickelt zu sehen, und man sucht wohl vergeblich nach einer Analogie in den Alpen*); es mögen desshalb einige Bruchstücke hier Raum finden.

Wie Simplicissimus mit fünf Studenten sammt einem Wegweiser drei Tage das Carpathische höchste Gebirg durchkrebselt. Nachdem ich nun bis Johannis in Käsmarkt frequentiret hatte, auch privatim bei Herrn Daniel Fröhlichen, hochberühmten Mathematico, einen Anfang seiner Kunst gemacht, wurde mir doch die Stadt Leutschau mehr als diese gelobt. Darum ich auch mit andern beschlossen, vor dem Herbst mich dahin zu begeben, zuvor aber um Johannis das Carpathische Gebirge zu besehen. Unserer fünf wagtens einmal, mit Consens und Urlaub Herrn Rectoris, der uns viel Glück wünschte, und gingen nach Anweisung in ein Dorf, hart am Gebirg liegend. Da war ein Schulmeister, welcher um die Bezahlung einen etliche Tage hinauf- und herumführen und die merkwürdigsten Sachen zeigen konnte. Zu dem kamen wir bei Zeit, der uns dann erstlich fragte: wie viel Tag wir Lust hätten, solches zu besichtigen? Wir sagten, dass ers am besten wissen würde. Er gab uns wieder Bescheid, dass man in drei Tagen viel sehen, wenn wir auch selbst müde genug würden werden. Wir liessens also bei seinen Guterachten bei den drei Tagen verbleiben. Da sprach er: so müsst ihr soviel Brod und soviel Wein oder Bier mit euch nehmen; wollt ihr Fleisch, so will ich euch ein paar Schunken oder Gemsschlegel absieden lassen. So hab ich auch hier einen Sack mit Knieeisen, Stricken und Anwerffeisen: den müsst ihr einer um den andern mittragen, ein Rohr nehm ich auch mit, so hat hier jeder einen Stab mit Gemshörnlein und unten eisernen Gräbeln, damit ihr Wurzeln graben könnt und euch mit den Hörnlein in die Höhe helfen. Doch müsst ihr mir in Allem Gehorsam leisten, auch die Kräuter und Wurzeln, die ich euch zu sammeln weisen werde, mit mir partieren; und wenn ihr mirs halten wollt, was ich euch da vorgehalten, so gebt mir die Hände, und morgen, wills Gott! wollen wir uns früh hinauf machen. Ueber eine Weil besah er uns auch die Schuh, worunter ihrer zwei ziemliche Absätz; da rieth er, solche zu hinterlassen und andere vors Geld zu entlehnen. Die grosse Begierde, wegen Erzählung so vieler Sachen dieses Gebirges, machte uns die Nacht ziemlich lang; nachdem es aber ein wenig begunte zu tagen, stunden wir auf und giengen in Gottes Namen fort auf zwei Stund einen gangbaren Fusssteig, doch alles in die Krümme und in die Höhe. Wir sungen allerhand geistliche Gesänge, weil wir gar gemach giengen. Nach vier Stunden waren wir auf einer über die massen schönen Wiesen und eine halbe Stund davon stand ein grosser schöner Wald. Da sagte der Wegweiser: Diess ist der Baumgärtner, hinter diesem Wald, in einem lustigen Thal zu beiden Seiten stehenden Wäldern, allwo eine grosse Schäferei, wohin noch anderthalb Stund, da wollen wir Mittagsmal halten, aber ihr sollt dem Schäfer, der uns traktiren muss, nichts als sechs Wecken und grossen Dank geben; lasst bei Leib kein Geld sehen, damit wir nit in Gefahr kommen. Ein Stück Buse, das ist weicher Käs, sollt ihr von dem Schäfer, wann ers nit freiwillig giebt, zuletzte bitten. Und darauf gingen wir weiter fort, bis wir in die grosse und schöne Klinge, wo der Schäfer weidete, kamen. Ehe wir aber hineinkommen, that der Wegweiser einen Schuss; da prasselte es von dem Berg, wo er losbrannte, nit anders, als wann etliche Karthaunen gelöst würden. Ueber eine Weil gab der Schäfer auch Losung mit

*) Man möchte versucht sein, das Ganze für gemacht, für einen Faschingsscherz zu halten, doch ein Blick in das Original (die Münchener Bibliothek besitzt ein leider defectes Exemplar) spricht für Echtheit des alten Drucks. Kenner des Gebirges mögen entscheiden, von welchen Theilen desselben die Rede ist.

Pfeiffen, dass dem Erzählenden unmöglich zu glauben, wer es niemals gehört; es erschällte so stark und scharf, dass es in Ohren wehe that. Die Schäferhunde huben auch an zu bellen, das gab ein solch Echo, davor uns grausete. Der Wegweiser aber sprach, das wäre noch alles nichts; morgen auf Mittag und auf die Nacht würden andere Echo und weit stärkere sich hören lassen.

Nach einer viertelstund kam der Schäfer, wie ein Räuber mit einem Rohr, Balten und zwei Hunden, daher. Den Wegweiser, so er wohl kannte, sprach er rauh an: woher? Du Rumschwärmer und Bergausstichtzer, gib nur her, was du hast, es ist doch alles mein und meiner Hund. Darnach empfing er uns auch stürmisch, das sollte doch Freundlichkeit sein, und sprach: woher ihr Kerls? ihr Wurzelgraber und Kräutleinshändler, es muss mir ein jeder 1 Reichsthaler geben, ehe ich ihn zum Grossvater (das ist das höchste Gebirg) passiren lasse; könnt ihr mir diess nit geben, so packet euch nur wieder zuruck oder meine zwei Hunde werden euch den Weg weisen. Nach diesem freundlichen Anschreien pfiff er wieder etliche mal durch den Finger und hetzete einen Hund zuruck und sprach weiter: das gilt euch Kerls, weil ihr nit umkehren wollt. Er gieng aber allgemach mit uns fort und befragte jeden besonders um sein Vaterland und seine Eltern. Als er nun mit uns in seine Schäferei kam, bot er erst jedem die Hand und hiess uns willkommen sein. Wir setzten uns nieder; unterdessen hatte sein Knecht ein Lamm gestochen und in einem Kessel in Schafsmilch gekocht, die zwei hinteren Biegel aber gebraten, dass wir uns verwunderten, wie solches so gut und so bald zugerichtet wurde. Der Schäfer sprach uns tapfer zu, zu essen, und anstatt Brods gab er uns weichen ausgetrockneten Schafskäs, den wir aber mitnahmen und unser bei uns habendes Brod assen. Ihm und seinen Knechten verehrten wir, nach Anweisung des Boten, etliche Wecken, dass sie sich hoch bedankten. Wir hätten auch gern ein Fläschlein mit Wein hèrfürgethan, aber der Schäfer und Wegweiser wollten es nit zugeben, sprachen: wir solltens sparen, dann wir morgen und übermorgen solches erst am besten brauchen würden. Wir bedankten uns aber des guten Traktementes und giengen nach zwei Stunden auf einen kahlen hohen Schäferberg. Da prasselte es immer hinter unserm Gehen, von den Stücken, so etwann von unserm Gleiten und Tritten hinabfielen. Ueber eine Weil sprach der Wegweiser: ihr Pursch, wir werden bald klettern müssen, und das geschah nach einer Stunde. Da legte er ihm an die Knie seine Eisen, wie auch um die Ellenbogen, und kletterte an den steinigen Bergen, wo er anhäkeln konnte, zwei bis drei Mannshöhen hinauf, darnach sah er wieder um gute Bequemlichkeit, uns mit den Anwurffseilern und Knieeisen, so wir auch anlegen mussten, hinaufzuhelfen. Oefter riss ein Stein unter uns weg und rutschten dann wieder zurück. Dieses durften wir aber gar nit achten und mussten wieder hinauf, an diesem oder einèm andern Ort. Wir sahen auch hin und her viel Gemsen springen, unter andern aber einige gar artig klettern und mit den Hörnlein sich anhängend. Sie hieng öfters nur mit einem Horn und stiess mit den Hinterfüssen an die Klippe und häckelte sich bald wieder in der Höhe an. Oefters misslunge es ihrs auch und fiel wieder herunter, aber sie war fix zum Anhangen und liess nit nach, bis sie eine ziemliche Klippe erklettert hatte, über welchem Zusehen wir fast eine Stunde zubrachten, also dass der Wegweiser über uns unwillig ward, dass er sprach: ihr Pursch, wir haben noch durch einen tiefen Grund zu gehen, durch Schnee, der nimmer abgehet, sondern schwarz und wurmig wird, darnach wieder einen hohen Berg zu ersteigen, darauf wir dreimal mit harter Müh und Anwurffseilern halb kletternd und mit Lebensgefahr hinan müssen, um da unser Nachtlager aufzuschlagen, und das wird fast spät werden, bis wir dahin kommen. Zwar wann ich nur zuvörderst drei Mannslängen droben bin und sehen kann, so will ich euch bald hinaufhelfen.

Aber wir im tiefen Schnee Abgemattete kamen erst bei Sonnenuntergang an dieses Grossvaters Vorgebirge. Da wollte dem Wegweiser schier der Muth entfallen, solches vollends zu ersteigen, wir aber sprachen ihme tapfer zu, wir wollten immer möglichst das Unsrige bei der Sache thun, er sollte es vollends wagen. Aber nach zweimaliger gefährlicher Kletterung, da ihrer drei auch beschädigt wurden vom Herunterrutschen, kam die Nacht uns auf den Hals. Da wurde unser Wegweiser sehr unwillig und sprach: man sollte ihm gefolget und bei dem Schäfer und der kletternden Gems sich nit so lang aufgehalten haben; er wüsste jetzt seines Raths nit was weiter anzuheben wäre, es bedünkte ihm immer, dass wir uns verstiegen und in grössere Gefahr mit höherem Steigen uns stecken möchten, so wäre hier über Nacht zu bleiben auch kein bequemer Ort, weil hier nichts als Steine um uns sind, aber kein Gesträuch, um uns Feuer zu machen. Wir müde Bergkriecher und Felsensteiger huben an zu singen: »Wann wir in höchsten Nöthen seyn«, und: »Auf meinen lieben Gott«, u. s. w. Es hub uns auch an zu frieren wegen rauher Luft; höher zu steigen war zu finster und lebensgefährlich, wie dann der Wegweiser erzählte, dass schon mancher sich verstiegen und gar das Leben darüber lassen müssen. Und wann nur nit ein dicker Nebel gewesen wäre, hätten wir doch wohl wegen des Mondenscheines uns der Höhe halben etwas ersehen können, aber es war alles Glück uns entgegen, so dass wir endlich beschlossen, an diesem Ort über Nacht zu bleiben. Nach einer Weil sagte der Wegweiser: ihr Pursch, ich will doch noch eines zu klettern wagen; es ist unmöglich, dass dieses Gewölk kann hoch stehen, bekommen wir nur den Mondschein, so mag ich hier nit bleiben; ich erinnere mich doch, dass wir recht sein sollen. Wir baten ihn, solches bleiben zu lassen, aber er sprach: nein, ich will etliche Mann hoch steigen und mich in keine Gefahr begeben; bekomme ich nit bald Mondschein, so kehr ich wieder um. Als er aber kaum drei Mann hoch kommen, rufte er: ihr Pursch, Gott lob! ich hab den Mondschein und höre Gemsen in einem Gesträuch, wohlan, machet euch zu mir herauf, hier will ich das Seil wohl anhängen und den brennenden Lunten mit hinunterlassen, so könnt ihr sehen, wo ihr herauf müsst; allein nehmet euch wohl in Acht, dass ihr nit einen Misstritt und Fall thut. Wir waren froh, dass wir vom Mondenschein wieder Licht überkommen hatten, und es dauchte uns wunderseltsam seyn, dass wir so durchs finstere Gewölk an Licht krochen. Wir kamen nun alle glücklich hinauf, da seufzten wir zu Gott und sprachen: ach, du allmächtiger Gott, hilf uns weiter zu einem bequemen Nachtlager! Ueber ein Weil ersahe und fand der Wegweiser ein Gesträuch: Gott Lob! ich finde Gesträuch, nun wird es bald besser werden. Und nach solchem rief er wieder: ihr Pursch, ich höre etwas rauschen und lauffen; wir werden hoffentlich bald ein Oertlein zum bequemen Verweilen erlangen«. Nach einer ziemlichen Weil ergab sich eine freie Ebene und Gesträuch, da wollten wir verbleiben, aber er sagte: nein, sondern ich will noch ein wenig suchen, ob wir nit hinter bessere Sträuch und etwann in ein Klingichen oder einen grossen Stein, da wir vorm Wind Schutz hätten, kommen kunnten. Und solches fand er auch, und also hieben wir Gesträuch genug ab und schleiftens zusammen. Doch bis wir durch trockenes Moos und anderem Wesen ein Feuer zu wege brachten, verzog sichs auch.

Als wir nun Feuer genug hatten, lagerten wir uns, assen ein Stücklein Fleisch und tranken einen Becher voll Wein. Darnach schoss der Wegweiser sein Rohr ab, da hörten wir ein starkes Geräusch und Brummen. Da sagte er: dieses sind Bären, und dieses Geräusch sind wilde Pferde und Gemsen; morgen werden wir solcher genug zu sehen bekommen, und sagte weiter: wir sind am rechten Ort, aber nit am rechten Ort aufgestiegen.

Als er nun diess gesagt, da erhob sich ein solches Donnern, wie ein starkes Wetter; wir fragten, was diess wäre? er sagte, das ist erst das Echo vom Schuss und dieses währete eine lange Weil, bald dauchte uns solches nahe, bald weit seyn; als es aufhörte, that er noch einen Schuss, da ging es wieder an. Nach solchem legten wir uns um das gemachte Feuer und schliefen ein wenig; wir wollten aber erst recht schlafen, da rief der Wegweiser schon: ihr

Pursch auf, wir müssen weiter, und heut müsst ihr euch besser halten, als gestern. Wir dachten und sagten: haben wir uns gestern nit tapfer gehalten, aber heut gilts ein anderes, dann wir von diesem Berge an stetigs in die Höh und lauter steinigtes Wesen haben werden, und auf solchem will ich euch alles zeigen, was Notables. Im Fortgehen sagte er: ihr Pursch, wann ihr zwei Lieder gesungen, so höret auf, und wann wir auf eine Stund weiter hinaufkommen, so wollen wir tapfer auf jägerisch schreien und schiessen; vielleicht stürzt eine oder die andere Gems von hier und bleibt im Grund, wo wir bis drei Uhr seyn wollen, so Gott will, da dann jetziger Zeit die Gemskugeln*) am besten und wohl 1 Reichsthaler werth. Wir thaten alles, wie er befahl, und wurden etlicher Gemsen gewahr, wie gräulich sie von einem Fels herab auf den andern stürzend niederfielen; darauf sprach er: die sind uns gewiss.

Nachdem wir aber auf fünf Stund Wegs gegangen waren, sprach er: nun sind wir auf der grössten Höhe und kann euch alles zeigen; doch so ihr gefährlich klettern wollt, will ich euch noch fünfzehn Klafter bringen über die Luft. Das war etwas seltsam, dass wirs wagten und glücklich vollends hinaufkamen, so dass wir keinen Wind spüren kunnten und sahen auch unter uns, wiewohl kleine helle Wolken vorüberzogen, weil wir ein gutes Perspektiv mitgenommen, bis auf dreissig und mehr Meilen weit in die Ferne, wie wir denn Krakau auf dreissig Meilen sahen als ein grosses Schloss. Dieses Carpathische Gebirg wird auch von den Wenden Tartry und Schneegebirg genannt, ist weit höher, als das Schweizerische, Tyroler und Steyermärkische Gebirg. Von diesem zeigte er uns auch noch andere nahmhafte grosse Berge dieses Gebirgs und andere angrenzende Berge, auch ein und andere Schlösser und Städte. Der Wegweiser zeigte uns viel abscheuliche Tiefen, mit sonderbaren Namen, worin wir viel Beeren sahen, auch grosse Weyher, wobei es schön breit und grün war. Dieses höchste Gebirg nennet er den Grossvater, worauf Niemand kommen könnte. Wir sassen aber zusammen, beteten, sungen, assen und tranken wieder eine Flasche Bier und jeder einen ledernen Becher Wein. Nach diesem dankten wir Gott, der uns bis hieher in Gnaden geholfen, preiseten seine wunderliche Schöpfung mit Verwunderung, und baten, dass er uns glücklich wolle heim gelangen lassen. Der Wegweiser zeigte uns unter einem herabhangenden abscheulichen Felsen etlich über einen Hauffen getragene Stein, unter welchen blechene Schächtlein, und in solchen auf Pergament geschriebene Namen waren. Uns reute, dass wir nit auch zum Gedächtniss dergleichen mitgenommen; da sagte der Wegweiser, ich habe Pergament und ein blechen Schächtlein, was gebt ihr mir darum, wann ich euch solches und darzu Feder und Dinten gebe? Wir boten ihm 1 Gulden, das mussten wir ihm versprechen zu halten. Also schrieb jeder seinen Namen, Alter, Geburtsort, Jahr und Tag, legtens ins Schächtelein und trugen wieder Steine, mehr als zuvor, darauf.

Darnach sprach er: jetzt will ich euch drei Wege zeigen, wieder hinunter zu kommen; der allererste ist abscheulich, weil wir uns vier Mann hoch über eine Klippe an Seilen müssen hinablassen; doch wem schwindeln sollte, muss man die Augen verbinden; die zwei andern Wege sind wegen der Umschweif gar beschwerlich und ebenmässig Gefahr genug. Wir wähleten den ersten Ort; keiner, als wir darzu kamen, traute hinunter zu schauen, geschweige sich hinabzulassen; Simplicissimus aber, als der jüngste und kleinste der Compagnie, wagts, am ersten sich hinab zu lassen, es wollte aber keiner nach. Da ward der Wegweiser unwillig und sprach: ihr werdets auf den andern Wegen nicht viel bequemer finden; schämet euch, der Kleinste hat besser Herz als ihr! Ich schrie hinauf, sie sollten mich wieder hinaufziehen, ich wollte hernach der

*) Gemsenkugeln finden sich im Magen alter Böcke, sind kugelförmige harte Ballen von der Grösse einer grossen, welschen Nuss, die aus Haaren und den Fasern der Bärwurz bestehen und ehemals als Arzneimittel in hohem Werth standen. (Anm. des Professor Seiz.)

Letzte verbleiben. Dadurch machte ich ihnen ziemlich Courage, und als ich heraufkam, sagte ich, wie dass hin und wieder Steine zum Anhalten wären. Darauf wagts der grösste und schwerste, den wir alle fünf hinunterliessen, und also fortan immer den schwersten vor, nach dem vierten den Wegweiser, und ich häckelte und warf das Seil an und rutschte mit den Händen allein hinunter. Doch brachten wir mit solchem wohl eine Stunde zu. Nach diesem gieng es tapfer fort und obschon einer fiel und sich schindete, durfte ers nit sonderlich achten.

Um 4 Uhr kamen wir in einen Schneegrund. Da sprach der Mann: hier müssen wir Gemsen suchen, unmöglich ists, dass nit eine sollt geblieben sein. Nach einer halben Stund suchend fanden wir eine, der zogen wir geschwind die Haut ab und der Mann schnitt ihr zwei Gemskugeln aus dem Magen, die er auf 1 Reichsthaler schätzte; er wollte mehr suchen, wir wollten aber nit, weil es tief zu waten war im Schnee, sondern begehrten, uns ein besseres Nachtlager bei Zeiten zu suchen, als wir gehabt. Er gab uns aber schlechten Trost zu solchem und sprach: gestern auf Steinen, heute auf Pfützen, weil wir bei einem grossen, tiefen und herum morastigen See liegen müssten, morgen etwas besehen und drei Stund Wurzeln und Kräuter colligiren, und bis Mittag wieder bei einem Schäfer, bei dem wir nur Sinczize, das ist dicke gesottene Schafmilch, essen und gleich wieder fort sollten, damit wir auf die Nacht wieder heim kämen.

Wir kamen aber meist auf kahle steinigte Berg, aber hin und wieder colligirte der Mann von den Steinen etliche visirliche Gewächs, fast dem Lungenkraut, an Buchen und Eichen wachsend, gleich. Diess war klein, er sagte uns aber nit, zu was es dienlich. Nach der grössten Höhe, so wir erstiegen, rechnete er noch wohl eine Stund grad in die Höhe. Nun kamen wir unten zu einem ansehnlichen See, aus dem der Wegweiser uns zu trinken verbot. Dieser See war kriebel dick voll kleiner Fisch, so wir mit der Hand langten, aber nichts war daran als nur Grät und Schuppen, inwendig waren sie meergrün. Bei solchem Weiher gruben wir viel Enzian und sammelten andere Kräuter. Um Sonnenuntergang kamen wir zum grossen Teich, um welchen wir viel Rhebarbaram und Angelicam funden, doch hackten wir zeitlich Büschel Reiss, worauf wir wegen der Nässe und Unziefer abscheulicher Würmer uns legten neben einen Steinhauffen, auf dem wir ein Feuer machten, uns mit dem noch übrig gebliebenen Vorrath labten und Gott dankten, dass wir wieder so weit herunter kommen wären.

Am Morgen zeigte uns der Mann unterschiedliche Gänge, so er auch besonders nannte, als wo die wilden Pferd, die Bären, die Gemsen und andere Thiere ihren Auffenthalte und Lauff, um an diesem See zu trinken, pflegten zu nehmen. Er weisete uns auch viel Kräuter und Wurzeln zu colligiren; wir aber behielten nichts als Rhebarbaram, Enzian, Angelicam und Hirschzungen; das andere liessen wir ihm alles. Als wir nun gute Plunder voll hatten, verlangte uns wieder heim, giengen durch Thäler, Wälder und andere ungangbare Orte, da er sich nach einem Büchel richtete, in welchem allerlei Zeichen der Berg, Klingen und Steinklippen gemalt und beschrieben waren, an manchen Orten hatte er auch ihm selbst Signa aufgerichtet.

Wir kamen nun um 12 Uhr Mittags durch gegebene Losung zu einem Schäfer, dem wir noch vier Wecken mitbrachten. Dieser wollte uns zwar ansehnlich traktiren, wir schlugens aber ab und nahmen nur Sinczize und Busse, auch gute Brinse, das ist gesalzen Käss, davon man auch Suppen pflegt zu machen, giengen dann tapfer drauf, dass wir kurz vor Abend wieder heim kamen.

Da war eine stattliche Mahlzeit bereitet, zu der wir den Ortspfarrer einluden, sungen und Gott dankten, dass er uns über diess abscheuliche, höchst gefährliche und beschwerliche grosse Gebirge und grausamste Tiefen gnädigst geholfen; erzählten auch andern diese grosse Gefährlichkeit, weiseten unsere Schrunden und Mähler, so wir darüber hatten übeıkommen und konnten die Wunderwerke Gottes an diesem Gebirge nit genugsam aussprechen. . . . . . .

Nachrichten von anderen Vereinen.

Alpenclub „Oesterreich". Die Plenar-Versammlung am 19. Januar hat die beantragte Erhöhung des Jahresbeitrags von fl. 3.— auf fl. 5.— nunmehr in der Weise zum Beschluss erhoben, dass der Jahresbeitrag bis auf Weiteres auf fl. 5.— festgesetzt, jedoch nach einem mit Zweidrittel-Majorität der Plenar-Versammlung gefassten Beschluss jederzeit wieder abgeändert werden kann. Darauf hat der bisherige Ausschuss in seiner Mehrheit die Wiederwahl angenommen.

Der ***Club alpin Français*** zählte am 1. Juli 1882, nachdem in 1882 636 Mitglieder beigetreten, 4172 Mitglieder in 30 Sectionen. Neu gegründet haben sich die Sectionen Rouen mit 34, und Madeleine mit 29 Mitgliedern.

Die heurige Jahres-Versammlung wird in den Thälern von Sixt und Chamonix stattfinden und von der Section Mont Blanc veranstaltet werden.

Club alpino Italiano. Am 22. December 1882 zählte der Club 3596 Mitglieder in 34 Sectionen, von denen sich seit dem letzten Bericht die 34., die Section Alpi Marittime in Porto Maurizio, gegründet hat.

Siebenbürgischer Karpathenverein. IV. Hauptversammlung zu Fogarasch. Der Rechenschaftsbericht hob das rasche Wachsthum der Mitgliederanzahl (jetzt 1300) hervor, erwähnte die Erbauung mehrerer neuer Schutzhütten und konnte mit Befriedigung constatiren, dass die Vorurtheile, welche in einzelnen Kreisen Anfangs gegen den Verein obwalteten, kaum mehr vorhanden seien, dass vielmehr von allen Seiten dem Verein neue Sympathien erwachsen und auch fremde Touristen den so vielfaches Interesse bietenden Karpathen Siebenbürgens immer mehr Beachtung schenken.

Nachdem hierauf der bisherige Vereinssekretär Emil Sigerus einstimmig wiedergewählt ward, wurden aus den auf 2656 fl. veranschlagten Einnahmen an sechs Sectionen für 1883 an Subventionen zu Hütten- und Wegbauten der Gesammtbetrag von 1500 fl. und für das nächste Jahrbuch des Vereins 900 fl. bewilligt. Schliesslich erstattete der Obmann der Section Hermannstadt, Herr A. Bell, Bericht über den IV. internationalen Congress zu Salzburg. Die nächste Hauptversammlung wird im August 1883 in Bistritz stattfinden.

Vereins-Hütten und Unterkunftshäuser.

Frequenz im Jahre 1882.	Im Fremdenbuch sind eingezeichnet	Siehe Bemerkung auf Seite 50 No.
Anger-Hütte im Rainthal (München)	123	—
Austria-Hütte am Brandriedel (Dachstein) (Austria)	54	1
Baumbach-Hütte in der Trenta (Küstenland)	30	—
Berliner Hütte auf der Schwarzensteinalpe (Berlin) .	263	2

	Im Fremdenbuch sind eingezeichnet	Siehe Bemerkung auf Seite 50 No.
Clara-Hütte im Umbalthal (Prag)	44	—
Douglass-Hütte am Lüner See (Vorarlberg)	225	—
Drei Zinnen-Hütte am Toblinger Riedel (Hochpusterthal)	—	3
Dresdener Hütte in der Fernau (Stubai) (Dresden)	268	—
Elend-Hütte im Maltathal (Klagenfurt)	2	4
Touristenhaus am Hohen Freschen (Vorarlberg)	155	—
Funtensee-Hütte (Berchtesgaden)	142	—
Gfallwand-Hütte (Meran)	10	—
Glockner-Haus auf der Elisabethruhe (Klagenfurt)	1220	—
Grobgstein-Hütte am Dachstein (Austria)	11	—
Hirzer-Hütte (Passeier) (Meran)	25	—
Hofmanns-Hütte an der Pasterze (Prag)	72	—
Johannis-Hütte am Venediger (Prag)	33	—
Kaindl-Hütte am Fochezkopf in Kaprun (München)	17	—
Knorr-Hütte an der Zugspitze (München)	258	5
Koralpen-Haus (Unter-Kärnten) (Wolfsberg)	496	—
Krainer Schneeberg-Haus (Küstenland)	26	6
Laugen-Hütte (Ultenthal) (Meran)	36	—
Leipziger Hütte am Adamello (Leipzig)	51	—
Loser-Hütte am Loser (Aussee)	183	7
Prinz Luitpold-Haus am Hochvogel (Algäu-Immenstadt)	33	—
Mannhart-Hütte (Villach)	38	8
Olperer-Hütte (Prag)	20	—
Payer-Hütte am Ortler (Prag)	168	9
Prager Hütte am Venediger (Prag)	100	—
Rainer-Hütte im Kapruner Thal (Austria)	387	10
Rudolfs-Hütte im Stubachthal (Austria)	91	11
Schwarzenberg-Hütte an der Hohen Dock (Austria)	9	12
Berghaus am Seebichl (Klagenfurt)	21	—
Simony-Hütte am Dachstein (Austria)	74	13
Stüdl-Hütte am Grossglockner (Prag)	99	—
Stuiben-Hütte (Algäu-Immenstadt)	625	—
Tilisuna-Hütte an der Sulzfluh (Vorarlberg)	82	—
Villacher Hütte an der Hochalmspitze (Villach)	6	14
Waltenberger-Haus an der Mädelegabel (Algäu-Immenstadt)	53	—
Wischberg-Hütte (Villach)	7	—
Zufall-Hütte im Martellthal (Dresden)	22	15

	Im Fremdenbuch sind eingezeichnet	Siehe Bemerkung auf Seite 51 No.
Andere Hütten:		
Cevedale-Hütte im Val della Mare	33	—
Dobratsch	420	—
Erzherzogin Maria Theresia-Schutzhaus (Triglav) . .	37	—
Erzherzog Franz Ferdinand-Schutzhaus(Triglav-Seethal)	10	—
Frischauf-Hütte am Grintouz (Sannthaler Alpen) . .	45	—
Hochjoch-Hospitz (Vent)	605	—
Franz Keil-Schutzhaus am Hochgolling	—	16
Petzen-Haus (Karavanken)	43	—
Radurschl-Haus	28	—
Sanmoar-Hütte	302	—
Schaubach-Hütte (Ortler-Gruppe)	150	—
Tosa-Hütte an der Cima Tosa.	48	—
Hochgebirgsstationen.		
Inner-Oetzthal	648	—
Kals	223	—
Kaprun	402	—
Sulden	420	—

Bemerkungen zu vorstehender Tabelle.

Zu Nr.

1. Die Hütte erhielt durch die Section eine neue Quellenleitung.
2. Bergtouren: Grosser Mörchner 2, Feldkopf 2, Höchste Hornspitze 1, Ochsner 1, Thurnerkamp 1, Hornspitze III. und IV. mit Abstieg über den Westgrat (neu) 1, Grosser Mösele 1, Schwarzenstein 32 Besteigungen.
3. Die Hütte wurde erst Anfang September fertig gestellt. Die auf den 14. Sept. anberaumte festliche Eröffnung konnte aber wegen der mit dieser Zeit eingetretenen Hochwasserkatastrophe nicht mehr zur Ausführung gebracht werden und unterblieb in Folge dessen die Auflage des Fremdenbuchs sowohl als auch der Besuch der Hütte.
4. Das constant schlechte Wetter verhinderte jede grössere Tour. Besteigungen wurden bekannt: Hochalmspitze 2, Hafner 1, Sonnblick (am 17. März) 2 Personen.
5. Am 12. August beherbergte die Hütte bei Gelegenheit einer Tour des Turner-Alpenkränzchens in München 72 Personen, am 24. August vor der Kreuzversetzung 43 Personen incl. Führer und Träger.
6. Weder Fremdenbuch noch sonstiges Inventar lässt sich halten, da die Erfahrung lehrt, dass alles enttragen würde. Nächsten Sommer ist eine grosse Reparatur nothwendig.
7. Viele haben sich nicht eingezeichnet, so dass man die Frequenz ungeachtet der ausserordentlich ungünstigen Witterung auf 250 schätzen kann.
8. Gegenwärtig so gut als nicht mehr vorhanden, da durch Föhn vom 27. bis 28. October vollkommen zerstört, nur 2 Mauerreste übrig.
9. Den Ortler erstiegen 105 Touristen auf dem gewöhnlichen Weg, 4 über den Hinteren Grat.
10. Als beabsichtigt sind angegeben: 6 Wiesbachhorn, 9 Riffelthor, 1 Grossvenediger, 3 Grossglockner.

Zu Nr.
11. 1 Tour Wiesbachhorn, 1 Obere Oedenwinkelscharte.
12. Die Hütte wurde erst am 18. August eröffnet.
13. Der Dachstein wurde von 38 Personen bestiegen. Erste Besteigung am 30. Juni, letzte durch Herrn Professor Simony und Sohn am 10. Octbr. In 1881 wurde der Dachstein von 71 Personen bestiegen. — Der Aufstieg von Hallstatt zur Hütte wurde von der Section Austria renovirt.
14. Die Hütte wurde erst Ende August eingerichtet und eröffnet.
15. Die Hütte ist erst am 23. August eröffnet worden, das Fremdenbuch hat vom 25. August an aufgelegen. Am Tag der Eröffnung war die Hütte von ca. 150—200 Personen besucht, von welchen gegen 70 in der Hütte nächtigten.
16. 5 Hochgolling-Besteigungen sind verzeichnet.

Personalien.

Se. Majestät der Kaiser von Oesterreich hat dem Obmann unserer Section Bozen, Herrn ***Albert Wachtler,*** für besonders verdienstliche Leistungen bei Bekämpfung der in Folge der jüngsten Ueberschwemmungen in Tirol eingetretenen Gefahren für Leben und Eigenthum das goldene Verdienstkreuz mit der Krone verliehen.

Mittheilungen und Auszüge.

Geographisches vom internationalen alpinen Congress in Salzburg. Unter diesem Titel bringt das seit 1882 unter Redaction des Professor Dr. F. Ratzel in München erscheinende »Ausland« einen Bericht über den genannten Congress, den wir hier zum Abdruck bringen, da er uns in vorzüglich treffender Weise anzudeuten scheint, was die Wissenschaft von den alpinen Bestrebungen verlangt und verlangen kann.

»Die Alpenvereine verdanken den ungemeinen Aufschwung an Mitgliederzahl und infolgedessen an finanzieller Leistungsfähigkeit ohne Zweifel dem Umstande, dass sie sehr verschiedene Richtungen in ihr Programm aufgenommen haben und somit Interessenkreise zu gemeinsamer Thätigkeit vereinen, die sich sonst vollkommen ferne bleiben. Schon an der Wiege des ersten kontinentalen Alpenclubs reichten sich wissenschaftliche und sportliche Bestrebungen die Hände zu einem Bunde, welcher nicht mehr gelöst worden ist, und nach wenigen Jahren traten die practischen Tendenzen, Weg- und Hüttenbau, Ordnung des Führerwesens als gleichberechtigter Gegenstand des Interesses hinzu.

Die genannte Versammlung, welche vom Deutschen und Oesterreichischen Alpenverein, in Erwiderung mehrerer ähnlicher Feste, welche in Frankreich und der Schweiz stattgefunden hatten, nach Salzburg einberufen wurde, zeigte die Verbindung dieser verschiedenen Antriebe auf das deutlichste. Die Verhandlungen bei der gleichzeitigen General-Versammlung des Deutschen und Oesterreichischen Alpenvereins betrafen naturgemäss vorwiegend practische Fragen, die Vorträge waren der Mehrzahl nach wissenschaftlichen Inhalts und der breite Raum, welcher traditionsgemäss den geselligen Vereinigungen und Ausflügen zugemessen war, konnte daran erinnern, dass für die grosse Mehrzahl der Theilnehmer die Freude am Alpenwandern das Motiv war, welches sie den alpinen Vereinen zugeführt hat.

Es ist hier nicht der Platz, auf den moralischen und sanitären Werth der Alpenreisen hinzudeuten oder auf die Förderung des Fremdenverkehrs und damit des Volkswohlstands in den Alpenländern, welche sich diese Vereine zu gute schreiben können: hier soll nur über den Stand der wissenschaftlichen Bestrebungen, wie er bei der erwähnten Gelegenheit etwa zu Tage getreten ist, einiges bemerkt werden.

Die Zeiten sind vorüber, in welchen Glocknerbesteigungen in den Denkschriften der kaiserlichen Akademie der Wissenschaften veröffentlicht werden konnten, es sind jetzt keine Entdeckungsreisen in den Alpen mehr zu machen. Doch darf nicht vergessen werden, dass bis in die Anfänge des vorigen Jahrzehntes hinein die Beschreibungen der Alpinisten thatsächlich neue Entdeckungen in grösserer Anzahl enthielten, dass besonders die kartographische Feststellung vieler Theile der Ostalpen noch alles zu wünschen übrig liess und daher die weitläufigen orientirenden Auseinandersetzungen eines Ruthner oder Sonklar, welche man jetzt durch einen Blick auf die Specialkarte ersetzen zu können meint, wesentliche Erweiterungen unserer Kenntnisse bildeten.

Dieser Phase der alpinen Geographie hat die Aufnahme der Alpenländer durch die officiellen Körperschaften, Generalstäbe, topographischen Bureaus u. s. w. ein Ende gemacht, — schon vor 40 Jahren in der Schweiz, vor etwa 10 Jahren in den Ostalpen. Die betreffenden Arbeiten, der topographische Atlas der Schweiz und die Karten des k. k. Militär-geographischen Institutes in Wien bildeten daher auch quantitativ und qualitativ die Hauptobjecte der mit dem Salzburger Congress verbundenen Ausstellung.

Besonders das letztgenannte Institut hatte in grossartiger Weise alle seine vielfältigen Arbeiten zur Ansicht gebracht; die Wände des sehr geräumigen Sitzungssaals genügten kaum, sie aufzunehmen. In allen Stadien der Vollendung, in den mannigfachsten Herstellungsmethoden zeigten sich die grosse Specialkarte des Kaiserstaates, die vielen Einzeleditionen in grösseren und kleineren Maasstäben, die Originalaufnahmen in ihrer verschiedenen Verwendung. Folgerichtig war es auch ein Vortrag eines Vertreters des Institutes, Major O. Volkmer, über die Herstellungsmethode der Specialkarte, welcher die Verhandlungen des Congresses eröffnete. Neben den Arbeiten des schweizerischen und österreichischen Generalstabes erscheinen die kartographischen Leistungen der Alpenclubs nur ergänzend und ausführend. Der Deutsche und Oesterreichische Alpenverein hat in neuerer Zeit durch Specialkarten einzelner Gebirgsgruppen, welche zwar auf den Originalaufnahmen des k. k. Militär-geographischen Instituts beruhen, bezüglich der Nomenclatur aber völlig neu bearbeitet und in sehr elegantem Kupferstich (von Petters in Hildburghausen) ausgeführt sind, den einzigen Weg betreten, auf welchem die Leistungen der Staatsanstalt noch wesentlich überboten werden können. Denn es ist kein Geheimniss, dass die Durcharbeitung der Nomenclatur ebenso wie die Uebersichtlichkeit der Zeichnung auf den älteren Blättern der Specialkarte des geographischen Institutes einiges zu wünschen übrig lassen. Der Alpenverein hingegen verfügt über die geeignetsten Kräfte, den meistens in der Tiefe der Volksmundarten schlummernden Geheimnissen der Nomenclatur auch bis in die unzugänglichsten Reviere nachzustöbern und die Ergebnisse der Forschungen, welche in seinen eigenen Publicationen niedergelegt sind, entsprechend zu verwerthen.

Neben den Karten dienen Panoramen und Einzelansichten am meisten der geographischen Belehrung. Auf diesem Gebiete zeigten neben dem Schweizer Alpenclub der Deutsche und Oesterreichische Alpenverein und der Oesterreichische Touristenclub die besten Leistungen. Auch die Privatindustrie hat sich dieses Gebietes längst bemächtigt. Die Firmen Grefe und Hölzel in Wien brachten zahlreiche Farbendrucke zur Ausstellung, von denen freilich manche mehr durch Buntheit der Farben als durch Naturwahrheit sich auszeichnen. An Photographien lieferte die Firma Würthle und Spinnhirn in Salzburg eine ganz hervorragende Collection der vorzüglichsten Aufnahmen aus allen Theilen der Ostalpen; leider waren andere Etablissements, wie Johannes in Partenkirchen, Braun in Dornach etc. unvertreten.

Auf dem Gebiet der Gletscherforschung war die Schweiz mit einem imponirenden Uebergewicht aufzutreten in der Lage. Professor F. A. Forel aus Morges berichtete nämlich über die Arbeiten am Rhonegletscher, welche zwar keineswegs vom Alpenclub allein hervorgerufen und bezahlt worden sind, deren sich derselbe aber in einem kritischen Moment in entscheidender Weise angenommen hat — was ihm stets zur grössten Ehre gereichen wird. Die Beobachtungen des persönlich anwesenden Ingenieurs Philibert Gosset sind das bedeutendste, was seit den Zeiten Agassiz' für die Gletscherkunde in's Werk gesetzt wurde, und die Schönheit und Genauigkeit der kartographischen Aufnahme des Gletschers imponirte ebenso, wie die zahlreichen und minutiösen Details über Bewegung und Veränderung desselben und die prächtigen und charakteristischen Photographien. Es ist für den Deutschen und Oesterreichischen Alpenverein eine Ehrensache geworden, mit seinen reicheren Mitteln diesem glänzenden Beispiel kräftig nachzuarbeiten.

Ein dritter Vortrag wissenschaftlichen Inhalts war der des Professors E. Fugger in Salzburg über die Entstehung der Eishöhlen. Da der Untersberg bei Salzburg mehrere sehr ansehnliche, wenn auch nicht sehr bequem zugängliche Eishöhlen enthält, so war der Vortragende in der Lage, den Temperaturgang und die Veränderung des Eises in diesen merkwürdigen Räumen durch mehrere Jahre und alle Jahreszeiten hindurch auf das genaueste zu verfolgen, wie das wohl noch nie bisher in dieser Weise geschehen ist. Als Hauptergebniss dieser mühsamen Forschung ist die Erkenntniss anzusehen, dass die allgemeine Ansicht, das Eis bilde sich im Sommer und schwinde im Winter, ein Märchen ist. Das Eis bildet sich vielmehr desshalb, weil die Höhlentemperatur im Winter tief unter Null sinkt, das Einströmen von Tropfwasser aber auch in dieser Jahreszeit nicht aufhört. Die einströmende Sommerwärme ist dann nicht bei allen Höhlen stark genug, das so gebildete Eis abzuschmelzen — bei manchen wird es allerdings alljährlich bis zum Herbst gänzlich vernichtet. Die mannigfachen und künstlichen Hypothesen, welche auch neuerdings wieder aufgestellt worden sind, um das räthselhafte Sommereis, welches im Winter verschwindet, zu erklären, sind somit völlig überflüssig geworden und konnten nur entstehen, weil bei der Entlegenheit der meisten Eishöhlen im rauhen Kalkhochgebirg sich noch niemand die Mühe genommen hat, lange Beobachtungsreihen zu gewinnen, wie sie jetzt durch Fugger und seine Gefährten gesammelt worden sind.

Hiemit sind wohl die hauptsächlichsten Zeugnisse hervorgehoben, welche die alpinen Clubs bei dem Salzburger Congresse von ihrer wissenschaftlichen Thätigkeit abzulegen im Stande waren. Sie bewiesen, dass man neben practischen Bestrebungen und jener gewissen populären Richtung, wie sie durch Entstehung und Zusammensetzung dieser Vereine gegeben ist, wenigstens in den leitenden Kreisen der grösseren dieser Körperschaften, besonders des Schweizer und Deutschen und Oesterreichischen Vereins die Thatsache nicht vergessen hat, dass die Pflege der gelehrten Forschung gewissermaassen den Adelsbrief darstellt, der die Existenz und die Arbeiten dieser Körperschaften über den Rang vergänglicher Modesachen hinaushebt und ihnen einen dauernden Werth verleiht. Es steht zu erwarten, dass auch in Zukunft hierin kein Rückschritt, sondern eher eine Steigerung der Leistungen eintreten wird, da der Sport ebenso wie das Weg- und Hüttenbauen sich nach und nach wegen Mangels geeigneter Objecte erschöpfen müssen, die Fragen, welche die Wissenschaft in unseren Alpen zu stellen hat, aber noch lange nicht zu Ende gehen dürften.

Somit wird sich auch die geographische Disciplin nur freuen können, an den alpinen Clubs leistungsfähige Genossen für ein, wenn auch begrenztes, doch höchst merkwürdiges Gebiet zu besitzen.«

Der Arlberg-Tunnel. Die seit 1880 im Bau begriffene und voraussichtlich mit Ablauf des Jahres 1884 zu vollendende Tirol-Vorarlberger Eisenbahn verbindet den entlegenen Westen der Oesterreichisch-

Ungarischen Monarchie mit dem Herzen Tirols und weiter mit der Hauptstadt des ganzen Reichs und schafft die von den Süd-Oesterreichischen Kaufleuten und Gewerbetreibenden lange ersehnte directe Verbindung mit der Schweiz und Frankreich durch die grossen Bahnlinien:

Wien-Salzburg-Innsbruck-Bludenz-Bodensee-Zürich { Basel-Lyon-Paris,
Bern-Genf-Lyon,
Luzern-St. Gotthard-Italien.

Die Linie zweigt bei Innsbruck von der Brennerbahn Kufstein-Ala-Verona ab, zieht sich im Thal des Inn aufwärts nach dem am Ausgang der Finstermünzstrasse liegenden Landeck. Jenseits des letzteren Ortes verlässt die Bahn den Inn und wendet sich durch das Rosanna- oder Stanzerthal dem Arlberg zu. Bei St. Anton trifft sie auf den 1797 m hohen, gewaltigen Gebirgsgrenzstock des Arlbergs, durchbricht denselben mittels eines 10 270 m langen Tunnels und windet sich über den im Tunnel selbst in 1310 m Seehöhe liegenden Bahnscheitelpunkt dem westlichen Ausgang bei Langen im Klosterthal zu. Darauf senkt die Bahn sich durch dieses zum rauschenden Alfenzbach und nach Bludenz, wo sie in die zum Bodensee und nach dem oberen Rheinthal führende Vorarlberger Bahn einmündet.

Die Baukosten für die gesammte 137 km lange Bahnlinie Innsbruck-Bludenz sind mit 71 200 000 Mark veranschlagt. Davon entfallen 32 432 000 Mark für die Herstellung des grossen Tunnels.

Die Ausführung der Tunnelarbeiten ist den Firmen Cecconi und Gebr. Lapp übertragen worden. Diesen zur Seite steht als Fachmann und Berather Professor Franz Rihn.

Der Tunnel ist sowohl an der Ost- als auch an der Westseite gleichzeitig begonnen worden. Am 31. December 1882 waren die Bohrmaschinen bereits 6801,7 m in den Berg eingedrungen und zwar 3768,1 m im Oststollen und 3036,6 m im Weststollen bei Langen, mithin verbleiben noch zu durchbrechen 3468,3 m.

Den Bau der gesammten Bahnlinie hat die k. k. Bahnbauverwaltung streckenweise vergeben. Es sind zwei Bauleitungen eingerichtet und in Innsbruck, bezw. Bludenz stationirt worden. Dieselben beaufsichtigen 5 Bau-Sectionen: Innsbruck, Landeck, St. Anton, Langen und Bludenz. Den beiden Sectionen, welchen die Durchbohrung des Tunnels obliegt, ist besondere Beschleunigung der betreffenden Arbeiten zur Pflicht gemacht worden. An der östlichen Tunnelseite wird das Percussionsbohrsystem mit comprimirter Luft angewendet. Es werden dazu die beim Gotthard-Tunnel benutzten Bohrmaschinen nebst den zugehörigen Bohrwagen verwendet. Auf der westlichen Tunnelseite bei Langen wird mit Brandt'schen Bohrmaschinen unter Anwendung hochgespannter Wassertransmission gearbeitet. Dieses vollkommen neue Bohrverfahren entspringt dem Drehbohrsystem. Es übertrifft das erst bezeichnete ältere Verfahren zwar nur um ein Geringes, allein seine Einrichtung und Anwendungsart bieten so grosse Vortheile, dass es dem ersteren unbedingt vorzuziehen ist. Die alten Gotthard-

Maschinen hämmern mit 300 bis 400 Schlägen pro Minute auf die starre Felswand ein. Die hohlen Bohrer der neuen Brandt'schen Maschinen dagegen werden durch hydraulischen Druck an das Gestein angepresst und langsam rotirend in die Felsen eingedrückt. In einzelnen 6 bis 8 m breiten Ringen schiebt der Tunnel sich allmälig in's Gebirge vor. Die Tunnelsohle bildet den Richtstollen und somit den Anhalt für alle weiteren Tunnelarbeiten. Das abgeschlagene Gestein wird aus dem westlichen Stollen mittels Pferdekraft und aus dem Oststollen bei St. Anton mittels Locomotive entfernt. Das Gestein auf der Ostseite, ein quarzreicher und granathaltiger Glimmerschiefer und Gneiss, kamen den Bohrmaschinen bisher sehr zu statten. Weit ungünstiger liegt die Sache auf der Westseite. Dort birgt der Arlberg wohl auch das gleiche Gestein, aber es wirken sehr ungünstige Lagerungs-Verhältnisse und mächtiger Wasserdrang höchst ungünstig auf die Arbeiten ein. Das Gestein ist brüchig und erfordert die zeitraubende Herstellung von Gerüsten und Stützen und hindert sonach das regelmässige Fortarbeiten der Bohrmaschinen. Dieselben stehen daher den Bohrern der entgegengesetzten Seite um 1,27 m Tagesleistung nach.*) Für das Wohlergehen der Tunnelarbeiter, ihre Krankenpflege, Seelsorge, Schulunterricht etc. ist ausreichend gesorgt. Nach Vollendung des Gotthard-Tunnels sind viele der dortigen Arbeiter nach dem Arlberg übergesiedelt und haben das einst so stille Alpendorf St. Anton und den vordem nur aus wenigen Häusern bestehenden Weiler Langen bevölkert.

Der Tunnel soll vertragsmässig im Herbst 1885 vollendet sein, doch wird derselbe weit früher seiner Vollendung entgegengehen und dann die ursprünglich für jede Versäumniss festgesetzte Conventionalstrafe von 1200 M. per Tag in eine gleichmässig in Aussicht gestellte Vergütung umgewandelt werden können.

Das Anfahren des Baumaterials zum Bahnkörper war Anfangs Innthaler Bauern übertragen worden; dieselben spannten indessen mit der Zeit ihre Forderungen immer höher, so dass die k. k. Eisenbahnbau-Verwaltung genöthigt war, Fuhrwerksbesitzer aus dem fernen Galizien heranzuziehen.

Welch grossen Einfluss die Inbetriebsetzung der Arlbergbahn dereinst auf den süddeutschen Handelsverkehr ausüben wird, ist unschwer zu ermessen. Der ferne Osten, der Orient und Ungarn rücken mit ihren Producten bis an's Schwäbische Meer und weiter an dessen südlichem Gestade nach dem Südwesten Europas. Das ungestüme Vordringen der Arlberg-Durchbohrer erweist sich sonach für Süddeutschland als gewaltiger Mahnruf, einig zu werden in der Ausführung der seit Jahren projectirten Bodensee-Gürtelbahn Radolfzell-Ueberlingen-Friedrichshafen-Lindau.

Gera. *W. Kellner.*

---

*) Wir verweisen auf frühere Nachrichten in den Mittheilungen über die Arlbergbahn und entnehmen dem amtlichen Bericht über den Bau der Zufahrtstrecken Folgendes: Auf der Strecke Innsbruck-Landeck waren im December 1882 durchschnittlich 2167 Arbeiter per Tag beschäftigt. Die Gesammtleistung der Unterbau-Arbeiten beträgt 82·1 Percent, die Leistung der Oberbau-Arbeiten

In ***Graz*** wird im Juni 1883 eine ***Ausstellung culturhistorischer Gegenstände*** zur Feier der 600jährigen Regierung des Hauses Habsburg in der Steiermark veranstaltet werden, welche möglichst viele culturhistorische Gegenstände vereinigen soll, welche entweder im Lande oder von Landeskindern geschaffen wurden, oder durch lange andauernde Verwendung Bedeutung für Land und Leute erlangt haben. Das Comité glaubt, darin keine Schätze aufspeichern zu können, welche die Verwunderung der Welt erregen, denn die Steiermärker haben niemals Zeit und Gelegenheit gefunden, reich zu werden, wohl aber hofft man nachweisen zu können, dass allzeit ehrlich und unverdrossen gearbeitet wurde, dass man sich stets grosse und edle Ziele gesteckt hat, und dass sich auch die Gegenwart manches schönen und beachtenswerthen Erfolges freuen kann. Was immer in die Entwicklung des geistigen und materiellen Lebens eingegriffen hat, das soll dabei zur Anschauung gebracht werden, neben der höchsten Leistung des Künstlers und des Gelehrten soll die einfachste Erfindung des Handwerkers, das bescheidene Geräth aus dem Bauernhofe Platz finden. Die Gegenstände, welche zur Ausstellung gelangen können, gliedern sich in folgender Weise: I. Section. A. Prähistorische Objecte. B. Aus der römischen Periode. C. Aus der Zeit der Völkerwanderung. D. Karten, Pläne, Abbildungen, Photographien u. dgl. II. Section: A. Einrichtung von Wohnräumen. B. Hervorragende Productionszweige der Kunstindustrie. C. Ein steirisches Bauernhaus. III. Section: A. Werkzeuge der Landwirthschaft. B. Gegenstände der Eisenproduction. C. Eisenarbeiten zu landwirthschaftlichen und gewerblichen Zwecken. D. Producte der Zinn- und Gelbgiesser etc. E. Glasindustrie und Glasmalerei. F. Majolika-Industrie, Hafnerei, Keramik. G. Gegenstände der Holztechnik. H. Gegenstände der Ledertechnik. I. Hausindustrie- und Bekleidungsgegenstände. K. Uhrmacherei. L. Mess- und wissenschaftliche Instrumente. M. Musikinstrumente. IV. Section: Ausstellung von Werken steirischer Künstler. V. Section: A. Archivsgruppe. B. Bibliotheksgruppe. C. Rechts- und Verwaltungsleben. D. Numismatisch-sphragistische Gruppe. VI. Section: A. Darstellung der historischen Entwickelung der Kriegs-, Prunk- und Jagdwaffen, Rüstungen und Jagdgeräthe. B. Graphische Darstellungen, Documente, Modelle und Pläne über das steirische Kriegswesen. C. Gegenstände aus dem Gebiet der Heraldik. VII. Section: A. Objecte kirchlicher Kunst. B. Darstellung einiger Bau-

---

16·3 Percent. Bei den Hochbauten waren durchschnittlich 250 Arbeiter beschäftigt, und beträgt die gegenwärtige Gesammtleistung 63·4 Percent. Auf den Strecken Landeck-St. Anton und Langen-Bludenz wurden die Arbeiten für die Herstellung der Dienstbahnen, sowie die Zufuhr des Materials für diese Bahnen fortgesetzt. Die mittlere tägliche Arbeiteranzahl war 1660, und die Gesammtleistung beträgt an Erd- und Maurerarbeiten 4·4 Percent. — Die beim Bau des Arlberg-Tunnels bisher erzielten Fortschritte ergeben für die Bau-Unternehmung hinsichtlich der die Vertragsbestimmungen überholenden Leistungen beim Sohlenstollen-Vortrieb auf der Ostseite 328·8 und auf der Westseite 132·4 Tage.

denkmäler zur Charakterisirung des Entwickelungsgangs der kirchlichen Kunst in der Steiermark. — Anmeldungen von Ausstellungs-Gegenständen, sowie Anfragen und Mittheilungen sind an das Central-Comité in Graz zu richten.

Touristische Notizen.

Touren im Gschnitzthal.

1. *Hoher Zand*. (Erste Ersteigung). In dem Kamm, welcher das Gschnitz- vom Pflerschthal scheidet, bemerken wir östlich von der durch den sonderbaren Kalkaufsatz ausgezeichneten Weisswandspitze 3013 m Sp.-K. einen schlank-kegelförmigen Schiefergipfel, über welchen uns indess keine neuere Karte Aufschluss ertheilt (bei P. Anich steht an der betreffenden Stelle der Name »Schnabele Berg»). Auch sonst findet sich derselbe nirgends erwähnt und nur Barth und Pfaundler (Stubaier Gebirgsgruppe S. 100) scheinen den Namen »Eisenspitze« hierauf bezogen zu haben. Der Volksname dafür aber ist »Hoher Zand« (Zahn).

Bei der Besteigung nun, welche übrigens keinerlei Schwierigkeiten bietet, nahm ich am 5. September 1882 mit Führer G. Pittracher den Weg durch das Sandesthal auf den Sattel des Pflerscher Pinggl, (8225' = 2599 m B. u. Pf., zwischen 2774 und 2761 Sp.-K.), traversirte von hier die steile Südlehne und gelangte dann meist über mächtige Gesteinstrümmer kletternd hinauf. Zum Abstieg wählten wir die directe Richtung nach Lapónes. Hiezu sei bemerkt, dass der abschüssige Weisswandferner im schneefreien Zustand ohne Steigeisen nicht betreten werden kann und diesfalls eine nicht unbeschwerliche Umgehung nöthig wird. (Gebrauchte Zeit, die Rasten abgerechnet: Gschnitz-Pflerscher Pinggl 3 $^1/_2$ St., Spitze 1 $^1/_4$ St., Lapones 1 $^1/_4$ St. — Aneroïdmessungen: Grosser Zand 2982 m, Sattel an der Weisswand 2927 m).

Was die Aussicht betrifft, so wurde diese durch trübes Wetter zwar einigermaassen beeinträchtigt, doch gelang es immerhin, wenigstens succesive das Wesentlichste auszunehmen. Während der westliche und nördliche Horizont nicht viel über die nächstgelegenen, allerdings aber meist ausserordentlich günstig gestellten Gruppen (Pflerscher Gletscher, Tribulaun-, Habicht- und Serleskamm) hinausreicht und im O. nur von den Tuxer- und Brenneralpen begrenzt wird, ist dagegen der Blick gegen S. ein ungemein freier und weitgehender. Vom Einschnitt des Eisackthals, welcher bis gegen Brixen verfolgbar ist, bis zu der interessanten Reihe von dem Gurgler Gebiet angehörigen Eisspitzen rollen sich stellenweise 6—7 Bergketten hinter einander auf. Leider erschien es bei obwaltenden Umständen kaum möglich, dieselben einer eingehenderen Betrachtung zu unterziehen.

Bei Besteigung der Weisswand,*) welche wohl einen noch günstigeren Ausblick gewähren dürfte, müsste man von dem erwähnten Sattel 2927

*) S. Mittheilungen 1882, S. 319.

aus das Gesims benützen, welches an der Gesteinsgrenze hinläuft, und dann von SW. aus die Spitze gewinnen.

2. *Muttenjoch (Mutte).* Auch diese Erhebung wurde trotz ihrer auffallenden Erscheinung, bedeutenden Höhe und leichten Ersteigbarkeit bisher so ziemlich ignorirt, ja nicht einmal gemessen. Es beziehen sich nämlich alle unter diesem Namen angegebenen Höhenzahlen auf den Jochübergang 2394 Sp.-K. Auch in letzterer findet sich die eigentliche Muttenjochkuppe, im Volke zum Unterschiede von jenem Sattel »Mutte« genannt, lediglich dem Terrain nach eingetragen. Behufs Ersteigung vom Gschnitzthal aus benützt man den öfters begangenen Weg durch das Matheier oder Mathar(-Thal)*) und gelangt dann vom Jochkreuz rechts mit Leichtigkeit empor. (Trins-Oberlegerochsenhütte 2 $^3/_4$ St., Kreuz $^3/_4$ St., Spitze $^1/_2$ St., Rückweg nach Trins oder Obernberg ca. 3 St. — Aneroïdmessungen: Spitze 2655 m, Sattel westlich davon 2582 m).

Aussicht: Tribulaun-Gruppe, Sonklarspitze, Feuerstein, Freiger, Pfaffen, Schaufelspitze, Daunkopf, Schlickerwand, Gschnitzthaler- und Selrainer Berge, nördliche Kalkalpen vom Solstein bis Sonnwendjoch, Karwendel- und Hinterauthaler Kette, dann sämmtliche Spitzen zwischen Wipp-, Watten- und Schmirnthal, ganzer Tuxer Hauptkamm, Pfitscher Kamm, z. Th. Brenner- und Sterzinger-Alpen und als äusserste Begrenzung des südöstlichen Gesichtskreises die glänzende Reihe der Dolomiten von der Dreischusterspitze bis zum Langkofel.

3. *Hutzel* 2722 m Sp.-K.**) Zum Aufstieg von Trins aus wäre am besten zu empfehlen der Weg durch das Val Schwern (der Graben nordöstlich vom Hutzel) zu dem Felsenkessel zwischen den Kugelwänden, Ober der Mauer und Kalbenjoch (Quelle 1. 2.^{0} — 2 St.) und sodann links über erstere hinauf. (1 St.) Etwa $^1/_2$ St. zuvor hat man noch eine Stelle zu passiren, welche besondere Erwähnung verdienen möchte. Es ist dies ein ca. 3 m langer scharfer Grat, zu dessen beiden Seiten steile Gehänge abstürzen. Jedoch sind die Umstände derart, dass man in jedem Fall leicht rittlings hinübergelangen kann. Den Abstieg mag man wohl auch in südlicher Richtung gegen das Padail hinunter machen, wogegen aber derselbe über den Rücken des Hutzel wegen Länge und Beschwerlichkeit nicht rathsam erscheint.

Die Aussicht, welche nebst dem unter 2. genannten noch mehr, speciell aber eine nahezu vollständige Uebersicht der Stubaier Gruppe und ausserdem eine wirklich reizende Thalschau umfasst, zeichnet sich besonders

---

*) Reich an interessanten Pflanzenspecies. Besonders hervorzuheben: *Ranunculus rutaefolius; Phthora; Dianthus glacialis; Cerastium macrocarpum, uniflorum; Phaca frigida; Sibbaldia procumbens; Saxifraga Engleri, aphilla, moschata, exarata, sedoides, patens; Pachypleurum simplex; Saussurea alpina; Taraxacum Kochii* Kern.; *Gentiana Bavarica var. imbricata, prostrata, tenella, nana; Primula Floerkeana; Oxyria digyna; Tofieldia ramosa; Calamagrostis alpestris* Kern.; *Sesleria disticha, ovata; Equisetum alpestre.*

**) *Arabis coerulea; Geum reptans; Saxifraga hybrida* Kern.; *Valeriana supina.*

durch gefällige Vertheilung des Ganzen aus und dürfte wohl überhaupt die aller umliegenden Punkte von ähnlicher Höhe übertreffen.

4. *Kirchdach* 2837 m Sp.-K. Man verfolgt von Trins aus das Padasterthal*) bis an den Fuss der Hummerspitze (= Hammerspitze; in Stubai Schneiderspitze genannt) 2634 Sp.-K., wo sich eine Schafalpe befindet (2 St.). Weiter führt ein Pfad an steilen Abhängen hin zum Sattel 2426 m Sp.-K. (Bockgrube, 1/4 St.) und dann allmählig verschwindend am Massiv des Berges selbst auf stark geneigtem vollständig vegetationslosem Geröllterrain aufwärts zu einem grasbewachsenen Vorsprung (1/2 St.) Von diesem führt das letzte Stück noch ca. 20 Min. auf schmalem Grat etwas schwindlig, doch nicht gefährlich zur Spitze. Aussicht im Wesentlichen auch hier dieselbe, wenn gleich mit einigen nicht unbedeutenden Beschränkungen.

Innsbruck. *Ludwig Graf Sarnthein.*

Zillerthaler Gruppe.

Tristner 2768 m. Abstieg über den Harpfnergrat (Jaunschneide) nach Mairhofen. Am 23. August 1882 Morgens 5 U. von Wandeck aufbrechend, erreichte ich mit Führer Johann Hörhager I. durch das »Wandkarl« (in der vom D. u. Ö. A.-V. herausgegebenen Karte 1 : 50 000 Brandkar genannt) in 1 3/4 St. die Liegedelscharte und in 55 Min. die Spitze des Tristner, dessen wundervolles, über jedes Lob erhabenes Panorama sich mir in entzückender Reinheit bot.

Um 9 U. wurde der Abstieg über den vom Tristner nach N. ziehenden Grat angetreten; nach kurzem Steigen über den mit plattigen Trümmern bedeckten Gratabsturz gelangten wir in eine den Grat durchquerende Scharte, deren nördliche in einer senkrechten Wand bestehende Begrenzung uns nöthigte, den Grat zu verlassen und in einem links sich steil absenkenden Kamin abzusteigen. Nach ungefähr 1/4 St. aus dem Kamin wieder heraussteigend und die ursprüngliche Richtung aufnehmend, erreichten wir, die westlichen, theils felsigen, theils grasigen Gratabstürze traversirend, in einer Höhe von ca. 2450 m wieder den Grat. Der weitere Abstieg wurde bald auf der Grathöhe, bald auf den Seitenabdachungen, zuletzt in einem auf der Ost-(Stillupp-)seite gelegenen Kar fortgesetzt, in welchem wir auf einen verfallenen Heustadel und damit auf einen Steig trafen, der, so schlecht er war, uns doch bequemer als bisher zum »Harpfner« brachte, von wo wir auf gutem Steig in's Thal und nach Mairhofen gelangten. Der geschilderte Abstieg, welcher abzüglich der Rasten 5 St. in Anspruch nahm, bietet viele und schöne Ausblicke, führt durch eines der reichsten Gemsreviere der Alpen und wäre auch touristisch nicht ohne practischen Werth,

---

*) *Ranunculus Breyninus; Draba tomentosa dubia; Trifolium nivale; Oxitropis sordida; Hedysarum obscurum; Alchemilla pubescens; Erigeron neglectus; Crepis Terglouensis; Pedicularis atrorubeus, versicolor, erubescens, Vulpii; Soldanella hybrida; Tofieldia calyculata, borealis; Nigritella Heufleri; suaveoleus; Chamaeorchis alpina; Carex curvula.* (Nomenclatur nach Dr. v. Dalla Torre's Anleitung etc.)

indem er die kürzeste Verbindung mit Mairhofen darstellt und in Verbindung mit dem Weg durch die Dornauberg-Klamm und dem Aufstieg via Ginzling-Wandeck eine ganz interessante Rundtour bietet. Dermalen kann er allerdings nur unternehmungslustigeren Bergsteigern empfohlen werden, denn $^2/_3$ desselben müssen ohne Weg zurückgelegt werden, das felsige Terrain und namentlich der Kamin haben einige heikle Stellen und auch das langandauernde Traversiren steiler, durchschnittlich im Winkel von 40—45$^0/_0$ geneigter Grashalden ist nicht nur beschwerlich, sondern auch sonst nicht Jedermanns Sache.

Wien. *Dr. Koppler.*

Ortler-Gruppe.

Schrötterhorn 3369 m. Am 10. August 1882 4 U. 45 früh brach ich mit Josef Reinstadler vom Hôtel Eller in Sulden auf. 6$^1/_2$ U. betraten wir den Suldenferner, in dessen Spaltengewirr wir uns erst nicht leicht zurechtfanden. Bald stiessen wir jedoch auf Spuren, die wir selbst wenige Tage vorher bei der Ersteigung der Königsspitze ausgetreten und verfolgten dieselben bis 8 U., . worauf wir uns südlich wandten und auf dem spaltenreichen, überschneiten Gletscher anstiegen. 9 U. standen wir am Fuss des Grats, der sich schlangenförmig in südlicher Richtung vom Schrötterhorn nach dem Suldenferner herabzieht. Dieser Kamm, der von uns zum ersten Mal überschritten wurde, war in seinen unteren Theilen dicht mit Schnee bedeckt und leicht gangbar, später wurde er jedoch schärfer, steiler und das blanke Eis trat zu Tage. Letzterer Umstand machte Stufenhauen nothwendig, das so lange dauerte, bis wir die Stelle erreichten, wo der erwähnte Kamm sich wenige Schritte unterhalb des Gipfels mit dem Hauptgrat vereinigt. 10$^1/_2$ Uhr betraten wir die Spitze des Schrötterhorns, die gegen Sulden stark überhängt. Wir verfolgten hierauf mühelos und ohne jede Schwierigkeit den Hauptkamm über die sogenannte Payerhaube zur Suldenspitze, auf welcher wir 11 U. 45 anlangten. Der Abstieg erfolgte über den Eisseepass nach Sulden. Die Tour ist der selten schönen Gletscherbilder wegen, welche sie bietet, wärmstens zu empfehlen.

Wien. *Oscar Baumann.*

Silvretta-Gruppe.

Gamshorn 2980 m, sehr zu empfehlende Tour. Von der neuen Jamthal-Hütte in 3 St. leicht zu ersteigen. Von der Hütte weg folgt man ein kleines Stück weit dem Weg nach dem Futschölpass, dann links über ziemlich viel Geröll, immer auf die Spitze zu haltend, und schliesslich über Felsen ohne besondere Schwierigkeit hinauf. Aussicht sehr lohnend; zwar gegen O. durch Fluchthorn und Schnapfenspitze beschränkt, dagegen bildet der Jamthaler Ferner und seine Umrahmung, besonders der Augstenberg mit seinen überhängenden Gletschern, einen grossartigen Vordergrund, hinter welchem dann die Engadiner Berge hervortreten. Nach der anderen Seite hin die Kette der Bodmerspitze und Rothwandspitze, dazwischen als einzig sichtbarer bewohnter Ort Galtür, hoch darüber die Verwall-Gruppe, aus der sich besonders die Patteriolspitze sehr schön abhebt. Der Abstieg kann anstatt nach der Clubhütte auch nach der Gäviser-Alpe genommen werden, was für solche, welche nach Galtür zurück wollen, zu empfehlen ist, da hiedurch eine starke halbe Stunde Zeit gewonnen wird.

Calw. *Emil Zöppritz.*

Ampezzaner Alpen.

Marmarole 3129?*) Mit Führer Aless. Lacedelli von Cortina von der Westseite. Genächtigt in Stabiziane (Heulager). Aufbruch 4 U. 15 und im Val Chiavina auf Schafwegen empor. 7 U. auf Hochfläche, zerklüftetes Terrain und ermüdender Gang. Man verliert viel Zeit mit Traversiren (1 St.) in östlicher Richtung. 8 U. Ankunft am Gletscher. Der schöne Circus der Monti Marmaroli entfaltet sich, nun sieht man auch die zurückstehende Spitze (M. Froppa), sowie die beiden Anstiegsrichtungen. Die meisten Ersteiger gingen links (östlich) — ein furchtbarer Weg, der nur mittels eines festen Seiles passirbar ist, da die Felsen überhängen. Lacedelli fand eine weit bessere Route auf, die er bereits mit den Herren Issler und Aichinger begangen hatte; sie liegt rechts und führt über das westliche Gehänge auf den Kamm.

Wir passirten den beschneiten Gletscher ohne Schwierigkeit und erreichten 9 U. 45 ein steiles Schneefeld (42°). Dann über vorspringende Felsen und wieder auf Schnee hinan in kleiner Schlucht. 10 U. 30 betraten wir, die Bergschuhe abnehmend, das eigentliche Massiv. Nun fortwährend über starkgeneigte Felsplatten, die so glatt und abgeschliffen sind, dass kaum der unbeschuhte Fuss den nöthigen Halt findet. Selten finden sich passende Griffe. Wir avancirten mit grösster Vorsicht, während ein eisiger Nordwind unsere Glieder fast erstarren machte, und erreichten 11 U. 50 die Spitze. Schneidende Kälte, aber wunderbare, grandiose Fernsicht. Ringsum die Sextener und Ampezzaner Gebirge, im O. die Carnischen Alpen, Karawanken, Julischen und Sannthaler Alpen, südlich Premaggiore, Duron, Laste, Bosco nero, Agordinische Alpen und die Primör-Gruppe. Nördlich etwas bedeckt. Die Thäler des Anziei und der Piave, der Lago di S. Croce, Val Oten und jenseits die prächtige Gruppe des Antelao. Steinmanndl mit Karten der ersten Ersteiger (s. Jahrbuch des Ö. A.-V. Band 9), vom 19. Juli 1873, ferner der Herren Issler und Aichinger mit Lacedelli am 1. August 1877 und Baron Eötvös mit Mich. Innerkofler und Zandiagiacon Pacifico am 23. Juli 1878; ausserdem Notizen italienischer Ersteiger aus den Jahren 1877 und 1878 — eine geradezu erstaunliche Frequenz dieses so schwer zugänglichen Gipfels.

Wir wollten uns auf der Ostseite abseilen, allein das früher dort befindliche gute und sichere Seil fehlte und war durch einen jämmerlichen

*) Halbtrignometrische Messung Grohmann's; mein Goldschm.-Aneroïd ergab nur circa 2900 m, eine Differenz, die mir unverständlich ist.

Strick ersetzt. Daher auf Lacedelli's Rath Rückweg auf der Westseite. Abgang 1 U., 2 U. Ankunft auf dem Gletscher; unterhalb desselben 1 St. Rast und Mahlzeit. 5 U. 45 Ankunft in Stabiziane. 8 U. 30 in Auronzo.

Augsburg. *Gustav Euringer.**)

Meteorologische Berichte aus den Ostalpen

Januar 1883.

Station	Luftdruck					Temperatur					Niederschlagsmenge des Monats in Millimetern
	Mittel	Maximum		Minimum		Mittel	Maximum		Minimum		
	mm	mm	am	mm	am	°C.	°C	am	°C.	am	
Reichenau	720·2	730·2	6.	711 5	13.	–1·4	8·9	2	–9 4	8.	49
Windisch-Garsten	709·9	720.0	19	697 5	31	–1 6	17·5	30	–21 5	26.	133
Salzburg	725·2	735·7	19	711 1	13	–0 6	15·1	1	–18 3	25	77
Traunstein	715·5	722·5	19	698 0	13	1·84	13 0	1	–20 1	25	94
Rosenheim	—	—	—	—	—	–0 3	15·6	2.	–16·3	26	46
Hohenpeissenberg	675·6	685 9	19	662·4	13	–2·07	11 4	14.	–17 4	25.	31
Lindau	—	—	—	—	—	1·15	12.0	1.	–12 1	25.	61
Klagenfurt	725·9	737·6	19	715·5	31.	–4 15	3 6	4	–11·6	28.	17
Judenburg	698·5	709 8	19	687·9	31.	–3·7	6·7	2.	–14·3	20.	22
Toblach	659 7	669 3	19	650·0	14	–7 2	0·0	14	–22.	26	30
Innsbruck	711 3	721 4	20.	699·7	13	4·8	11 0	13.	–14·0	25.	32
Tüffer	745·5	757·3	19	734 9	31	–1 0	13·5	4	–11·6	20.	21
Laibach	738·6	750·3	19	728 3	31.	–2 9	10 1	2.	–14·6	21	36
Bozen	739 8	750·5	19	729·0	31.	1 1	10 6	18.	–6 0	25.	16
Hochobir	592·0	600 9	20.	584·0	25.	–7 6	2·6	2	–19 4	24	47

Literatur und Kunst.

Engelmar, eine Erzählung. Innsbruck 1882, Wagner.

Wir haben hiemit wieder ein neues Werk des bekannten tirolischen Germanisten Ignaz V. Zingerle zu verzeichnen, eine herzig geschriebene Künstler-Novelle aus dem 15. Jahrhundert, in welcher der Dichter an die Erbauung der durch ihre imposante Höhe ausgezeichneten Thürme von Lana, Karres und Terlan anknüpft. Der gelehrte Verfasser versteht in vortrefflicher Weise ungezwungen und frisch den Charakter dieser alten Zeit wiederzuspiegeln, alte Sitten, Bräuche und Volkslieder hineinzuweben und vor allem den Duft einer herrlichen Natur in seinen allerliebsten Schilderungen athmen zu lassen. Die edel und anmuthig geschriebene Erzählung kann eine Perle unter der Fülle der Novellen genannt werden und ist auch der Erlös einem edlen Zwecke gewidmet, nämlich den durch die grosse Ueberschwemmung im J. 1882 Verunglückten im Thal Vilnöss. Zu beziehen ist das Werk im Selbstverlag des Verfassers in Wilten (für 25 kr. ö. W.) oder von der Wagner'schen Universitäts-Buchhandlung in Innsbruck.

Innsbruck. *?—er.*

Die Länder Oesterreich-Ungarns in Wort und Bild. Herausgegeben von Prof. Dr. **Friedrich Umlauft.** V. **Das Herzogthum Salzburg.**

*) Beim Bericht des Herrn Verf. über die zweite Ersteigung des Sasso di Bosco nero in Nr. 1 S. 23 f. ist das Datum derselben, 6. Juli 1882, nachzutragen. Ebendort ist S. 24 Z. 3 v. o. zu lesen »ansteigenden«.

Geschildert von Prof. **Eduard Richter.** Wien 1881. VI. **Das Herzogthum Kärnten.** Geschildert von Prof. Dr. **Otto Steinwender.** Wien 1881. XI. **Das Herzogthum Krain, das Küstenland und das Königreich Dalmatien.** Geschildert von Prof. Dr. **Franz Swida.** Wien 1882, Graeser. à 2 M. 40.

In den Mittheilungen 1881, S. 339 ff. wurden die vier ersten Bände dieses Sammelwerkes besprochen; wieder liegen drei vor, in welchen Alpenländer behandelt werden.

Die Schilderung des Herzogthums Salzburg ist eine in jeder Beziehung ausgezeichnete, wie vom Verf. nicht anders zu erwarten stand. Sowohl die Auswahl aus dem überreichen Stoff, wie die überall treffende, wenn auch kurze und prägnante Darstellung zeigen, dass Verf. dieses Bandes nicht nur die ganze betreffende Literatur beherrscht, sondern das Land, das er beschreibt, bis in seine letzten Thäler und von seinen Höhen kennt und liebt und dass das Volk, welches er schildert, ihm vertraut ist bis in die innersten Seiten seines Lebens. Richter's »Salzburg« bietet reiche Belehrung und angenehme Lecture.

Auch Steinwender's »Kärnten« ist eine gelungene Arbeit, er beschreibt zuerst den landschaftlichen Character des Landes, schildert das Leben und Wirken der Bewohner, gibt einen sehr kurzen Abriss der Geschichte, spricht ziemlich ausführlich von Klagenfurt und dessen Umgebung und lässt dann die einzelnen Thäler Kärntens mit ihren Natur- und historischen Merkwürdigkeiten Revue passieren.

Eine schwierigere Aufgabe als seinen Vorgängern war Swida mit »Krain, Küstenland und Dalmatien« gestellt; diese Gebiete sind lange nicht so durchforscht wie ihre Nachbarländer im Norden und Westen, die Literatur hat sich derselben auch nicht annähernd in gleicher Weise bemächtigt, und Reisen und Bergfahrten in ihnen sind weit schwieriger durchzuführen als in jenen. Aber Swida hat dennoch ein schönes Buch geliefert. Er theilt den mannigfaltigen und zum Theil heterogenen Stoff sehr geschickt ein; zuerst grenzt er das Ländergebiet ab, beschreibt es nach seinen geographischen und ethnologischen Eigenthümlichkeiten und gibt eine geschichtliche Uebersicht; dann beginnt er die Detailschilderung mit Oberkrain, geht auf Laibach und dessen Umgebung über, beschreibt Unterkrain und Innerkrain, und schliesst dieses Land mit dem Kapitel: »Sitten und Gebräuche in Krain«. Das Küstenland wird in folgenden Kapiteln behandelt: »Isonzogebiet«, »Triest und Umgebung«, »Istrianische Fahrten« an der Küste, wobei besonders Pola mit Recht eingehend besprochen wird, und im Innern der Halbinsel, endlich »Volksleben in Istrien«. — »Dalmatien« zerfällt in fünf Abschnitte: »Von Pola nach Spalato« mit ausführlicherer Beschreibung von Zara, »Spalato und seine nächste Umgebung«, wobei Salona's entsprechend gedacht wird, »Wanderung an der Küste und im Innern« von Salona bis Sebenico, und »Aus dem dalmatinischen Volksleben«.

Die Ausstattung verdient, sowohl was Druck und Papier, als was die Illustrationen betrifft, alles Lob. Mit Befriedigung kann constatirt werden, dass entweder in Folge einer Bemerkung des Referenten (in den »Steiermärkischen Geschichtsblättern« I. 125, und in den »Mittheilungen« 1881, S. 341,) oder auf eine Anregung von anderer Seite her, die bunten Bilder der Kronlandshauptstädte durch bescheidenere und entsprechendere Tondrucke ersetzt wurden und die sogenannten idealen Porträts in diesen Bänden wegfielen.

Graz. *Dr. Franz Ilwof.*

Unter dem Titel **Deutsche Touristen-Zeitung** gibt Herr Dr. Theodor Petersen in Frankfurt a. M., s. Z. Präsident unseres Vereins und Begründer der »Mittheilungen«, ein zunächst monatlich einmal erscheinendes Organ heraus, welches bestimmt ist, den deutschen touristischen Interessen im allgemeinen, den deutschen Touristenvereinen insbesondere als gemeinsames Organ zu dienen. Diesem Bedürfniss, dem auch auf einer kürzlich abgehaltenen Versammlung deutscher Touristenvereine Ausdruck verliehen wurde, soll mit der neuen Zeitschrift entsprochen werden. Dieselbe soll ausser geographischen und touristischen auch allgemein verständliche naturwissenschaftliche, culturhistorische und andere einschlägige Aufsätze, Mittheilungen, Verkehrsnotizen etc., dann die laufenden Nachrichten über die Touristenvereine bringen und entsprechend illustrirt sein. Wir behalten uns vor, nach Erscheinen der ersten Nummern darauf zurückzukommen.

Periodische Literatur.

Oesterreichische Alpen-Zeitung. Nr. 104—106. Meurer, auf den Oetzthaler Fernern. — Kellner, der Telegraph im St. Gotthard.

Schweizer Alpen-Zeitung. Nr. 3, 4. F. B., das Singen. — M. v. K., der Kapuziner von Savognin. — Fischli, zur Kenntniss des Oberblegisees. — Blümner, ein Pfingstausflug des S.-A.-C.

Berichte des naturwissenschaftlich-medicinischen Vereins in Innsbruck. XII. 1881/82. v. Dalla Torre, Beiträge zur Arthropoden-Fauna Tirols.

Carinthia. 1882, Nr. 11, 12. Mittheilungen des naturhistorischen Landesmuseums. — Seeland, der Herbst 1882 in Klagenfurt. — Zur Ornithologie Kärntens.

Echo des Alpes. 1882. Nr. 4. Barbey, première ascension de la Tête Biselx. — Binet-Hentsch, étude topographique sur quelques points du massif du Bernina. — Balavoine, recit de la course au Pic de la Pyramide.

Mittheilungen der Gesellschaft für Salzburger Landeskunde. 22. Vereinsjahr 1882. Prinzinger d. J., die Ansiedlung der Salzburger in Georgien. — Zillner, das Wasser in Salzburgischen Flur- und Ortsnamen. — Zeller, des Erzstifts Salzburg Münzrecht und Münzwesen. — Zillner, Salzburgische Geschlechterstudien. V. Die Tann. — Döttl, Uebersicht der Witterung in 1881. — Prinzinger d. Ä., die baierisch-österreichische Volkssprache und die Salzburger Mundarten. — Sitte, zur Geschichte der Salzburger Weissgeschirr-Fabrikation.

Rivista alpina Italiana. 1882. Nr. 11, 12. Vaccarone, Monte Cervino. — Cellere, nei pressi del Monte Bianco. — Corrà, escursione nelle Alpi Cozie. — Pogliaghi, salita all' Ortler e al König della Valle del Zebrù. — Simonetti, seconda ascensione del Dente di Gigante. — Naturalisti e Alpinisti a Vittorio e al Bosco di Consiglio.

Tourist. Nr. 1, 2. Steinhauser, Einiges über Orientirung. — Purtscheller, der Acherkogel. — Simony, Wachsen und Rückschreiten der Dachsteingletscher. — Buss, Föhnsturm in der Schweiz. — Zöhrer, Sang und Tanz in Oesterreichs Alpen. — Martinez, Touren im Karstgebiet. — Penck, der Alpsee bei Immenstadt.

Oesterreichische Touristen-Zeitung. Nr. 1, 2. Fraunthaller, von Lassing nach Hollenstein. — Schlangenhauser, von Kärnten nach Italien. — Calliano, zwei niederösterreichische Sagen-Varianten.

Die »Mittheilungen« erscheinen jährlich in 10 Nummern zu 2 Bogen, und zwar am 20. jeden Monats mit Ausnahme der Monate August und September. Die Mitglieder des Vereins erhalten dieselben unentgeltlich. Für Nicht-Mitglieder ist der Preis des Jahrgangs im Buchhandel 4 Mark.

Inserate finden, soweit geeignet, Aufnahme und wird die durchlaufende Petitzeile oder deren Raum mit 25 kr. Gold = 50 Pf. berechnet.

Druck von Anton Pustet in Salzburg.

// MITTHEILUNGEN
DES
DEUTSCHEN UND OESTERREICHISCHEN
ALPENVEREINS.

No. 3. SALZBURG, MÄRZ. 1883.

Vereinsnachrichten.

Circular No. 74 des Central-Ausschusses.

Salzburg, März 1883.

I.

Um mehrfachen Anfragen und Neubestellungen entsprechen und den neu gegründeten Sectionen Gelegenheit geben zu können, den im Verlag des Vereins erscheinenden Atlas der Alpenflora für die Section oder für einzelne Mitglieder zu erhalten, haben wir im Einvernehmen mit der Firma A. Hartinger & Sohn in Wien das am 31. December 1882 geschlossene Abonnement wieder eröffnet.

Indem wir die geehrten Vereinsmitglieder hievon in Kenntniss setzen und mittheilen, dass mit dem Eintritt in das Abonnement die Nachlieferung der bis jetzt erschienenen 19 Hefte sammt dem von Professor Dr. v. Dalla Torre verfassten Textheft verbunden ist und die bisherigen Bedingungen aufrecht bleiben, ersuchen wir die Mitglieder, neue Bestellungen ausschliesslich an ihre Sectionsleitungen zu richten.

II.

Da von verschiedenen älteren Vereinspublicationen noch einige Vorräthe in Verwahrung des Central-Ausschusses sind, deren Bezug vielleicht von später eingetretenen Mitgliedern gewünscht werden möchte, so haben wir beschlossen, diese Bestände den Mitgliedern zu einem ermässigten Preis zur Verfügung zu stellen, soweit der nicht bei allen Jahrgängen gleich starke Vorrath reicht.

Anmeldungen werden durch die Sectionsleitungen erbeten; die Zusendung erfolgt auf Kosten des Bestellers. Wir bestimmen also den Preis der Zeitschrift für die Jahrgänge von 1869—1880 für den Band auf 3 Mark, für die Mittheilungen 1875—1880 auf 1 Mark. Zugleich haben wir auch die Preise einiger noch vorhandenen Kunstbeilagen, Karten und Separatpublicationen herabgesetzt und machen die Mitglieder auf das am Umschlag abgedruckte Verzeichniss derselben aufmerksam.

III.

Wir beehren uns hiemit die Gründung der 91. Section unseres Vereins und zwar in Gastein zur Anzeige zu bringen.

Der Central-Ausschuss
des Deutschen und Oesterreichischen Alpenvereins.
E. Richter,
I. Präsident.

Berichte der Sectionen.

Algäu-Immenstadt. Wie früher fanden auch im vergangenen Sommer die Vereinsabende im Kegellocal der »abonnirten Kegelgesellschaft« statt und zwar jeden Freitag. Am 18. Mai wurde ein zahlreich besuchter Ausflug nach Kaufbeuern unternommen, am 20. der Abschied des Ausschuss-Mitgliedes Inspector Dietrich gefeiert.

Mit dem 9. November begannen die Monats-Versammlungen wieder in dem vergrösserten Vereinslocal »zur Post«. Nach Erledigung des geschäftlichen Theils hielt Herr Hiebeler, II. Vorstand, einen Vortrag über seine Reise durch Tirol über den Fernpass nach Innsbruck, am 7. December Herr Amtsrichter v. Wachter über seine Tour durch den bairischen Wald mit Besteigung des Arbers, und durch das Salzkammergut. — Am 23. November, 12. Dezember 1882 und 11. Januar 1883 fanden Zusammenkünfte zum Zweck geselliger Unterhaltung im Vereinslocal statt.

Die General-Versammlung vom 26. December wurde insbesonders durch einen hochinteressanten Vortrag des Herrn Trigonometer Waltenberger über das Triglav-Plateau und durch Gesang-Vorträge der Liedertafel verschönt.

Austria. Die Monats-Versammlung am 28. Februar wurde von dem Sectionsvorstand Sr. Exc. Freiherrn v. Hofmann mit geschäftlichen Bekanntmachungen eröffnet. Zur Ausstellung gelangten die von der Kunstabtheilung bisher für die Saison 1882/83 erworbenen Oelgemälde: Blick vom Salzsteig gegen das Stoderthal von Georg Geyer, 2 Bilder Alpenblumen von Maria Kartsch; Mooserboden im Kapruner Thal von Leopold Munsch; Motiv aus dem Todten Gebirge mit Blick auf den Dachstein von Georg Schönreiter; der Palfensee im Herzogthum Salzburg von Joh. Varone und das Nietenblatt der Kunstabtheilung für die laufende Saison: die Rudolfs-Hütte am Weisssee im Stubachthal nach einer Zeichnung von Adolf Obermüllner, Lichtdruck von Obernetter in München. Herr k. k. Regierungsrath Professor Dr. Arthur Freiherr v. Seckendorff hielt sodann seinen Vortrag: Ueber Wildbäche, in welchem derselbe nach einer die letzte Ueberschwemmung in Tirol und Kärnten besprechenden Einleitung als Hauptursachen der so furchtbar verheerend auftretenden elementaren Ereignisse neben den tellurischen Einflüssen die Entwaldung, die Streu- und Weidemisswirthschaft, die ungenügende Handhabung des Forstgesetzes, die schlechte Eintheilung der Wälder und missverstandene Nachgiebigkeit gegen Vorurtheile der Bevölkerung bezeichnet, ohne welche trotz der tellurischen Einflüsse das Unglück keine so riesigen Dimensionen angenommen hätte, und bezeichnet es als eine Pflicht des Staates, gegen die Wiederholung solcher Unglücksfälle Sorge zu tragen. Er definirt den Wildbach als eine in kurzen steilen Gehängen abstürzende, das Erd- und Steinmaterial im Gebirge unterwühlende, mit sich fortreissende und in der Thalsohle ablagernde Wassermenge, wogegen der Giessbach in Felsen abstürzt und häufige Cascaden bildet, dagegen keine Schutt- und Steinmassen mit sich führt. Redner bespricht die verschiedenen Theile eines Wildbachs, das Sammelgebiet oder Trichter, den Abflusskanal und die Entleerungsregion oder das Ablagerungsgebiet, sowie die Eintheilung derselben in solche, bei denen das mitgeführte Material blos von der Unterwühlung allein herrührt und in solche, bei welchen das Material ausserdem noch durch abbrechende Felsen oder Gletscher zugeführt wird, und führt aus, dass die erste Art durch Verbauung allein, die zweite Art aber ausserdem durch Bekämpfung der Zufuhr des Materials von Felsen und Gletschern und des Transports dieses Materials unschädlich gemacht werden muss. Von dem feststehenden Erfahrungs-Grundsatz ausgehend, dass die Bedeckung des Bodens mit Wald, Sträuchern und Gras die Bildung von Wildbächen verhindert, legt er auf die Schaffung von Gras- und Staudendecken und auf Neubewaldung den grössten Werth, führt jedoch aus, dass dies dort, wo bereits Wildbäche bestehen, nicht genügt, sondern dass an solchen Orten eine systematische Verbauung, die Regelung des Laufes und die Befestigung der Ufer derselben nothwendig sei, um die Unterwaschungen hintanzuhalten, die Kraft des Wassers zu brechen und das Material im Gebirge zurückzuhalten, und führt sodann aus, dass Versandungen und Versumpfungen von grossen Flüssen in ihrem weiteren schon ruhigeren Lauf zum grössten Theil auf die ungeheuern, durch die Wildbäche den grossen Flüssen fortwährend zugeschwemmten Schutt-, Sand- und Steinmassen zurückzuführen sind, wodurch die Verbauung der Wildbäche einen internationalen Character gewinnt, und die Bewohner Ungarns am Ufer der Donau, sowie jene der oberitalienischen Ebene in gleicher Weise an der Regulirung der Wildbäche in unserem Hochgebirge interessirt erscheinen. Der Vortragende wendet sich sodann den einzelnen auszuführenden Arbeiten zu, würdigt den Werth der Berasung, Bepflanzung mit Sträuchern und der Bewaldung im allgemeinen, der Anlage von horizontalen Sickergräben für das Zurückhalten des Wassers besonders und der Verbauung durch Flecht- und Faschinenwerke gegen Unterwühlungen, beschreibt sodann die verschiedenen Arten von Thalsperren aus Flechtwerk, Faschinen und Stein, sowie die neben den

Uferschutzwerken anzubringenden Anpflanzungen von Weiden, Pappeln und anderen Bäumen und fordert zum Zweck der gesicherten Durchführung dieser Maassregeln neben der Verbauung der Wildbäche bis in ihre äussersten Verzweigungen die Ausführung dieser Arbeiten durch den Staat selbst und zu diesem Zweck die Erlassung eines Gesetzes über die Expropriation der der Regulirung zu unterziehenden Grundstücke. Der Vortragende demonstrirt sodann an den ausgestellten 106 Photographien, Plänen und Tableaus in der anschaulichsten Weise den Erfolg aller dieser, in Frankreich bereits seit Jahren durchgeführten Maassregeln, die Anlage, das Aussehen und die Kosten der einzelnen Schutzwerke.

In der Wochen-Versammlung vom 7. Februar 1883 konnte der programmmässige Vortrag über Adelsberg, den Zirknitzer See und die Triester Ausstellung von Herrn Carl Pfeifer wegen plötzlicher Erkrankung des letzteren nicht stattfinden. Herr Franz Kraus trat mit grösster Liebenswürdigkeit an Stelle des Vortragenden ein und sprach über das Ramsauer Gebirge und die in demselben befindliche Kollmannskirche, eine Höhle mit einem grossen Eingang, auf welchen ein mehrere Klafter langer, sehr enger Schluf und dann wieder ein durch Einstürze gebildeter sehr grosser Raum folgt. Der Vortragende bespricht hierauf die Aussicht vom Hohen Kahlenberg und dann das sich weiter ausdehnende Plateau mit seinen grossen und tiefen Dolinen, unter welchen er das Wetter-, Schuster- und Hallerloch, sowie die Hauergrube näher beschreibt, und schliesst mit der Erzählung der merkwürdigen Rettung des Schusters von Goisern aus dem Schusterloch, in das er gestürzt war.

In der Wochen-Versammlung vom 21. Februar hielt Herr Dr. Gustav Hože seinen Vortrag über Arlscharte und Hochgolling, schilderte in demselben das Grossarlthal und eine verunglückte Tour über die Arlscharte und sodann eine misslungene führerlose Tour auf den Hochgolling 2863 m vom Lessachthal aus, bei welcher nur ein Vorgipfel des Hochgolling erreicht wurde. Beim Abstieg ins Göriachthal wurde der Vortragende von einem abstürzenden Stein getroffen, jedoch nur leicht verletzt, so dass er den Abstieg fortsetzen und durch das Oberthal Schladming erreichen konnte. Der als Gast anwesende Herr Georg Geyer knüpfte an den Vortrag des Herrn Dr. Hože die Mittheilung einer Besteigung des Hochgolling von N., schilderte den Weg von Schladming aus in das Unterthal, die sich vom Bruggerwirth darbietende imposante Ansicht der Dachstein-Gruppe, den weiteren Verlauf des Unterthals, den Riesachwasserfall und das Steinriesenthal, sowie die Besteigung des Hochgolling von der Hochgollingscharte, wendete sich sodann der Schilderung der prächtigen, im N. durch die nördlichen, im S. durch die südlichen Kalkalpen, im W. durch die Glockner-Gruppe und im O. durch die Steirischen Alpen bis zum Wechsel begrenzte Aussicht und schloss mit einer Vergleichung der Aussicht mit jener von der Hohen Wildstelle.

Am 14. Februar fand der vierte gesellige Abend mit musikalischen Vorträgen und darauf folgendem Tanz statt.

Berlin. In der Sitzung vom 8. Februar sprach Herr Dr. Scholle im Anschluss an Dr. Aug. Böhm's Abhandlung in der Zeitschrift 1882, S. 161 ff. über optische Täuschungen im Gebirge, namentlich über die Frage: Was erscheint uns ebenso hoch oder höher oder tiefer, und in welchem Maasse höher oder tiefer, als unser Standpunkt, und wie ist das, was uns so zu sein scheint, in Wirklichkeit? Der Vortragende fasst eine grössere Anzahl von Fällen, in denen auch die erfahrensten Gebirgswanderer in der genannten Hinsicht Täuschungen unterworfen sind, unter einige Hauptgesichtspunkte zusammen, und sucht zu erklären, welche Umstände die Täuschung hervorrufen. Er ergänzt hiebei mitunter Böhm's Ausführungen, mitunter stellt er auch abweichende Ansichten auf. — Der Abschluss der von der Section veranstalteten Sammlung für die Ueberschwemmten in Tirol und Kärnten ergibt einen Gesammtbetrag von 14 760,17 M. und 64 fl. 56 kr.

Bozen. Die Section hielt am 20. Februar ihre Hauptversammlung ab. Der Obmann, Herr A. Wachtler, referirte in seinem Jahresbericht über die Thätigkeit in Sachen des Schlernhütten-Projectes, welches in Folge der mit 13 gegen 1 Stimme vom Völser Gemeinde-Ausschuss beschlossenen Grundverweigerung bis jetzt nicht ausgeführt werden konnte. Weiter berührte der Obmann einige Touren, welche im Sommer durch das Vereinsmitglied Herrn Santner, sowie durch ihn unternommen worden, und ging dann auf den Haupttheil der letztjährigen Vereinsthätigkeit, nämlich auf die glänzend gelungene Hochwasser-Hilfsaction über, deren Durchführung Redner besprach und einer Reihe von Mitgliedern und Freunden der Section gedachte, welche dieselbe kräftigst unterstützt; er erwähnte dann seiner getreuen Mithelfer, der Herren Alois Hanne und Carl Hofer, welche ausserordentlich viel zum Gelingen des Unternehmens beigetragen und viele Tage und manche lange Nacht in aufopferndster und uneigennützigster Weise dem Hilfswerk gewidmet haben. Zum Schluss gelangte noch das Schmerzenskind der Section, nämlich das Schlernhütten-Project zur Besprechung, und nachdem man neuerdings beschlossen hatte, dasselbe nicht fallen zu lassen, wurde ein Hüttenbau-Comité bestellt. Es besteht bereits ein Schlernhütten-Fond von 514 fl. 89 kr., der sich bei Inangriffnahme des Baues durch weitere Zeichnungen wohl auf die Summe von 900 bis 1000 fl. erhöhen dürfte.

Dresden. Am 11. Februar beging die Section ihr zehnjähriges Stiftungsfest. Um demselben seinen eigenen Character zu wahren, blieb der Gesellschaftsanzug ausgeschlossen und alle Theilnehmer erschienen mit wenig Ausnahmen in alpinem oder Touristencostum. Durch finstern Alpentunnel führte die Locomotive die ankommenden Gäste in die Hauptsäle, die, in ein Tiroler Dorf verwandelt, umsäumt von himmelanstrebenden Bergen und duftigem Tannengrün, die gehobenste Stimmung hervorriefen. Ein buntes, farbenprächtiges Bild, lautes, fröhliches Leben und Treiben umgab sofort den Eintretenden. Auf Schritt und Tritt fiel das Auge auf jene characteristischen Typen, welche uns eine jede Alpenreise auf's Neue zeigt. Der Dorfschulmeister, der naturwüchsige Holzknecht, der Kaiserjäger auf Urlaub, der Bergführer mit wuchtigem Eispickel, Seil und Steigeisen, der Tourist — sie alle waren vertreten, umringt von einer bunten Schaar reizender Aelplerinnen, deren Trachten das ganze Gebiet der Bergwelt vom Säntis bis nach Krain, vom Königsee bis ins sonnige Etschland umspannte. Für allerlei Kurzweil war gesorgt. Man erstieg die Gemeindealm, um von steilem Firnfeld »abzufahren«, man stellte Schiessübungen an, setzte in der Lotterie, besuchte das Raritäten-Cabinet, bewunderte einen echten Schuhplattltanz oder eine tragische Bauerncomödie, bis das immer lebhafter werdende Tanzbedürfniss allmälig Alles in seine Kreise zog. Von Nah und Fern waren Freunde der Section herbeigeeilt, — auch Herr Stüdl aus Prag war erschienen und unter rauschendem Beifall wurde diesem bewährten Alpinisten die Ehrenmitgliedschaft der Section Dresden angetragen und das darauf bezügliche Document überreicht. Beim Einzug der Dresdner in St. Florian war dem hochverdienten Vorsitzenden der Section, Herrn Amtsrichter Munkel, ein künstlerisch ausgeführtes Erinnerungsblatt in Anerkennung seiner unermüdlichen Thätigkeit gewidmet worden.

In der Sitzung am 14. Februar legte der Vorsitzende eine Sammlung von Photographien aus der Umgebung der neuen Zufall-Hütte vor, die, von Herrn Director Müller aus Schlemma persönlich aufgenommen, von diesem der Section als hochwillkommenes Geschenk überwiesen wurden. Am selben Abend gelangte eine neue Arbeit Ludwig Steub's, »Bozen und Brixen« betitelt, durch den Schriftführer zum Vortrag.

Graz. Der in der Monats-Versammlung am 17. Februar abgehaltene Vortrag des Herrn Prof. Dr. W. Gurlitt führte die Zuhörer auf den classischen Boden von Hellas, erst in die fruchtbare Ebene am Eurotas, in welche ernst die vielgestaltige Bergkette des Taygetos hereinblickt, nach Sparta. Der Vortragende schilderte in fesselndster Weise Alt- und Neu-Sparta und beschrieb hierauf die Eindrücke mannigfacher Art, welche er auf seiner Reise über den Kamm des Taygetos und das Thal des Alpheios nach Olympia empfand. Die humoristische Characterisirung der albanesischen Bauern, sowie die der neugriechischen Bewohner der Städte und Märkte, welche der Vortragende berührte, war nicht minder interessant als die poesievolle Schilderung der herrlichen Landschaften und altehrwürdigen Bauwerke, der stummen Zeugen längst vergangener Jahrhunderte, der Denksäulen, welche sich eine untergegangene grosse Culturnation errichtete. Redner reiste in Gesellschaft seines Bruders von Sparta das Thal des Eurotas aufwärts, überschritt nach einer üblen Nacht in einem elenden albanesischen Dorf die Wasserscheide und erreichte nach zwei Tagen das prächtig gelegene Megalopolis mit den Ruinen eines Theaters am wasserreichen Alpheios. Einen eigenthümlichen Eindruck macht die hierauf berührte Stadt Karitina, wo inmitten classischen Bodens sich ein Wahrzeichen des feudalen Mittelalters befindet, die über der Stadt auf einem Felsen thronende Burgruine, einst der Sitz eines fränkischen Grafengeschlechts. Einen unsäglichen Reiz verleihen hier der Landschaft die prächtigen, echt südlichen Vegetationsbilder: mehrere Jahrhunderte alte Platanen mit mächtigen Stämmen, immergrüne Eichen, der Lorbeer, die Myrthe, in deren Hainen die Nachtigall ihre Weisen schmettert, auf den Wiesen ein leuchtender Blumenteppich, welcher sich aus farbenprächtigen Anemonen, Narcissen, Crocus etc. zusammensetzt und über Alles der tiefblaue Himmel Arkadiens. Von Andrizina wurde ein Ausflug zu den berühmten Ruinen eines Apollotempels unternommen, wohl der Glanzpunkt der ganzen Reise. Die hohe Lage dieses für die Alterthumsforschung eminent wichtigen Bauwerkes lässt einen weiten Umblick namentlich gegen Osten in das Thal der Neda zu, wo der Blick über formenreiche Höhenzüge hinweg an drei verschiedenen Punkten den Spiegel der blauen See trifft. Der folgende Tag brachte die Reisenden nach dem berühmten Olympia. Der Vortrag wurde mit prächtigen Photographien illustrirt.

Hamburg. In der am 15. Januar abgehaltenen Sectionssitzung hielt Herr Referendar Dr. F. H. Behn einen Vortrag über seine im August 1882 ausgeführte Besteigung des Finsteraarhorns. Er berichtete zunächst über die Lage, Gestaltung und nächste Umgebung des Berges und ging auch auf die Geschichte der Besteigungen desselben näher ein. Die erste Besteigung soll am 16. August 1812 durch zwei Führer bewerkstelligt worden sein; am 1. August 1829 gelangte der berühmte Naturforscher Hugi bis 200′ unter dem Gipfel. Erwiesen ist, dass Sulger aus Basel die Kuppe im August 1842 erreicht hat, erst seit dem Jahre 1857 haben sich die Besteigungen öfter wiederholt. — Herr Dr. Behn und seine Führer Anderegg und Hess wurden durch Regen und Schneegestöber vom 13. bis zum 19. August v. J., theils im Eggischhorn-Hôtel, theils in der am Fuss des Faulbergs am Aletschgletscher gelegenen Concordiahütte zurückgehalten. In der Nacht vom 19. auf den 20. August verweilten in dieser Unterkunftshütte an 30 Personen. Unsere Touristen brachen um 3 U. Morgens auf und wandten sich gegen den von der Grünhornlücke herabziehenden Firn. Nach Gewinnung der Lücke ging es wieder hinab auf den Viescher Firn, um nach Ueberschreitung desselben etwa um 5 U. an den Fuss des Berges zu gelangen. Der Aufstieg erfolgte zum Hugisattel und von hier über einen scharfen Grat zur Spitze (4275 m), welche vor 9 U. erreicht war. Der Abstieg erfolgte über den hier besonders wild zerklüfteten Viescher Firn, das Oberaarjoch und den Ober- und Unteraargletscher zum Grimselhospiz, woselbst man 9 U. Abends eintraf.

Kufstein. Bei der am 14. Febr. stattgehabten Jahres-Versammlung wurde als Jahresprogramm festgestellt: 1. Die endliche Herstellung des Stangensteigs am Sonneck; 2. die Fortsetzung des Wegbaus von Hinterkaiserfellen zum Stripsenjoch und über dasselbe in das Kohlenthal und 3. Ueberreichung eines Gesuches an den Stadtmagistrat wegen Verhinderung der rabulistischen Abholzung der Wälder am Stadtberg. —

Zuschriften bittet die Section in Zukunft an den Schriftführer Herrn Franz Angerer, Notariatsbuchhalter zu richten.

Küstenland. In der Wochen-Versammlung vom 16. Februar machte der Vorstand Herr P. A. Pazze einige Mittheilungen über die Isonzo-Quelle. Angeregt durch die Forschungen des Herrn Professor Fugger in Salzburg über Eishöhlen (vgl. Mittheilungen 1883 Nr. 2, S. 53) hatte er den Hüttenwart der Baumbach-Hütte in der Trenta, Josef Kenda, und den durch seine grässliche Verstümmelung im Bärenkampf bekannt gewordenen Trentajäger Anton Tožbar, zwei glaubwürdige und intelligente Männer, veranlasst, zur Isonzo-Quelle hinaufzusteigen und zu berichten, in welchem Zustand sie dieselbe im Winter gefunden. Die Isonzo-Quelle ist bekanntlich ein krystallhelles Bassin, eingebettet in einer ziemlich hoch oben in einer Felsenwand befindlichen Grotte von sehr mässiger Ausdehnung. Am 8. Februar 1883 stiegen die beiden Männer hinauf und berichten nun in ihrer schlichten Weise: Es war leichter hinaufzusteigen als im Sommer, es war der Schnee hart; die untere Höhle war verschüttet mit Schnee, man hat nicht bis zum Wasser kommen können. Die Leute hier sagen, dass das Wasser in der Höhle nie gefriert. In die obere Höhle sind wir leicht hineingekommen, wo vielleicht noch nie ein Mensch war; wir haben mit schwarzer Oelfarbe Tag und Jahreszahl an die Wand gemalt, was von der unteren Höhle sichtbar ist. In die obere Höhle kann man nur im Winter gelangen, was durch eine Schneelawine ermöglicht wird; im Sommer ist aber überall glatter Felsen. Ich habe die Höhle gemessen, auswendig ist sie 1,25 m breit, 1,75 m hoch, bis zum Ende der Höhle 7 m lang, 7 m hoch; man hört das Wasser ungefähr $1/2$ m tief unter dem Geröll rauschen, wie ein kleiner Bach. Es rinnt in die untere Höhle hinunter; auch hört man wieder etwas höher so rinnen wie aus einem Fass, auch in die untere Höhle. Drinnen ist's sehr warm, man kann den ganzen Tag dort sitzen, ohne Kälte zu spüren. Jetzt ist auswendig (d. h. im obersten Flussbett) auch kein Wasser, bis zu den Häusern herunter ist's trocken. — So weit die beiden Gewährsmänner. Es wäre eitel Selbstüberhebung, wollte man es wagen, auf Grundlage solcher Erhebungen hin sich einzumengen in die Discussionen der Forscher, die sich mit einschlägigen Studien beschäftigen; als unsere Sache aber bezeichnete es Herr Pazze, zu trachten, das bereits vorliegende Material um einige Körnlein neuer Beobachtungen zu bereichern; dazu wolle er aber alle Sections-Mitglieder aneifern, besonders diejenigen, welchen die Möglichkeit geboten ist, die hochinteressanten Eishöhlen im Tarnovaner Wald, sowie im Nanos- und im Schneeberg-Gebiet zu allen Jahreszeiten zu untersuchen.

Meran. Am 3. Februar wurde in den Curhaus-Localitäten wiederum ein alpines Costumfest abgehalten, dessen Grundidee, eine Bauernhochzeit im Burggrafenamt mit allen ihren Sitten und Gebräuchen darzustellen, vollkommen gelang. Es war wieder ein sehr farbenreiches Bild, welches sich in dem entsprechend würdevoll decorirten Saal darbot; nicht allein die

Theilnehmer des Hochzeitszugs, sondern auch die bei weitem grössere Zahl der anderen Ballgäste waren in einer echten unverfälschten Tracht irgend eines Alpenthals erschienen. Während des Festes erschien auch heuer die »Maruner Zeiting Nr. viar« in der Mundart des Burggrafenamts und des Passeier, wieder von Carl Wolf redigirt. Ebenso war in der unseren Lesern bekannten Form eine »Inloding« zum »Hoachzetfest« erschienen und nahm das Fest mit seinem »Landler« und »Schuachblattler« den animirtesten Verlauf.

München. Am 31. Januar vollendete Herr Dr. Max Stumpf seinen Cyclus von Vorträgen über Schweden und Norwegen.

Am 7. Februar gab Herr Rechtspractikant Ritter v. Lössl eine Schilderung des Gebirgsstocks der Falken in der Riss und seiner verschiedenen in dieses Gebiet unternommenen Expeditionen. Wir kommen an anderer Stelle darauf zurück.

Am 14. Febr. hielt Herr Professor Egb. Hoyer einen Vortrag aus der Entwicklungsgeschichte des Eisenbahnwesens. Das im Jahre 1879 gefeierte fünfzigjährige Jubiläum der Hochzeit der Eisenschiene mit dem Dampfwagen habe ihn veranlasst, die Entwicklungsgeschichte dieses Hochzeitspaares, von welchem die Braut den Bräutigam an Alter weit überragt habe, zu besprechen. Schon den Indern und Persern sei der Gebrauch von Steinbahnen zur Erleichterung der Fortbewegung von Lasten bekannt gewesen, auch auf den Strassen der Römer seien glatte Steinplatten verwendet worden. Der Gebrauch von Holzschwellen, die zur Vermeidung zu starker Abnützung mit Eisenblech beschlagen gewesen, sei im 16. Jahrhundert aufgekommen. Die Verwendung von Eisenschienen sei diesem Jahrhundert vorbehalten gewesen, obwohl schon Mitte des vorigen in England Wege in den Bergwerken mit Eisenschienen belegt gewesen seien, namentlich habe der Engländer Autram, von welchem die Tramway ihren Namen ableite, die Verwendung der Eisenschienen eingeführt. Schienen aus gewalzten Eisenstäben seien erst 1820 in England hergestellt worden. Der Grund, wesshalb die Entwicklung und Verwendung der schon 1759 von Watt erfundenen Dampfmaschine eine so langsame gewesen, sei darin zu suchen, dass erst im Anfang dieses Jahrhunderts das Bedürfniss sich geltend gemacht habe, und dass man bis dahin den grossen Fehler beging, die Dampfmaschine auf gewöhnlichen Strassen benützen zu wollen. Das Verdienst um die Entwicklung und Erfindung des Dampfwagens gebührt England allein. Dort wurde schon im Jahre 1803 der Versuch gemacht, den Dampfwagen auf Schienen zu bewegen, allein man glaubte rauhe Flächen zu benöthigen, um die zur Fortbewegung nöthige Reibung zu erlangen. Erst im Jahre 1813 ergab ein Versuch, dass auch auf glatten Schienen Lasten durch die Dampfmaschine gezogen werden können. Der eigentliche Erfinder der Eisenbahn ist der Engländer Stephenson, dessen Maschine auf der ersten Eisenbahnlinie zwischen Manchester und Liverpool unter vier Maschinen den Preis errang. Wie gross die Opposition der Fuhrleute gegen den Dampfwagen war, beweist die Thatsache am schlagendsten, dass das englische Parlament im Jahre 1828 den Antrag, die Linie Manchester-Liverpool mit Dampfwagen zu befahren, ablehnte und erst im folgenden Jahre mit einer Stimme Majorität die Bewilligung ertheilte. In Deutschland war die 6 km lange Strecke Nürnberg-Fürth — im Jahre 1835 eröffnet — die erste Bahn, der nach 2 Jahren die Strecke Leipzig-Dresden folgte; jetzt habe das Schienennetz Deutschlands eine Ausdehnung von über 30 000 km, jenes von Europa eine solche von 112 000 km, die Länge aller Bahnen in den fünf Welttheilen betrage nach einer (nicht mehr ganz neuen) Zusammenstellung 234 400 km. Zum Bau dieser Eisenbahnen seien 410 Millionen Stück Eisenbahnschienen mit 660 Millionen Schwellen erforderlich gewesen, die tägliche Abnützung erfordere 40 000 Centner Eisen und 137 000 Stück Schwellen. Es gebe 48 000 Locomotiven, 96 000 Personen-, 2 Millionen Güterwagen, die Eisenbahnen würden täglich von 2 Millionen Menschen benützt, über 4 Millionen Menschen seien beim Bahnbetrieb beschäftigt. Mit einem Hinweis darauf, dass trotz der zahlreichen Eisenbahnunfälle die persönliche Sicherheit auf den Eisenbahnen eine viel grössere sei, als früher bei der Benützung der Posten, schloss Herr Professor Hoyer seinen hochinteressanten Vortrag.

Am 21. Febr. war eine grössere Anzahl von photographischen Aufnahmen, zumeist aus den Westalpen, des Herrn J. Beck in Strassburg ausgestellt. Herr Beck hat die Güte gehabt, nicht nur dieselben der Section zur Ausstellung zu überlassen, sondern auch die Ausstellung des von Herrn Vittorio Sella in Biella auf dem Gipfel des Matterhorns aufgenommenen Panoramas zu vermitteln. An diesem Ort über die Aufnahmen des Herrn Beck noch etwas zu äussern, erscheint überflüssig; die Aufnahmen des Herrn Sella aber bezeichnet Herr Beck selbst als das non plus ultra einer alpin-photographischen Leistung.

Prag. In der Monats-Versammlung am 22. Februar hielt Herr K. Stedefeld einen Vortrag über seine Touren in den Dolomiten Süd-Tirols (Primör-Gruppe), sowie in der Verwall-Gruppe. Hervorgehoben wurde der Formenreichthum der Berge der Verwall-Gruppe, das sehenswerth schöne Moosthal, das Verwallthal und das wilde Fasulthal. Dem Mangel an Communicationen, sowie an geeigneten Führern dürfte es zuzuschreiben sein, dass Besteigungen in der genannten Gruppe bisher nur selten unternommen wurden. Herr Stedefeld bestieg am 25. Juli 1881 mit Fr. Pöll aus Paznaun den Patteriol (s. Mittheilungen 1881, S. 326). — Die Besteigung des Cimon della Pala wurde mit dem trefflichen Führer Michele Bettega von S. Martino di Castrozza am 12. Juli 1882 unternommen. Nach eingehender Schilderung des Val Fiemme und Val Travignolo und der prachtvollen Aussicht vom Monte Castellazzo besprach der Vortragende die Besteigung des Cimon, indem er dieselbe für sehr dankbar, aufwärts für nicht zu schwierig, abwärts dagegen für viel schwieriger erklärt. Der Anstieg dauerte $5\frac{1}{2}$ St., der Abstieg wurde in 3 St. exclusive Rasten ausgeführt. Die Schilderung der Besteigung der Drei-Länder-Spitze in der Silvretta-Gruppe musste wegen vorgerückter Zeit unterbleiben.

Schwaben. Am 11. Januar hielt Herr Professor Dr. Nies von Hohenheim einen Vortrag über die Darstellung des geologischen Profils des Gotthard-Tunnels von Dr. F. M. Stapff, dem verdienten Geologen der Gotthardbahn. In dem Versammlungslocal war das geologische Profil des Gotthard-Tunnels im Maasstab 1 : 200, welches der Tunnellänge von 14 920 m entsprechend eine Länge von 75 m aufweist, eine geologische Uebersichtskarte des Gotthardmassivs nebst einer Sammlung der bei dem Tunnelbau zu Tage geförderten Gesteinproben zur Ansicht ausgelegt. Der Vortragende gab eine lichtvolle Darstellung der Forschungen, über welche wir aus der Feder des Herrn Dr. G. A. Koch in Wien in der Zeitschrift 1882, S. 69 ff. eine umfassende Arbeit gebracht haben.

Am 15. Februar schilderte Herr Obermüller einige Bergtouren, zunächst die Besteigung der Scesaplana mit Abstieg über das Gafall-Joch nach Klosters, von wo aus der Casanna 2562 m mit ausgezeichnetem Einblick in die Gletscherwelt der Silvretta-Gruppe ein Besuch gemacht wurde; sodann Ueberschreitung des Silvretta-Passes und Abstieg nach Guarda im Unterengadin; von hier das Innthal aufwärts nach Samaden, von wo Piz Padella und Piz Ot 3249 m erstiegen werden. Hier reizte die kühne Berggestalt des Piz Bernina 4052 m, des höchsten Gipfels der Gruppe, zu einem Versuch; es wurde von Pontresina unter Führung des Hans Grass und des S. Schnitzler nach der Bovalhütte aufgebrochen und am anderen Morgen auf dem Morteratsch-Gletscher gegen den Piz Bernina vorgerückt, zuerst in westlicher Richtung; die starke Zerklüftung des Gletschers in seinen oberen Partien nöthigte zum Ausweichen in mehr südöstlicher Richtung; nach Erklimmung der sog. Terrasse, eine 1½stündige Arbeit in terrassenförmigen Eishängen, bis die sog. Schneide, ein zum Gipfel ziehender schmaler Grat, und damit die gefährlichste Stelle erreicht ist; diese ward rittlings passirt und bald ohne weitere Schwierigkeit der stolze Gipfel gewonnen. Von Pontresina ging die Reise über den Bernina-Pass nach Poschiavo und durch das Veltlin aufwärts nach Bormio, über das Stilfser Joch nach Trafoi, um von hier den Ortler 3905 m zu besteigen. Darauf wurde die Besteigung der Weisskugel vom Hochjoch-Hospiz aus unternommen. Den Schluss machte die Zugspitze im Wettersteingebirge, deren Ersteigung vom Eibsee aus bewerkstelligt wurde.

Nachrichten von anderen Vereinen.

Alpine Club. Am 18. December 1882 beging der Club die Feier seines fünfundzwanzigjährigen Bestehens durch ein Diner, an welchem sich 166 Mitglieder und deren Freunde betheiligten.

Die ***Associacio d'excursions Catalana*** in Barcelona hat in der Regional-Ausstellung von Villanova y Geltrú eine Medaille I. Classe erhalten für ihre Publicationen (Jahrbuch und Monathefte), Zeichnungen, photographische Aufnahmen, Sammlungen von Fossilien, Mineralien, Münzen etc. Die Direction meldet dies dem C.-A. mit freundlichem Schreiben und mit der Mittheilung, dass eben diese Ausstellung den Verein verhindert habe, in Salzburg noch mehr auszustellen.

Club alpin Français. Die Januar-Nummer des Bulletin mensuel bringt Mittheilungen aus der Central-Direction, Berichte der Sectionen und zwar der Section Paris über einen Vortrag über die Dauphiné, der Section Lyon über Touren der Mitglieder, der Section Tarentaise über ihre Gesammtausflüge, der Section Sud-Ouest (Jahresbericht), der Section Epinal über Wegmarkirungen in den Vogesen, der Section Vals und Sevennen über einen Ausflug durch Savoyen, der Section Maurienne über ihr Jahresbanket am Mont Cenis, der Section Atlas über die vollführten und beabsichtigten Touren, unter welch' letzeren eine in die algerische Sahara geplant ist, und über die Vollendung der Wegmarkirungen, der Section Roussillon über einen Ausflug nach St. Michael de Cuxa und zu den Grotten von Sirach, Besprechungen der alpinen Zeitschriften und endlich eine Notiz über zwei neue photographische Verfahren, welche das Mittragen von Glastafeln entbehrlich machen.

Für die heurige Jahres-Versammlung, welche, wie bereits in Nr. 2 bekannt gegeben, in den Thälern von Sixt und Chamonix stattfindet, wurden die Tage vom 11. bis 16. August bestimmt.

Oesterreichischer Touristen-Club. Der Club zählt z. Z. über 4300 Mitglieder in 16 Sectionen. Die Gesammteinnahmen in 1882 betrugen 21.621 fl. Der Club hat das 3 St. unter dem Gipfel des Grossen Stou (Karawanken) auf der Belschika-Alpe gelegene Werksgebäude der Krainischen Industrie-Gesellschaft erworben. Dasselbe soll als Schutzhaus eingerichtet werden und erhielt den Namen Valvasor-Schutzhaus.

Société des Touristes du Dauphiné. Diese seit 8 Jahren bestehende Gesellschaft, welche zum Zweck hat, 1) die Bereisung der Gebirge des Dauphiné den Männern der Wissenschaft sowohl als einfachen Touristen zu erleichtern, 2) die französische Jugend auf die Strapazen des Militärdienstes vorzubereiten und 3) den Geschmack am Studium der Alpen, insbesondere jener des Dauphiné zu entwickeln, hat im Thal von Sept Laux ein Schutzhaus mit 20 Betten erbaut, welches am 23. Juli 1882 eröffnet wurde; weitere Hütten wurden an der Berarde (Pelvoux-Gruppe) und am Fuss der Taillefer errichtet; Schutzhütten der Gesellschaft bestehen ferner am Fuss des Grand Pic de Belledonne, in La Farre im Massiv der Grandes-Rousses und in La Selle am Col de la Lauze. Für diese Arbeiten wurden bereits über 20 000 Frcs. ausgegeben.

Ebenso hat die Gesellschaft an den Haupt-Excursionsplätzen Führer- und Träger-Compagnien organisirt, welche unter einem Reglement und Tarif stehen, Seile und Pickel vertheilt und beschlossen, zum Behuf der Instruction der Führer auf Kosten der Gesellschaft Excursionen in grösserer Anzahl zu veranstalten.

Karawanken und Sannthaler Alpen.

Frischauf-Hütte	?	ÖTC.	1877 vergr. 1879	Grintouz 2½ St.	Kanker	1 B. 20 P.
Koroschiza-Hütte	1807	AVS. Graz	neu 1883	Oistriza 2 St.	Leutsch	10 P.
Mittagskogel-Hütte	?	AVS. Villach	?	?	?	Project.
Rainer-Schutzhaus	2031	ÖTC.	?	Hochobir ¼ St.	Eisenkappel, Gallizien	W. 20 B.
Petzen-Haus	1400	"	1879	Petzen 2½ St.	Eisenkappel	7 B.
Valvasor-Schutzhaus	1300	"	1883	Gr. Stou 3 St.	Jauerburg	20 P.

Krainischer Karst.

Schneeberg-Hütte	1540	AVS. Küstenland	?	Krainer Schneeberg 1 St.	Iggendorf, St. Peter	25 P.

Steirische Central-Alpen.

Grillitsch-Hütte	Steir. Geb.-Verein	1881			
Koralpen-Haus	AVS. Wolfsber		Koralpe 1¼ St.	Deutsch	

Ortler-Gruppe.

Cevedale-Hütte	2710	SAT.	1882	Cevedale	Pejo	6 B. 18 P.
Laugen-Hütte	2429	AVS. Meran	1875	Laugenspitze 1/4 St.	Mitterbad	6 B.
Payer-Hütte	3000	AVS. Prag	1875	Ortler 3 St.	Sulden, Trafoi	9 B. 18 P.
Schaubach-Hütte	2875	Wilde Banda, jetzt Suldener Führer	1876	Ebenwand	Sulden	3 B. 50 P.
Zufall-Hütte	2250	AVS. Dresden	1882	Zufallalpe	Martellthal	6 B. 20 P.

Adamello-, Presanella- und Brenta-Gruppe.

Leipziger Hütte	2472	AVS. Leipzig	1879	Mandron	Pinzolo, Ponte di Legno	12 B.
Tosa-Hütte	2530	SAT.	1881	Cima Tosa 4 St.	Pinzolo, Molveno	8 B. 23 P.
Lares-Hütte	2110	„	1882	Caré alto 5 St.	Pinzolo	6 B. 18 P.

Dolomit-Alpen.

Dreizinnen-Hütte	2391	AVS. Hochpusterthal	1883	Toblinger Riedel	Sexten, Landro	6 B. 18 P.
Kronplatz-Hütte	2250	Privat	1877	Kronplatz 20 Min.	St. Vigil, Olang	W. 12 B. 24 P.
Sachsendank-Hütte	?	„	1883	Nuvolau	Ampezzo	Project.
~~Schlern-Hütte~~	?	AVS. Bozen	?	?	?	Project.
Tre Croci-Haus	1851	Privat	?	Tre Croci	Cortina	?
W. am Fedajapass	2029	„	1880	Marmolada 3 1/2 St.	Penia, Caprile	W. 4 Z. 15 P.

Gailthaler Alpen.

Villacher Häuser (Bleiberger Haus u. Rudolfs-Haus)	2154	AVS. Villach	1869 ?	Dobratsch	Bleiberg	W. 32 B. 50 P.

Julische Alpen.

Baumbach-Hütte	600	AVS. Küstenland	1881	Trentathal	Flitsch, Kronau	12 B. 28 P.
Erzhrzg. Franz Ferdinand-Hütte	1752	ÖTC.	1878	Seethal	Wochein	16 B.
Manhart-Hütte	2000	AVS. Villach	1875 ern. 1883	Manhart 3 St.	Raibl	6 B.
Maria Theres. Schutz-	1404	ÖTC.	gek. 1879	Triglav 1 1/2 St.	Moistrana, Wochein	8 P.

Alljährlich erscheint ein Jahrbuch, welches über die ausgeführten Arbeiten etc. berichtet; dasselbe wurde in d. Bl. wiederholt besprochen. Die Mitgliederzahl beträgt z. Z. über 700, und es hat sich in Paris eine Section gegründet, um Verbindung mit den dortigen Kennern und Freunden der Alpen zu haben. (Zuschriften sind an M. Charles Rabot, sécrétaire, 11 Rue de Condé in Paris zu richten.)

Vereins-Hütten und Unterkunftshäuser.

In der *Jamthal-Hütte* (Section Schwaben) haben nach ihrer Fertigstellung Ende Juli 1882 übernachtet 52 Touristen; Ersteigungen wurden von derselben ausgeführt: Augstenberg von 18, Fluchthorn von 5, Gemsenspitze von 4 und Piz Buin von 1 Touristen.

Mittheilungen und Auszüge.

Beobachtungen an den Gletschern des Schwarzensteingrunds. Der Rückgang der drei grossen primären Gletscher des Schwarzensteingrunds innerhalb der beiden letzten Decennien scheint kein continuirlicher gewesen zu sein. Derselbe war vielmehr durch eine Periode des Vorrückens unterbrochen, welche wahrscheinlich kurz nach 1871 eintrat, aus welchem Jahr wir die Resultate jener Messungen besitzen, welche bei der Landesaufnahme für die N. M.-M. ausgeführt wurden. Seit dieser Zeit scheint bis in die Mitte des vorigen Decenniums beiläufig ein Vorrücken stattgefunden zu haben, wie sich dies aus den Messungen, welche Herr Oberlieutenant Rehm vom k. k. Militär-geographischen Institut in Wien und ich im vorigen Sommer mit äusserst sorgfältigen Controlebeobachtungen vorgenommen haben, ergibt. Nachfolgende Tabelle mag dies veranschaulichen.

Ausgangshöhe des	Sonklar 1865	O. A. d. N. M.-M. 1871	Rehm u. Diener 1882
	m	m	m
Waxeggkees	1895	1920	1893
Hornkees	1916	1970	1941
Schwarzensteinkees	1959	2100	2081

So sehr nun auch die Thatsache, dass seit dem Jahre 1871 innerhalb der allgemeinen Rückzugsperiode noch einmal ein Vorrücken der genannten Gletscher stattgefunden haben soll, überrascht, so ist doch an der Richtigkeit derselben nicht zu zweifeln. Das Vorrücken muss sogar ein sehr energisches gewesen sein, da alle drei Gletscher nun schon wieder seit mindestens fünf Jahren auf einem rapiden Rückzug begriffen sind. Diese Thatsache wurde auch durch das Studium der Moränen bestätigt. Die scharfe, an vielen Stellen völlig unvermittelte Grenze zwischen älteren, mit Polstern von *Saxifraga autumnalis* überwachsenen und jüngeren, jeder Vegetation baren Moränen deutet auf das verhältnissmässig geringe Alter der letzteren hin. Besonders auffallend tritt die angeführte Erscheinung in den Moränenringen des Waxegg- und des Schwarzensteinkees hervor. Auch Josele weiss sich dieses plötzlichen Vorrückens der Gletscher um die Mitte des verflossenen Decenniums noch zu entsinnen. Im übrigen konnte mir Niemand im Zillerthal nähere Auskunft darüber geben.

Jedenfalls steht das bedeutende Ausmaass der Oscillation vollständig im Widerspruch mit allen Beobachtungen unserer andern alpinen Gletscher innerhalb des letzten Jahrzehnts, und wäre es gewiss sehr interessant, zu untersuchen, ob sich ähnliche Vorgänge nicht auch in den Gebieten der benachbarten Gletscher, des Floiten- und Schlegeiskees insbesondere, abgespielt haben.

Wien. *Dr. Carl Diener.*

Geologische Aufnahmen in den Ostalpen. Im Sommer 1882 waren in den Ostalpen wieder zwei Sectionen der k. k. Geologischen Reichsanstalt thätig. Leider beeinträchtigte das ganz ungewöhnlich ungünstige Wetter den Fortschritt der Arbeiten in fühlbarer Weise.

Die erste Section, Chefgeologe Oberbergrath L. Stache, Sectionsgeologe F. Teller, arbeitete im Gebiet des Hochpusterthals. Die durch die Herbstüberschwemmungen am stärksten verwüsteten Strecken, die Linie Bruneck - Inichen - Lienz mit den nördlichen Seitenthälern und der im N. vom Kartitsch- und Lessachthal, im S. vom Comelico begleitete Abschnitt der Karnischen Kette zwischen dem Kreuzberg und Volaja-Pass waren die Hauptstücke des Untersuchungsgebiets. Herr Oberbergrath Dr. Stache studirte die tektonischen und stratigraphischen Verhältnisse der Karnischen Kette und verfolgte speciell das Auftreten der zwischen Collina und dem Lessachthal stark entwickelten, nach seinen Untersuchungen das Obersilur und Devon vertretenden Kalkmassen gegen W. in dem Gebiet des Blattes Sillian - S. Stefano der Sp.-K. Herr Teller war speciell in dem Gebiet der Blätter Sterzing und Bruneck beschäftigt und erzielte hiebei sehr interessante Aufschlüsse bezüglich der verwickelten Tektonik im Westflügel der Tauernkette.

Auch die zweite in den Alpen operirende Section, Chefgeologe Oberbergrath Dr. Edm. v. Mojsisovics, Sectionsgeologen M. Vacek und Dr. Alex. Bittner, musste ungünstigen Wetters wegen die Arbeiten noch vor Ablauf der präliminirten Arbeitszeit unterbrechen, und konnte nur ein Theil der zunächst in Angriff genommenen Revisionsarbeiten in Salzburg und in Oberösterreich zum Abschluss bringen. Herr Oberbergrath v. Mojsisovics bearbeitete namentlich das Traungebiet zwischen Ischl und Traunkirchen. Es wurden dabei zwei grosse, für das Verständniss dieses Theils der Alpen sehr wichtige Bruchlinien constatirt. Die eine derselben bildet die Fortsetzung der grossen, aus der Gegend von St. Gilgen durch das Ischlthal verlaufenden Gebirgsspalte, sie fällt auf der Strecke

Ischl-Ebensee nahezu mit dem Lauf der Traun und hierauf bis in die Gegend der Eisenau mit dem Becken des Gmundner Sees zusammen. Die zweite, nördlicher gelegene Bruchlinie gehört zu den grossartigsten Gebirgsbrüchen der Alpen, indem der verticale Betrag der Verschiebung nahezu die ganze Mächtigkeit der mesozoischen Systeme umfasst. Sie verläuft längs der Nordgehänge des Hochlecken- und Höllengebirges, übersetzt bei Bachschütten das Langbaththal, erreicht am Nordfuss der Sonnsteinspitze den Gmundner See, um jenseits desselben am Nordgehänge des Traunstein in östlicher Richtung, das Kalkgebirge von der Flyschzone scheidend, fortzusetzen. Da auch weiter westlich die südliche Begrenzung der Flyschzone mit dieser Bruchlinie zusammenfällt, so stellt sich das aus obertriadischen, jurassischen und neocomen Sedimenten bestehende Kalkgebirge, welches auf der Nordseite der Bruchlinie dem Höllengebirge und der Masse des Sonnstein vorliegt, tektonisch als ein in Folge der bedeutenden relativen Höhenlage durch die Denudation blosgelegter Bestandtheil der Flyschzone dar. — Gegenüber den älteren geologischen Karten, welche das Höllengebirge als oberjurassisch dargestellt hatten, ergibt die neuere Aufnahme eine nicht unwesentliche Correctur, da die Hauptmasse des Höllengebirges als diptoporenreicher Wettersteinkalk erkannt wurde, welcher auf der Nordseite von Muschelkalk unterteuft, auf der Südseite von Raibler-(Cardita-)Schichten überlagert wird. In nordöstlicher Richtung setzt der gleiche Zug von Wettersteinkalk über das Jägereck zum Traunstein fort, dessen Gipfelkamm und Südgehänge ebenfalls aus Diptoporen führendem Wettersteinkalk besteht.

Herr Mich. Vacek untersuchte das Gebiet am Radstädter Tauern auf der Strecke von der Kalkspitze an der steirisch-salzburgischen Grenze bis zum Einschnitt des Kleinarlthals. Als Resultat ergab sich, dass über einer denudirten, unebenen Basis von krystallinischen Schiefern, der sogenannten »Schieferhülle«, zwei in keinem engeren stratigraphischen Nexus zu einander stehende Schichtcomplexe unregelmässig aufruhen, von welchen der ältere, ausschliesslich aus dolomitischen Kalken bestehende, Diptoporen aus der Gruppe der Annulaten führt und vielleicht ein Aequivalent des Wettersteinkalks bildet. Der jüngere, vornehmlich aus schwarzen, pyritischen Schiefern und gebänderten Kalken bestehende Complex hat vorläufig zu wenig organische Reste geliefert, um über sein Alter entscheiden zu können.

Herr Dr. A. Bittner war mit Revisionsarbeiten in den Salzburger Kalkalpen beschäftigt. Die östlich der Salzach gelegene Gruppe des Schmittenstein wurde nahezu vollendet. Die in diesem Gebiet herrschende Gliederung vom Hauptdolomit aufwärts durch die Kössener Schichten und den Jura bis zu den Oberalm-Schichten ist durch die Detailarbeiten von Suess und v. Mojsisovics in der Osterhorn-Gruppe bekannt. Die Lagerung der Schichten ist in dem ganzen Gebiet im allgemeinen eine sehr flache und regelmässige, nur in der Nähe der Flyschgrenze beginnen Störungen; auch stimmt das Gesammtstreichen des Kalkgebirgs nach WNW. mit der scharf ostwestlichen Grenze des Flyschgebiets nicht überein. Der von dieser Grenze bei Hof in SSO.-Richtung in das Kalkgebiet hineinziehende Streifen flyschartiger Gebilde, welche von Lipold als »ältere Wiener Sandsteine« bezeichnet worden waren, gehört nach seinen Fossilien zu den neocomen Rossfelder Schichten. — Westlich von der Salzach wurde die Gruppe des Hohen Göll und das daran stossende Gebiet des Rossfelds und der Hallein-Berchtesgadener Salzgebirge in Angriff genommen und zum grössten Theil vollendet. Ausser einigen, der norischen Stufe angehörigen Cephalopoden-Horizonten wurde bei Hallein auch die bisher hier nicht bekannte, der Karnischen Stufe zufallende Zone der *Trachycerus Aonoides* mit grossem Fossilreichthum gefunden. Besonders wichtig aber erscheint die Entdeckung rother Marmore mit der Cephalopoden-Fauna der Zone des *Ceratites trinodosus* auf der Gipfelfläche des Lercheck bei Berchtesgaden, insofern durch diese das Alter des darunter liegenden weissen Kalks des Lercheck und des Brandelbergs in schärferer Weise, als bisher bestimmt werden kann.

Der Mont Blanc-Tunnel. Im letzten Sommer wurden von den Professoren Heim und Renevier geologische Vorstudien über das neueste Project, den Mont Blanc mit einem Tunnel zu durchbohren, vorgenommen. Aus der Feder Heims liegt nun über die Resultate der gemeinsamen Forschungen der diesbezügliche Bericht vor. Der projectirte Tunnel soll eine Länge von 19 270 m erreichen, also genau um 9 km oder über eine Meile länger ausfallen, als der Arlberg-Tunnel (10 270 m). Das Nordportal liegt 1050 m, das Südportal nur 996 m hoch. Der Culminationspunkt des Tunnels wird bei 1074 m Seehöhe erreicht. Auf der Nordseite soll der Tunnel bei Taconnaz das Gebirge anfahren. Von hier läuft er geradlinig bis unter das an der südlichen Abdachung gelegene Dorf Entrèves und geht dann in einer Curve unter dem Thal von Courmayeur durch, woselbst er bei Prè St. Didier mündet. Die geradlinige Strecke »Grand Tunnel du Mont Blanc« genannt, erreicht eine Länge von etwa 13 200 m. Auf den gekrümmten Theil, die sogenannte »Galerie sous vallée«, fallen circa 6070 m Länge. Die grössten Schwierigkeiten knüpfen sich an diesen letzteren Theil, den man gewöhnlich selbständig aufführt, um den »Grand Tunnel« kürzer erscheinen zu lassen.

Die erste Frage, welche von Seite der Projectanten an die beiden Gelehrten gestellt wurde, lautete dahin, ob beim Mont Blanc ähnliche Erscheinungen zu erwarten seien, wie in der »Druckpartie« unter dem Urserenthal des Gotthard. Druckerscheinungen, »blähende Stellen« und Deformirungen des Tunnelgewölbes werden ja von den Bauunternehmern besonders gefürchtet. Ueber die Druckerscheinungen im Gotthard sagt Heim, dass sie desshalb nicht vorausgesehen werden konnten, weil sie nicht von einer bestimmten Gesteinsart, sondern von dem localen Verwitterungszustand des sonst festen Gneisses abhingen. Für die Urseren-Mulde trifft dieses Urtheil Heim's zu; aber nicht auch für andere Druckstellen, welche Dr. Stapff, der Tunnel-Geologe des Gotthard, voraussagte. Aehnliche Gneisse, wie im Gotthard, kommen auch im Profil des Montblanc vor. An der Oberfläche erscheinen sie wohl gesund und fest. Mit Rücksicht auf die erwähnten lokalen Verwitterungserscheinungen im Innern des Gebirges lassen sich aber druckhafte Partien im Mont Blanc-Tunnel wohl nicht mit apodictischer Gewissheit in Abrede stellen; sie sind jedoch ziemlich unwahrscheinlich. Von Süd nach Nord wird man im Mont Blanc-Tunnel folgende Gesteinsarten antreffen:

1. Auf eine Länge von wenigstens 60 und höchstens 400 m einen Schuttkegel mit erratischen Blöcken. 2. Auf 800—1050 m einen sehr günstig abzubauenden, glimmerführenden Marmorschiefer. 3. Im nächsten Kilometer massigen und dolomitischen Kalk in dicken Bänken; sehr günstig. 4. Auf 350 m Gyps und Anhydrit (wasserlosen schwefelsauren Kalk). Diese Partie ist als ungünstig zu bezeichnen. Der Gyps neigt sehr leicht zu Einbrüchen. Der Anhydrit quillt beim Zutritt von feuchter Luft oder Wasser stark auf und kann grosse, unberechenbare Schwierigkeiten verursachen. Aus 100 cbm Anhydrit werden bekanntlich 130 cbm Gyps durch Aufnahme von Wasser gebildet. Verdrückungen des Stollenprofils stehen somit hier in Aussicht. 5. Die nächsten 300 m werden erfüllt von Rauhwacke und Dolomit. 6. Auf 450—500 m Länge kommt sodann Glanz-Thonschiefer, Rauhwacke und Glanzschiefer. 7. Zwischen 1300 und 1400 m der Tunnellänge werden vom festen Gneiss des Mont Chétif ausgefüllt. 8. Etwa 3700 m kommen auf dunkle, kalkige Thonschiefer mit Quarzlagen und grösseren Einlagerungen von Kalkstein und Kalkschiefer. Davon entfallen höchstens 700 m auf die Kalklager, der übrige Antheil (3000 m) auf die Schiefer. 9. Die nächsten 1000 m werden in einen Gneiss von metamorphischem Gefüge fallen. 10. Auf circa 5600 m tritt sodann der bekannte Granitgneiss (Protogin) des Montblanc bis zur Nähe des Nordportals auf, woselbst noch etwas schiefriger Gneiss und Rauhwacke angetroffen werden dürfte.

Nach Heim stellen sich somit die Verhältnisse für die Bohrarbeit allein genommen etwas günstiger als beim Gotthard oder dem Simplon-Project. Die Schiefergesteine der Tunnelmitte fallen ziemlich steil gegen Südost und streichen nahezu senkrecht zur Tunnel-Achse. Ein sehr günstiger Umstand für den Durchbruch und die Vollendungsarbeiten des Tunnels. Am Arlberg streichen bekanntlich die ganzen Gesteine, wie ich oft genug hervorgehoben habe, parallel zur Tunnel-Achse. Die Wasserverhältnisse bezeichnet Heim im »Grand Tunnel« als günstig. Ueber die Schwierigkeiten in der »Galerie sous vallée« lässt sich der berühmte Geologe folgendermaassen vernehmen: Der verticale Abstand des Tunnels von der Oberfläche des Gebirges beträgt an dieser Galerie oft nur wenige Meter und erreicht höchstens 230 m. Wiederholt läuft die Tunnelcurve unter Flüssen hindurch, und die grösste Horizontaldistanz von den hier auftretenden Flüssen und Bächen steigt fast nie über 300 m. Zwei Varianten existiren für diesen Theil der Tunnelstrecke. Die eine tritt öfter aus dem Fels in die ausserordentlich mächtigen, alten Schuttkegel des Thals hinein, auf denen die Ortschaften stehen. Die andere Variante (Baretti) bleibt voraussichtlich immer im Fels, aber meist nur bei ganz geringer Tiefe unter dem Schutt. Der Schutt saugt aber wie ein riesiger Schwamm alles Wasser der atmosphärischen Niederschläge auf und lässt es durch die zahlreichen Klüfte des Gesteins, sowie durch wasserdurchlässige Schichten direct in den Tunnel, der hier einem Drainagerohr gleichen würde. Die zu gewärtigenden Infiltrationen werden es daher unmöglich machen, im Gebiet der »Galerie sous vallée« durch die »projectirten Schachte«, vermehrte Angriffspunkte für den Tunnelbau zu gewinnen. Professor Heim führt noch andere Momente gegen die Galerie ins Treffen. Er hebt hervor, dass das Thal von Courmayeur mehrere vortreffliche und stark besuchte Mineralquellen besitzt. Das Thal ist ferner von Fremden und Curgästen zur Sommerzeit geradezu überfüllt. Grosse Hôtels und Badeanstalten stehen in vollem Betrieb. Mineralwasser wird stark exportirt. Nun tritt der Eisensäuerling von La Victoire genau senkrecht, etwa 90 m über dem Tunnel, aus durchlässiger Rauhwacke heraus und der von St. Marguerite liegt noch weniger hoch über der Tunnelsohle. Heim ist daher der Ansicht, dass die genannten Eisensäuerlinge, sowie die Schwefelbadquelle La Saxe und einige andere, bis zu sechshundert *l* in der Minute führende, zum Theil noch gar nicht benützte Mineralquellen wahrscheinlich in den Tunnel fallen werden. Heim beweist dies an der Hand von geologischen Thatsachen in ausführlicher Weise und meint, die Expropriirung eines Badeortes, Entschädigungen für versiegende Quellen u. a. würden allein schon enorme Kosten verursachen.

Heim kommt sodann zur Beantwortung einer Cardinalfrage. Er wendet sich der »Erdwärme« zu, welche im Innern des Mont Blanc-Tunnels voraussichtlich angetroffen wird und deren Einfluss auf die Ausführbarkeit von Gebirgstunnels von eminenter Tragweite ist. Auf Grund der von Stapff beim Gotthard-Tunnel gemachten Temperaturbeobachtungen, und gestützt auf die neuesten Forschungen in diesem Gebiet, habe ich in der Zeitschrift des D. und Ö. Alpenvereins 1882, S. 69 ff. die Wichtigkeit dieser Frage in einer Studie über »Erdwärme und Tunnelbau im Hochgebirge« eingehend beleuchtet. Meine diesbezügliche Studie fand eine ausgedehnte Verbreitung und in Fachkreisen vielfache Würdigung. Ich führte in der Einleitung zu derselben den Nachweis, dass man »heutzutage vor der Länge eines Tunnels keineswegs zurückschreckt«. Leistet doch eine Bohrmaschine gegenwärtig in einem einzigen Tage so viel, als früher ein Bergknappe während eines ganzen Jahres. »Aber die durch vervollkommnete Maschinen, wirksamere Sprengmittel und praktische Zündvorrichtungen erzielten geradezu überraschenden Resultate liessen, wie es scheint, die Techniker einen gewichtigen Factor vergessen, mit dem man wohl rechnen muss, nachdem er sich mit den gegenwärtigen Hilfsmitteln der Technik nicht gut bekämpfen und noch viel weniger hinwegschaffen lässt. Es erreichen nämlich einige der neueren Tunnelprojecte (Simplon, Mont Blanc) mit ihrem Culminationspunkt und der Nivelette Tiefen des Gebirges, in denen zufolge der daselbst wirksamen Eigenwärme der Erde Temperaturgrade herrschen können, welche jede Arbeit unmöglich machen.«

Professor Heim kommt bei seiner Berechnung auf ziemlich hohe Temperaturgrade. Bekanntlich betrug die höchste Temperatur in der Mitte des Gotthard-Tunnels zwischen 30 und 31° C. Professor Heim sagt nun, dass sich die mittleren 5 km des »Grand Tunnel du Mont Blanc« im Maximum 3200 m unter der Oberfläche befinden. Das Massiv des Mont Blanc ist seitlich nicht frei und von Thälern begrenzt, wie der Gotthard, sondern die Tunnel-Achse wird beiderseitig von noch höheren, bis 3800 m ansteigenden Gipfeln begleitet. Die recht günstig gehaltene Rechnung ergab für die innersten 3000 m des Mont Blanc-Tunnels nach Heim dennoch eine Temperatur von über 50° C. Stapff berechnete schon vor vier Jahren für ein Project, das den Mont Blanc mit einem circa 13 570 m langen Tunnel zu durchbrechen hätte, bei einer Höhe von 2500 m für das überlagernde Gebirge in der Mittelstrecke eine Temperatur von circa 51° C. Die Ausführbarkeit des Mont Blanc-Tunnels dürfte somit in Frage stehen, weil sich die Wirkungen der Erdwärme nur zu Ungunsten der Arbeitsleistung, Zeitdauer und Baukosten äussern würden. Die Mittel und Wege, welche unterirdische Arbeiten bei so hohen Temperaturgraden möglich machen, kennen wir noch nicht recht.

Vorderhand hat also der Mont Blanc-Tunnel mit folgenden Schwierigkeiten zu kämpfen: Wasserandrang und Versiegen werthvoller Mineralquellen längs der »Galerie sous vallée« und hohe Temperatur im »Grand Tunnel«.

Wien. *Dr. Gustav Adolf Koch.*

Meteorologische Station auf dem Säntis. Diese auf dem internationalen Meteorologen-Congress in Rom angeregte und von der Schweizerischen meteorologischen Commission mit freiwilligen Beiträgen von Behörden und Privaten (worunter, wenn wir nicht irren, auch der Schweizer Alpenclub) eingerichtete Station wurde im September 1882 eröffnet. Ein Anemometer langte zu spät an, um noch vor Winter hinaufgeschafft werden zu können, der selbstregistrirende Thermometrograph erwies sich in Folge des starken Rauhfrostes*) als untauglich. Dagegen fungirt ein Barograph ganz gut. Directe Ablesungen werden täglich fünfmal gemacht und zweimal mittels des eigenen für die Station erstellten Telegraphen der Centralanstalt in Zürich mitgetheilt. Die Station befindet sich übrigens nicht auf dem Gipfel, wo nur das Anemometer aufgestellt wird, sondern in dem ca. 60 m tiefer gelegenen, durch eine Felswand gegen SW. geschützten Gasthaus; für den Gipfel ergibt sich aus sorgfältigen trigonometrischen Messungen eine Meereshöhe von 2504 m. Als Beobachter ist Herr Koller aus Gonten aufgestellt, mit ihm wird Herr Dörig, der Wirth des Gasthauses, oder zeitweilig ein Vertreter des-

*) Der Rauhfrost ist auch den Draht-Leitungen gefährlich; man hat am Dobratsch damit schlimme Erfahrungen gemacht (s. Zeitschrift 1882, S. 299) und neuerdings berichtet die Ö. T.-Z. Aehnliches vom Hochobir. Dort hat man sich indessen mit Erfolg damit geholfen, dass man den Draht von den Stangen abnahm und ihn einfach in den Schnee legte. D. Red.

selben, die Ueberwinterung durchmachen. Die Correspondenz wird natürlich den grössten Theil des Winters ausschliesslich durch den Telegraphen und das Telephon vermittelt.*)

Touristische Notizen.

Silvretta-Gruppe.

Aus dem Jamthal. 1. ***Dreiländerspitze.*** In den Mittheilungen 1881, S. 269 f. habe ich über eine von mir ausgeführte Besteigung der Dreiländerspitze berichtet. Weitere 1882 ausgeführte Recognoscirungen im Gebiet zwischen Piz Buin und der Augstenspitze haben mich jedoch überzeugt, dass jene von mir erstiegene Spitze nicht die Dreiländerspitze gewesen ist. Zu diesem Irrthum bin ich durch den sonst gut orientirten Galthürer Führer Ignaz Lorenz veranlasst worden, dessen Angaben ich trotz ihrer Nichtübereinstimmung mit den einschlägigen Karten gelten liess, weil die Karten sämmtlich unter sich widersprechend sind und keine derselben das fragliche Gebiet (und insbesondere die von mir 1881 erstiegene Spitze) richtig wiedergibt. Der Name der Spitze ergibt, dass sie an der Stelle zu suchen ist, wo die drei Gebiete Schweiz, Tirol und Vorarlberg zusammenstossen. Das in unmittelbarster Umgebung dieser Stelle gelegene Terrain ist auf der Dufourkarte, der Ziegler'schen Karte und der Sp.-K. ziemlich übereinstimmend gegeben, so viele Differenzpunkte sonst vorhanden sind. In allen drei Karten liegt jene Stelle etwas über 2 km in NO.-Richtung von der Spitze des Buin entfernt. Die Grenze, welche Schweiz und Oesterreich trennt, kommt vom Piz Buin, läuft über den Vermuntpass in WO.-Richtung und zieht nun über einen NO. verlaufenden Felsgrat, der zu beiden Seiten auf Schneefelder abstürzt. Die Stelle des Grats, auf welcher die von N. her kommende, Tirol und Vorarlberg scheidende Grenze einsetzt, ist die Dreiländerspitze. In der That findet sich auf jenem Grat eine dominirende Spitze, bezüglich deren Lage die Merkmale der drei Karten zusammentreffen. Nimmt man noch dazu, dass wenige Meter unter der höchsten Spitze, einem schmalen Stein mit Raum für eine Person, in Gestalt einer Stange ein Triangulirungszeichen angebracht ist, so kann darüber kein Zweifel sein, dass im Sinne der Dufour'schen und Ziegler'schen Karte jene Spitze als die

*) Wie uns ein Mitglied der Section Schwarzer Grat mittheilt, verunglückte am 30. Dec. 1882 der Sohn des Möglisalp-Wirths, der es unternommen hatte, einzelne durch den Sturm zerrissene Drähte zu verbinden, indem er an einer gefährlichen Stelle den Halt verlor und in die Tiefe stürzte. Der allein noch auf dem Säntis weilende Telegraphist vermuthete, sein Genosse sei zu Thal gegangen und erst als der Säntiswirth ohne denselben ankam, ward es zur Gewissheit, dass ein Unglück geschehen. An ein Suchen am gleichen Tag war des Sturmes wegen nicht zu denken, am Neujahrsmorgen aber machten sich die wackeren Leute mit Lebensgefahr daran, den Verunglückten zu suchen. Auf wiederholtes Signalblasen kam endlich einer der Hunde, die auf dem Säntis sind, herbeigesprungen und dieser zeigte den Weg. Der treue Hund war seinem Herrn nachgegangen und hatte ihn von Freitag Abend bis Neujahrmorgen bewacht.

Dreiländerspitze anzusehen ist. (Die Sp.-K. hat keine Benennung für den Zusammenstoss der 3 Grenzen.) Ich habe dieselbe mit Herrn Stedefeld aus Prag im August 1882 von Galthür aus in 7 St. erstiegen. Bei gutem Schnee ist sie in 3 ½ St. von der Jamthal-Hütte zu erreichen. Ueber den Jamthalferner gingen wir auf die Ochsenthalscharte auf dem in den Mittheilungen 1881, S. 267 beschriebenen Weg. Von der Scharte liegt die Spitze in südlicher Richtung. In den Schneefeldern, in welchen sich die Spitze auf den Ochsenthaler Ferner steil abdacht, wird der Felskamm erreicht. Die höchste Spitze erkletterten wir von der Südseite des Kamms aus. Von dem Gletscher aus, welcher auf den obersten Boden des Val Tuoi hinabzieht, also von der Südseite, ist die Spitze schwieriger zu ersteigen. Eine Verbindung der Dreiländerspitze (3199 m Dufour) und Jamthalfernerspitze (3155 m Dufour) in einer Tagestour ist nicht möglich, jedenfalls nicht angezeigt, wie ich dies in meinem vorjährigen Bericht angenommen habe. Dichter Nebel hüllte uns auf der Spitze ein. Ausser der, die Bernina, Cima di Piazza, Ortler- und Oetzthaler Gruppe umfassenden Fernsicht, welche alle Culminationspunkte der Silvretta-Gruppe nach S. darbieten, — muss hier (wie ich mich schon früher von anderen nahegelegenen Standpunkten überzeugt habe) der Blick auf den ganz nahen, an das Matterhorn erinnernden Absturz des Piz Buin ins Val Tuoi besonderes Interesse bieten.

Heidenheim. *C. Blezinger.*

Bergfahrten in den Hohen Tauern.

Wenn ich mir erlaube, mit den nachfolgenden Zeilen vor die Oeffentlichkeit zu treten, so geschieht es nur desshalb, um die Aufmerksamkeit der Touristen und Touristinnen auf einen Theil unseres herrlichen Alpenlandes zu lenken, der bisher viel zu wenig gewürdigt worden ist. Die Hochalpenspitze und der Ankogel beherrschen ein Gebiet, welches neben der Venediger- und Glockner-Gruppe zu den grossartigsten Zierden der Hohen Tauern gerechnet werden muss. Wenn insbesondere Touristinnen versuchen werden, diese erhabenen Aussichtspunkte zu erklimmen und sich die Ueberzeugung verschafft haben werden, dass sie mehr leisten können, als sie gemeinhin selbst glauben, so werde ich meinen Zweck als erreicht betrachten. — Von unserem Ferienaufenthalt Gmünd in Kärnten unternahmen wir, mein Mann, ich und mein älterer Sohn, u. A. nachstehende Wanderungen in die Hohen Tauern.

Gross-Elendscharte 2673' m. Am 29. Juli gingen wir früh 4 Uhr durch das Maltathal bis zur Elend-Hütte der Section Klagenfurt, wo wir 12 U. 15 anlangten. Den Rest des Tages hielten wir Rast. Am 30. traten wir 4 ¼ U. die Wanderung ins Grosse Elend an. Ein starker Reif bedeckte das Gras und der Boden war hie und da leicht gefroren. Das Grosse Elend ist ein prachtvolles Hochthal und hat Aehnlichkeit mit Innergschlöss; auch hier schliesst ein grosser Gletscher, das Grosse Elendkees, das Thal ab, wie das Schlatenkees das Gschlöss. Darüber herein ragt die Hochalmspitze, wie dort der Grossvenediger. Zu beiden Seiten des Gletschers ziehen sich riesige Moränen herab. Hinter der armseligen Ochsenhütte gewinnt man auch die Aussicht auf den zweiten Bergriesen dieser Gruppe, den Ankogel. Steile Berghänge begrenzen das Hochthal, nach oben allmälig in kahle Geröllflächen und Wände des unwirthlichen Hochgebirges übergehend. Mitten durch das Thal braust die Malta, welche unterhalb der Ochsenhütte durch einen zweiten Gletscherbach, den Fallbach, bedeutend verstärkt wird. Unser Ziel war die Gross-Elendscharte, wir hielten uns daher den Fallbach entlang, der über eine Thalstufe als beachtenswerther Wasserfall herabstürzt. Gleich oberhalb des Wasserfalls nahm uns der noch ziemlich feste Schnee auf und erleichterte den Aufstieg zur letzten Thalstufe, welche der Gletscher des Ankogel ausfüllt. Ueber diesen ganz spaltenfreien Gletscher führt der Weg zur Gross-Elendscharte ganz gefahrlos. Von der Scharte aus werden die Gipfel der Glockner-Gruppe sichtbar, doch am imposantesten präsentirt sich eine mächtige Felspyramide, die dem vom Säuleck gegen Mallnitz auslaufenden Grat angehört. Von der Scharte aus hält man sich links und gelangt über Schneefelder, Geröll und mit Rasen bewachsene Abhänge zur Ochsenhütte, die man beim Herabsteigen hie und da in Sicht bekommt; von dort ist es nicht schwer, den Steig ins Lessachthal hinab zu finden. Der Weg über die Gross-Elendscharte ist gar nicht gefährlich und auch nicht so beschwerlich, wie manche Reisehandbücher ihn darstellen. Wir fanden ihn von der Scharte aus nach Mallnitz ganz ohne Führer. Freilich hatten wir die Situation bereits im Vorjahr vom Ankogel aus überblickt. Mit Einrechnung aller Rasten brauchten wir von der Schutzhütte im Grossen Elend bis nach Mallnitz 9 St. Der Glanzpunkt von Mallnitz ist der oberhalb des Ortes sich bietende Ausblick auf den Ankogel, der von dieser Seite als kühnes Alpenhorn sich präsentirt.

Säuleck 3080 m. Am 31. Juli wanderten wir von Mallnitz durch das Dössener Thal in die Eggeralm, nahmen dort Nachtquartier und traten am folgenden Morgen 4 U. früh den Aufstieg an. Der aus Mallnitz mitgenommene Träger war nie auf dem Säuleck, desshalb waren wir auch hier auf unsere Orientirung angewiesen. Wir hielten uns links vom Dössener See, dort nahmen uns bald Schneefelder auf, die wir erst verliessen, als es galt, die letzte Felspyramide zu erklimmen und über Blöcke bis zum schmalen Grat emporzuklettern, der zur höchsten Spitze führt. Dort ist gerade Raum für eine Steinpyramide und etliche Sitzplätze. Das Säuleck bietet ein grossartiges und wildes Gebirgspanorama, dessen Glanzpunkt die nahe gelegene Hochalmspitze ist. Beim Abstieg wendeten wir uns dem Dössener Thörl 2672 m zu und erreichten dasselbe durch Ueberquerung der steilen Schneehalden unterhalb der Wände des Kamms. Dort entliessen wir den Träger. Der Abstieg in den Gössgraben führt über eine steile mit Schnee bedeckte Eishalde. Dieselbe läuft unten in eine sanfte Böschung aus und so ging eine unfreiwillige Rutschpartie ohne Unfall vorüber. Hat man den Schnee verlassen, so folgt ein langer

Abstieg durch steiles Geröll und grobe Steinblöcke. Wir waren so glücklich, den Steig durch die untersten Felswände zu finden, welche den Thalboden einrahmen; man muss sich zu diesem Behuf mehr gegen die Hochalm halten. Nach 2stündiger Rast in der Almhütte setzten wir die Wanderung durch den Gössgraben fort, standen 5 U. 26 an der Malta und ergötzten uns an dem prächtigen Farbenspiel des raketensprühenden Fallbachs, der aus der Perschitz über eine hohe Wand herabstürzt.

Als Glanzpunkt unserer Partien muss ich die ***Hochalmspitze*** 3355 m bezeichnen. Das erstemal versuchten wir die Besteigung am 24. August, nahmen den Aufstieg über die Paukerwand und übernachteten in der obersten Ochsenhütte unmittelbar unter der Villacher Hütte, welche damals noch nicht fertig war. Ein Hochgewitter in der Nacht stimmte unsere Hoffnungen bedeutend herab und am Morgen waren die Kämme und Spitzen in Nebel gehüllt, der uns auch schliesslich am Hochalmferner zur Umkehr zwang. Am 30. August versuchten wir die Besteigung zum zweiten Mal. Von Johann Klampferer und Josef Fercher aus Malta geführt, bestiegen wir die höchste Spitze von der letzten Ochsenhütte aus nach Abzug einer Ruhepause oberhalb der Schwarzen Schneide in 4 St. Diesesmal belohnte das herrlichste Wetter unsere Mühe. Vom Ortler bis zum Hochschwab schweift der Blick, die nördlichen und südlichen Kalkalpen überblickt man in langem Zuge. Manche bekannte Spitzen vom Wilden Kaiser angefangen bis zum Dachstein, denen wir bereits unseren Fuss aufs Haupt gesetzt, grüssten herüber. Aus den südlichen Kalkalpen imponirt am meisten der Triglav und reizt den Bergsteiger. Länger als 1 St. verweilten wir auf der stolzen Zinne; der Abschied wurde uns schwer. Jenseits des schwindligen Felsgrats legten wir abermals die Fusseisen an, deren wir am aperen Grat nicht bedurften, und stiegen den Eiskamm auf die Mittlere Hochalmspitze hinan, über welche wir hergekommen waren. Alle am Seil festgebunden stiegen wir den längeren Theil des Eisgrats gegen die Elendköpfe wieder hinab. Die vielen Klüfte des Hochalmferners überwanden wir nicht so glücklich wie am Anstieg, einigemale erfolgten Einbrüche durch den bereits weich gewordenen Neuschnee. Wir besuchten dann das neue Schutzhaus, das gerade fertig geworden war. Es ist aus wohlriechendem Zerbenholz gezimmert und liegt auf einem herrlichen Punkt.

Zum Andenken an die wohl gelungene Bergfahrt und an die erste Besteigung der Hochalmspitze durch eine Dame widmete ich unser 25 m langes Seil den künftigen Besteigern und Besteigerinnen und deponirte dasselbe im neuen Schutzhause.

Wien. *Hermine Kauer.*

Hochtouren in den Dolomitalpen.

Elferkofel 3075 m auf neuem Weg vom »Innern Loch« aus. In Gesellschaft unseres Freundes Herrn Ludwig Purtscheller und meines Bruders Dr. Otto Zsigmondy verliess ich am 22. Juli 1882 1 U. 15 Nachts das gastliche Postgasthaus in Sexten. Von der Unter-Bachernhütte (4 U. 45) wendeten wir uns östlich über einen anfangs grasigen, nachher geröllbedeckten Hang hinan. Er führte uns zu dem Eingang des Felsenkessels zwischen Elferkofel und Hochbrunnerschneide (»Inneres Loch«), wo sich links ein riesiger rother Felsthurm erhebt. Rechts von ihm zieht sich Schnee in die Höhe. Wir benützten ihn, so lange er reicht. Dann gehts über ein Felswandl und steilere Kletterstellen nach rechts hinauf. Auf einer Terrasse dann nach links und in derselben Richtung durch einen schmalen Riss auf eine höhere Terrasse. Durch eine nach rechts sich emporziehende Schneeschlucht nehmen wir endlich nach längerem Wegsuchen den weiteren Anstieg. Oben über leichteres Geschröfe nach links hinan, gelangten wir auf den von SSO. nach NNW. streichenden Hauptgrat des Elfermassivs. Wir erkletterten nun nach der Reihe drei weiter nordwärts stehende Gratzacken, immer in dem Wahn, der jeweilige Zacken sei der höchste. Das Wetter, in der Nacht schon zweifelhaft, war völlig schlecht geworden. Nebel und Gewitter. Das letztere erreichte seinen Höhepunkt, als wir den vorletzten der Zacken erklommen, der sehr schwierig war und uns 2 St. Zeit kostete. Endlich gelang es uns, über eine Eishalde und darauf folgende sehr schwierige Felsen auch den letzten Felsthurm auf der italienischen Seite zu umgehen. Bald darauf erklommen wir ohne besondere Schwierigkeit ebenfalls von der italienischen Seite her den höchsten Gipfelzacken. 3 U. 55 Nchm. Flasche mit den Karten der Herren Baron Eötvös, Dr. Fikeis und G. Euringer. Eine momentane Aufhellung des Wetters liess uns Abblicke in die Thäler zu Theil werden. Wir sahen auch das nach N. hinabhängende sonnengebleichte Seil, welches von einem früheren Ersteiger zurückgelassen wurde. — Den Abstieg nahmen wir auf dem gleichen Weg mit Vermeidung der Erkletterung der Gratzacken, deren ersten wir rechts, die übrigen links liessen. Ausserhalb der Felsen auf dem Schnee kamen wir erst um 10 U. Nachts an. Wir bivakirten auf dem folgenden Hang im Krummholz, da die Unter-Bachernhütte kaum eine bessere Unterkunft gewährt hätte und das Wetter etwas günstiger war, 10 U. bis 3 U. 15; 6 U. 20 früh langten wir wieder in Sexten an.

Zwölferkofel 3085 m mit Abstieg durch das Val Cengia bassa. Auf dem von Herrn Euringer (Zeitschrift 1882, Heft 2) geschilderten Weg erreichten wir am 24. Juli, von Sexten 1 U. 40 Nachts aufbrechend, diesen Gipfel 10 U. 20. Die Eisrinne fanden wir noch stark eingeschneit. Blos eine Stelle, wo ein förmlicher Trichter ausgeschmolzen war, an den uns eine schmale 75⁰ (Klin.) geneigte Eisbrücke rechts hinanführte, machte Schwierigkeiten. Statt im Abstieg, am Geröll angelangt, zum Santebühel zurückzukehren, stiegen wir direct in das Val Cengia bassa ab. Eine hohe Felswand nöthigte uns zu mehrfachen Quergängen auf Fels- und Krummholzbändern, bis der Abstieg endlich gelang. Wir gingen nun hinaus ins Val Marson und durch dasselbe ins Val d'Auronzo, wo wir in Miniera Argentiera (8 U. 30) übernachteten.

Monticello delle Marmarole c. 3000 m. Am 26. Juli brach ich in Gemeinschaft mit Herrn Purtscheller von der Miniera Argentiera auf. (Otto konnte wegen Fusschmerz an der Partie nicht theilnehmen.) Bis Stabiziane hielten wir uns auf der Fahrstrasse. Daselbst übersetzten wir auf einem Steg den Bach und begannen im Wald gegen das Kar der Marmarole anzusteigen, welches sich daselbst öffnet. Erst ziemlich hoch oben trafen wir den Steig, der sich weiter links befand als unsere Anstiegsroute. Er hält sich im obern Theil ziemlich nahe an den Felsen zur rechten. Oben war ein grösseres Plateau, das nach rechts einen felsumrahmten Ausläufer aussendete. Vor uns befand sich ein plattiger Felsbau, dessen Kuppe im Nebel steckte. Links, weiter östlich, waren noch mehrere Spitzen nebelfrei, von denen besonders eine als schlanke Felspyramide imponirte. Wir beschlossen, den Felsbau vor uns zu besteigen, der, soweit der Nebel es bestimmen liess, mit der auf den Karten als Monticello bezeichneten Erhebung identisch schien. Wir liessen einen gegen uns ziehenden Felsgrat rechts und gingen bis auf den Plateaurand gegen S. vor. Nun wendeten wir uns in einem schwach ausgeprägten Couloir gegen unsern Gipfel hinan. Dieses wurde bald sehr plattig und höchst schwierig. Es führte uns auf einen messerscharfen, nach links, d. i. südlich überhängenden Grat. Mehrere sehr schwierige, sägezahnartige Felszacken waren noch zu überwinden, Dann erschien es uns, als sei weit und breit keine höhere Spitze. Erbauung eines Steinmanns; 11 U. Nur auf dem sich nördlich abzweigenden Nebenkamm mochte noch ein höherer Zacken stehen. Wir kletterten über einen wilden Grat auch da hinüber, fanden aber, dass der Zacken niedriger war. Auch hier errichteten wir einen Steinmann. Rast bis 1 U. 42. Der Nebel lichtete sich kaum auf Augenblicke. Blos ein flüchtiger Abblick nach Stabiziane wurde uns zu Theil. Den Abstieg nahmen wir nach rechts hinab, in der Mitte zwischen den beiden zuletzt bestiegenen Gratzacken und zwar durch ein plattiges Couloir. Unten mussten wir wegen überhängiger Abstürze nach links ausweichen. Wir kamen auf ein Schneefeld und hatten nur noch den erwähnten, vom Gipfel sich gegen Nord absenkenden Felssporn zu umgehen, um in unsere Anstiegsroute einzumünden. Stabiziane 6 U. 8. Wir wendeten uns thalaufwärts und erreichten 7 U. 35 das einsame Jagdhaus von Val bona.

Foppa di Mattia 3291 m und ***Sorapiss*** 3310 m Grohm., auf neuem Weg. Tags darauf, am 27. Juli, unternahm es der Waldhüter Da Lago, uns den Weg in das Val Sorapiss zu weisen. Unser vier (Otto war wiederum hergestellt) verliessen wir also 4 U. 20 Val bona. Das Val Sorapiss macht nicht weit von seinem Eingang einen hohen Absatz, über den der Bach in prächtigem Wasserfall durch eine Klamm herabfällt. Dort verliess uns unser freundlicher Führer, nachdem er uns noch den Weiterweg auf derselben Thalseite gezeigt hatte. 6 U. 9

erreichten wir das Ufer des hellgrünen Sorapissees. In ihm spiegeln sich die Gletscher und fast senkrechten Wände der Sorapiss. Wir hielten uns an der Thalwand zur rechten und kamen in das einsame Hochthal, welches gegen die Sora la Cengia del Banco (Grohmann), die Scharte zwischen den Felsmassen der Punta nera und Foppa di Mattia, hinanführt. Ohne bis zu der genannten Scharte vorzudringen, stiegen wir direct gegen den burgartigen Felsbau an, der sich ganz nahe südöstlich von uns befand. Anfangs über Geröll, dann durch leichtere Kamine kamen wir auf den Grat, welcher den Sorapissferner im W. begrenzt. Ein Uebergang auf den Firn wäre sehr bequem auszuführen gewesen. Von dort hätte uns aber nur eine sehr steile Eisrinne auf das Sorapissmassiv hinaufgeführt. Wir zogen es also vor, den Kamm weiter zu verfolgen. Er machte einen senkrechten Sprung, der nicht ganz leicht zu bewältigen war. Bald darauf ging der Kamm in sehr steile Felsen über, in deren Mitte sich mehrere schon von unten her gesehene Eiscouloire hinaufzogen. Diese Couloire waren besonders wegen der zahlreich abgehenden Steine gefährlich. Wir hielten uns daher möglichst neben dem Grund der Schlucht auf ziemlich schwierigen Felsen. Oben spaltete sich dieselbe in zwei Aeste. Beide waren vereist und beständig von Steinsalven bedroht. Wir hielten uns anfangs in dem Gebiet des sich links hinanziehenden Astes, mussten aber dann in den rechten übergehen. Dieser Uebergang war wegen der Steilheit und Brüchigkeit der Felsen und der Passirung des Eises schwierig. Der weitere Anstieg durch das Couloir war leichter und nur durch das lockere Gestein gefährdet. Wir kamen auf einen Kamm heraus, wo wir in das Boitethal hinabblicken konnten. Noch hatten wir einen kleinen Felsbau zu erklimmen und ein Stück weit einen Grat zu verfolgen, dann standen wir auf dem Vereinigungspunkt eines östlich und eines südöstlich streichenden Grates, folglich auf Punkt 3291 der Sp.-K., der dort irrthümlich als Punta di Sorapiss bezeichnet wird, während ihm in der That der Name Foppa di Mattia zukommt. Der Sorapissgipfel befindet sich $^1/_2$ km weiter in dem östlich streichenden Grat. Doch auch in dem gegen SO. ziehenden sahen wir eine vorgeschobene Spitze, die von einem grossen Steinmann mit Stange gekrönt ist. (Vielleicht der »Piz Geccho« Grohmanns.)*) Wir stiegen nun hinab in eine Scharte, wo die ererwähnte, vom Sorapissgletscher heraufziehende Eisrinne ausmündet, und jenseits auf den Gratzacken wieder hinauf. Dann verfolgten wir Zacken auf, Zacken ab den Grat, die letzten zwei Gratzacken südwärts (also auf der Seite des Sorapisskars) umgehend. Endlich um 2 U. 16 erreichten wir den höchsten Gipfel. Eine der vorfindlichen Ersteigerflaschen war mit Karten von italienischen Bergsteigern ziemlich gefüllt. Unsere Karten liessen wir in einer Conservenbüchse zurück. Die Aussicht war nicht ganz klar, aber dennoch eine sehr lohnende. — Den Abstieg nahmen wir auf dem gewöhnlichen Weg durch das Sorapisskar und über die Forcella

*) Grohmann, Wanderungen in den Dolomiten, S. 156.

grande hinab nach San Vito, wo wir im Albergo all' Antelao treffliche Unterkunft fanden. Sorapiss ab 3 U. 16; S. Vito 8 U. 7.*)

Pala di S. Martino 3244 m auf theilweise neuem Weg. Die Nacht vom 31. Juli auf den 1. August 1882 verbrachten wir bivakirend in einer Felsnische im obersten Commellethal, welche, noch in der Krummholzregion gelegen, sich auf der linken Thalseite etwas oberhalb des Thalbodens befindet. Bei geisterhaftem Mondschein verliessen wir unser Nachtquartier 1 U. 15 früh. Die Ueberwindung einer wilden Thalstufe war in der Finsterniss nicht ganz leicht. Darauf kamen wir auf Schnee und nach mehrfachen längeren Rasten bei Tagesanbruch auf das weit ausgebreitete Kalkplateau der Primör-Gruppe. Irregeführt durch die Ungenauigkeit unserer Karten, welche die Pala zu weit westlich verzeichnen, hielten wir uns zu weit rechts und kamen auf den Comellepass zwischen Rosetta und Cimon della Pala. Es blieb uns also nichts übrig, als den erstgenannten Berg zu ersteigen. Auf seinem Gipfel angelangt (6 U.) genossen wir ein prächtiges Panorama. Besonders grossartig waren die Mauern des Cimon und auf der anderen Seite die kastenförmige Pala di S. Martino. Wir verweilten bis 7 U. Durch eine Rinne mussten wir ziemlich tief zum kleinen Palagletscher absteigen. Den Anstieg über die jähen Felsen der Pala wählten wir nun entschieden in einem zu weit links gelegenen Couloir. Die Steilheit war eine exorbitante und die Brüchigkeit des Gesteins eine wahrhaft bedenkliche. Nach Ueberwindung zweier überhängender, höchst schwieriger Kamine kamen wir auf den von der Pala nördlich streichenden Grat, gerade neben einem mützenartig geformten kleineren Felszacken heraus. Die Zacken, die dieser Grat bildet, fallen ganz senkrecht ab und konnten von uns nur auf blos handbreitem Felsbändchen umgangen werden. Wir hatten dabei immer den Abblick auf den Gletscher, der in der That beinahe senkrecht unter uns lag. Endlich kamen wir in ein Couloir, welches die Ritzen vorhergegangener Ersteigungen zeigte und uns bald wieder auf die Höhe des Grats führte, aber an den Punkt, wo er sich mit dem Hauptmassiv des Berges vereinigt und sich dann weiter keine Schwierigkeiten darbieten. 12 U. 27 standen wir auf dem ersehnten Gipfel. Die Aussicht war durch die Mittagsnebel getrübt. Nachdem wir uns gründlich restaurirt hatten, machten wir uns 1 U. 37 an den Abstieg, den wir auf dem gleichen Weg wie den Anstieg ausführten. 6 U. 40 standen wir wieder am Gletscher. Ueber diesen waren wir bald unten. Statt uns nun auf dem weiteren Abstieg nach S. Martino ganz rechts zu halten, wo der Weg geht, wollten wir aus Unkenntniss dieses Umstands direct absteigen. Wir kamen bald auf Felswände und die Nacht fiel ein. Ein paar Stunden, bis der Mond kam, blieben wir im Krummholz liegen, dann forçirten wir einen Abstieg, bei dem wir

---

*) Grohmann und Euringer umgingen das Sorapiss-Massiv im W. u. S. und gelangten so über Pian della Foppa und Forcella del Pian della Foppa in das oberste Sorapisskar und zuletzt von S. her auf den Gipfel. Unser Aufstieg ist zwar kürzer, aber wohl auch schwieriger als jener.

uns zum Schluss über eine 15 m hohe, in der Mitte überhängende Wand abseilen mussten. Bald nachher standen wir am Bachbett. Unter vielfachen Rasten kamen wir zu einer hier gelegenen Alphütte und nach 5 U. früh hinaus zu dem gastlichen Alpenhôtel von S. Martino di Castrozza.

Marmolada di Rocca 3226 m Grohm. und ***Marmolada*** 3366 m Grohm. Am 5. August um 3 U. 45 den Fedajapass verlassend, hielten wir uns im mittlern Antheil des Marmolada-Gletschers direct aufwärts. Einen Gletscherbruch umgingen wir nach rechts, nach links aber die steile Firnwand, die sich uns darauf entgegenstellte. Sodann gelangten wir auf einen Firnrücken und über diesen westwärts zu einem Felsgrat, der uns bei fürchterlichem Sturm auf die, wohl seit Grohmann nicht wieder betretene, ostwärts von der höchsten Kuppe liegende Marmolada di Rocca brachte. (7 U. 20 bis 8 U.) Wir führten nun nicht den wohl ziemlich schwierigen Gratübergang zur höchsten Spitze aus, sondern stiegen 1 St. über den Gletscher hinab, worauf wir nicht weit von der Marmolada-Höhle in den gewöhnlichen Weg einmündeten, welchen wir nun zur höchsten Spitze verfolgten. Aussicht sehr schön, auf die Dolomiten völlig klar. 9 U. 45 bis 11 U. 54; 1 U. 45 waren wir wieder im Wirthshaus am Fedajapass zurück.

Wien. *Emil Zsigmondy.*

Zur Ersteigung des Sasso di Bosco nero. In den Mittheilungen Nr. 1, S. 22 gibt Herr Gustav Euringer eine Notiz über die von ihm ausgeführte Ersteigung, welche in mancher Hinsicht der Richtigstellung bedarf. Offenbar täuschte der bei jener Ersteigung herrschende Nebel Herrn E. und liess ihn den von ihm erreichten Punkt für die höchste Spitze halten; das ist jedoch keineswegs der Fall. Nachdem Herr E. das Val Bosco nero in einem der vielverzweigten hintern Thaläste bis zu dessen Schluss durchmessen und den Felswall zwischen Col San Pietro und Sasso di Bosco nero in einer Scharte überschritten (man kann diese Scharte doch wohl nicht im engeren Sinn als zwischen Sfornioi und Sasso gelegen bezeichnen, weil der langgestreckte Grat des Sfornioi erst an dem scharf markirten Eckpfeiler des Col S. Pietro anhebt und dann nach ONO. abzweigt, so dass Sfornioi und Sasso di Bosco nero sich eigentlich gegenüber liegen), konnte er allerdings eine Zeit lang an den Abhängen der Felswände gegen Val Bona in S.-Richtung traversiren und ansteigen, allein der Punkt, an welchem er unser »zierliches Steinmännchen« fand und über welchem er die höchste Spitze gelegen glaubte, ist eben nur der Punkt, an welchem wir die gewonnene Höhe wieder aufgaben, um in dieselbe Schlucht hinabzusteigen und sie nach SW. wieder hinanzuklimmen, aus welcher Herr E. von NO. heraufkam. Der höchste Gipfel liegt nämlich weit mehr nach SW. und das von Herrn E. bemerkte Steinmanndl ist nur eine von uns gelegte Daube, den Punkt bezeichnend, wo wir hinabstiegen. Schon der Mangel eines richtigen Steinmanns mit Notizen auf der Spitze und der so bedeutende Unterschied von fast 60 m unserer beiden Aneroide hätte Herrn E. zur Annahme bringen können, dass er, vom Nebel getäuscht, die höchste Spitze noch nicht betreten hatte. Es bleibt überhaupt immer eine sehr precäre Sache, über bei dichtem Nebel ausgeführte Ersteigungen auf noch wenig durchforschtem Terrain sich Rechenschaft über die genaue Lage der erreichten Punkte zu geben, wenn nicht wenigstens zeitweise Aufklärung etwa die Orientirung erleichtert. Wäre es helles Wetter gewesen, so würde Herr E. leicht bemerkt haben, dass, um zur höchsten Spitze zu gelangen, er doch schliesslich unsern Weg betreten musste, da dieselbe auf dem SW. ziehenden Grat, welcher nur durch die erwähnte Schlucht unterbrochen ist, weit vor gegen W. liegt. Auch sonst wüsste ich nicht, welchen Vortheil der neue Weg des Herrn E. haben sollte. Kürzer ist er sicher nicht. Wir haben trotz der unvermeidlich vielen Pausen, welche behufs Orientirung bei einer Besteigung auf ganz unbekanntem Terrain nöthig sind, im ganzen von Forno bis zur Spitze 5 3/4 St. (abzüglich Rast) gebraucht. Herr E. brauchte bis zu dem von ihm erreichten Punkt, von welchem aus noch 20—25 Minuten zur höchsten Spitze sind, sicher 6 1/2 St. (ab Rast). Dabei führt der Weg des Herrn E., wenn auch die steile und mühsame westliche Schlucht vermieden wird, aber doch nicht an den von mir beschriebenen herrlichen Felscirkus (Zeitschrift Band X, S. 334), welcher, wie ich ebendaselbst bemerkte, die Perle des ganzen Anstiegs ist und die mehr aufgewandte Mühe so reichlich belohnt.

München. *Gottfried Merzbacher.*

Meteorologische Berichte aus den Ostalpen

Februar 1883.

Station	Luftdruck					Temperatur					Niederschlagsmenge des Monats in Millimetern
	Mittel	Maximum		Minimum		Mittel	Maximum		Minimum		
	mm	mm	am	mm	am	°C.	°C.	am	°C.	am	
Reichenau	724·5	730·5	21.	716·4	2.	1·4	9·1	22.	—3·1	18.	47
Windisch-Garsten .	712·7	722·6	22.	696·0	1	1·7	21·5	3.	—12·0	8.	39
Salzburg	729·6	739·8	23	709·5	1.	1·6	10·5	22.	—5·2	8.	51
Traunstein . . .	716·7	727·2	23.	697·0	1	0·94	9·8	23	—9·4	8.	50
Rosenheim . . .	—	—	—	—	—	2·1	11·9	22.	—6·7	8.	48
Hohenpeissenberg .	684·3	691·8	23.	662·1	1.	—0·25	7·5	22.	— 8·7	8.	13
Lindau	—	—	—	—	—	3·4	10·0	23.	—2·1	2.	45
Klagenfurt . . .	725·9	737·6	19.	715·5	31.	—4·15	3·6	4.	—11·6	28.	17
Judenburg . . .	701·9	709·5	21.	687·6	1.	0·7	10·8	23.	—8·1	21.	14
Toblach	663·5	669·9	24.	647·0	1.	—3·0	6·0	28.	—16·	21.	03
Innsbruck . . .	715·7	725·3	24.	698·3	1.	6·9	12·0	22	—4·5	6.	14
Tüffer	748·7	756·5	21.	733·5	1.	3·2	16·0	28.	—5·8	20.	27
Laibach	742·0	749·4	21.	726·5	1.	2·2	13·6	23.	—4·8	20.	40
Bozen	743·4	751·7	21.	727·1	4.	6·0	19·2	28.	—0·8	9.	33
Hochobir	595·9	603·0	22.	583·4	1.	—5·8	—0·3	16.	—14·0	18.	23

Literatur und Kunst.

Egger, Dr. Josef, die Tiroler und Vorarlberger. (Die Völker Oesterreich-Ungarns. Ethnographische und cultur-historische Schilderungen. Band IV.) Teschen 1882, Prochaska. 7 M. 50.

Weit hinten im österreichischen Schlesien findet sich die deutsche Stadt Teschen und in dieser ein unternehmender Buchhändler, Karl Prochaska, der den guten Gedanken erdacht hat, die Ethnographie und Culturgeschichte der österreichischen Völker literarisch behandeln und schildern zu lassen. Die österreichische Naturgeschichte sowie die politische liegen nach seiner Ansicht in guten und fleissigen Händen, aber jene beiden Wissenschaften sind nach seiner Ansicht bisher zu wenig gepflegt worden. Es erging daher im Mai des letzten Jahres ein Prospect, welcher für das besagte Werk zwölf Bände in Aussicht nimmt und deren vier den deutschen Völkern Oesterreichs zutheilt. Unter den deutschen Stämmen wurde auch den Tirolern und Vorarlbergern ein Band zugewiesen, doch hat sich dieser unter der Arbeit verdoppelt, was immerhin kein Schaden ist, da beide Bände von anziehendem Inhalt strotzen.

Eigentlich war die Aufgabe dadurch sehr erschwert, dass der Verfasser, der schon zwei Völker auf seinen Titel setzte, doch ihrer drei zu beschreiben hatte und dass alle drei sehr stark von einander verschieden sind. Tiroler und Vorarlberger haben doch noch eine gemeinschaftliche, wenn auch mundartlich abweichende Sprache, die Bewohner von Wälschtirol rechnen sich dagegen zum grössten Theil zur latinischen Race und alle drei Bestandtheile haben, wie sie ethnographisch gesondert sind, auch eine selbständige Culturgeschichte erlebt.

Herr Dr. Egger beschreibt im ersten Capitel die natürliche Beschaffenheit seines Gebietes, seine Höhen und Tiefen, seine Flüsse und Seen. Es begreift sich, dass er in diesem Fache nicht viel Neues bringen konnte, und er hat daher sehr wohl gethan, ihm den mässigen Umfang von 23 Seiten zuzuweisen. Viel spannender ist das zweite Hauptstück, welches die ältesten Bewohner Tirols und Vorarlbergs und deren Romanisirung bespricht. Dieses Thema ist in den letzten vierzig Jahren vielfach in Arbeit genommen und umgestaltet worden. An die Stelle der Kelten, die man früher nirgends missen wollte, sind jetzt als Urbewohner die Raseno-Etrusker getreten; statt der bajuvarischen Ausmordung, welche im sechsten Jahrhundert alle romanischen Einwohner vertilgt und an ihre Stelle einen ganz jungfräulichen, ungemischten Germanismus gesetzt haben sollte, zeigt sich eine tausendjährige Nachdauer der römischen Bevölkerung, aber auch ein friedliches Zusammenleben mit den deutschen Eroberern oder Einwanderern, die sich mit jener mannigfach vermischen; in das Etschland verlegt man jetzt einen gothischen Stamm und die deutschen Spracheilande in der Valsugana (und den Sette Comuni) hält man nicht mehr, wie Schmeller, für Bajuvaren, die zu unbestimmter Zeit über's Ziel geschossen, sondern für Langobarden, die seit den Tagen König Alboins auf diesen rauhen Höhen mit rühmenswerther Standhaftigkeit ihre Nationalität erhalten.

Das dritte Hauptstück: die Entstehung von Tirol und Vorarlberg — spielt wesentlich auf der politischen Bühne. Es zeigt, wie die alten Grafen von Tirol aus sehr bescheidenen Verhältnissen heraus sich immer mächtiger entwickelten und ohne alle Rücksicht auf die Moral der Mittel sich so hübsch abzurunden wussten, dass mit dem Abgang der Margaretha Maultasch, der letzten Tirolerin, d. h. der letzten aus dem Stamm der alten Grafen von Tirol, 1363, als das Land an die Erzherzoge von Oesterreich überging, an dem heutigen Umfang, wenigstens der deutschen Gebiete, nicht mehr viel fehlte. In Vorarlberg hatten damals die Habsburger allerdings noch nichts zu sagen. Dort schalteten und walteten die Grafen von Montfort, ein glänzendes Geschlecht, das aber, durch innere Zwistigkeiten, Geldnöthen und anderes Unglück bedrängt, seine Herrschaften, eine nach der andern, sämmtlich an die Herren von Oesterreich verkaufte und 1523 gänzlich aus dem Lande zog.

Die folgenden Hauptstücke: die Gliederung des Volkes in Stände und ihre Verfassung, die Entwicklung der kirchlichen Verhältnisse und des Volkes religiöser Sinn, das Volk in Waffen, dessen Erwerbsquellen, Betriebsamkeit und Wachsthum — sie enthalten alle sehr belehrende und anziehende Schilderungen, sind sehr gut geschrieben und lesen sich daher sehr angenehm.

Die zweite Hälfte des Werkes enthält nur zwei, aber sehr wichtige Capitel, von denen das erste: des Volkes Lebensweise, Sitten und Gebräuche, — das zweite: Kunst und Wissenschaft — überschrieben ist. In beiden Hauptstücken hat der Verfasser, wie sich von selbst versteht, wieder die Dreitheilung einhalten müssen, obgleich im ersten nicht viel, im letzten aber fast gar keine Verwandtschaft der betreffenden Phänomene zu gewahren ist. Höchst interessant ist das Capitel, welches von Kunst und Wissenschaft handelt. Der Verfasser macht mit Recht aufmerksam, dass es die Tiroler — wie wohl auch die Vorarlberger und die wälschen Leute des Trentino — immer mehr mit der Kunst als mit der Wissenschaft gehalten haben, bemerkt aber dabei, dass diese Talente fast alle im Bauernstande, unter armen Hirten und Dreschern aufgestanden, von der Geistlichkeit erzogen und gefördert worden seien und, immer in diesem Kreise lebend, fast nur Altarbilder und kirchliche Fresken gemalt, sohin in ihrem Kunstbetrieb eine gar einseitige Richtung verfolgt haben. Bekanntlich hat ja die tirolische Kunst erst in neuester Zeit entschieden durchgeschlagen, seitdem sie auch weltliche Gegenstände plastisch darstellt.

Das Leben der tirolischen Wissenschaft und tirolischen Dichtkunst hatte bis in unsere Tage herein mit einer drückenden Censur und mit der ebenso drückenden Gleichgiltigkeit ihres Publikums zu kämpfen. Es war ein Rennen mit den widerwärtigsten Hindernissen. In Anbetracht dessen wird man dem tirolischen Stamme, der kaum eine halbe Million Seelen zählt, gerne nachsagen, dass er, wenn auch die Leistungen nicht hervorragend, doch unter den bairisch-österreichischen Stämmen sich seit dem Anfang des Jahrhunderts durch Fleiss und Strebsamkeit rühmlich hervorgethan hat.

Es war hier natürlich nicht gestattet, das Buch und seinen Inhalt dem Leser durch ausführliche Auszüge näher zu bringen, aber derselbe wird aus dem Wenigen, was hier gesagt worden, leicht entnehmen, dass ihm Dr. Egger ein Werk geboten, wo er mit beiden Händen aus dem Vollen schöpfen kann.

M. *L. St.*

Simony, Dr. Fr., Gletscherphänomene. Tableau in Lichtdruck $89\frac{1}{2}$ auf 63 cm. Mit Text. Wien, Hölzel. 4 M.—.

Die rührige Verlagsbuchhandlung von E. Hölzel hat mit dem Lichtdruck, der unter diesem Titel erschienen ist, der Belehrung über die interessante Erscheinung der Eisansammlungen auf den Gebirgen ein treffliches Hilfsmittel geliefert. Den Schülern Simonys ist das Original dieses Bildes ebenso bekannt als den aufmerksameren Besuchern der Wiener Weltausstellung 1873, wo dasselbe in der österreichischen Unterrichtsabtheilung durch seine bedeutenden Dimensionen (7 qm), durch die Kraft und Schönheit der Farbe ebenso hervorragte, als die Naturwahrheit der Darstellung den Kenner erfreute. Professor Simonys Manier zu zeichnen ist in unseren Kreisen zu bekannt, als dass ich hier noch darüber zu sprechen brauche. Die grösste Genauigkeit im Einzelnen, welche jedem Naturphänomen in der bewusstesten Weise gerecht wird, verbindet sich mit einer so bedeutenden künstlerischen Sicherheit der Technik, dass das ganze doch wieder ohne all' zu grosse Vordringlichkeit der Details einfach und malerisch wirkt. Die gewählte Reproductionsmethode des Lichtdrucks ist diesem Vorzug besonders förderlich, jedenfalls förderlicher als die Radirung, bei welcher sich zwar noch mehr Details bringen lassen, die Gesammtwirkung aber leicht unruhig und kleinlich erscheint.

Wir sehen nun auf unserem Bild zwei Gletscher, die, durch einen steilwandigen Gebirgsrücken getrennt, im Vordergrund sich nahezu vereinigen. Auf beiden Eiszungen finden wir die bekannten Erscheinungen der Moränen, des Spaltenwurfes, der Gletscherthore, die Abschleifung der Felspartien, der charakteristischen Vegetation, offenbar alles nach getreuen Naturstudien oder Photographien auf das genaueste und lebendigste dargestellt. Die Gletscher sind in einer Rückgangsperiode gedacht, denn die Ufermoränen liegen etwas oberhalb der Eisfläche. Doch sind gegenwärtig die Eisabstürze viel zahmer geworden, als sie auf dem Bilde dargestellt sind, welches dadurch verräth, dass es schon vor der grossen gegenwärtigen Rückzugsperiode entstanden ist. Das schöne, im grau-braunen Tone einer Photographie erscheinende Bild kann ebenso als Zimmerschmuck für den Einzelnen, wie als Belehrungsmittel für Schulen oder Vereine empfohlen werden. *R.*

Von der **Carte de la Frontière des Alpes** (1 : 80 000) sind soeben die Blätter Ronco und Draguigne erschienen.

Periodische Literatur.

Oesterreichische Alpen-Zeitung. Nr. 107. 108. E. Zsigmondy, aus den Dolomiten. — Reconstruction der Pusterthaler Bahn. — Weihnachten in Altenberg.

Schweizer Alpen-Zeitung. Nr. 5. 6. Goll, die Gefahren des Bergsteigens für Ungeübte und Schwächere. — Herold, die Alpenübergänge des General Suwaroff und seiner Armee.

Club alpin Français. Bulletin mensuel 1883. Nr. 1. Berichte der Central-Direction und der Sectionen. — Literatur. — Notes sur deux nouveaux procédés photograghiques.

Tourist. Nr. 3. 4. Rehm, der Schwarzenstein. — Eichert, Wintertouren im Gebiet der Buckligen Welt. — Sonklar, die höchstgelegenen Seen der Erde.

Oesterreichische Touristen-Zeitung. Nr. 3. 4. v. Hauer, Berichte über die Wasserverhältnisse in den Kesselthälern von Krain. — Das Fischleinthal. Leeder, die Weichthalklammen am N.-Ö. Schneeberg. — May de Madiis, Schwarz-Gupf und Setitsche. — Sigerus, eine Reise in der alpinen Flora.

Eingesandt.

Der unterzeichnete Verleger des Wegweisers auf der Gisela- und Salzkammergut-Bahn erlaubt sich, an die P. T. Herren Touristen die höfliche Bitte zu richten, ihm etwaige Berichtigungen und Verbesserungen zu der in Vorbereitung befindlichen 5. Auflage dieses Reisebüchleins gütigst mittheilen zu wollen. Namentlich sind Winke über Gasthäuser und Notizen über neue Touren willkommen. Jenen Herren, welche so gütig sein wollen, in dieser Beziehung den »Wegweiser« durchzusehen, stelle ich Exemplare desselben mit Vergnügen zur Verfügung.

Salzburg, im März 1883.

Heinrich Dieter, k. k. Hofbuchhändler.

Die Mittheilungen erscheinen jährlich in 10 Nummern zu 2 Bogen, und zwar am 20. jeden Monats mit Ausnahme der Monate August und September. Die Mitglieder des Vereins erhalten dieselben unentgeltlich. Für Nicht-Mitglieder ist der Preis des Jahrgangs im Buchhandel 4 Mark.

Inserate, welche an die Redaction zu senden sind, finden, soweit geeignet, Aufnahme und wird die durchlaufende Petitzeile oder deren Raum mit 25 kr. Gold = 50 Pf. berechnet. — Beilagen können mit Rücksicht auf die Postverhältnisse keine Aufnahme finden.

Druck von Anton Pustet in Salzburg.

MITTHEILUNGEN
DES
DEUTSCHEN UND OESTERREICHISCHEN ALPENVEREINS.

No. 4. SALZBURG, APRIL. 1883.

Vereinsnachrichten.

Circular No. 75 des Central-Ausschusses.

Salzburg, April 1883.

I.

Das Programm der vom 26. bis 29. August zu **Passau** stattfindenden X. ordentlichen General-Versammlung wurde im Einvernehmen mit der Section Passau wie folgt festgesetzt:

Sonntag den 26. August: Empfang der ankommenden Festtheilnehmer. Abends 8 Uhr: Empfangsabend im Rosenbergerkeller.

Montag den 27. August: 8 Uhr früh: Spaziergang nach Oberhaus, Hals und zum Durchbruch; Zusammenkunft auf der Donaubrücke.

11 Uhr Vormittags: Frühkneipe im Fuchsloch.

3 Uhr Nachmittags: Vorbesprechung über Gegenstände der General-Versammlung in der Aula der k. Studienanstalt.

Abends 7 Uhr: Kellerfest im Rosenbergerkeller.

Dienstag den 28. August: Vormittags 9 Uhr: General-Versammlung in der Aula der k. Studienanstalt.

Nachmittags 4 Uhr: Festmahl im Redoutensaal.

Abends 8 Uhr: Kellerabend am Peschlkeller.

Mittwoch den 29. August: Festausflug mit Salondampfschiff auf der Donau nach Aschach und Besuch des Maierhoferberges. Abfahrt 7 Uhr früh vom Dampfschifflandeplatz beim Hauptzollamt. Rückkunft nach Passau abends 9 Uhr.

Nach den Tagen der General-Versammlung sind noch Ausflüge projectirt:

1. auf den Sauwald mit Aufstieg über Fichtenstein und dem Abstieg nach Kasten;
2. in das Thal der Wilden Ranna;

3. nach Englburg und Fürstenstein;
4. auf den Dreisesselberg und zum Schwarzsee;
5. auf den Arber und
6. nach Wolfsegg.

Wohnungsanmeldungen, sowie Anmeldungen zur Theilnahme am Bankett und dem Festausflug wollen im Laufe des Juli an den Vorsitzenden des Wohnungsausschusses, Herrn Fabrikant Jos. Kuchler in Passau unter genauer Angabe der Adresse, wohin die Wohnungskarte gesendet werden soll, gerichtet werden.

Während der Tage vom 26. bis 28. August ist den Festtheilnehmern der unentgeltliche Besuch der Sammlungen des naturhistorischen Vereins (Magistratsgebäude), des Kunstvereins (Präsidialgebäude am Domplatz) und des Lesezimmers der Gesellschaft Harmonie (im Redoutensaalgebäude) gestattet.

Das ausführliche Festprogramm wird seitens unserer festgebenden Section Passau allen Sectionen im Mai zugesendet werden.

II.

Nach Beschluss der General-Versammlung zu Innsbruck vom 28. August 1875 sind Gesuche und Anträge auf Subventionen von Hütten- und Wegbauten für die jährliche ordentliche General-Versammlung dem Central-Ausschuss vor dem 15. Juni zu übergeben. Indem wir diesen Termin hiemit in Erinnerung bringen, ersuchen wir die beabsichtigten Gesuche möglichst bald an uns gelangen zu lassen, damit dieselben eingehend und sachgemäss geprüft werden können. Ferner machen wir die geehrten Sectionsleitungen darauf aufmerksam, dass der Central-Ausschuss verpflichtet und gesonnen ist, auf der genauesten Einhaltung der Bestimmungen der Weg- und Hütten-Bauordnung (Mittheilungen 1879, S. 121 und 1881 S. 3) zu bestehen, so dass Gesuche, welche denselben nicht entsprechen, vom Central-Ausschuss bei der General-Versammlung keinesfalls befürwortet werden könnten.

Der Central-Ausschuss
des Deutschen und Oesterreichischen Alpenvereins.

E. Richter,
I. Präsident.

Berichte der Sectionen.

Augsburg. Am 4. Januar General-Versammlung. — Am 11. Januar sprach Herr Dr. v. Wachter über die Insel Rügen, deren Merkwürdigkeiten, Scenerie und Geschichte. — Am 25. Januar musikalische Unterhaltung. — Am 1. Februar trug Herr Hauptmann Aigner »Eine Bergtour unter den Waffen« vor und schilderte die Ueberschreitung des Vogesenpasses am Ballon d'Alsace im Winter, verbunden mit interessanten Kriegsepisoden. — Am 8. Februar sprach Herr Zott über das Thema: Pfingsttage im Karwendel und beschrieb insbesondere seine Ersteigung der Südlichen Sonnenspitze und den schwierigen Uebergang zur Nördlichen Sonnenspitze (siehe Mittheilungen 1882, S. 75 und 217). — Am 15. Februar trug Herr Stadtpfarrer Dr. Koch über die Route Kasern-Birlucke-Kürsingerhütte-Wald vor. Die Grossvenediger-Tour selbst fiel den Unbilden der Witterung zum Opfer. — Am 22. Februar schilderte Herr Wahl eine Wanderung aus dem Montavon ins Algäu, sowie eine Besteigung der Sulzfluh. — Am 1. März folgte ein Vortrag des Herrn Hauptmann Hütz über die Umgebung Athens, insbesondere Eleusis, das Schlachtfeld von Marathon und das Cap Sunion. — Am 8. März beschrieb Herr Baron v. Feilitzsch die schwierige Besteigung des Trettachschroffen im Algäu; — am 15. März setzte Herr E. Martin die Schilderung seiner Reise nach Egypten und Palästina fort und entwarf besonders eine genaue Beschreibung Jerusalems, seiner merkwürdigen Stätten und seiner Bewohner. — Am 29. März führte Herr Dr. Dobel die Zuhörer in das südliche Norwegen, schilderte Christiania und dessen Umgebung und gab eine anziehende Beschreibung der interessanten und malerischen Fjords.

Austria. Monats-Versammlung vom 28. März. Vorstandstellvertreter Herr Carl Schneider eröffnet die Sitzung mit geschäftlichen Mittheilungen, worauf Herr Professor Forstrath v. Guttenberg seinen Vortrag über Wald und Waldwirthschaft im Hochgebirge hielt; wir veröffentlichen denselben in der Zeitschrift. — Zur Ausstellung gelangten: »Hochgebirgslandschaft«, Oelgemälde von Prof. Albert Zimmermann, Studien aus dem Hochgebirge von Adolf Obermüllner, 82 Photographien aus den siebenbürgischen Karpathen, aufgenommen von dem Sectionsmitglied Herrn Moriz v. Déchy, und »Edelweiss«, Oelgemälde von Anton Hartinger, der Section »Austria« vom Künstler als Vereinszeichen gewidmet.

Wochen-Versammlungen: Am 7. März hielt Herr Dr. Bruno Wagner seinen Vortrag: Hochtouren in der Schweiz und in Tirol; eine vergleichende Betrachtung. Wir bringen denselben in der Zeitschrift. — Am 21. März trug Herr Dr. Max Frhr. v. Mayr über den Hocheiser vor, besprach zuerst die ihm vorangegangenen zwei Besteigungen am 11. August 1871 durch Richard Issler und 1879 oder 1880 durch einen deutschen Professor, schilderte dann den Anstieg durch das Ehmatthal über die Geralscharte und den vom Grieskogel zum Hocheiser führenden Grat, sowie die wenn auch beschränkte, doch nach der Glockner-Gruppe besonders schöne und instructive Aussicht und animirt zum häufigern Besuch dieser Hochwarte, deren Besteigung von der Rainer-Hütte 5 St. in Anspruch nahm, während der Abstieg in 2 ½ St. bequem bewerkstelligt wurde. — Sodann sprach Herr Dr. Franz Krischker über das Birnhorn, schilderte den Anstieg von Leogang durch eine steile Rinne, das höchst interessante Melcherloch und die darauf folgende Wanderung auf einander folgenden Felsbändern an senkrecht bei 6000′ abfallenden Felswänden, sowie die prachtvolle Aussicht von diesem leider selten besuchten Felsgipfel. Die Zeitdauer des Anstieges betrug 6 ½ St. — Zur Ausstellung gelangten Aquarelle von Herrn Cooperator Gatt in Axams und zwar: Johanniskofel im Sarnthal, Stans im Unterinnthal, Innere Wetterspitze im Langenthal, Falkenstein im Naarnthal in Oberösterreich, Karalpe mit Kesselspitze, die Grünau im Stubai, Blick ins Oberinnthal von Mails bei Axams, Schloss Friedberg mit Hochnissel, Neustift im Stubai und Pieve di Cadore, ferner eine Oelstudie: Ansicht des Birnhorns und Bleistiftskizzen vom Birnhorn von Michael Hofer.

Am 14. März fand ein geselliger Abend mit musikalischem und declamatorischem Vortrag und darauf folgendem Tanz statt.

Berlin. In der Sitzung vom 8. März berichtete Herr Dr. Scholz über einige Touren, die er theils in den nördlichen Kalkalpen, theils im Stubai im vergangenen Sommer ausgeführt hat. Als leichte Tour, die zu einem höchst interessanten Aussichtspunkt führt, schildert er die Besteigung des Grossen Solstein, welche er von der Amtssäge im Gleirschthal über den Erlsattel auszuführen empfiehlt. — Im Stubai wurde zunächst der Habicht bestiegen, dessen Aussicht mit Recht berühmt ist. Mit besonderem Nachdruck empfiehlt Redner die Besteigung des Wilden Freiger, der ausserordentlich wenig bestiegen zu sein scheint und vielleicht als instructivster Aussichtspunkt über die Stubaier Gruppe angesehen werden muss. Die Besteigung ist auf dem von dem Vortragenden ausgeführten Wege (durch das Langenthal über den Grübl-Gletscher und den SO.-NW. ziehenden Grat), von einem (zu vermeidenden) Weg durch die Klamm unterhalb der Grübl-Alpe abgesehen, ausserordentlich leicht und als eine selbst Damen zu empfehlende Gletschertour anzusehen. Eine andere Tour in demselben Gebiet, bei der der Vortragende in 5 St. von der Sulzenau aus über den prachtvollen Sulzenau-Gletscher die schwierige, unter Umständen unpassirbare Pfaffennieder überschritt und noch 2 ½ St. auf dem obersten Theil des Ueblenthalferners sich bewegte, musste leider eines Unwetters wegen abgebrochen werden. Der Vortragende hatte aber Gelegenheit, bei dieser Tour die Schönheiten des Bergkessels zu schildern, in welchem die Sulzenau-Alpe liegt, und im besonderen auf die überraschend schönen Gletscherbilder aufmerksam zu machen, welche man beim Ueberschreiten dieses Theiles des Sulzenauferners geniesst. — In Ergänzung dieses Vortrages sprach Herr Dr. Schubring über eine mit Herrn Dr. Scholz zusammen von Mittenwald aus unternommene Besteigung der Westlichen Karwendelspitze, ferner über eine von ihm ausgeführte

Besteigung des Zuckerhütl. — Zur Ansicht ausgestellt waren eine grössere Anzahl Oelskizzen des Herrn Dr. Theel aus Tirol und der Schweiz.

Dresden. In der Versammlung vom 28. Februar berichtete Herr Assessor Dr. Weingart über eine Tour ohne Führer auf den Gletscher des Monte Cristallo. — Am 14. März hielt Herr Professor Kellerbauer aus Chemnitz einen Vortrag über eine Tour auf das Wetterhorn von Grindelwald aus. Sehr schlechte Schneeverhältnisse und einfallender Nebel bereiteten dem geübten Berggänger ernste Hindernisse, doch erreichte er den Gipfel in 8 St. von der Glecksteinhütte, ohne indess durch Fernsicht belohnt zu werden. Um 9 Uhr Abends zog er wieder wohlbehalten in Grindelwald ein. — Am 28. März erzählte Herr Oberlehrer Trentzsch von einer 1855 erfolgten Alpenreise über das Stilfser Joch ins Vintschgau und Passeier.

Frankfurt a. M. Die General-Versammlung am 11. December constatirte das fortgesetzte Gedeihen der Section. Ausser den Alpen wurden Norwegen und Schweden, Italien, Spanien und andere entfernte Gegenden von Vereinsmitgliedern besucht. Herr R. Mack bestieg den Maladetta oder Pic de Néthou, den höchsten Gipfel der Pyrenäen, und Herr F. Bröckelmann führte in Begleitung zweier indianischer Führer eine mehrwöchentliche Expedition durch die Gebirge und Urwälder von Neu-Braunschweig in Nordamerika aus.

Die Vereinshäuser befinden sich in gutem Zustand; das Gepatsch-Haus genügt nach den durchgeführten Neubauten allen Anforderungen an ein comfortables Touristenhaus.

Namhaften Zuwachs hat die Bibliothek erhalten, worüber ein neuer Katalog ausgegeben wurde.

In der Sitzung am 22. Januar schilderte Herr Dr. med. Ohlenschlager eine von ihm in Gesellschaft des Herrn Dr. Th. Curtius und der Führer Peter Inäbnit und Kaspar Maurer vom Hôtel Bel-Alp im Rhonethal aus bewerkstelligte Besteigung des Grossen Aletschhorns, des zweithöchsten Gipfels der Berner Alpen, welcher wegen seiner freien Lage eine wunderbare Aussicht gewährt. 2 U. früh aufbrechend, gelangte man in 3 St. an das ebene Ende des Oberen Aletsch-Gletschers, überstieg steile Moränentrümmer zur linken, hielt sich dann östlich nach dem Rothhorn-Grat zu, passirte eine Gletscherschlucht mit prachtvollen Eisbrüchen und Eisstalactiten und stieg weiter auf steilen Gletscherhalden in knietiefem lockerem Firnschnee und auf bröckelnden Felsrinden zum Rothhorn-Grat hinan. Um 12 U. am genannten Grat angelangt, bedurfte es einer weiteren zweistündigen Kletterarbeit bis zur höchsten Spitze. Auf dem Rückweg geleitete glücklicherweise heller Mondschein die Reisenden am Ende ihrer 21stündigen Expedition wieder nach Bel-Alp zurück. Für den Anstieg auf das Aletschhorn empfiehlt der Vortragende, wie auch Professor Tyndall, sich soviel als möglich in den Felsen zu halten. — Nach der Sitzung vereinigte man sich zum Nachtessen im Hôtel Landsberg.

Graz. Der am 19. Februar abgehaltene Vortrag des Herrn Lane Boalt führte die Zuhörer nach dem Goldlande Kalifornien. Redner bewies in fesselndster Weise, dass Kalifornien nicht allein das Land der Sehnsucht für so manchen Glücksritter, sondern auch in Bezug auf landschaftliche Schönheit geradezu einzig dasteht und demnach auch ein vielbeliebtes, lohnendes Ziel transatlantischer Touristen ist. Der Vortragende schilderte die immer mehr emporblühende Hauptstadt San Francisco, ihre Lage, Bauart, Entstehungsgeschichte, sowie die gesellschaftlichen Verhältnisse daselbst und die zur Zeit seiner Anwesenheit üppig grassirende Speculationswuth in Minenactien, welche alle Classen der Bevölkerung erfasste und durch die für europäische Verhältnisse geradezu unglaublichen Cursschwankungen von 50 bis zu vielen Tausenden Dollars begünstigt wird. Der hiedurch bedingte rasche Wechsel von reich und arm wird jedoch durch eine Menge von Einrichtungen, die es verkrachten Speculanten ermöglichen, auf Rechnung ihrer Mitbürger ein kostenfreies Leben zu führen, wieder ausgeglichen. Hierauf folgte die Erzählung einer Wanderung durch das Chinesenviertel und zwar in Begleitung eines Policeman und mit Revolver und Bleistock bewaffnet. Es wurde das chinesische Theater mit seinen Schauerdramen, das originelle Orchester mit dem unermüdlichen Gongschläger, die Spielhöllen, die unheimlichen Stätten, wo dem Opiumrauchen gefröhnt wird, lebendig geschildert, ohne jedoch die guten Eigenschaften der Chinesen, ihre Mässigkeit, Heimathsliebe, Fleiss und Geschicklichkeit bei der Arbeit zu vergessen. Redner besprach sodann mehrere Ausflüge, so nach dem Clyffhouse, wo man sich an den ergötzlichen Spielen ganzer Schaaren von Seehunden, deren Jagd in der Bai von San Francisco verboten ist, erfreuen kann, und einen Spaziergang an das Gestade des Stillen Oceans. — Abgesehen vom schmutzigen Chinesenviertel, hinterlässt San Francisco, was Bildung und Liebenswürdigkeit der Bewohner betrifft, den besten Eindruck.

Redner schilderte nun einen Ausflug in das Yosémite-Thal. Mit der Süd-Pacificbahn wurde das Küstengebirge durchschnitten, hierauf die Kornkammer Kaliforniens durchfahren und beim Städtchen Mariposa, schon in den Vorbergen der Sierra Nevada gelegen, der Schienenstrang verlassen. Im Wagen wurde dann, meist durch prächtige Urwälder, das Oertchen Clarks erreicht. Der Besitzer des dortigen Hôtels hat die Oberaufsicht über die Gegend um das Yosémite-Thal, welche Nationaleigenthum ist und in welchem von der Regierung Communikationen, Unterkünfte etc. geschaffen und unterhalten werden. Noch am Tage der Ankunft wurde das Pferd bestiegen und der zunächst liegenden Gruppe der bekannten kalifornischen Riesenbäume ein Besuch gemacht. Diese Coniferen, deren wissenwissenschaftlicher Name *Sequoia gigantea (Wellingtonia gigantea)* ist, erreichen in der That fast unglaubliche Dimensionen. Bei 325′ Höhe erreicht der Stamm einen Durchmesser von 30′. Von diesen Bäumen existiren überhaupt noch ca. 300, welche, in einzelnen Gruppen vertheilt, in einer Seehöhe von 1200—3000′ in den Gebirgen um Mariposa wachsen.

Von ihren colossalen Dimensionen kann man sich erst dann einen Begriff machen, wenn man sieht, dass durch ein ausgehöhltes Stammstück, welches am Boden liegt, ein Reiter vollständig aufrecht mit erhobener Hand durchreiten kann. Auf einem Aststück können drei Personen bequem Arm in Arm promeniren und auf dem Stumpf einer umgehauenen Sequoia wurde ein Pavillon erbaut, in welchem dreissig Paare zum Tanz Platz haben. Diese Bäume, von denen man auch fossile Ueberreste in den Tertiärablagerungen der Alpen und zwar in Steiermark und Tirol fand, stehen gleichfalls unter gesetzlichem Schutz und werden sorgfältigst gepflegt. — Am folgenden Tage wurde das Yosémite-Thal besucht. Der Weg ist zum Reiten geeignet und zieht sich durch herrlichen Urwald 2 St. lang bergauf, plötzlich steht man dann in einer Höhe von 700′ am Rande eines Abgrundes und ein Tiefblick auf das 3000′ zu den Füssen liegende Thal ergötzt das Auge. Wohl sind hier noch nicht die höchsten Riesen der Sierra Nevada, der 14 400′ hohe Mount Chester und der 15 000′ hohe Mount Whitney im Gesichtskreis, doch tragen bereits einzelne Spitzen, deren höchste 10 500′ Höhe erreichen dürfte, ausgedehnte Firnbedeckung, — aber bizarr, ja geradezu abenteuerlich geformte Felsnadeln, Thürme, Klippen und Mauern, aus lichtgrauem Granit aufgebaut, eine Fülle von wasserreichen, in der Form wechselnden Wasserfällen, von denen der Redner einige, wie den reizenden Brautschleierfall, den Fall des Marcedflusses, der Hauptwasserader des Thals, den fächerartigen, 200′ breiten, 700′ hohen Nevadafall und vor allem den höchsten Wasserfall der Welt, den Yosémitefall, welcher in drei Absätzen zusammen über 2600′ hoch herabdonnert, besprach, lohnen die Reise reichlich. Der Eindruck der Ursprünglichkeit, welcher den Hauptreiz des Thals ausmacht, ist kein eingebildeter, sondern thatsächlich vorhanden: keine grünen Alpenmatten trifft hier das Auge, kein Geklingel weidender Heerden tönt durch das Tosen der Katarakte und das Brausen des Windes im Gezweige des Urwaldes. In den wilden Felsklüften haust noch der graue Bär, der Wolf und so ganz unmöglich ist es nicht, dass von den nahen Höhen Rothhäute scalplüstern auf den Fremdling herabblicken. Der formvollendete Vortrag war durch eine Reihe von Ansichten, Photographien und Karten illustrirt.

In der Monats-Versammlung vom 14. März hielt Herr Dr. Carl Blodig jun. einen Vortrag über zwei interessante Touren in den Penninischen Alpen. Der Vortragende war in Begleitung des alterprobten tüchtigen Führers Christian Rangediner aus Kals über Ivrea und durch Val Gressoney bis St. Trinité gelangt und stieg am nächsten Tag zur 11 800′ hoch gelegenen Cabanne de Nifetté empor. Am nächsten Morgen wurde auf neuem Wege über Lysgletscher und Lyspass zum Kreuz auf der Zumsteinspitze des Monte Rosa empor gestiegen, dann die Gratwanderung über den Zumsteinsattel zur Dufourspitze angetreten, welch letztere 7 U. Morgens bei tadellos schönem Wetter und reiner Aussicht erreicht wurde. Im letzten Stück des Aufstiegs hatten die Reisenden viel unter den Einflüssen der verdünnten Luft in einer Höhenlage von über 14 000′ zu leiden. Nicht so unbedenklich, wenn auch für den einigermaassen geübten Touristen nicht gefährlich, wurde der Abstieg von der Dufourspitze nach Zermatt gefunden. Von Zermatt aus wurde die Besteigung der Dent blanche versucht, konnte jedoch, da Neuschnee gefallen war, nicht ausgeführt werden und musste nach einem einsam in der Stockjehütte, welche einen Vergleich mit den Alpenvereinshütten in unseren Alpen nicht aushält, verlebten Tage wieder der Rückweg nach Zermatt angetreten werden.

Von hier fuhr Herr Dr. Blodig gemeinsam mit Herrn L. Friedmann aus Wien nach Randa, um sofort nach der neu erbauten Hütte des S. A.-C. im Hohlicht, ca. 12 000′, aufzubrechen. Hier wurden die Führer zurückgeschickt und die Ersteigung des Weisshorns allein um 3 U. Morgens begonnen. Durch einen Lawinengang wurde die Höhe des vom Weisshorn zum Hohlicht ziehenden Grats bei einer Felsgruppe, die Gendarmen genannt, erreicht. Leider zog vom Berner Oberland ein Gewitter herüber, welches die Reisenden alsbald in Nebel hüllte. Da jedoch, abgesehen von örtlichen Schwierigkeiten, ein Fehlgehen, da man nur immer dem erwähnten Grat zu folgen hat, ausgeschlossen ist, so wurde der Anstieg unter mannigfachen Schwierigkeiten, von denen besonders eine einsturzdrohende Schneewächte und ein schwierig zu überschreitender Bergschrund zu nennen sind, fortgesetzt und endlich Mittags der schlanke Gipfel erreicht. Gemeinsam mit einer später nachgekommenen Partie wurde der Abstieg vollzogen und 7 U. Abends wieder die Clubhütte erreicht, noch in der Nacht nach Randa hinabgewandert und endlich 3 U. früh das Hôtel Seiler in Zermatt erreicht.

Jena. Am 5. März hielt die Section ihre Monats-Versammlung. Der Vorsitzende, Herr Oberlandesgerichtsrath Prof. Dr. Fuchs, eröffnete die Sitzung mit Mittheilungen geschäftlicher Art, worauf Herr Gymnasiallehrer Dr. Ritter über seine 1880 ausgeführte Reise nach Baiern und Tirol, im besonderen nach Oberammergau zur Aufführung des Passionsspiels sprach. Redner geht nach Schilderung seiner Reise über Innsbruck nach Oberammergau auf die Bedeutung der Passionsspiele, früher Mysterien genannt, im allgemeinen ein, und gibt sodann Aufschluss über die Entstehung und Entwicklung des Spiels in Oberammergau.

Küstenland. In der Versammlung vom 16. März besprach Herr Dr. Julius Kugy seine neuesten Touren im östlichen Theil der Julischen Alpen, und zwar die Besteigung des Jalouc auf neuem Wege von der Hinteren Trenta aus, einen ebenfalls neuen Anstieg auf den Razor vom W., die erste touristische Ersteigung des Bihauc über die Zajauer-Alpe, einen von der Baumbach-Hütte in wenigen Stunden erreichbaren reizenden Aussichtspunkt, dann eine Kaniauc-Besteigung und endlich die Umkreisung des Triglavgipfels an seiner Schneegrenze. Wir bringen eine grössere Arbeit des Herrn Dr. Kugy in der Zeitschrift.

Am 9. März sprach Freiherr v. Czoernig. »Der Alpinismus kein Sport«, so betitelte er seinen Vortrag, in welchem er den Alpinismus dagegen verwahrte, dass der alpine Sport an die Stelle des ersteren und seiner jüngeren Schwester, der Touristik, eingeführt werde. Der alpine Sport pocht hauptsächlich auf die Summe der bestandenen Gefahren und der bezwungenen Höhen; unser Streben will aber bei voller Anerkennung des Werthes einer tüchtigen Kletterei oder einer ausdauernden Gletscherarbeit doch wesentlich das festhalten, dass wir auch, wo es angeht, Beobachtungen machen oder vermitteln, welche der Wissenschaft zur Förderung dienen. (Der Vortragende erwähnte die hauptsächlichsten der bisher durch den Alpinismus erzielten wissenschaftlichen Leistungen.) Wir wollen in den Wochen der Musse den Körper stählen, dem Geiste ein weites Feld fruchtbarer Anschauungen erwerben, und daheim dann bei winterlichen Zusammenkünften in regem Gedankenaustausch die Früchte der eigenen Eindrücke mehren und geniessen. Darum, schloss der Vortragende — und die Versammlung stimmte ihm bei — wollen wir den Alpinismus hegen und pflegen, nicht aber »Alpinen Sport«.

Leipzig. Am 20. Januar trug Herr Commercienrath Kummer über seinen Aufenthalt in Fusch und seine von da aus unternommene Besteigung des Schwarzkopfs vor, die er auch wegen der Eigenthümlichkeit der Vegetations-Verhältnisse warm empfahl. — Am 5. Februar kamen Auszüge aus dem entomologischen Bericht des Herrn Dr. Struve über drei Sommer in den Pyrenäen zur Verlesung, an die sich ein ausführlicher Vortrag des Herrn Professor Dr. Schulz über einen Theil seiner letztjährigen Unternehmungen in der Schweiz schloss. Derselbe schilderte zunächst seinen Weg von Zermatt nach Ried durch das Thal der Lonza, seinen Aufenthalt in dem höchst eigenthümlichen Lötschenthal und den Uebergang von hier über den Petersgrat nach Lauterbrunnen; daran knüpfte er eine eingehende Beschreibung seiner am 3. September ausgeführten Besteigung des Eiger. Aufbruch von der Kleinen Scheidegg mit den Führern Fr. Fuchs und A. Graf (Wengen) 2 U. 30. Ueber Rasen und eine sehr bequeme Moräne wurde das Thal zwischen Eiger und Mönch erreicht und über Lawinenschnee und Kalkplatten hinter dem Rothstock empor gestiegen. Die Felsen oberhalb des Schnees wurden 4 U. 30 erreicht; eine Zeitlang führt ein Fussweg an mässig steiler Wand aufwärts. Weiter oben zeigten sich die Kalkfelsen, die von rundlicher Form sind und nur ganz schmale Absätze haben, mit dünnem Eis überzogen, wesshalb die Schneecouloirs zur rechten aufgesucht werden mussten. Die letzteren bestehen aus blankem Eis mit dünnem Schnee überdeckt. Von hier aus wieder guter Schnee, dann einige Felsen, darauf aber bis zum Gipfel ein starrer Eismantel. Die Spitze wurde nach mühsamem Stufenschlagen 12 U. 50 erreicht. Aussicht auf die Schreckhorn- und Finsteraarhornkette sehr schön, nach W. verhängt. Abstieg (1 U. 10) eine längere Strecke rückwärts: grosse Vorsicht nöthig, auch Neuschlagen von Stufen in den aufgethauten Schneecouloirs. Bei dem bösen Zustand des Berges ward Hôtel Bellevue erst 7 U. 15 erreicht.

Meran. Am 17. März berichtete Herr Dr. Mazegger über den Augenschein des Steiges in der Gaul bei Lana; es ist unthunlich, denselben wieder auf das rechte Ufer der Falschauer zu bauen, da er dann bei jedem Hochwasser in Gefahr schweben würde; Referent beantragt desshalb, denselben auf der linken Seite neu anzulegen, es würde dann auch keine Brücke nöthig werden. Die Versammlung ist einverstanden. — Weiter erstattet der Vorstand Bericht über die vierte Vertheilung von Sammelgeldern an hilfsbedürftige Gemeinden und Private des Bezirks im Betrag von 660 fl.—; ausserdem wurden durch die k. k. Bezirkshauptmannschaft Meran die Sämereien zur Frühlingssaat für arme Familien im Ultenthal angekauft. Zu diesem Zweck spendeten die k. k. Bezirkshauptmannschaft Meran fl. 180.—, Frau Baronin Worms fl. 110.—, Herr Borgfeld fl. 250.—.

Hierauf hielt Herr Gumprecht einen Vortrag über Auswanderung, Colonisation und den Colonialverein, und schliesslich legte Herr Dr. Mazegger zwei römische Münzen vor, welche beide in Ober-Mais im Frühjahr 1882 bei Neubauten in einer Tiefe von 2 ½ m gefunden wurden. Die Münzen stammen aus der römischen Kaiserzeit, sind sehr gut erhalten und von sehr schönem Gepräge. — Zum Schluss circulirten Photographien interessanter Baulichkeiten aus Eppan, welche der Vorstand-Stellvertreter Herr Dr. v. Lorent selbst aufgenommen hat.

Möllthal. Die Section hat einen schweren Verlust erlitten durch den Tod ihres zweiten Vorstands Herrn Leopold v. Wenger, welcher am 12. Februar von Obervellach abreiste, um die Wasserschäden im Pusterthal zu besichtigen und seitdem spurlos verschwunden war. Vor kurzem wurde sein Leichnam mit mehreren Stichwunden in einem Strassendurchlass bei Lienz versteckt aufgefunden. Herr v. Wenger scheint das Opfer eines Raubmords geworden zu sein.

München. Am 28. Februar sprach Herr Artillerie-Lieutenant Baumann über Andreas Hofer und die Kämpfe in Tirol 1809. In objectiver Weise das Auftreten Hofer's schildernd, wusste er ein interessantes Bild jener bei dem rapiden Lauf der Tageserlebnisse uns schon scheinbar fern liegenden Ereignisse zu geben.

Am 3. März trug Herr Rentamtmann Hartwig Peetz über Bäder und Jungbrunnen im Kiemgau vor. Wir entnehmen seinen interessanten, an Material überreichen Mittheilungen einiges: Sicherlich lernt der Landbewohner, besonders in den bevorzugten und von landschaftlichen Reizen verherrlichten Gauen von jährlichen Besuchern der wohlhabenden Volksklassen immer mehr den verlängerten Aufenthalt in Gottes freier Natur und gesunder Luft schätzen, oder besser in seinem Interesse zu verwerthen. An den nordischen Küsten und Inseln unseres deutschen Landes findet sich die fashionable Welt auf den Dünen zusammen. In den leuchtenden Wogenbrandungen an den besuchten Gestaden zu Sylt und Föhr wiederholen sich jährlich die Wunder des Teiches von Bethseda. Tausende suchen im sonnenwarmen Wellenspiele mit Amphitritens Najaden am Lido der Adria Wohlbehagen des Leibes und der Seele, und welche Schaaren modernsten Schlages pilgern erst zu jenen Pandämonien des Luxus, die auch den verwöhntesten Römercäsaren zum Staunen bringen müssten. So verschieden aber alle diese bekannten Badeorte und ihre Zwecke, — eines haben sie doch gemeinsam: sie stehen sämmtlich unter der Tyrannis der Mode. Dieser launischen Göttin dient allenthalben eine schmeichelnde Priesterschaft und thut in ihren Tempeln gar gehorsam mit wichtiger Kurpraxis. Breite Fächer unserer Bibliotheken füllt bereits die Balneologie, doch sie ist eine Wissenschaft vornehmlich für die »oberen Zehntausend« geworden. Selten aber ist wohl in jenen Werken vom bairischen Kiemgau die Rede, obgleich seinen Wildbädern Adelholzen, Empfing, Traunstein und Seon uralt bewährter Ruf zur Seite steht. Vielleicht wäre einer gewissen Species ihrer Kurgäste nicht einmal damit gedient, wenn eine illustrirte Zeitschrift eine kräftige Reclame brächte. Immerhin ist es wenigstens bemerkenswerth, dass in diesem freundlich einladenden Bergvorland den wechselnden Anforderungen humanitärer Zwecke schon in früher Zeit Genüge geschehen. Das bezeugen verschiedene Fundstätten um den Chiemsee, Trümmer von Mosaikböden und Röhrenscherben, welche auf salubres Badeleben in mancher friedlichen Niederlassung zur Römerzeit schliessen lassen. Erlstätt, Seebruck, Ising, Tacherting und Seon heissen die Ortschaften, wo Pflug und Schaufel nicht unbedeutende Reste von römischen Badeeinrichtungen für warme Waschungen blosgelegt haben, von einem aus dem Orient über die Tauern in die kalte norische Provinz herüber gebrachten Comfort, der nur zu bald wieder verschwunden sein mochte.

Reckenhafte Hünengeschlechter, germanische Kraftnaturen, welche im kalten Bergstrom ihre feuchte Gottheit mit der Sichel verehrten, den Wassergeistern der Salzquellen keusche Huldigungen entgegen brachten, in symbolischen Reinigungen ihres Her Man (Merkur, domino Cuno) gern gedachten, die mochten wohl, den Luxus römischer Thermen mit ihren marmornen Wannen nicht verstehend, lieber im »Maninseo« (Mondsee) oder im Kiminseo, »mannets und weibets untereinander» zu Bade steigen. Und eine baiuwarische Grafenmaid, die beherzt in die bergfrische Ache sprang, um für das Grasmahl ihrer Waidmänner eine wuchtige Forche (Forelle) an den Edelflossen zu erhaschen, spöttelte wohl nur Angesichts jener Röhrenscherben einer verwehten Ueppigkeit. Und dennoch scheint es, als habe der Baier römische Sitte nicht völlig unbeachtet gelassen. Seine älteste Gesetzgebung unterscheidet wenigstens die Backkäuser von den Badehäusern, die, vom Hofgebäude abgesondert, sich Jahrhunderte lang erhalten haben.

Mit der Zeit mussten Pelz und Gewand von Wildleder dem Wollenkleide weichen. Man badete darum wieder warm, oder, indem man den Körper im Wasserdampf »bächelte«, sogar heiss, »bachlwarm«. Ein solches Warmbad altbairischer Art erfreute sich des besten Rufes zu Lengau zunächst der Hohen Salve. Hier nahmen schon Kaiser Heinrich II. und seine gekrönte Frau Kunigundis in Gesellschaft der hochadeligen Eigenthümer, der Grafen von Andechs, ihren Sommeraufenthalt. Lange noch füllten das Lengauer Bad dynastische Gäste, darunter die Herzöge Friedrich und Sigmund von Tirol und Gräfin Margaretha mit zahlreichem Hofgesind.

Die Edlen von der Traun verkauften im Jahre 1365 ihr Bad an Conrad, den Bader zu Trosperg mit der Bedingung, dass er ihnen, so oft sie den Ort besuchen würden, ein Bad umsonst heize. Diese Last übernahm in der Folge der Markt Trostberg, um ein »Failbad« einzurichten, das Jedermann offen stehe. Aehnlicher Weise verglich Hans Widmann, der alte Bürgermeister von Schongau, im Jahre 1494 die Einwohnerschaft des Dorfes Peitingen mit Peter Heberlin, dem dortigen Ehaftbader. Das Holz zu den »Laugkübeln« des Bades sollten ihm die Bauern liefern, dagegen denselben der Bader jeden Samstag um 12 Uhr ein Bad herzurichten sich verpflichte.

Im Hochgebirge konnte eine Baderehaft nicht wohl gedeihen, die Ursache lag in den weit entlegenen Höfen und zerstreuten Wohnungen. Darum errichtete man dort Baderäume über den Backöfen, transportable Schwitzbäder neben der Flachsdörre. Jedes Thal gestaltete sich seinen eigenen Brauch. Wegen der Gluth der »Bachelboschen« wurden diese Winkelschwitzkästen der Haushaltungen als feuergefährlich späterhin von Polizei wegen verboten. Auf dem flachen Lande dagegen hatte jede Ortschaft ihre gemauerte Badestube, aber nur die eine, zu deren Erhaltung die Hofbauern die Kosten trugen, als Reallast ihrer Anwesen.

Gerade zu jener Zeit hat man die Kuren in Wildbädern wie in gemeinen öffentlichen Badeanstalten in einem Maasse übertrieben, dass man des Tages sechs bis sieben Stunden lang in Gesellschaft schwitzte und von solchen Rosskuren nicht eher Erfolg erwartete, bis die arme Haut völlig aussätzig geworden, — eine Modetortur sondergleichen.

»Der« Gicht, oder wie Jacob Balde ächt bairisch schimpft »Podogra das edle Vich«, war dem Gebirgsbewohner langhin eine fremde Krankheit. Allein nachgerade kam der ungebetene Gast gleichwohl in das Land, ob durch Zauber oder böses Auge, wer weiss es? Die Heimsuchung kehrte besonders in adeligen Häusern ein. Die Schlemmerei, dieses heillose deutsche Erbübel, wurde wohl niemals als Keim der »Fuersucht« (rheuma) oder des »Klochfeuers«, (crysipelas) oder gar der »Rose« (ignis sacci) erkannt, weil diese Erkenntniss den derben Humor nicht wenig beeinträchtigt hätte. So oft nun einer der Herren an podagraischem »Wehdam« zu leiden hatte, den Anfällen des »Klochfeuers« (Kloch von Klaue oder Zehe) ausgesetzt, oder »von Erstarrung verzückter Spannadern mit gar dickschweren Fisteln und Zütrachen« heimgesucht war, so oft suchten sie bei einem berühmten Bader oder sonstigen Heilkünstler Hilfe. Vermöge nobler Bekanntschaften mit den Leibärzten des Hofes mochte die Kur wohl gelingen, vorausgesetzt, die wohlbestallten Doktores waren zu haben. Heinrich Ginzinger und Hieronymus Faber, Leibärzte des Herzogs Wilhelm von Baiern, wetteiferten in der Empfehlung des von ihnen 1584 approbirten Gesundheitsbades zu Empfing bei Traunstein.

Dasselbe war dazumal schon ein alt angesehenes Pfründnerbad für die Stadt. Solang die Wohlthat des leinenen Hemdes für den Leib nicht allgemein üblich, erwies sich diese Badeanstalt als Schutzmittel gegen Hautübel und Ansteckung, und reiche Bürgerfamilien, wie die Zirnberger in Traunstein, opferten Gut und Geld, um die Heilwasser auch für »ausgearbeitete« Personen mit kontrakten und »bettrissigen« Gliedern zugänglich zu machen. Alles Hausgesind, jeder Zunftgeselle erhielt am Feierabend seinen Badegroschen. Schulkinder führte man an den Mittwochen zum Baden, armen Leuten war der Besuch alle vierzehn Tage am Erchtage kostenfrei gestattet. Deshalb nannte man es auch das Seelbad, pro remedio animarum, den armen Seelen sollte damit eine wirthschaftlich nothwendige Wohlthat erwiesen werden. Nach seiner instinktiven Praxis wusch der Bader von Empfing die Irrsinnigen schon am Gründonnerstag im eiskaltem Wasser. Vielleicht nennt das Volk eingedenk der gewaltsamen psychiatrischen Procedur jenen Donnerstag vor Fastnacht den »unsinnigen Pfinstag«. Die Wirkung der alkalischen Wasser im Kiemgau wurde allerorts dem Publikum mit dem damals unumgänglichen akademischen Schwulst empfohlen, so z. B. »um allerlei Flüsse des Leibes auszutrocknen, insonders die bösen Flüsse des Gehirns und Haupts, so auf Zähne und Brust abschiessen«, oder »wider faule bös rinnende Schäden, die sonst Drückens und Stimmens bedörfen«. Dem Arzt war es damit feierlich Ernst, und dem Kranken mochte es gar nicht lustig erscheinen, sobald die zottelige Perücke des Diagnostikers sich über ihn beugte und ihm anrieth, eine auf dreissig Tage berechnete Badekur durchzumachen.

Mit der Zeit entwickelte sich an diesen Heilbädern ein gar lustiges und geselliges Leben. Schon ein Kalender von 1483 enthält die Bemerkung: »Im Widder ist gut mit Frauen baden und schimpfen (scherzen)«. Das Hochzeitbad der Brautpaare und in Gesellschaft möglichst vieler Verwandten zählte auch zu den rothen Festtagen des Kalenderlebens. Dass man in einem Wildbad nichtsen sparen soll, das hat Hans Sachs schon empfohlen. Ob die Herren Badinhaber heutigen Tages wohl an den Volksklassiker denken, so oft sie seinen Spruch und Rath befolgen? Eine alte Badebeschreibung vom Wildbad Adelholzen verlangt aber von dem Wirthe nicht blos, dass er gut rechne, sondern, dass er noch besser zu reden verstehe. In dieser Beziehung wird jetzt wohl allerwärts das Möglichste geleistet.

Weit seltener treffen wir selbständige Beobachter, welche des wohlthätigen Einflusses an sich so klar gewahr werden, wie einst Ludwig Steub. Gelegentlich seines Aufenthaltes im Bade Seon entdeckte dieser allzeit scharfblickende Diagnost des süddeutschen Volkslebens, dass diesem Bade ein eigenthümliches Bouquet verliehen werde durch jene wohlbemessene Vereinigung von trefflichem Bier, ausgezeichneten Wallern, guten Matrazen und historischen Erinnerungen. Damit ist wohl zugleich der Kern aller Befriedigung in einer sanitären Sommerfrische bezeichnet.

Gegegenwärtig sind die Anhänger der Lehren der Hygiene wieder Legion. Schwärme ziehen alljährlich aus nach den Vorzügen der reinen Luft, als gälte es den Wettpreis im Trachten nach der reinen Vernunft. Da meint nun eine erkleckliche Anzahl, dem tückischen Miasma der Stadt schon entrückt zu sein, sobald sie nur etliche Stationen weiter hinten im Lande in niedrigen, feuchten Bauernstuben wochenlang eingepfercht ist, bei Regentagen hinter vernagelten Fensterlein kauert, und der melancholische Schritt der Langeweile höchstens von einem Fluch des Strassenwärters unterbrochen wird, dem die Unwegsamkeit im Kothe des Dorfes selbst zu dick erscheint. Dagegen beneidet man jene Begünstigten, die zu St. Moritz im Engadin oder gar in Bellaggio am Comersee in einer Dachkammer um ihr theures Geld frieren, und dabei doch auf einige Wochen sich gesund fühlen müssen. Hunderte von neuen Hotels schoben den Unrath der Dorfkneipen zur Seite und laden, natürlich alle ohne Heisshunger und Eigennutz, fern von aller kurzsichtigen Speculation zum Besuch ein. Aber was nützten diese lockenden Schilde dem brustkranken Kanzleimenschen und Comptoiristen, der in seinem Leben mehr Federn geschnitten hat als Coupons? . . .

Viele Jungbrunnen, von höchstem Werth für so Viele, sind nicht nur im Kiemgau nicht zum ersten Mal verschollen. So ist in Folge der »erklärten Landesfreiheit« von 1516 das Jungbrunnenbad für die Erzgewerke zu Fliegeneck im Miesenbachthal »in Abödigung« gerathen. So verlor sich im Volk mit der Zeit der Glaube an die Heilkraft des Frauenbrünnleins zu Traunwalchen, eines altberühmten Heilborns gegen Augenkrankheiten in der Nähe des Schlosses Perchtenstein an der Traun. Nachdem zu Anfang des 17. Jahrhunderts Graf Ladislaus Törring die Grottenstufen zum letzten Mal fassen liess, belagerten viele Hunderte von Kranken täglich den Quell, welchen man gegenwärtig suchen muss. So mancher für die Umwohnerschaft wichtige Mineralbrunnen, noch dazu meist im Rahmen einer reizenden Landschaft, bleibt unbeachtet, obgleich seine Kraftäusserung von der Specialgeschichte bestätigt wird . . . .

Auf die am 14. und 28. gehaltenen Vorträge der Herren v. Schilcher (Hochkönig vom Steinernen Meer aus) und Edw. T. Compton (Touren in der Brenta-Kette) kommen wir an anderem Ort zurück.

Steyr. Das gesellige Leben ist ein ziemlich reges, die Monats- und Wochen-Versammlungen sind stets belebt. Der Winter war für Bergtouren wohl nicht so geeignet wie sein Vorgänger und nur dem Damberg wurde hie und da ein Besuch abgestattet. — Das am 23. Januar stattgehabte alpine Kränzchen, dessen Erträgniss zur Erhaltung der Dambergwarte bestimmt war, erfreute sich zahlreichen Besuches und gestaltete sich vermöge der zahlreichen originellen Gebirgstrachten, welche vertreten waren, zu einem wirklich alpinen Fest; im Verlauf des Abends erschien ein humoristisches Blatt, der »Gletscherfloh«. — Die Dambergwarte ist nach der im Vorjahr durchgeführten gründlichen Restaurirung im besten Zustand.

Bei der Haupt-Versammlung hielt Herr Reichl einen Vortrag über seine Tour durch die Schweiz, zunächst Ersteigung des Piz Corvatsch und des Balmhorns. Die projectirten Hochtouren im Berner Oberland wurden durch die Witterung verdorben. In Zermatt verhinderte der frühzeitig eingetretene Schneefall sowohl die Besteigung des Matterhorns wie auch jede andere bedeutende Hochtour. Nur bei der Besteigung des Mont Blanc am 7. Sept. mit Führer Payot war Redner vom Glück begünstigt. Den Schluss des Vortrags bildeten interessante Vergleichungen zwischen unsern Alpenländern und der Schweiz, zwischen dem Fremdenverkehr dort und bei uns, sowie über die Uebelstände, die bei uns noch zu beheben seien. Nicht uninteressant ist auch, dass Herr Reichl von dem Führer Taugwalder in Zermatt einen Brief vom 5. März 1883 erhielt, in welchem er aufgefordert wurde, rasch nach Zermatt zu kommen, das Wetter sei warm und günstig und das Matterhorn gut besteigbar.

Villach. Die Section hat ihre Organisation einer Abänderung unterworfen, welche gewiss als eine glückliche bezeichnet werden kann. Die Arbeit, welche ein grosser Theil der Sectionen des Alpenvereins sich vorgesteckt hat, ist dermalen schon so ausgedehnt, dass es den Sectionsleitungen oft kaum möglich wird, mit wünschenswerthem Nachdruck und mit Pünktlichkeit die Vereinsarbeiten und die oft ansehnliche Correspondenz zu bewältigen. Die Section strebt nun, unbeschadet der einheitlichen Leitung, eine Erweiterung und Geschäftstheilung in der Weise an, dass an wichtigen Punkten des Vereinsgebiets, sobald es die dort domicilirenden Sections-Mitglieder wünschen, Gauverbände ins Leben treten, welche die Ausführung der Arbeiten der Section in diesem Gebiet zu übernehmen haben. Die Gaue führen den Namen des Hauptorts, in welchem sie ihren Sitz haben. Die Mitglieder einer Section, welche einen Gau bilden wollen, wählen aus ihrer Mitte einen Gau-Vorstand und einen Vorstand-Stellvertreter. Wie bekannt, sind im östlichen Alpengebiet im Interesse der Beförderung des Fremdenverkehrs noch Vorkehrungen zu treffen, die namentlich den zu Sommerfrischen und Touristen-Stationen vorzüglich geeigneten Gegenden und Ortschaften vielfach fehlen und die zu schaffen mit Hinsicht auf die vorhandene Rührigkeit an anderen Orten ein Gebot der Nothwendigkeit ist. Das soll in erster Linie auch Aufgabe dieser Gauverbände sein. Bis jetzt hat die Section zwei Gaubildungen in Vorbereitung, und zwar für Tarvis und für Bleiberg. Vornehmlich für Tarvis ist eine Gaubildung äusserst nützlich. Ungeachtet des ansehnlichen Verkehrs jeder Art im Canalthal und des namhaften Verdienstes, welchen namentlich Tarvis aus dieser Erwerbsquelle bezieht, herrschen in diesem Thal von so ausgesprochener Naturschönheit noch mancherlei Uebelstände, welche dringende Besserung erheischen und deren Abhilfe die jährlich wachsende Fremdenzahl mit Recht fordern darf. Der Gau Tarvis, in einer der anerkannt schönsten Gegenden der Alpen gelegen, findet gewiss eines der dankbarsten Felder, welche ein für die Allgemeinheit Nützliches wirkender Verein finden kann. Am 15. März hat sich denn auch der Gau Tarvis provisorisch constituirt, und wurde Gewerke Schnablegger zum Vorstand, Baron Leop. May-Madiis zum Vorstand-Stellvertreter gewählt.

Würzburg. Im Lauf des Winters hielt Herr Stabsauditor Glück drei Vorträge über seine vorigjährige Reise nach der Krimm, in den Kaukasus und in das Innere Russlands. Ausser den Naturschönheiten einer Gegend, die in den tropischen Vegetationen des Südens, in der Farbenpracht des Orients, in der Lebendigkeit des Küstenlandes, in der Erhabenheit und Wildheit der unsere Alpen übertreffenden Gebirgswelt, in der Oede des Steppenlandes und Starrheit der nördlichen Zone wechselt, führte der Vortragende die Zuhörer durch seine Bemerkungen über die politischen und socialen Verhältnisse so tief in alle Schichten des grossen Reiches, dass Jeder sich wenigstens einen Begriff von Land und Leuten eines Reiches machen konnte, dessen Grenzen sich unseren Ostgrenzen anschmiegen und das doch bis jetzt so wenig von Deutschen besucht wird.

Am 9. Februar hielt Herr Rechtsanwalt Schmitt, anknüpfend an das Circular Nr. 63 des Centralausschusses vom März 1882, einen Vortrag über das Zurückgehen der Gletscher seit der Eiszeit, wobei er das gemeldete Vorrücken einzelner Gletscher in der Mont Blanc-Gruppe nur als scheinbare Ausnahme bezeichnete und aus meteorologischen Ursachen zu erklären suchte. Sodann verbreitete er sich über das Stossen der Gletscher im allgemeinen und dessen Ursachen, und die merkwürdigen Erscheinungen, welche das Ausbrechen des Gétrozgletschers im Wallis, des Vernagtgletschers im Oetzthal und des Defdorakigletschers im Kaukasus darbieten. Die Ursache hiefür fand er, sich anlehnend an die Ansichten von Agassiz und Statkowcki, und deren Erklärungsversuche theils berichtigend, theils ergänzend, in der Anstauung des Gletscherbaches, welche bald durch einen auf den Canal desselben ausgeübten Seitendruck, bald durch die Einklemmung der Gletscherzunge in eine Verengung des Gletscherbettes, öfter aber durch beide Ursachen zugleich herbeigeführt werde. Als Mittel, um diesen Ausbrüchen und den damit verknüpften Calamitäten vorzubeugen, empfahl er genaue Beobachtungen des Gletscherbachs und bei dessen Ausbleiben sofortiges Eingreifen durch Eintreiben von Stollen oder durch Sprengmittel. Dadurch kann den sonst unausbleiblichen Verheerungen wie sie sich z. B. am Vernagtgletscher erst in diesem Jahrhundert zum Unheil der Gebirgsthäler wiederholten, abgeholfen und vorgebeugt werden. Mögen gewissenhafte Beobachtungen und Mittheilungen das Streben des Alpenvereins in dieser Richtung unterstützen.

Nachrichten von anderen Vereinen.

Club alpin Français. Die Februar-Nummer des Bulletin mensuel bringt nach den Mittheilungen der Central-Direction Berichte einzelner Sectionen und zwar der Section Paris über alpine Photographie und über eine Reise durch Istrien und Croatien; der Section Auvergne über eine Reise in Spanien und eine Besteigung des Puy-du-Dôme am 17. December v. J., der Section Lyon über ihr Jahresbankett, der Section Saone et Loire über gemeinsame Ausflüge in die Pyrenäen und die Schweiz, wobei bemerkenswerth scheint, dass die vierzehntägige Tour durch die Schweiz jedem Theilnehmer auf 260 Fr., die siebzehntägige in den Pyrenäen aber auf 400 Fr. zu stehen kam. Die Section Tarentaise berichtet über ihre Arbeiten in 1882; sie beschäftigt sich mit dem Project der Herausgabe eines Führers durch ihr Gebiet, beschloss die Erbauung von drei Unterkunftshütten (zu Nants, am Col du Pourri und am Mont Jouvet) und sicherte eine bestehende Hütte durch Grundankauf. Der Bericht der Section Mont Blanc zählt fünf von einer Dame mit einem Führer in der Zeit vom 1. December bis 20. Januar von Chamonix aus unternommene Besteigungen auf. Die Section Atlas gibt das genaue Programm der beabsichtigten Reisetour durch die algerische Sahara, welche schon in Nr. 3 erwähnt wurde. Dann folgt ein Bericht über eine der vom C. A. F. ins Leben gerufenen Schülercarawanen, Besprechungen alpiner Zeitschriften, ein Winterausflug in den Seealpen und eine Besteigung des Olymp in Kleinasien im August 1835.

Club alpino Italiano. Der heurige 16. Congress findet vom 20.—25. August in Brescia statt.

Vereins-Hütten und Unterkunftshäuser.

Schutzhüttenbau am Hochkönig. Seit dem Jahr 1865 befindet sich auf der Spitze des Hochkönigs 2938 m, der höchsten Erhebung der Salzburger Kalkalpen und einer der herrlichsten Aussichtswarten des Landes, ein kleines Unterstandshäuschen. Dasselbe wurde in rühmenswerthester Opferwilligkeit von der Gewerkschaft Mitterberg am 5. Sept. 1865 in einem Tage erbaut. 135 Mann von der Gewerkschaft waren an diesem Tage auf der Spitze thätig, und als die Sonne sank, war bis auf einige Bedachungsarbeiten und den Verputz die kleine Hütte aus Mauerwerk mit 9′ äusserer Länge und 6′ Breite fertiggestellt.*) 1879 fasste die Section Pongau des D. u. Ö. A.-V. den Beschluss, diese Hütte zu vergrössern; dieselbe sollte zu ebener Erde eine kleine Stube mit Sparherd und Ofen, und in dieser, sowie im Dachraum Lagerstätten für 8—10 Personen erhalten. Im Vertrauen darauf, dass die Ueberlassung des nöthigen Platzes seitens des Forstärars keinem Anstand unterliegen könne, wurde das Baumaterial bereits im Herbst 1880 vorbereitet und an Ort und Stelle geschafft und für die Bedeckung der Kosten Vorsorge getroffen; da erhob die Forstverwaltung Bedenken, und die Bitte der Section an das k. k. Ackerbauministerium um pachtweise Ueberlassung des Grundes wurde auf Einsprache der adeligen Blühnbacher Jagdgesellschaft als Pächterin des Grundes zur Jagdausübung am 29. Juli 1881 abschlägig beschieden. Diese Entscheidung wurde in der Gegend, wo das Project des Hüttenbaues

*) Jahrbuch des Oesterreichischen Alpenvereins Bd. II., S. 114.

als Mittel zur Hebung des Fremdenverkehrs mit Freuden begrüsst worden war, sehr schwer empfunden; auch die Section, welche bereits Opfer für die Sache gebracht hatte, wurde dadurch hart getroffen. Sie reichte daher eine neuerliche Eingabe beim Ackerbauministerium ein, zugleich ging an dasselbe eine Collectivpetition der Gemeinde-Vorstehungen Markt Werfen, Land Werfen, Bischofshofen, Mühlbach und Dienten ab, welche auch vom Salzburger Landesausschuss wärmstens befürwortet wurde. In dieser Petition wurde insbesondere dargelegt, wie die neuere Gestaltung der Jagdverhältnisse ohnedies bereits durch fast völlige Vernichtung der Schafzucht, indem 800—1000 Schafweidegräser für die Gemeinden Bischofshofen und Mühlbach unbenützbar wurden — die Vortheile, welche grössere Jagdpachtungen mit sich bringen, empfindlich geschmälert habe, und es daher um so mehr verstimmen müsse, wenn abermals aus Jagdrücksichten der Gewinn entfiele, welcher der Bevölkerung aus dem Touristenverkehr zufliessen könnte. Nichtsdestoweniger wurde mit Ministerial-Erlass vom 28. Januar 1883 auch dieses Gesuch abgewiesen mit der Motivirung, dass der mit der Errichtung der fraglichen Unterstandshütte beabsichtigte grössere Fremdenverkehr den Jagdbetrieb im Blühnbacher Revier nicht unerheblich stören würde. Es liege die Gefahr nahe, dass sich die Jagdgesellschaft in Folge dessen veranlasst sehen könnte, den Jagdbetrieb aufzukünden, eventuell ganz aufzugeben. Hiedurch würde, abgesehen vom Verlust des Pachtzinses jährlicher 1000 fl. für das Aerar, der Bevölkerung selbst ein namhafter Verdienst entgehen, da die Gesellschaft in den Gebirgsthälern ihres Gebiets jährlich weit über 12.000 fl. zurücklasse, während der Fremdenverkehr, der bei der Beschwerlichkeit (?) der Besteigung des Hochkönigs immer nur ein verhältnissmässig geringer bliebe, hiefür keine Entschädigung bieten würde.

So ist also dieser Hüttenbau, welcher der erste Gipfelbau auf einer Hochzinne im Salzburger Lande gewesen wäre, vorläufig gescheitert. Ob die Blühnbacher Wildbahn keine Pächter mehr gefunden hätte, wenn ein an der Südgrenze des Reviers gelegener, von der eigentlichen Wildbahn durch unwirthliche Eiswüsten geschiedener Gipfelpunkt von der Südostseite aus, — denn da, nicht durch das Revier führt der gewöhnliche Weg, — etwas häufiger bestiegen worden wäre, dies zu glauben fällt freilich etwas schwer.

Personalien.

Am 10. April starb zu Herzogenburg in Nieder-Oesterreich nach einer Krankheit von wenigen Tagen im Alter von 36 Jahren Herr Dr. jur. **Anton Sattler,** Bezirksrichter daselbst, Ausschuss-Mitglied der Section Austria. In ihm verliert der D. u. Ö. A.-V. eines seiner verdienstvollsten Mitglieder. Sattler war einer der besten Kenner des gesammten Alpengebiets und ein vorzüglicher Panoramenzeichner, der mit elegantem und sicherem Strich und einem durch die genaueste Detailkenntniss getragenen Verständniss auf seinen Panoramen auch die verwickeltsten Partien klar und übersichtlich darzustellen verstand. Ausser mehreren kleineren Arbeiten sind folgende Panoramen von ihm in Druck erschienen: Panorama vom Hochkönig, von der Schöntaufspitze, vom Kammerlinghorn, der Mädelegabel und dem Gaisberg, das nächste Heft unserer Zeitschrift wird die Rundschau vom Gamsfeld bei Abtenau von seiner Hand bringen. Sattlers Freunde — und dazu gehören eine grosse Anzahl der hervorragendsten Alpinisten in Oesterreich und Deutschland — wissen, was sie an dem hochgebildeten, liebenswürdigen, stets gut gelaunten Manne, der ihnen in der Blüthe der Jahre entrissen worden ist, verlieren. Sattler war erst seit 2 $^1/_2$ Jahren verheiratet.

Mittheilungen und Auszüge.

Touristische Notizen.

Wettersteingebirge.

Mittlere Höllenthalspitze 2733 m. Als ich am 13. August 1882 mit Freund Babenstuber früh 5 U. die Knorr-Hütte verliess, waren es wohl noch Wenige, die seit Barth die Richtung gegen O. zur Ersteigung eines Gipfels im Gebiet des Plattach genommen hatten. Obwohl die Mittlere Höllenthalspitze seitdem sich schon zweier Besuche zu erfreuen hatte, die ihren Weg aus dem Höllenthal nahmen, so reizte es uns doch, Barth's Weg kennen zu lernen. Ueber Sandreissen ging es hart an den Wänden des Brunnthalkopfs abwärts, quer hinüber ins Gamskar. Ein schmales kaum kennbares Steiglein brachte uns, noch immer auf grünem Boden, zwischen den mächtigen Plattschichten endlich zum erwünschten Einstieg in das Kar. Leider hatten wir uns zu wenig um den Steig gekümmert, der, wie mir später Herr Leitner, k. Forstgehilfe in Partenkirchen versicherte, auf der rechten Seite des Kars bequem in dasselbe gebracht hätte. So hatten wir aber gleich die schroff einfallenden Wände der Brunnthalköpfe angepackt und hatten nun einen schwierigen Einstieg. Langsam ging es dann dem Innern des Kars entgegen. Aussicht nach der Höhe ist wenig, da mächtige Felswände fast senkrecht gegen das noch mit Eis erfüllte Kar einfallen, während ihre oberen Schuttlager einen mächtigen Bogen beschreiben. Zur rechten bemerkten wir jetzt die angedeutete, noch mit altem Schnee erfüllte Rinne. Nachdem die Eisen angelegt, begann der Aufstieg zum Seitengrat. Tritt für Tritt musste gesucht werden, langsam ging es zur Höhe, bis wir uns plötzlich veranlasst sahen, aus dem dunklen Schacht nach links auszuweichen. Doch das war nicht leicht, da sich die Platten in steiler Neigung zusammendrängten; jedoch gelang es nach vieler Mühe und wir befanden uns in einem Steingeröll, das jede Orientirung unmöglich machte. Immer drängten die Plattschichten und Felsbänder nach rechts, und wohl einsehend, dass nur von der Höhe ein Ueberblick des Terrains möglich ist, stiegen wir dem Grat zu, der uns zur Mittleren Höllenthalspitze führen sollte. Doch manch schlechter Tritt musste noch gethan werden und oben blickten wir zu unserer Ueberraschung statt ins Kirchlkar ins düstere Höllenthal hinab. Es galt jetzt, mit Aufgeben einer bedeutenden Höhe den bereits sichtbaren Felsthurm der Mittleren Höllenthalspitze zu umgehen. Hart an den Wänden hin, offene Schuttrinnen und kleine Kamine querend, näherten wir uns langsam dem Seitengrat. Ein furchtbares Chaos von Blöcken und Rinnen zeigte sich. Aufs gerathe wohl stiegen wir jetzt in der Mitte der gangbaren Wand an und kamen so auch glücklich auf gut passirbarem Gesimse auf den erwünschten Geröllsattel im Seitengrat. Jetzt sahen wir, dass wir gewonnenes Spiel hatten. Auf und neben dem Grat ging es rasch in die Höhe und nachdem eine grosse Geröllhalde überstiegen, näherten wir uns dem letzten Aufbau und erreichten früh 8 U. 45 die Mittlere (höchste) Höllenthalspitze. Grossartig und überraschend steht das krumme Horn der Inneren Höllenthalspitze uns gegenüber. Wunderbar war die Aussicht zu nennen, sie dürfte von ihrer Nachbarin wenig übertroffen werden.

Eine Stunde währte der Aufenthalt, dann ging es langsam auf dem alten Weg wieder der Steinwüste zu und Dank der zahlreich aufgelegten Dauben hatten wir wenig von Irrgängen zu leiden. Nur dürfte sich für künftige Ersteiger ein besserer Abstieg zum Kar durch die letzte Rinne finden lassen, welcher uns bald in die Klemme gebracht hätte. Da nämlich der Abstieg in den zum Aufsteigen benützten Plattenhängen nicht rathsam war, hielten wir uns hart an der linken Seite an eine schiefe, spitz zulaufende Wand, die zugleich in die fast senkrechte Klamm einfällt, und mussten hier mit Hilfe des Seils den Abstieg suchen. 12 U. Mittag erreichten wir wieder den Karboden. Da die Eisen bei dem Austritt aus dem Kar nochmals Dienste leisten mussten, so legten wir sie nicht ab; manch heikler Tritt musste noch an diesen ausgewaschenen Felstafeln gemacht werden, bis wir endlich die Querlinie einschlagen konnten, die uns nach mühsamem Aufwärtssteigen über Geröll Mittags 1 U. 25 wieder zur Knorr-Hütte brachte, die wir erst andern Morgens wieder verliessen, nachdem wir das Vergnügen hatten, die Nacht in Gesellschaft von 72 Personen zu verbringen, um dann mit geräderten Gliedern auf die Zugspitze zu wandern.

München. *Heinrich Schwaiger.*

Silvretta-Gruppe.

2. ***Augstenspitze****) 3227 m Sp.-K. Am 20. Juli 1882 erstieg ich dieselbe mit Herrn Dr. Strauss von Constanz in 4 1/4 St. von der Jamthal-Hütte auf neuem Weg, nämlich vom Futschölpassweg aus, mit Abstieg durch die Chalausscharte auf den Jamthalferner. Der letztere von mir schon voriges Jahr gewählte Weg ist weniger beschwerlich und er-

*) 1. S. Nr. 3., S. 84.

fordert weniger Zeit. Ohne Zweifel lässt sich aber vom Futschölpassweg noch ein erheblich näherer Anstieg auf die Spitze finden.

3. ***Punkt 3052 der Sp.-K.***, 3106 der Dufour- und Ziegler'schen Karten. Die Spitze liegt in dem Theil der Jamthal-Gruppe, in welchem die Benennungen am unsichersten sind. Während die Führer von Galtür Punkt 3052 der Sp.-K. Gemsspitze und den Punkt 3169 der Sp.-K. Jamthalfernerspitze heissen, wird die erstere Spitze von Herrn O. v. Pfister im Jahrbuch des S. A.-C. 1880/81 S. 362 ff. als Jamspitze und Punkt 3169 der Sp.-K. als Gemsspitze bezeichnet. Die Nomenclatur der Karten gibt keinen sicheren Anhaltspunkt. Die Entscheidung dieser Differenzpunkte wird wohl zweckmässig bis zur Revision der Dufour-Karte durch das Stabsbureau ausgesetzt.

Am 20. August früh 7 Uhr brach ich in Begleitung meiner Sections-Genossen der Herren Weiss und Köhler aus Heidenheim und Petzendorfer aus Stuttgart mit dem Gemsjäger Johann Walter von Galtür als Führer und einem Träger von der Jamthal-Hütte, deren Eröffnung auf diesen Tag festgesetzt war, zur Besteigung der Spitze 3052 der Sp.-K. auf. $^1/_4$ St. von der Hütte wird die Zunge des Jamthalferners betreten. Zuerst halten wir uns auf dem Scheitel, bis Klüfte uns an das rechte Ufer weisen. In $1\,^1/_4$ Stunde stehen wir vor einem Schuttkegel. Unterhalb desselben vereinigt sich der Gletscherarm, der von der Chalausscharte herabzieht, mit dem Hauptstrom des Jamthalferners. Wir steuern einem Schneedurchgang zu, welcher zwischen dem Schuttkegel und einer der Vorderen Augstenspitzen hindurch auf das obere Plateau des Jamthalferners führt. Von der Stelle des Durchganges haben wir in südlicher Richtung den erstrebten Gipfel vor uns. Ueber sanft geneigte Firnfelder mit zahlreichen, aber zahmen Gletscherspalten geht es bis an den Fuss der letzten Spitze, die als unschwierig zu erkletternder Felskamm auf unserer Seite etwa 100' steil aus dem Schnee aufragt, jenseits aber in beinah senkrechten Wänden etwa 260 m auf die Vadret Urezas abstürzt. Der Anblick dieses Absturzes lässt es wohl begreiflich erscheinen, dass Herr O. v. Pfister, welcher von dieser Seite den Gipfel anstieg, die Erreichung des höchsten Punktes aufgegeben hat. Bei warmem, sonnigem Wetter verbrachten wir hier oben $1\,^1/_2$ St. Wir befinden uns im Herzen der Silvretta-Gruppe, Angesichts der nahen finsteren Wände des Buin und der schroffen Pyramide des Linard. Gegen W., S. und O. umfasst der Blick der Albulaalpen, die Bernina, die Cima di Piazza, den Ortler und die Oetzthaler. Zwischen Bernina und Ortler ragt ein Gipfel auf, welcher in seiner Vereinzelung seine Nachbarn, im O. den Ortler, im W. die Bernina, an Höhe zu erreichen scheint. Wer öfter auf den Gipfeln der Ortler- und Bernina-Gruppe stand, ist erstaunt, eine so bedeutende, zwischen Ortler und Bernina gelegene Gruppe nicht sofort wieder zu erkennen. In der That handelt es sich hier um eine bisher zu wenig beachtete Gruppe, die sich stets dem Touristenstrom zu entziehen vermochte. Ihr höchster Gipfel ist die Cima di Piazza 3570 m. Das Val Viola zieht sich an ihrem Fusse hin.

Nicht darf ich vergessen, den reizenden Blick in die grünen Matten des Jamthals hinaus bis zu den Häusern des Dörfchens Galtür zu erwähnen.

Der Preis, um welchen diese herrliche Rundschau erreicht wird, ist ein kleiner. Bei gutem Schnee ist die Spitze bequem in 3 St. erreicht. — Eine frühere touristische Ersteigung der Spitze ist nicht bekannt.

Heidenheim. *C. Blezinger.*

Verwall-Gruppe.

Hochnördererspitze 2753 m. Von Galtür aus auf gut kenntlichem Pfad an der Ostseite der Grafenspitze hinauf und diese rechts liegen lassend auf die Pyramide des Hochnörderers zu, die ziemlich steil gegen das Jamthal abfällt und nur mit Anstrengung erstiegen werden kann, während die Rundsicht oben nicht in gleichem Maasse lohnend ist, weil sie durch in der nächsten Nähe, in der gleichen Kette liegende Spitzen sehr beschränkt wird, so dass die Besteigung im ganzen nicht empfohlen werden kann. Weit lohnender und sehr bequem zu besteigen ist die in der gleichen Kette liegende benachbarte

Sedelspitze 2715 m. Man geht von Galtür aus, auf gleichem Weg wie oben, am Hang des Gebirges hin, bis zur Einschartung zwischen Nörderer- und Sedelspitze, und gelangt von hier aus, anfangs etwas steiler, später ganz sanft ansteigend auf den Grat zur Spitze, von der aus sehr lohnende Aussicht. In nächster Nähe hat man die Steilwände der Bodmerspitze und den von derselben gegen das Vermuntthal abfallenden Gletscher, weiter zurück Jamthaler, ferner Augstenberg und Fluchthorn, gegenüber die Kette zwischen Larein- und Jamthal, auf der anderen Seite Ballunspitze und Vallüla, Lobspitze, Litzner u. s. w., so dass in Anbetracht der geringen Mühe, welche diese Besteigung verursacht, dieselbe jedem Touristen bestens empfohlen werden kann. Den Abstieg nahm ich auf die Scheibenthaja zu, derselbe ist im unteren Theil etwas steil. Es dürfte sich eher empfehlen, etwas weiter das Jamthal aufwärts zu halten und eine Halde zum Abstieg zu benützen, die sich dort in weniger schroffer Neigung nach dem Thal hinabzieht. Zum directen Aufstieg von Galtür wird man etwa 4 St. benöthigen; die Besteigung lässt sich mit einer Wanderung nach der neuen Clubhütte im Jamthal leicht verbinden.

Calw. *Emil Zöppritz.*

Stubaier Gruppe.

Riepenwand 2699 m Kat. Je öfter ich auf meinen vielen Gebirgsfahrten in der Umgebung von Innsbruck den Blick auf die hochinteressanten Gipfelformen der zwischen den Thälern Stubai, Wildenthal und Sendes sich erhebenden Kalkkögel richtete, desto lebhafter wurde mein Verlangen, diesen seltsamen Felsgebilden einmal näher zu treten, um so mehr, als Herr Carl Gsaller, ein bewährter Kenner und Erforscher dieser Bergkette, deren grossartig wilde Schönheit nicht genug rühmen konnte.

Im Verlauf der Jahre 1880—1882 erstieg ich nun in Begleitung mehrerer Alpenfreunde nach und nach die diesen Gebirgszug im O. flankirenden Höhen des Ampferstein 2551 m Sp.-K. und der thurmähnlichen Marchreisenspitze 2605 m Sp.-K., dann auch im westlichen Theil, nach wiederholten vergeblichen Versuchen, die beiden höchsten Erhebungen der ganzen Gruppe, die Schlickerwand (Nördliche Seespitze) 2810 m, sowie die südliche Spitze gleichen Namens 2710 m.*) Nun galt es noch, das Centrum der Kalkkögel kennen zu lernen, also die Maulgrubenspitze 2580 m, die Drei Säulen 2565 m, den Flochkogel 2610 m, die Riepenwand 2699 m Kat., die als unersteiglich bezeichnete Ochsenwand 2706 m, sowie schliesslich noch den im O. der Gruppe der Südlichen Seespitze sich anreihenden abenteuerlichen Gipfelkamm »Stellwagen«.

Leider sollte mir nur eine Besteigung der Riepenwand möglich werden. Am 24. Juni 1882 verliess ich mit einem Freunde Abends 10 U. 30 Innsbruck; über Axams, das wir 1 U. 30 erreichten, ging es dem Sendesthal zu, das ungefähr $1/2$ St. von Axams, in der Nähe von Grinzens ausmündet. Ohne uns bei der Kemater Alpe (4 U. 30) aufzuhalten, eilten wir in der Richtung auf das Seejöchl zu und hielten ein gutes Stück unter demselben an einem Wasser Rast. Der anbrechende Tag mahnte zum Aufbruch und aufwärts ging es über eine Reihe von mit unausstehlicher Consequenz wiederkehrenden Hügelrücken, die, zu allem Ueberfluss noch mit dichtem Geflecht von Wachholder- und Alpenrosensträuchern bedeckt, einem raschen Fortkommen sehr hinderlich waren. Endlich betraten wir das vom Seejöchl herabziehende grosse Schneefeld. Zuerst über harten Schnee, dann aber vielfach einbrechend nahmen wir unsere Richtung auf die, wie wir glaubten, vor uns sich aufbauende Riepenwand. Die rechts von derselben sich steil herabsenkende, im oberen Theil schneebedeckte Geröllhalde schien uns als der beste Angriffspunkt und nach Querung des Schneefelds auf aperem Boden angelangt, schnallten wir die Eisen an und begannen theils in dem sehr lockeren Geröll, theils in dem bald steinharten, bald wieder vollständig erweichten Schnee mühsam anzusteigen. Der Weg verengte sich mehr und mehr zur schmalen Rinne; endlich wurde die Scharte, die durch einen sehr hohen, einem Obelisk ähnlichen, in bedenklicher Weise überhängenden Fels in zwei Theile getrennt ist, erreicht. Zu unserem nicht geringen Verdruss sahen wir, dass wir zu weit westlich angestiegen waren und nun statt zwischen Riepen- und Ochsenwand, zwischen letzterer und der nördlichen Seespitze (Schlickerwand) standen. Einigermaassen entschädigt wurden wir durch den Anblick einer furchtbar wilden Felsscenerie, wie wir sie nicht sobald schauten. Rechts neben uns die himmelhohe Steilwand der Seespitze, links die zerklüftete Ochsenwand, vor uns gegen Stubai in tiefer Schlucht eine Gruppe der sonderbarsten thurmähnlichen hohen Felsen und im N. als wirksamer Gegensatz das Idyll des innern Sendesthals mit seinen begrünten Matten.

Nach kurzer Rast wurde aufgebrochen, um wenigstens den Versuch zu machen, ob der Ochsenwand von dieser Seite beizukommen wäre. Der

*) S. Mittheilungen 1880, S. 26.

Versuch scheiterte jedoch an der wilden Zerrissenheit und Brüchigkeit der im stärksten Verwitterungsprocess befindlichen steilen Felswände. Auch nicht ein fester Stein war zu finden, nirgends ein sicherer Haltpunkt und bei jedem Tritt prasselten ganze Stein-Lawinen in die unheimliche Tiefe.

Also zurück zur Scharte und wieder den alten Weg bergab. Ehe wir jedoch das Thal erreichten, bogen wir nach rechts ein und umgingen die Ochsenwand unmittelbar unter ihrem senkrechten braungelb und schwarz gefleckten Nordabsturz auf massenhaft angehäuftem Lawinenschnee, stiegen dann wieder in der Sandreisse im O. derselben bis zur Scharte zwischen Ochsen- und Riepenwand empor, von der ein steiler Schneekamin links emporzog, welcher, wie wir diesmal nicht mit Unrecht vermutheten, zur Spitze der Riepenwand führen musste. Wieder begann das ermüdende Schneebrechen, bis wir endlich auf dem Grat anlangten, der sich vom Hauptkamm gegen N. vorschiebt. Uns nun gerade südlich haltend, überschritten wir auch letzteren und erblickten endlich in östlicher Richtung die ersehnte Spitze, die wir, uns fortwährend auf der Süd-Abdachung haltend, nach Erkletterung eines letzten Felsknotens ohne weitere Mühe betraten, 11 U. 41. Wir fanden keine Spuren einer früheren Ersteigung und errichteten einen Steinmann.

Die Spitze selbst bietet grösseren Raum als man vermuthet; der Hauptgrat setzt in östlicher Richtung leicht passirbar fort bis zu einer zweiten etwas niedrigeren Erhebung.

Die Ersteigung der Riepenwand bietet bei günstigeren Verhältnissen keine besonderen Schwierigkeiten und ist nach unserem Ermessen auf der N.-O.- und W.-Seite ohne sonderliche Mühe ausführbar; nur von S. dürfte sie schwieriger sein.

Die Aussicht steht jener von der Marchreisenspitze wenig nach, sie umfasst die Kalkketten im N., das Innthal bis zum Kaisergebirge, die Zillerthaler und Tuxer Gipfel, Habicht, Tribulaun, Schrankogel und Fernerkogel; die Stubaier Centralgruppe mit Zuckerhütl ist leider durch die Nördliche Seespitze gedeckt; weiter folgen die Gipfel um Kühtai, das Mieminger- und Wettersteingebirge.

Die Thalaussicht ist sehr schön, Theile des äusseren Stubaithals, das Sendesthal und die Gegend bei Zirl und Seefeld; dazu in nächster Nähe das Felsgewirre der Kalkkögel mit ihren bizarren Formen, die sich nicht leicht beschreiben lassen. 1 U. 15 verliessen wir die Spitze und versuchten nach kurzer Recognoscirung den directen Abstieg auf der Nordseite, der auch nach längerem Traversiren auf schmalen Felsbändern (an einigen Stellen Schwindelfreiheit erforderlich) und nach Erreichung einer sich tief hinab erstreckenden Schneezunge gelang. 2 U. 34 m betraten wir das Sendesthal.

Hier war es, wo ich, mich zufällig gegen das Seejöchl wendend, zu meinem Erstaunen das erste Mal die Erscheinung der Luftspiegelung (Fata morgana) zu beobachten Gelegenheit hatte. Ich machte meinen Gefährten darauf aufmerksam und wir konstatirten, dass auf der leichten hinter dem

Seejöchl sich ausdehnenden Nebelschicht das Bild der Schlickerwand in deutlich erkennbaren Umrissen sich zeigte. Das Phänomen verschwand nach circa 4—5 Min. plötzlich.

Bevor wir den schönen Kessel der Kemater Alpe verliessen, um in die Thalenge hinabzusteigen, blickten wir nochmals zurück auf das schöne Bild: die liebliche Alpenmatte mit ihrem grossartig ernsten Hintergrund, den jeder Vegetation baaren, drohenden Gestalten der Kalkkögel.

8 U. waren wir wieder in Axams, 10 U. 45 zu Hause.

Innsbruck. *Karl Wechner.*

Zillerthaler Gruppe.

IV. und III. Hornspitze 3232 m und 3310 m (mit Abstieg über den Westgrat). Am 11. September 1882 verliess ich in Gesellschaft meiner Freunde Emil und Richard Zsigmondy und des Herrn A. Eder aus Wien 4 U. 5 früh die Berliner Hütte 2030 m An. Dr. Wir nahmen unseren Aufstieg mitten durch den Gletscherbruch des Hornkeeses, wie bei der Thurnerkampbesteigung am 22. August v. J.*) Diesmal ganz leicht zwischen den schönen Séracs durch, 8 U. 45 in dem Firnkessel unterhalb des Tratterjochs, 9 U. 10 auf dem Kamm zwischen V. und IV. Hornspitze (Rast 30 Min.) und 9 U. 50 auf dem Gipfel der letzteren. Bei orkanartigem Sturm und heftigem Schneegestöber hinüber auf die III. Hornspitze, 10 U. 45. Abstieg über den Westgrat leicht; zwei hübsche Blockstellen, dann über ein kurzes Schneefeld hinab auf den Hornfirn. Den Rückgang nahmen wir über die westlichen Hänge des Hornkamms. In Folge sehr langsamen, durch viele Rasten unterbrochenen Gehens, da Herr Eder gänzlich erschöpft war, erreichten wir erst 4 U. 35 Nachmittags die Berliner Hütte. Hier blieb Herr Eder zurück. Wir übrigen noch hinaus nach Rosshag. Berliner Hütte ab 6 U. 5, Rosshag 8 U. 15. Leider waren Nebel und Regen unsere beständigen Begleiter während dieser Partie. Bei günstiger Witterung dürfte dieselbe jedoch der schönen Gletscherformation und der abwechslungsreichen Gratwanderung wegen sehr lohnend sein. Dabei empfiehlt sie sich der geringen Schwierigkeiten halber auch für minder geübte Touristen.

Wien. *Dr. Carl Diener.*

Friedrichspitze 2400 m An. Dr. Am 19. August 1882 führte ich die Besteigung des genannten Berges von Rosshag durch die Gunkel und über den Gaulkopf 2363 m aus. Rosshag ab 8 U. 46, Jagdhaus in der Gunkel 9 U. 28. Ueber steile Grashänge (Maximum 48° Klin.) auf den Gaulkopf 2363 m, 11 U. 33, ab 11 U. 45. In die Scharte zwischen demselben und der Friedrichspitze (2340 m An. Dr.) und über den Grat ohne Mühe auf die letztere. 12 U. 12. Aussicht beschränkt, doch recht hübsch und sehr instructiv für den Hintergrund des Gunkelthals, der auf keiner Karte vollkommen richtig dargestellt ist. Auch auf

*) Mittheilungen 1881, S. 329.

der Alpenvereins-Karte sind einzelne Partien des Ingent-Kamms und das Gunkelkees uncorrect gezeichnet. Statt des letzteren zeichnet die genannte Karte zwei getrennte Gletscher, was nicht richtig ist. Am Ingent-Kamm dagegen liegen die thatsächlichen Verhältnisse zwischen Punkt 3045 m Sp.-K. und dem Gr. Ingent folgendermaassen: Nördlich von Punkt 3045 m Sp.-K. entsendet der Ingent-Kamm eine kurze Felsrippe nach NO. und zieht dann über Punkt 2895 m A.-V.-K. zu einer ca. 2750 m tief eingeschnittenen Scharte. Nördlich von derselben springt eine zweite Felsrippe nach NO. vor und schliesst mit dem vorigen Seitenast einen kleinen, jedoch wild zerklüfteten Gletscher ein. Dieser Gletscher steht auf keiner Karte verzeichnet und doch ist es ein recht übel zerschründetes Kees, das seine bläulichen Firnwogen hier herabwälzt. Am besten dürfte wohl für dasselbe der Name Gunkelkargletscher passen. Unterhalb des Ingentgipfels gelangen noch zwei kleine Firnlager zur Entwicklung, die gleichfalls dem Gebiet der Gunkel angehören. — Friedrichspitze ab 12 U. 23, Jagdhaus in der Gunkel 1 U. 30, Rast bis 2 U. 5., Rosshag 3 U. 8.

Wien. *Dr. Carl Diener.*

Meteorologische Berichte aus den Ostalpen

März 1883.

Station	Luftdruck					Temperatur					Niederschlagmenge des Monats in Millimetern
	Mittel	Maximum		Minimum		Mittel	Maximum		Minimum		
	mm	mm	am	mm	am	°C	°C	am	°C	am	
Reichenau	713·5	733·9	4.	701·0	11.	—0·2	8·9	26.	—6·1	13	17
Windisch-Garsten	703·3	721·5	3.	688·6	26	—2·3	22·5	17	—17·5	5.	147
Salzburg	718·9	739·0	3.	704·2	26.	—0·6	14·1	31.	—10·8	23.	50
Traunstein	705·8	725·5	3.	691·0	12.	—2·1	13·4	31.	—13·6	23.	44
Rosenheim	—	—	—	—	—	—0·35	14·8	31.	—12·9	8.	45
Hohenpeissenberg	700·0	687·8	3.	655·3	10.	—4·78	10·9	31.	—16·4	23.	42
Lindau	—	—	—	—	—	—	13·0	31.	—10·1	13	43
Klagenfurt	717·8	736·9	4.	704·4	12.	0·43	11·6	31	—9·4	14.	52
Judenburg	691·2	710·5	4.	677·8	12.	—1·3	11·3	31.	—12·8	24.	40
Toblach	653·0	667·5	4.	640·0	12.	—6·0	6·0	1.	-22·0	14.	34
Innsbruck	705·3	723·3	3.	691·1	10.	5·5	13·0	26	—8·0	23.	22
Tüffer	737·5	756·2	4.	723·4	12.	1·9	13·0	19.	—11·6	14.	90
Laibach	730·7	748·0	4.	717·0	12.	1·3	11·0	18.	—13·4	14.	112
Hochobir	585·6	599·1	4	573·5	12.	—9·3	—1·0	25.	—21·8	13.	73
Schmittenhöhe											
December	610·0	616·0	5.	600·0	9.	6·6	18·0	3.	0·	13.	2
Januar	611·0	616·5	19.	606·0	9.	—12·	20·0	24.	0·	1.	2
März	610·7	616·0	14.	607·0	25.	13.	20·0	4	5·	—	2

Literatur und Kunst.

Angerer Dr. J., die Waldwirthschaft in Tirol vom volkswirthschaftlichen, socialen und geschichtlichen Standpunkt beleuchtet. Bozen 1883 (Promperger). Das Reinerträgniss ist für die Ueberschwemmten bestimmt. Herausgegeben von der Handels- und Gewerbekammer in Bozen. Preis 1 M. —.

Es war zu erwarten, dass die über Tirol und Kärnten hereingebrochene Hochwasser-Katastrophe eine Reihe von Publicationen über ihre Ursachen und über die Mittel zur Abhülfe hervorrufen und dass in denselben vorzugsweise die Waldfrage in den Vordergrund treten werde.*) In der oben angezeigten Schrift haben wir wieder eine solche Publication, deren etwas eingehendere Besprechung zur weiteren Verbreitung und zum Studium ihres Inhalts Einiges beitragen möge.

Im ersten Abschnitt: Allgemeine Betrachtungen über den Wald in Tirol behandelt Verf. die Stellung des Waldes nach zwei Richtungen, in der Privatwirthschaft und in der Volkswirthschaft. Die Wichtigkeit des Waldes in der tiroler Privatwirthschaft ergibt sich schon aus einer Uebersicht der Waldbesitzverhältnisse, wonach von dem Gesammtwaldareal in Tirol zu 1 050 623 ha nur 120 807 ha Staats- und Fondsforste, hingegen 553 196 ha Gemeinde- und 376 620 ha Privat-Waldungen sind. Nur die verhältnissmässig schwach vertretenen Staats- und Fondsforste stehen unter der Verwaltung staatlich bestellter Forstorgane, die Gemeindewaldungen unter einer unzulänglichen Aufsicht, und die Privatwaldungen sind, abgesehen von den schwach controlirten Beschränkungen des Forstgesetzes, der Willkür der Besitzer preisgegeben. Dieselben Uebel, die in den meisten Culturländern den Ruin der Waldungen herbeiführten, haben, früher langsam, in neuester Zeit, namentlich seit dem Bau der Eisenbahnen, mit Riesenschritten den Privatwald zu Grunde gerichtet. Den privat- und volkswirthschaftlichen Vortheilen, die der gut gepflegte Wald besonders für Hochgebirgsländer hat, stehen die verderblichen Folgen der Entwaldung drohend gegenüber. »Der Wald im Gebirgslande ist die hauptsächlichste Lebensquelle des Volkes. Wird er ausgerottet, geht auch das Volk zu Grunde, weil jene Art von Bodencultur, welche den Bewohnern den Lebensunterhalt schafft, ohne den nothwendigen Waldbesitz nicht denkbar ist.« Abgesehen von den Forstprodukten selbst, ist die Dauer der Quellen, die Fruchtbarkeit der Wiesen und Aecker, Jagd und Fischerei, der Aufenthalt zahlreicher Fremden, die Existenz der Heilbäder von der Erhaltung des Waldes abhängig. Mit dem Wald fällt der Schutz der Thäler, der Ortschaften und der Verkehrswege vor Lawinen, Muhrbrüchen und Bergstürzen. Nicht nur die Grenze der Alpenweide, sondern die der Vegetation überhaupt sinkt mit der Entwaldung immer tiefer herab. Auch die idealen Beziehungen des Waldes zum Volke sind nicht zu unterschätzen; die besten Eigenschaften des tiroler Volkes, sein heiterer Sinn, sein Festhalten an alter guter Sitte, seine Tapferkeit und seine Vaterlandsliebe sind durch die Verkümmerung des Waldes bedroht.

Der zweite Abschnitt behandelt in kurzen, nicht weniger treffenden Zügen die Geschichte der Waldwirthschaft in Tirol und zwar 1. die Zeit der Volksrechte, 2. die landesfürstliche Waldherrschaft und 3. die Periode der Waldtheilung und Privatwirthschaft. Im allgemeinen erinnert der geschichtliche Vorgang hinsichtlich der Gestaltung der Waldbesitz- und Forstpolizei-Verhältnisse in Tirol sehr an das, was wir von der Geschichte des Waldes auch in Deutschland überhaupt wissen. Der Wald, der in uralter Zeit gemeinschaftliches Eigenthum war und genossenschaftlich genutzt wurde, gerieth allmälig unter die feudale, später unter die landesfürstliche Herrschaft; an Stelle der uns in den Weisthümern theilweise noch erhaltenen, mit Strenge geübten Vorschriften traten die fürstlichen Waldordnungen (z. B. die allgemeine Tiroler Waldordnung vom Jahre 1541) und an Stelle der vom Volk gewählten Waldgeschworenen die fürstlichen Forst- und Jagdbeamten. Wo die Waldungen nicht in den unmittelbaren Besitz des Landesherrn gefallen waren, standen sie doch soweit unter Landeshoheit, dass die Freiheit der Benutzung beschränkt war und dass Abgaben der verschiedensten Art für ihren Nutzgenuss erhoben wurden. Nach der französischen Revolution und nach Beendigung der Kriege im Anfang dieses Jahrhunderts folgte im Geiste der neuen Zeit das Aufgeben des Forstregals,

*) Siehe auch Mittheilungen 1883 Nr. 1, S. 28.

der Erlass der auf dem Waldbesitz lastenden Abgaben, die Freigabe der Gemeindewaldungen, die Vertheilung und Parcellirung etc. Zu einer einheitlichen, den neueren Staatsgrundsätzen entsprechenden Forstgesetzgebung, die für alle Waldungen, ohne Rücksicht auf den Besitz, gelten sollte, kam es aber erst mit dem Patent vom 3. December 1852 (fast gleichzeitig mit dem bairischen Forstgesetz), worauf 1856 die kaiserliche Verordnung betr. die Organisation der Forstverwaltung folgte.

Wie kam es aber, dass trotz der auffallenden Aehnlichkeit des Vorganges in den nördlichen Nachbarländern hier in Tirol jene, heute so tief beklagten Zustände eintraten, während dort wenigstens der Kern der Waldungen erhalten blieb, an vielen Orten sogar eine entschiedene Besserung nicht zu verkennen ist? Dr. Angerer gibt uns hierüber einigen Aufschluss. Mit der Ausbeutung der Waldungen im Etsch-Gebiet hatten schon die Römer den Anfang gemacht; eine bereits im frühen Mittelalter mit reichen Privilegien ausgestattete Flösserzunft setzte das Werk der Zerstörung fort. Die in anderen Alpengebieten (so im Bairischen und Salzburgischen) verpönte Ziegen- und Schafweide und die Unsitte des Entastens stehender Bäume zur Streugewinnung (das Aufschneideln oder Dachsenstümmeln) waren in unbeschränkter Weise frühzeitig üblich. Gegen die Forstordnungen, welche diese und ähnliche Misstände zu beseitigen suchten, traten die tiroler Landstände schon im Anfang des 16. Jahrhunderts und später mit Erfolg auf; wenigstens wussten sie durch Verminderung der Aufsichtsorgane ihre Wirksamkeit abzuschwächen. Die schonungslose Ausbeutung der Waldungen zum Betrieb der Montanwerke, insbesondere der Salinen, trug auch das ihrige zur Abnahme des Waldstandes bei. Die odiosen Abgaben, welche in der Form von »Holzaufschlag und Stockgeld« den Besitzern auferlegt wurden und erst im Jahre 1828 aufhörten, dann die Ausfuhrzölle, zeitweise sogar ein Ausfuhrverbot, zahlreiche andere Beschränkungen und Belästigungen zu Gunsten der herrschaftlichen Casse und der Jagd bewirkten nichts anderes, als die Neigung der Bevölkerung, sich denselben unrechtmässiger Weise zu entziehen, und alle diese Bestimmungen konnten auch bei der äusserst mangelhaften Aufsicht nicht consequent durchgeführt werden. Weder der Staatswaldbesitz, noch der Waldbesitz in geistlicher Hand, noch der des Adels gelangte zu hervorragender Bedeutung, wie dies gleichzeitig anderwärts der Fall war. In neuester Zeit war die Aufhebung der strammen Organisation vom Jahre 1856 und die laxe Handhabung des Forstgesetzes von verhängnissvollen Folgen für den Waldstand in Tirol. Auch die neue österreichische Forstorganisation vom Jahre 1873 mit ihrer vollständigen Trennung der Forstpolizei von der Staatsforstverwaltung scheint nach den Ausführungen des Verf. nicht geeignet, eine gründliche Besserung herbeizuführen.

Den Organisations-Bestrebungen der Gegenwart, die theils durch eine vom Tiroler Landtag berufene Forstcommission, theils in einer freien Versammlung von Forstmännern und Landwirthen Tirols in Brixen zum Ausdruck gekommen waren, widmet Verf. den dritten und letzten Abschnitt. Leider waren die von dort kommenden zweckentsprechenden Anregungen bisher ohne Erfolg, indem sie beim Landtag im Jahre 1880 nur mangelhafte Vertretung fanden und die bezüglichen Verhandlungen noch keine Entscheidung herbeiführten.

Als dringende Erfordernisse werden bezeichnet: Strengere Verfolgung und Bestrafung der Forstpolizeiübertretungen durch die Gerichte, nicht wie bisher durch die politischen Behörden, Organisirung der Forstaufsicht nach einheitlichem Princip, Wiedervereinigung der Forstpolizei mit der Staatsforstverwaltung, energische Wiederaufforstung der obern Waldregion, Geldbewilligung vom Reich behufs Durchführung dieser Verbesserungen. — Die von anderer Seite in Vorschlag gebrachte Massregel der Beschränkung der Holzausfuhr oder der Einführung eines Ausfuhrzolles wird nach verschiedenen Richtungen besprochen, schliesslich aber doch nur die Einführung eines mässigen Stockgeldes für das zum Verkauf ausser der Gemeinde bestimmte Holz empfohlen, um durch diese angeblich dem Käufer zur Last fallende Abgabe wenigstens theilweise die Kosten für die bessere Waldaufsicht zu decken.

Den Schluss bildet der Wunsch, dass die Bevölkerung durch ihre berufenen Lehrer und Berather über die Bestimmung und die Wichtigkeit der Waldungen aufgeklärt werde, und der Ausdruck der Hoffnung, »dass das Ideal aller forstwirthschaftlichen Reformen erreicht werden möchte, bestehend in einem einzigen Waldbesitz, dem Gemeindewald, nach dem Vorbild der alten Waldgenossenschaften und unter der schützenden Obhut der staatlichen Forsthoheit.«

Wenn auch der Sache ferner stehend, jedoch von dem Wunsche beseelt, dass endlich im schönen Land Tirol dem Wald sein Recht werden möchte, können wir nicht umhin, den Forderungen des Verf., mit denen wir in der Hauptsache sehr einverstanden sind, wenige Worte beizufügen. Das österr. Forstgesetz von 1852 enthält zum Schutz des Waldes und insbesondere des Hochgebirgswaldes so zahlreiche und einschneidende Bestimmungen, dass man meinen sollte, es bedürfe nur einer kräftigen Handhabung, um selbst in den Privatwaldungen bessere Zustände herbeizuführen. Was wir aber vermissen, sind bestimmte Anordnungen über die nachhaltige Bewirthschaftung der Gemeindewaldungen, über die Aufstellung und Beobachtung von autorisirten Wirthschaftsplänen und über die erforderlichen Controlmassregeln. Es ist uns unbekannt, ob solche Bestimmungen etwa in anderen österreichischen Gesetzen oder Verwaltungs-Normen vorhanden sind; wenn aber auch, so wurden sie — wie es scheint — in Tirol bisher ebenso wenig beachtet wie in alter Zeit die Forstordnungen und wie in neuerer Zeit die forstpolizeilichen Anordnungen des Forstgesetzes. Da aber der Schwerpunkt des Forstwesens in Tirol nicht in den Staatswaldungen, die nur 11%, auch nicht in den Privatwaldungen, die 36% der Gesammtwaldfläche einnehmen, sondern, wie kaum in einem andern Lande, in dem Gemeindewaldbesitz mit seinen 53% liegt, so müsste es von der grössten Bedeutung sein, wenn unter gleichzeitiger Fernhaltung aller waldschädlichen Einflüsse eine nachhaltige Wirthschaft in allen Gemeindewaldungen endlich eingeführt werden könnte. Dazu müssten vor Allem die erforderlichen gesetzlichen, organisatorischen und finanziellen Massregeln getroffen werden. Unter dieser Voraussetzung theilen wir des Verf. Vorliebe für das Ideal des Gemeindewaldbesitzes, wenn wir auch nicht zu erkennen vermögen, in welcher Weise derselbe jemals wieder die einzige Besitzform werden soll.

M. *v. R.*

Partsch J., die Gletscher der Vorzeit in den Karpathen und den Mittelgebirgen Deutschlands nach fremden und eigenen Beobachtungen. Mit 4 Karten. Breslau 1882, Köbner. 7 M. 60.

Der Verf. hat auf wiederholten Reisen die Thäler der Hohen Tatra und des Riesengebirges nach Gletscherspuren eingehend untersucht, und die Ergebnisse dieser mühevollen aber dankbaren Forschung in einer sehr lesbaren und sorgfältigen Form hier niedergelegt. Die Vergletscherung der Tatra ist wohl schon seit längerer Zeit bekannt, wenn auch mehr vermuthet als im Einzelnen nachgewiesen. Dieser Nachweis ist nun für einen grossen Theil des Gebirges in endgiltiger Weise erbracht. Die Moränenwälle an den Thalflanken und die Randwälle an mehreren Thalausgängen sind mit Sorgfalt untersucht und in die Karten eingetragen. Am Riesengebirge ist besonders den beiden Schneegruben eine detailirte Arbeit zugewendet. Es sind das zwei nebeneinander liegende circusartige Halbkessel, deren äusserer Rand von grobem Blockwerk gebildet wird. Eine eigene Aufnahme in 1 : 10 000 soll das Bild dieser eigenthümlichen Erosionsform dem Leser genau vermitteln. Ein Besuch im Böhmerwald constatirte auch dort ähnliche meist mit Seen erfüllte »Kare«.

Für die anderen deutschen Mittelgebirge werden dann die bisherigen fremden Forschungen zusammengestellt, so die neuesten Entdeckungen am Harz, die älteren an den Vogesen und am Schwarzwald. Die von **Fraas** und Anderen behauptete Vergletscherung der Rauhen Alp wird negirt.

Es ist hier unmöglich, auf die vielen feinen Beobachtungen klimatologischer und anderer Art einzugehen, welche besonders in dem allgemeinen Schlusscapitel niedergelegt sind, und welche von dem weiten echt geographischen Ueberblick des Verfassers Zeugniss ablegen. Nur auf eine Frage will ich etwas näher eingehen, welche gegenwärtig mehr als andere die Aufmerksamkeit erregt; nämlich die der Glacialerosion. Verf. hält sich wohl im ganzen ziemlich reservirt: doch kommt er bei aller Vorsicht schliesslich zu dem Ergebniss, jene erwähnten circusartigen Nischen im Gebirge, welche sich auch in Skandinavien finden und dort »Botner« genannt werden, zu den Glacialerscheinungen zu rechnen. Das Hauptargument hiefür sieht er in dem Nachweis, dass diese Botner nur in solchen Gebirgen vorkommen, welche einst vergletschert waren und zwar nur oberhalb der für die Eiszeit nachweisbaren Schneegrenze, während sie in anderen niedrigeren Berglandschaften vollständig zu fehlen scheinen. Die Ausnagung durch fliessendes Wasser wird als unmöglich zurückgewiesen, da zwar die Ausbildung des Circus durch das Zurückgreifen der Erosionsrinnen einer Wasserader denkbar sei, nicht aber die Entstehung der ebenen Felsböden oder der Seebecken, wie sie sich am Grunde jener Kessel finden. Da auch Einstürze, Kraterbildung und ähnliches ausgeschlossen sind, so bleibt nur die — Gletschererosion. Zwar spräche die Mehrzahl der Physiker dem Gletschereise die Fähigkeit zu erodiren ab; aber so lange nicht eine Wissenschaft der anderen das Denken verbieten könne, würde immer eine Anzahl der Geographen aus dem unleugbaren Zusammenhang zwischen der Verbreitung jener Felsenbassins und der Ausdehnung alter Vergletscherung den Schluss ziehen, dass den alten Gletschern bei der Aushöhlung der Felsenbecken ein wichtiger Antheil zuzuschreiben sei. Dem gegenüber kann Referent doch die Bemerkung nicht unterdrücken, dass nicht blos die Physiker bisher die Möglichkeit der Gletschererosion bezweifelt haben, sondern auch fast alle jene Geologen, welche die modernen Gletscher eingehender zu beobachten pflegen. Wenn also sozusagen das Experiment an den Ueberbleibseln der alten Gletscher, nämlich den jetzigen, fortdauernd auch in Zukunft so ungünstig für jene Hypothese ausfallen sollte, wie es bisher den Anschein hat, so wird jener allgemein geographische Schluss keine Beweiskraft beanspruchen können und wird aufgegeben werden müssen. Um aus diesem Stadium der Frage zu entrinnen, sehe ich daher nur einen Ausweg: genauestes Studium der heutigen Gletscher nach den Richtungen, welche eben hier in Frage kommen, was bisher doch noch nicht in entsprechender Weise geschehen ist. *R.*

Schönach Hugo, Professor, Literatur und Statistik der Flora von Tirol und Vorarlberg. I. Theil (24 S.) Bruneck 1880; 2. Theil (44 S.) Feldkirch 1882.

Wir glauben Manchem der zahlreichen Verehrer des schönen Landes Tirol, welcher auf seinen Streifzügen die scientia amabilis nicht ganz zu vernachlässigen pflegt, einen Gefallen zu erweisen, wenn wir ihn auf die oben genannte literarische Arbeit aufmerksam machen. Angeregt durch die kurze Uebersicht der wichtigsten Erscheinungen auf dem Gebiet der botanischen Literatur Tirols im dritten Band der **Hausmann**'schen »Flora von Tirol« (S. 1151) hat es Verf. unternommen, ein möglichst vollständiges Verzeichniss aller auf die botanische Literatur Tirols und Vorarlbergs Bezug habenden Schriften mit kurzen Notizen zusammenzustellen und damit gewissermaassen die Erforschungsgeschichte der Flora der beiden eben genannten Länder (auch Salzburg ist darin einbegriffen) darzulegen. Anfangend mit dem Jahre 1517 gibt Verf. in chronologischer Reihenfolge das Verzeichniss der einschlagenden Werke in der gebräuchlichen bibliographischen Weise (Autor, vollständiger Titel, Seitenzahl, Ort des Erscheinens). Am Fusse der Seiten finden sich zahlreiche Hinweise auf Nekrologe und Biographien der betreffenden Autoren. Ein alphabetisches Autorenregister beschliesst die Arbeit und erleichtert das Nachschlagen. — Der erste Theil dieser sehr dankenswerthen Publication ist erschienen im Sommer 1880 als wissenschaftliche Beilage des VI. Programms der k. k. Unterrealschule in Bruneck, erstreckt sich auf die Jahre 1517—1841 und umfasst 221 Werke und Abhandlungen; der zweite Theil, weitere 458 Nummern enthaltend und bis zum Anfang des Jahres 1880 reichend, erschien im Herbst 1882 als Beilage zum 27. Jahresbericht des k. k. Real- und Obergymnasiums in Feldkirch. — Wir schliessen unsere Anzeige mit dem Wunsch, Verfasser möchte recht bald die in Aussicht gestellte Vervollständigung (es ist manche in Deutschland erschienene einschlägige Arbeit nachzutragen, und mit Vergnügen stellen wir dem geehrten Herrn Verfasser in dieser Hinsicht unsere Dienste zur Verfügung) und Ergänzung ausführen und das Ganze dann vor dem Schicksal des »programmata sunt, non leguntur« dadurch bewahren, dass er es als selbständiges Werkchen dem Buchhandel übergibt, und so leichter und für grössere Kreise als bloss für die Lehrerwelt Oesterreichs zugänglich macht. Endlich möchten wir dem weiteren Wunsch Ausdruck geben, dass sich eine mit dem nöthigen Registratortrieb ausgestattete Hand bereit fände, in gleicher Weise Zoologie und Mineralogie zu bearbeiten!

Cassel. *A.*

Von der in Nr. 2 von uns avisirten **Deutschen Touristenzeitung** ist Nr. 1 (April) erschienen. Das 16 Quartseiten starke, elegant ausgestattete Heft enthält an grösseren Arbeiten: Wanderungen in den Rheinlanden (Schloss Eltz). — Tetuan bei den Säulen des Herkules.

Aus dem übrigen reichen Inhalt erwähnen wir einen von Giessen ausgehenden phänologischen Aufruf, mit der Bitte an Naturfreunde um Mittheilungen über die wichtigsten Vegetationsstufen, besonders erste Blüthe und Fruchtreife, einer Reihe von Pflanzen, Sträuchern und Bäumen bei freistehenden Exemplaren. Einsendungen sind an Herrn Professor Dr. H. Hoffmann in Giessen zu richten.

Schliesslich entnehmen wir derselben Nr. einen Bericht über die am 15. und 16. October 1882 in Frankfurt abgehaltenen Delegirten-Versammlung deutscher Touristen-Vereine. Nachdem auf einer im Juni 1880 stattgehabten Zusammenkunft von Delegirten mehrerer deutschen Touristen-Vereine auf Anregung des Taunus-Club zu Frankfurt a. M. die Bildung eines Verbandes deutscher Touristenvereine als zweckmässig und wünschenswerth erklärt, und der Vorstand des Taunus-Club beauftragt worden war, die einleitenden Vorbereitungen zu treffen, erging an die Vereine die Einladung zu einer Delegirten-Versammlung auf den 15. October 1882 nach Frankfurt a. M. Dieselbe fand im Vereinslocal des Taunus-Club unter Vorsitz des Präsidenten desselben, Herrn Hauptmann G. Haus, statt. Von fast allen eingeladenen Vereinen waren Zuschriften eingelaufen, welche sich zumeist für den zu gründenden Verband aussprachen. Durch Delegirte waren folgende 11 Vereine mit zusammen 10.000 Mitgliedern persönlich vertreten: Taunus-Club in Frankfurt a. M. (840 Mitglieder), Vogesen-Club in Strassburg i. E. (2700), Rhön-Club in Fulda (2100), Offenbacher Touristen-Club in Offenbach a. M. (30), Spessart-Touristen-Verein in Hanau (50), Thüringer Wald-Verein in Eisenach (1700), Verein der Spessart-Freunde in Aschaffenburg (565), Taunus-Club Wetterau in Nauheim (200), Vogelsberger Höhen-Club in Schotten (912), Odenwald-Club in Erbach (800), Rheinischer Touristen-Club in Mainz (60). Da man über die Bildung eines Verbandes und dessen hohe Bedeutung für die deutsche Touristik nach kurzer Debatte einig war, wurde sofort zur Specialberathung der Statuten geschritten. Aus der Verhandlung ist Folgendes hervorzuheben: 1. Die Vereinigung soll, wie vorgeschlagen, »Verband deutscher Touristen-Vereine« heissen. 2. Die Selbständigkeit der einzelnen Vereine soll vollständig gewahrt bleiben. 3. Die Herausgabe einer Verbandszeitung wird für das Gedeihen des Verbandes als dringend nothwendig erklärt. Der anwesende Verlagsbuchhändler, Herr A. Mahlau, Mitglied des Taunus-Club, erbietet sich die Ausführung zu übernehmen, und dabei auf Subvention aus den Vereinsmitteln zu verzichten unter der Voraussetzung, von Seiten der Verbandsmitglieder durch allgemeine Betheiligung an der Zeitschrift unterstützt zu werden. 4. Die Beitragspflicht der einzelnen Vereine soll sich zunächst auf die Repartirung der von dem Central-Ausschuss zu machenden nöthigsten Ausgaben für Drucksachen, Porti etc. beschränken. — In den provisorischen Centralausschuss wurden darauf folgende Mitglieder des Taunus-Club in Frankfurt a. M. gewählt: G. Haus, I. Präsident, J. Streng, II. Präsident, G. Scholl, I. Schriftführer, Ch. Wentz, II. Schriftführer, E. Schiffermüller, Cassier. Schliesslich wurde bestimmt, die constituirende General-Versammlung des Verbandes im Mai d. J. (an Pfingsten) und zwar in Fulda abzuhalten und inzwischen allen einzelnen Vereinen die Statuten nebst Einladung zum Beitritt zu übersenden.

Periodische Literatur.

Oesterreichische Alpen-Zeitung. Nr. 109. 110. Diener, auf den Oetzthaler Fernern. — v. Lendenfeld, in den Klippen von Süd-Australien. — Purtscheller, Hoher Tenn und Brachkopf. — Müller, aus dem Kaukasus.

Schweizer Alpen-Zeitung. Nr. 7. 8. Clubhütte auf dem Aargletscher. — Monte Torrone. — Durheim, Bagnethal, Mont Avril und die südlichen Monte Rosa-Thäler. — Das Schwaben-Alter.

Chronik des Oesterreichischen Touristen-Club. Jahrgang 1882. Plant, eine Bergfahrt bei Meran. — Spöttl, auf Löss gebaut. — Fink, schützet und pfleget den Wald. — Clubangelegenheiten.

Club alpin Français. Bullentin mensuel 1883. Nr. 2. Excursion dans la valleé de la Gordolasque. — Une ascension au Mont Olympe en 1835.

Mittheilungen der Section für Höhlenkunde des Ö. T. C. 1883. Nr. 1. Haardt, die Recca-Höhlen von St. Canzian. — Bibliographie.

Rivista alpina Italiana. 1883, Nr. 1, 2. Modoni, doppo il XV. Congresso alpino Italiano. — Oberto, in proposito della catastrofe Marinelli avvenuta sul Monte Rosa 1882. — Isaia e Budden, la Yosemite Valley in California. — Giaccone, al Monte Settepani. — Ghisi, Capo d'anno alpinistico. — Denza, la prima Assemblea generale della Associazione meteorologica Italiana.

Tourist. Nr. 5. 6. Reichert, aus der Falken-Gruppe. — Jvanetič, der Carneval in Wälschtirol. — Hildenbrand, die Tiefe des Alpsees bei Immenstadt. — Zöhrer, ein Volksschauspiel in Schwyz.

Oesterreichische Touristen-Zeitung. Nr. 5. 6. v. Sonklar, ein vergessener militärischer Alpenübergang (1515 über den Col de Larche). — Frischauf, der Nussingkogel (mit Panorama). — Biedermann, das Berghaus am Stou. — Goldhann, ein Naturmaler. — Pokorny, der Slemen-Berg. — Rabenlechner, zum Como- und Lugano-See. — v. Radics, ein Katechismus für Bergsteiger aus den Tagen Kaiser Josefs (von Hacquet). — Csaky, Arbesbach. — Doblhoff, ein Winterbild vom Lemansee.

Die Mittheilungen erscheinen jährlich in 10 Nummern zu 2 Bogen, und zwar am 20. jeden Monats mit Ausnahme der Monate August und September. Die Mitglieder des Vereins erhalten dieselben unentgeltlich. Für Nicht-Mitglieder ist der Preis des Jahrgangs im Buchhandel 4 Mark.

Inserate, welche an die Redaction zu senden sind, finden, soweit geeignet, Aufnahme und wird die durchlaufende Petitzeile oder deren Raum mit 25 kr. Gold = 50 Pf. berechnet.

Druck von Anton Pustet in Salzburg.

MITTHEILUNGEN

DES

DEUTSCHEN UND OESTERREICHISCHEN ALPENVEREINS.

No. 5. SALZBURG, MAI. 1883.

Vereinsnachrichten.

Circular No. 76 des Central-Ausschusses.

Salzburg, Mai 1883.

I.

Wir beehren uns hiemit, die Gründung der 92. Section unseres Vereins zu Lichtenfels am Main, sowie die Verlegung des Sitzes der Section Frankenwald von Nordhalben nach Naila zur Kenntniss zu bringen.

II.

Der Verein Wendelsteinhaus hat im Hinblick darauf, dass unsere Sectionen München, Rosenheim und Miesbach sich mit mehreren Antheilscheinen an dem Unternehmen des Hausbaues am Wendelstein betheiligt haben, sämmtlichen Mitgliedern des D. u. Ö. Alpenvereins die Vergünstigung eingeräumt, dass dieselben in einer Anzahl von Zimmern statt 2 M. nur 1 M. pr. Bett Uebernachtungsgebühr zu bezahlen haben. Indem wir diesen Akt freundlichen Entgegenkommens unseren Mitgliedern anzeigen, sprechen wir dem Verein Wendelsteinhaus hiefür unseren besten Dank aus.

III.

Laut Circular Nr. 71 (1882 December) Absatz II. haben sich die Sectionen Moravia und Austria vereinigt, um durch den Ankauf von Abonnements-Karten für möglichst viele Routen jener Strecken, welche der k. k. Direction für den Staatseisenbahnbetrieb unterstehen, den Mitgliedern unseres Gesammtvereins ein Aequivalent für die früheren Fahrpreis-Ermässigungen zu bieten.

Nachdem sich in Folge dieses Circulars bereits mehrere Sectionen bereit erklärt hatten, dieser Verbindung beizutreten, hat sich die Section Austria veranlasst gesehen, alle erforderlichen Erhebungen in dieser Sache zu pflegen, und hat deren Resultate in einem eigenen Rundschreiben zur Kenntniss sämmtlicher Sectionsleitungen gebracht und zum Beitritt eingeladen.

Indem wir hiemit der geehrten Leitung der Section Austria hiefür bestens danken, theilen wir im folgenden unsern Mitgliedern den wesentlichen Inhalt dieser Einladung mit und behalten uns weitere Mittheilungen vor.

Die Vortheile, welche durch die geplante Action vornehmlich den Mitgliedern der theilnehmenden Sectionen zugewendet werden sollen, sind mannigfache. Theils sind es Vortheile pekuniärer Natur, theils solche von besonders practischem Werth.

Der Preis der Abonnements-Karten ist um ca. 35 % niedriger als jener der gewöhnlichen Fahrkarten. Sie stellen sich aber auch billiger als jede Art Retourkarten, und sind weitaus practischer, weil diese nur kurze Zeit Giltigkeit haben, während die Abonnements-Karten bis 31. December eines jeden Jahres gelten.

Wenn auch eine mit Abonnements-Karten gemachte Eisenbahn-Rundfahrt nicht billiger kommt, als eine solche mit einem Rundreise-Billet, so sind doch die practischen Vortheile der Abonnements-Karten so eminente, dass denselben unbestritten der Vorzug auch gegenüber dieser Gattung von Karten eingeräumt werden muss. Der Besitzer eines Rundreise-Billets ist gezwungen, die ihm durch seine Karte vorgezeichnete Tour auszuführen, falls er nicht empfindlichen Verlust erleiden will. Dieser Zwang, eine bestimmte Tour machen zu müssen, kann jedoch oft sehr lästig werden, da Umstände mannigfacher Art ihn zu bestimmen vermögen, eine Aenderung seiner Tour eintreten zu lassen. Dies ist bei Rundreise-Billets absolut unmöglich.

Anders aber verhält es sich bei den in Aussicht genommenen Abonnements-Karten, da diese eventuell nur von Ort zu Ort gelöst werden können und der Reisende, nach den geplanten Einrichtungen, jeder Zeit und an jedem Orte, welcher der Sitz einer Section des Deutschen und Oesterreichischen Alpenvereins ist, seine Reise nach Belieben fortsetzen, eventuell ändern kann. Dieser gewiss hoch anzuschlagende Vortheil kann den Mitgliedern zu Theil werden, wenn vornehmlich jene Sectionen, welche an den Strecken der Westbahn, der Kronprinz Rudolf-Bahn, der Gisela-Bahn und den Niederösterr. Staatseisenbahnen ihren Sitz haben, der Vereinigung beitreten, und somit an den betreffenden Orten jederzeit Abonnements-Karten zum Verkauf an die Mitglieder des Deutschen und Oesterreichischen Alpenvereins aufliegen.

Es soll nämlich der Grundsatz festgehalten werden, dass durch diese Neueinführung den Mitgliedern des Deutschen und Oesterreichischen Alpenvereins die Möglichkeit geboten werde, aus einer Anzahl von Abonnements-Karten jede beliebige Tour auf den in Betracht kommenden Bahnstrecken combiniren zu können, u. zw. nicht etwa nur am Orte des Antritts der Reise, sondern an jedem Orte, der Sitz einer Section des D. u. Ö. A.-V. ist.

Durch die im Vorstehenden angeführten Momente sind die Vortheile jedoch noch nicht erschöpft, welche durch die Durchführung des in Redstehenden Vorschlages zu erzielen sind. Während früher die Fahrpreise Ermässigungen vornehmlich nur jenen Vereins-Mitgliedern zu Gute kamen, welche in Städten wohnten und in das Gebirge reisten, kommen die durch die Abonnements-Karten erreichbaren Begünstigungen nicht nur diesen, sondern auch jenen Mitgliedern zu Gute, die von einem Gebirgsort nach der Stadt eine Reise unternehmen.

Die bestandenen Fahrpreis-Ermässigungen galten nur während der Reisesaison, während die Abonnements-Karten das ganze Jahr Giltigkeit haben. Der Besitzer einer Abonnements-Karte hat ferner Anspruch auf Freigepäck, während bei Rundreisebillets solches nicht gewährt wird. Solche Abonnements-Karten können endlich nicht nur von Mitgliedern unseres Vereins, sondern auch von deren Familiengliedern benützt werden.

Vorerst sind in Aussicht genommen die Routen: Wien-Amstetten, Wien-Gaming, Wien-Salzburg, Wien-Gmunden, Wien-Ischl, Amstetten-Selzthal, Amstetten-Linz, Selzthal-St. Michael, Selzthal-Aussee, Selzthal-Bischofshofen, Bischofshofen-Zell am See, Bischofshofen-Salzburg, Zell am See-Wörgl, St. Michael-Villach, Villach-Tarvis, Tarvis-Laibach, Linz-Budweis, Linz-Gmunden, Linz-Wels, Wels-Attnang, Wels-Salzburg, Wels-Passau, Attnang-Ischl.

Diese Liste ist selbstredend nicht abgeschlossen, sondern kann auf Wunsch durch neue Routen ergänzt werden. Es wird vorgeschlagen der Ankauf von Karten II. Classe für gewöhnliche Post- und Personenzüge, da solche für Schnell- und Courierzüge zu theuer sind und diese Abonnements-Karten auch zur Benützung von Zügen letztgenannter Kategorie berechtigen, sobald man die normale Aufzahlung leistet, wodurch sich jedoch der Preis der Karten in keiner Weise theurer stellt, als der der Abonnements-Karten für Schnell- und Courierzüge.

Der Verkauf dieser Karten soll an einem Orte, der jederzeit den Vereins-Mitgliedern zugänglich ist, bewerkstelligt werden.

Jedermann, der sich als Mitglied des Deutschen und Oesterreichischen Alpenvereins legitimirt, hat das Recht, gegen Baarzahlung eine beliebige Anzahl der aufliegenden Abonnements-Karten zu erhalten. Auch kann der eventuelle Austausch einer Abonnements-Karte gegen eine solche einer anderen Route ohne weiters erfolgen.

Wir ersuchen auch unserseits die geehrten Sectionsleitungen, an dem vorerwähnten Unternehmen sich recht zahlreich zu betheiligen.

IV.

Wir haben die Ehre, nachfolgende unseren Vereinsmitgliedern zugestandene Fahrpreisbegünstigungen bekannt zu machen, wofür wir den betreffenden Corporationen hiemit unseren verbindlichsten Dank wiederholt aussprechen.

1. Die k. k. priv. Südbahn-Gesellschaft hat mit Schreiben vom 9. Mai 1883 den Mitgliedern der ausserhalb Kärntens und Tirols befindlichen Sectionen des Deutschen und Oesterreichischen Alpenvereins bei ihren Gebirgsreisen innerhalb der Stationen Kufstein-Ala und Franzensfeste-Klagenfurt die Fahrt in der II. und III. Wagenclasse mit einer halben normalen Post-, resp. Eilzugs-Karte der nächst höheren Wagenclasse in beliebiger Anzahl und beliebiger Unterbrechung ohne Rücksicht auf Einbruchs- oder Bestimmungsstation zugestanden.

Auf den Strecken Wien-Klagenfurt (via Marburg) und Triest-Klagenfurt (via Marburg) wird die obige Fahrbegünstigung nur dann zugestanden, wenn die Hinreise von einer Station der Hauptlinie Wien-Triest aus mit einer directen Fahrkarte nach Klagenfurt oder darüber hinaus, beziehungsweise die Rückreise von einer Station der Strecken Kufstein-Ala oder Franzensfeste-Klagenfurt mit einer directen Fahrkarte nach einer Station der Hauptlinie Wien-Triest unternommen wird.

Bezüglich der weiteren Modalitäten verweisen wir auf Circular Nr. 65 in den Mittheilungen 1882 Nr. 5, S. 133 und bemerken nur noch, dass vorstehende Fahrbegünstigungen bis auf Widerruf für die Zeit vom 15. Mai bis 14. October und für die Benützung aller fahrplanmässigen Züge Giltigkeit haben.

Von dieser Begünstigung principiell ausgeschlossen sind die auf der Hauptlinie Wien-Triest nach beiden Richtungen verkehrenden Courierzüge Nr. 1 und 2.

Die Legitimationskarten sind seitens der Sectionsleitungen beim Central-Ausschuss des Deutschen und Oesterreichischen Alpenvereins, Salzburg, Sigmund Haffnergasse Nr. 9 gegen Erlag von 3 kr. per Stück zu beziehen, und werden zur Vermeidung der späteren lästigen Verrechnungen nur solche Bestellungen effectuirt, denen sogleich mit Postanweisung der entsprechende Betrag angeschlossen ist.

2. Die Unternehmung der I. Attersee-Dampfschiffahrt gewährt die Begünstigung, bei Entrichtung der Fahrgebühr für die II. Classe die I. Classe benützen zu dürfen.

3. Die I. Mondsee-Dampfschiffahrts-Unternehmung und Wolfgangsee-Dampfschiffahrts-Unternehmung gesteht auf dem Mond- und Wolfgangsee eine 50percentige Ermässigung zu.

4. Die Ammersee-Dampfschiffahrts-Gesellschaft gewährt die auch für die nächsten Angehörigen (Frau und Kind) geltende Begünstigung, mit einem Billet II. Classe die I. Classe benützen zu dürfen.

5. Der Verwaltungsrath der Dampfschiffahrts-Gesellschaft des Oesterreichisch-Ungarischen Lloyd in Triest hat unter denselben Modalitäten wie früher die Begünstigung ge-

währt, auf den von den Dampfern der genannten Gesellschaft befahrenen istrisch-dalmatinisch-albanesischen Linien gegen Lösung eines Fahrbillets II. Classe die I. Classe zu benützen.

Zur Benützung aller dieser verschiedenen Begünstigungen ist die Legitimirung des Vereinsmitgliedes mittels der mit der Photographie des Inhabers und dem Sectionsstempel versehenen, auf das Jahr 1883 lautenden Mitgliedkarte nothwendig.

V.

Nach § 8 unserer Statuten sollen die Jahresbeiträge im ersten Quartal jedes Jahres an die Central-Casse abgeliefert werden. Indem wir diejenigen Sectionen, welche diesen Termin nicht eingehalten haben, ersuchen, das Geschäft der Eincassirung zu beschleunigen, machen wir aufmerksam, dass nach § 24 der Statuten jeder Section nur so viel Mitglieder zur Stimmenzahl bei der General-Versammlung zugerechnet werden, als sie Jahresbeiträge bis zum 31. Juli an die Central-Casse abgeführt hat.

VI.

Als Anlagen zu diesem Circular veröffentlichen wir den Rechnungs-Abschluss des vormaligen Central-Cassiers Herrn Adolf Leonhard in Wien, sowie einen Auszug aus der Abrechnung des zur Verwaltung der Führer-Unterstützungs-Casse von der Section Hamburg eingesetzten Comités.

Der Central-Ausschuss
des Deutschen und Oesterreichischen Alpenvereins.

E. Richter,
I. Präsident.

XII. Sammel-Liste

des Deutschen und Oesterreichischen Alpenvereins für die Ueberschwemmten in Tirol und Kärnten.*)

Section Würzburg 28 M.; Nordböhm. Gauverband der Turn- und Feuerwehr-Vereine in Schönlinde 275 fl. 53 kr.; Expedition der Geraer Zeitung 178 M. 68; Section Austria 13 fl.; Section Ulm-Neu-Ulm 90 M.; Sections-Vorstand Marburg 5 fl.; Section Passau 3 M.; Section Chemnitz 1 M.; Schweizer Alpenclub 1157 Fr. 50 Ctm.; Tetsch-

*) Die Beträge sind fast ausnahmslos Nachträge zu bereits ausgewiesenen Beiträgen derselben Spender.

ner Gesangs-Verein 5 fl.; Section Breslau 10 M.; Section Berlin 49 M. 50; Section Erfurt 7 M. 50; Section Miesbach 10 M.; Section Wels 19 fl.; Welser Freiwill. Feuerwehr 10 fl.; Expedition des Vilsbiburger Anzeigers 12 M. 60; Herr v. Deuffer in Göttingen 12 M. 50.

Im Ganzen	öst. W. fl.	327.53
in Mark 402.78 =	„ „ „	201.39
in Francs 1157.50 =	„ „ „	463.—
Agio-Erlös	„ „ „	119.71
	öst. W. fl.	1111.63
Hiezu die bereits ausgewiesene Einnahme . .	„ „ „	144 011.45
Gesammt-Summe	öst. W. fl.	145 123.08
Ab: Ausscheidung einer im December 1882 irrig verbuchten Post mit M. 77.—	„ „ „	45.—
Bleibt wirkliche Einnahme	öst. W. fl.	**145 078.08**

X. Verwendungs-Ausweis.

		fl. kr.
1) An das Hilfs- und Actionscomité in Bozen		4 000.—
2) An die Section Villach		1 600.—
3) An die Section Klagenfurt		
für Lavantthal . . . fl.	100.—	
„ Möllthal . . . . . „	100.—	
„ Aufforstungs-Zwecke „	200.—	400.—
4) An zwei beschädigte Bergführer in Virgen . . .		35.—
Summe		6 035.—
Hiezu die bereits ausgewiesenen		137 918.49
Somit im Ganzen verwendet		143 953.49

Salzburg, am 15. Mai 1883.

Der Central-Ausschuss des Deutschen und Oesterreichischen Alpenvereins.

E. Richter,
I. Präsident.

Anlage A zu Circular Nr. 76.

A. Betriebs-Rechnung für 1882.

Einnahmen:	Gulden ö. W.	N.
1. Vereinsbeiträge von 11 086 Mitgliedern	38 985	83
2. Erlös für Vereinspublicationen	873	95
3. " " Vereinszeichen	683	11
4. " " Vereinsschlösser	42	87
5. Zinsen-Erträgniss	616	36
	41 202	12
Ausgaben:		
1. Für Vereinspublicationen	23 555	08
2. Für Hütten- und Wegbauten:		
a. auf Beschluss der General-Versammlung fl. 7410.60		
b. " " des Central-Ausschusses " 1054.75	8 465	35
3. Für Regie	2 901	25
4. Aus der Reserve	2 420	90
5. Für Anschaffung von Vereinszeichen	431	09
6. " " " Schlössern und Schlüsseln	22	—
Saldo	3 406	45
	41 202	12

B. Rechenschafts-Bericht für 1882.

Einnahmen:	Gulden ö. W.	N.
1. Mitglieder-Beiträge	38 985	83
2. Reinerlös für Publicationen	873	95
3. " " Vereinszeichen	252	02
4. " " Vereinsschlösser	20	87
5. Zinsen-Erträgniss	616	36
Summe der Rein-Einnahmen	40 749	03
Aus ö. W. fl. 40 749.03 sind 60 %	24 449	42
" " " " " 25 %	10 187	25
" " " " " 10 %	4 074	90
" " " " " 5 %	2 037	46
	40 749	03

Ausgaben:

		Mehrausgabe	Ersparung
1. Publicationen-Quote	fl. 24 449.42		
Verausgabt	" 23 555.08	— —	894.34
2. Bau-Quote	fl. 10 187.25		
Verausgabt	" 8 465.35	— —	1721.90
3. Regie-Quote	fl. 4 074.90		
Verausgabt	" 2 901.25	— —	1173.65
4. Unter Reserve	fl. 2 420.90		
Quote	" 2 037.46	383.44	— —
		fl. 383.44	fl. 3789.89
	ab Mehrausgabe		383.44
	Summe der Reinerübrigung		fl. 3406.45

In der Ersparung an der Bau-Quote sind nicht behobene Subventionen mit fl. 1200.— inbegriffen.

C. Vereins-Vermögen-Rechnung für 1882.

	Gulden ö. W.	N.
Einnahmen:		
1. Vermögensstand Ende 1881	9 791	32
2. Nachtragszahlungen für 1881	80	67
3. Differenz zwischen Kauf und Verkauf der Hefte des Atlas der Alpenflora	172	—
	10 043	99
Ausgaben:		
1. Kosten der V. Abtheilung der Anleitung zu wissenschaftlichen Beobachtungen	4 907	15
2. Subvention zur Abhaltung des internat. alpinen Congresses	1 200	—
3. Unverzinsliches Darlehen an J. B. Finazzer	500	—
4. Beiträge zu Aufforstungen fl. Gold 342.60 = ...	400	—
5. Nachträglich behobene Subventionen (bewilligt für 1881)	100	—
Saldo	2 936	84
	10 043	99
Saldo	2 936	84
Erübrigung laut Rechenschaftsbericht	3 406	45
Vermögensstand Ende 1882	6 343	29

Wien, 1. Januar 1883.

Adolf Leonhard,
Central-Cassier des D. u. Ö. A.-V. von 1880—1882.

Geprüft und mit den vorgelegten Büchern und Belegen übereinstimmend gefunden

Wien, 2. Mai 1883. **Reisner**, Revisor. **August Muck**, Revisor.

Anlage B. zu Circular No. 76.

Abrechnung der Führer-Unterstützungs-Casse 1882.

	Mark	
Einnahmen:		
Cassen-Saldo	621	47
Beiträge von 23 Sectionen	807	39
Zinsen des angelegten Geldes	419	12
Diverse Schenkungen	49	40
	1 897	38
Ausgaben:		
Ausbezahlte Unterstützungen	662	20
Regie	8	40
Capitalisirt	800	—
Cassen-Saldo	426	78
	1 897	38
Capital-Bestand ultimo 1882.		
Cassen-Saldo	426	78
Angelegte Gelder	13 170	29
Eine Obligation à fl. 200 ö. W. Goldrente.		

Hamburg, 1. Januar 1883. **J. AD. SUHR**, Cassier.

Berichte der Sectionen.

Austria. In der Wochen-Versammlung am 4. April hielt Herr Dr. Wolf Eppinger seinen Vortrag »Erinnerungen aus Tirol«, in welchem derselbe zuerst die Geschichte des Achensees nach den ältesten Urkunden, die Entwicklung der Besitzverhältnisse bis zur Feststellung des unbestrittenen Eigenthumsrechts des Klosters Schwaz, sowie den Unterschied zwischen dem Naturgenuss in der alten Zeit und im Mittelalter gegenüber der modernen Alpinistik bespricht und mit einer farbenprächtigen poetischen Schilderung des im Mittelalter am Achensee häufig gehaltenen Hofstaates der Fürsten von Tirol und der dort gefeierten glänzenden Feste schliesst. Sodann trägt Herr Eduard Suchanek über den Turnerkamp und die Rossruckscharte vor, indem er seine Besteigung des Turnerkamp von der Nevesjoch-Hütte sowie den Abstieg über die Rossruckscharte, insbesondere die Passirung der schwierigen Randkluft in sehr anschaulicher Weise schildert und diese Schilderung durch Originalzeichnungen und Photographien illustrirte. — In der Wochen-Versammlung vom 14. April hielt Herr Carl Ritter v. Adamek seinen Vortrag »Wanderungen in den Dolomiten und Ersteigung der Rosetta und Marmolada« und schildert die Tour von Ampezzo über die Cibiana nach Forno di Zoldo, von dort über den Durampass nach Agordo, von Agordo durch das Val di S. Lucano und über die Gesureta nach Gares, von da über den Comellepass auf die Rosetta und nach S. Martino di Castrozza, den Ausflug von dort nach Fiera, den Hauptort von Primör, sodann über den Rollepass nach Paneveggio, von da über den Lusiapass nach Vigo, sodann durch das oberste Fassathal nach Fedaja, die Besteigung der Marmolada, von Fedaja durch die Sottoguda nach Colle S. Lucia und über den Passo Giau nach Ampezzo, bespricht die einzelnen wichtigen Punkte dieser Tour sowie die wichtigen Ersteigungen der Gipfelpunkte der einzelnen Gebirgsgruppen und erläutert sodann die ausgestellten Gemälde: Cimon della Pala von Carl Schweninger, die schönen Oelstudien aus den Dolomiten von Adolf Obermüllner, das Aquarell Marmolada von F. Gatt und eine Serie von Photographien, das Thal von Primör und das obere Fassathal darstellend. — Die Monats-Versammlung vom 25. April eröffnet der Vorstandstellvertreter Herr Carl Schneider mit einem warmen Nachruf auf das verstorbene Mitglied des Sectionsausschusses, Herrn Dr. Anton Sattler, in welchem er die hohen Verdienste des Verewigten um die Section und die Alpinistik überhaupt und seine hervorragende Thätigkeit im Ausschuss der Section und in der Aufnahme von Panoramen bespricht, worauf die Versammlung durch Erheben von den Sitzen dem Gefühl ihrer Trauer und ihres Beileids Ausdruck gibt. — Sodann berichtet der Obmann der Kunstabtheilung, Herr Adolf Obermüllner, über die Thätigkeit dieses Theils der Section in der abgelaufenen Saison, s. unten.

Hierauf hielt Herr Professor Dr. Friedrich Simony, von den Anwesenden mit Applaus begrüsst, einen Vortrag »über die Gletscher des

Dachsteingebirges«, bei welchem zahlreiche Handzeichnungen und Photogramme zur Demonstration dienten. Nach einer kurzen Schilderung der localen Verhältnisse der Gletscher ging er auf die Wandlungen über, welche dieselben innerhalb der letzten vier Decennien durchgemacht haben. Vor allem schilderte er die verschiedenen Phasen des Anwachsens des Karlseisfeldes, welches sich bereits lange vor dem Jahre 1840, in welchem der Vortragende dasselbe zum erstenmal betreten hatte, kundgab, und welches von da an ohne Unterbrechung bis gegen das Jahr 1856 anhielt. Von 1840 bis 1856 hatte die verticale Mächtigkeit des vorderen Theiles der durch einen vorgelagerten Felsrücken abgedämmten Eiszunge um mindestens 35 m, ihre Länge dagegen nur um 60 m zugenommen. 1861 konnte dagegen der Vortragende schon einen verticalen Abtrag um beiläufig 10 m constatiren und bis zum 9. October 1882 hatte der letztere schon nahezu 60 m erreicht, während der Rückzug des untersten Eisrandes im ganzen nur 93 m betrug. Auch in dem Theile des Gletschers nächst der Simony-Hütte deutet die Höhe der seitlichen Moränen auf eine senkrechte Abnahme des Eises um 40—50 m hin. Doch ist zu beachten, dass der Gletscher in diesem Theile seinen Maximalstand bereits zur Zeit erreicht hatte, als Simony seine erste Dachstein-Besteigung unternahm, und dass das Sinken des Eisniveaus hier um mindestens ein Decennium früher eingetreten war, als in der untersten Stufe des Gletschers. In besonders auffälliger Weise zeigt sich die Wirkung der fortschreitenden Abnahme der Eismassen in dem Abfall zwischen der untersten nnd der nächst höheren Stufe des Karlseisfeldes, indem hier in neuester Zeit mitten im Eise ein bei 30 m hoher und gegen 60 m breiter Fleck des Gletscherbettes blossgelegt wurde, welcher, nach der nun schon auf wenige Meter reducirten Dicke des umgebenden Eises zu schliessen, fortan in rascher Progression an Ausdehnung zunehmen wird. Endlich konnte S. aus dem Hervortreten eines vor weniger als zwei Decennien noch völlig unsichtbaren, gegenwärtig aber schon bei 60 Schritte langen Felsriffes oberhalb des Eissteins (2660 m) und an dem letzteren selbst ein Sinken des Firnniveaus um 5—7 m erkennen. Die fortschreitende Abnahme der Firnmassen und des Eises in den oberen Theilen des Gletschers hat eine derart verminderte Speisung der tieferen Theile des Karlseisfeldes zur Folge, dass die unterste Stufe des letzteren wegen des fast völligen Mangels jeden Nachschubes von oben keinerlei Bewegung mehr wahrnehmen lässt, und sich als eine Art todter Masse darstellt, an welcher die jährliche Ablation nun ungeschmälert zum Ausdruck kommt und namentlich in den letzten Jahren trotz der nichts weniger als warmen Sommer immer stärker geworden ist. Es lässt sich nun schon fast mit voller Sicherheit voraussagen, dass der Eisabtrag in der untersten Stufe noch durch eine Reihe von Jahren in gleichem Grade fortdauern und schliesslich nur Moränenschutt und Lachen von Gletscherwasser den vom Eise verlassenen Boden der »verwunschenen Alm« bedecken werden.

Wie der Hallstätter so ist auch der Gosauer Gletscher seit Decennien in starkem Rückschreiten begriffen. Dies zeigen nicht nur die hohen Seitenmoränen, sondern noch mehr die Endmoräne, welche auf eine Länge von mindestens 450 m fast ganz vegetationslos erscheint, ein Umstand, welcher darauf hinweist, dass selbst die von dem gegenwärtigen Gletscherende am weitesten abliegenden Theile derselben kaum über ein Vierteljahrhundert alt sein mögen. An verschieden alten Aufnahmen konnte der Vortragende nachweisen, dass auch in der oberen Region des Gosauer Gletschers, insbesonders im Ostgehänge des Thorsteins eine starke Abnahme der Firnmassen stattgefunden hat.

Auf die Ursachen der besprochenen Wandlungen in der räumlichen Ausdehnung der Gletscher übergehend, bemerkte der Vortragende, dass, wie eine in Folge starker, durch reichlichere Schneefälle bewirkte Vermehrung der Firnmassen nothwendig auch ein Wachsen der Eisströme zur Folge haben müsse, ebenso auch eine Abnahme der ersteren das Entgegengesetzte bewirken müsse. Jedoch können sich diese beiden entgegengesetzten Wirkungen erst nach mitunter sehr langen Zeiträumen einstellen. Gerade so, wie die Ansammlungen von Hochwassern in den oberen Zuflussgebieten grosser Ströme in deren Unterlaufe sich erst nach vielen Tagen, ja selbst Wochen durch ein entsprechendes Steigen bemerkbar machen, so mag bei den hunderttausend — ja millionenmal langsamer, wenn auch im übrigen nach den ganz gleichen Gesetzen sich bewegenden Gletschermassen die Schwellung und ein intensiveres Vorrücken des Eisstromes in dessen vordersten, von dem ihn speisenden Firnherde entlegensten Theilen erst eintreten, wenn in der Firnregion, von welcher der Impuls des Wachsens ausgegangen war, schon längst wieder niedrigere Niveaustände eingetreten sind.

Dass auch die Temperaturverhältnisse einen mehr minder bedeutenden Einfluss auf das Wachsen und Abnehmen der Gletscher üben, ist selbstverständlich, doch dürfte dem ersterwähnten Factor, wenigstens was die Zu- und Abnahme der Gletscher in unserem Jahrhundert betrifft, die Hauptrolle zugefallen sein. Professor Simony schloss damit, dass »eine erschöpfende Erklärung des ganzen Oscillationsphänomens erst aus eingehenden und lange fortgesetzten Temperatur- und Niederschlag-Beobachtungen in der höheren Region des Gebirges, zu welchen die zahlreichen und theilweise auch für diesen Zweck günstig situirten Touristenhütten gute Gelegenheit bieten würden, zu erhoffen ist, Beobachtungen, welche einzuleiten und möglichst zu fördern als eine würdige Aufgabe des Deutschen und Oesterreichischen Alpenvereins erscheint«. Derselbe habe sich durch die grosse und hoffentlich immer mehr anwachsende Zahl seiner Mitglieder bereits zu einer populär-wissenschaftlichen Grossmacht aufgeschwungen, von welcher auch wohl mit Recht für die Erweiterung der physikalisch-geographischen Kunde des Alpenlandes schon in nächster Zukunft grosse Leistungen erwartet werden könnten.

Zur Ausstellung gelangten die unten bezeichneten 8 von der Kunstabtheilung angekauften Oelgemälde, ferner das Oelgemälde »Birnhorngruppe« von Michael Hofer, sowie Naturstudien aus der Leoganger Gegend von demselben.

Die Kunstabtheilung der Section zählte in der abgelaufenen IV. Saison 159 Theilnehmer, erwarb 8 Oelgemälde, und es gelangte ausserdem ein Nietenblatt (die Rudolfs-Hütte am Weisssee in Stubach 2225 m. nach der Natur aufgenommen von Adolf Obermüllner, Lichtdruck von Obernetter in München) zur Vertheilung an die Mitglieder. Ueber das Ergebniss der am 24. April erfolgten Ziehung berichtet der Umschlag dieser Nummer.

In der auf die Monats-Versammlung folgenden Wochen-Versammlung wurde der Rechenschaftsbericht der Kunstabtheilung genehmigt und nach eingehender Discussion über die Thätigkeit der Kunstabtheilung und des leitenden Comités derselben, diesem Comité der Dank und das Vertrauen der Mitglieder der Kunstabtheilung ausgesprochen und sodann die Herren Adolf Obermüllner, Carl Ritter v. Adamek und Julius Hungerbyehler von Seestätten wieder und die Herren Carl Göttmann und Dr. Gustav Hože neu in das Comité gewählt.

Geselliger Abend. Am 11. April 1883 fand der letzte gesellige Abend in der Saison statt, welcher die Theaterstücke »III. Buch, I. Capitel«, »Wem gehört die Frau« und »Eine Vorlesung bei der Hausmeisterin« brachte. Nach den gelungenen Darstellungen wurde bis $\frac{1}{2}$3 Uhr Morgens getanzt.

Berlin. In der Sitzung vom 12. April sprach Herr Mitscher zuerst über den Col du Géant. Er erklärte diesen von Chamonix nach Courmayeur führenden Pass für eine der interessantesten Gletschertouren, weil derselbe so recht einen Einblick in das Innere der Mont Blanc-Gruppe gewähre. Der Vortragende zeigte durch Zahlen, wie viel steiler auch bei dieser Gruppe der Alpen die Südseite als die Nordseite abfällt. Im zweiten Theil des Vortrags wurden noch einige Gipfel des Ortler-Gebiets besprochen, nämlich Plattenspitze, Vertainspitze, Tschengelser Hochwand und der Ortler selbst. Bei letzterem wurde schwindelfreien Bergsteigern der Aufstieg über den Hinteren Grat als der schönste aller Ortlerwege, die Hochwand aber wegen der ihr von allen Bergen der Gruppe eigenthümlichen Aussicht über das Vintschgau empfohlen. — Es circulirten eine grosse Anzahl von Photographien aus dem Zillerthal, aufgenommen von Herrn Johannes in Partenkirchen, welche die Kunsthandlung des Herrn E. Quaas der Section zur Ansicht eingesandt hatte.

Breslau. Am Stiftungsfest der, Section, den 1. Februar d. J., hielt Herr Professor Dr. Hans Gierke einen Vortrag über eine Reise nach Jesso, dem Lande der Aino. Er beleuchtete eingehend die Schwierigkeiten und Eigenthümlichkeiten des Reisens in diesem dünn bevölkerten Coloniallande Japans, welchem sein gemässigtes, gewiss auch europäischen Einwanderern zuträgliches Klima, die Fruchtbarkeit seines nur zum geringsten Theil bisher der Cultur unterworfenen Bodens, endlich der herrliche Hafen von Hakodate sicherer einen bedeutsamen künftigen Aufschwung versprechen, als die überstürzten, planlosen, oft mit grosser Geldvergeudung gerade am unrichtigen Ort anfangenden Civilisationsbestrebungen des kostspieligen Beamtenheeres, das Japan nach der Insel geschickt und grossentheils in der ganz unverständig gewählten Hauptstadt Saporo concentrirt hat. Kein Wunder, dass Russland, nachdem es den Japanern gegen Abtretung der sterilen Kurilen die werthvolle Insel Sachalin herausgelockt hat, schon sein begehrliches Auge auf Jesso wirft, dessen Gewinn ihm in Hakodate einen Naturhafen ersten Ranges am Grossen Ocean und ein ergiebiges Colonialterrain sichern würde. Der Schluss des inhaltreichen Vortrages galt den Resten der alten, von den Japanern unterworfenen Aino-Bevölkerung, die auf überaus niedriger Culturstufe verharrend vom Ertrag des Fischfangs und der Jagd in den weiten, wildreichen Waldrevieren der Insel sich ernährt. — Den geselligen Theil des Stiftungsfests erheiterten namentlich Dichtungen des Herrn Dr. Theodor Schmidt, deren Gestalten drastisch und flott gezeichnete Nebelbilder von der Hand des Herrn Ingenieur Max Körner wirksam zur Anschauung brachten. Besonderen Beifalls erfreute sich eine Travestie der »Glocke«, welche das Leben des Hochgebirgswanderers und den Bau der »Breslauer Hütte« am Oetzthaler Urkund in seinem Werden und seiner Vollendung verherrlichte.

In der Sitzung am 24. Februar berichtete Herr Privatdocent Dr. E. Gothein über seine Wanderungen in den Abruzzen. Vor der Hitze des römischen Sommers war er in die Berglandschaften Mittel-Italiens geflüchtet, die auch nach der vollständigen Unterdrückung des ehemals florirenden Brigantenthums nur selten von den Fremden, die Italiens Kunstschätze und die grosse Vergangenheit in Ruinen gesunkener Städte studiren, besucht werden. Durch das anmuthige Thal des Teverone (Anio) war er vorüber an Tivoli und Subiaco hinübergestiegen zu der weiten Hochfläche, die einst der Spiegel des Fuciner Sees füllte. Nach seiner Trockenlegung durch den Fürsten Torlonia ist sein Grund grossentheils intensiver, erfolgreicher Bodencultur unterworfen. Der Fürst hat bei der Durchführung des grossartigen, schon vom Alterthum wiederholt versuchten Unternehmens anscheinend seine Rechnung gefunden, weniger die Umwohner des ehemaligen Seebeckens, die seit seinem Verschwinden eine allmälige Verschlechterung der Salubrität ihrer Wohnsitze und einen Rückgang im Ertrag ihrer Oelbaumpflanzungen zu bemerken glauben. Das Hauptziel des Vortragenden war Aquila, über dessen Hochfläche (650 m) im S. der Monte Velino 2467 m, im N. der Gran Sasso d'Italia 2921 m majestätisch ihre Häupter erheben. Ueber der ernsten Arbeit in den nie gründlich durchforschten, hochinteressanten Archiven Aquilas, das im Mittelalter der Mittelpunkt eines sehr eigenartig durchgebildeten republikanischen Gemeinwesens war, vergass der Vortragende auch die herrliche Umgebung nicht. Auf einer Reihe genussreicher Touren, unter denen die grössten der Besteigung der genannten Gipfel galten, hatte er vielfach Gelegenheit, in den Charakter und die Denkweise der tüchtigen Hirtenbevölkerung lehrreiche Blicke zu thun. Streiflichter auf die gegenwärtigen, wenig erfreulichen Zustände des Landes und auf seine wechselvolle Vergangenheit belebten das Bild des formenreichen Gebirgslandes, das der fesselnde Vortrag entrollte.

Am 31. März schilderte Herr Gymnasial-Oberlehrer P. Richter seine Wanderungen in den Zillerthaler Alpen. Nicht nur die Hochgipfel, unter denen er den Olperer bestiegen hatte, und die Gletscher im Schoosse der schönen Seitenthäler hatten seine Aufmerksamkeit gefesselt, sondern auch für das Volk, sein Leben, Treiben und Singen hatte er sich in lebendiger Theilnahme erwärmt.

Darmstadt. Den glänzendsten Verlauf unter allen seitherigen Ausflügen der Section nahm das Stiftungsfest am 22. April. Die Feier begann auf dem Alsbacher Schloss mit einem von Herrn G. Schwab jun. verfassten, von Vereinsmitgliedern aufgeführten Lustspiel: »Der Darmstädter Hüttenbau in der Gemeinderathssitzung zu Alpmattendorf«, dessen Inhalt wie Aufführung sich ungetheilten Beifalls erfreuten. Nach einigen Vorträgen der Herren Hofschauspieler Hacker und Wagner wurde bei heiterstem Sonnenschein und umfassenden Rundblicken auf das Auerbacher Schloss und von da durch das Fürstenlager über Schönberg nach Bensheim (zuletzt in Begleitung eines Hagelschauers) gepilgert, woselbst sich in den beiden dichtbesetzten Sälen des »Deutschen Hauses« bald das regste Leben entfaltete. Toaste, Lieder, Declamationen und schliesslich ein Tanz unterhielten die 200 Theilnehmer bis zur Abfahrt mit einem Extrazug auf das angenehmste.

Graz. In der Monats-Versammlung am 16. April hielt Herr Director A. v. Schmid einen Vortrag über eine in Gemeinschaft mit Herrn Dr. Kokoschinegg unternommene Tour auf den Kreuzkofel bei Lienz. Die wildschönen Abstürze eines Theils der nach dem Kreuzkofel benannten Gruppe gegen die Lienzer Klause, wie sie der mit der Pusterthalbahn Reisende bewundert, und das prächtige Bild, welches diese Gebirgsgruppe Jedem darbietet, der über den Iselsberg hinüber nach Heiligenblut pilgert, lockten, den wenig beachteten »Kofeln«, wie man in Lienz die Gruppe nennt, einen Besuch abzustatten. Mit Führern für dieses Gebirge ist es schlecht bestellt; die einzigen leidlichen für dasselbe wohnen $1\frac{1}{2}$ St. thalaufwärts, der Besitzer der Galitzenschmiede und seine Knechte. In Begleitung eines solchen wurde Nachmittags aufgebrochen und zunächst in einen Seitengraben eingebogen, welcher sich vom Hochplateau der allen Botanikern bekannten Kerschbaumer-Alpe herabzieht. Da der Bach sich in die Thalsohle eine tiefe Klamm, deren Erschliessung vielleicht einen neuen Hauptreiz der Gegend ausmachen würde, ausgewaschen hat, lässt sich längs desselben nicht vordringen und muss daher der zu dieser Alpe führende Weg erst hoch am Gehänge des Hauptthals ansteigen, bevor er sich dem erwähnten Graben zuwenden kann. Ein prachtvoller Rückblick in die gesegneten Fluren des Lienzer Thalkessels bietet sich dann unter dem breiten Geäste der Wolfsbuche. Eine geraume Weile führt nun der weitere Weg eben an der linken Schluchtwand, hoch über dem schäumenden Bach fort, näher und näher rücken die Schluchtwände, ein Querriegel wird überstiegen und das lachende Idyll der Kerschbaumer-Alpe, inmitten blumiger Alpenmatten, beschirmt von einer imposanten Reihe steinerner Giganten, begrüsst den entzückten Wanderer. Am nächsten Morgen wurde auf das schon von hier aus sichtbare Ziel vorgedrungen, und da eine directe Ersteigung von hier aus sich ziemlich schwierig gestalten dürfte, über zwei Scharten im O. und N. der Gipfel umgangen und dann von der NW.-Seite über wenig bedenkliche Schuttflächen und Platten die höchste Erhebung, auf welcher sich ein Kreuz befindet, erreicht. Die verhältnissmässig geringe Mühe des Aufstieges lohnte eine reine Rundschau. Besonders was die Fernsicht betrifft, gebührt dem Kreuzkofel unbedingtes Lob; die lange Reihe von Bergspitzen des centralen Kamms der Ostalpen vom heimischen Zirbitzkogel, ja möglicherweise sogar von der Gleinalpe angefangen bis zu den fernen Oetzthaler Gipfeln, ebenso die nicht minder lange Kette der Südalpen vom Sannthaler Gebirge an bis zum Zackengewirre der Dolomiten lagen klar vor den Blicken. Auch der Tiefblick hinab in das häuserbesäte Hochpusterthal ist nicht minder interessant. Weniger günstig ist jedoch der Standpunkt für den Ueberblick der Gebirgsgruppe, in welcher man sich befindet, da derselbe nicht central, sondern zu weit westlich gelegen ist und überdies von mehreren Punkten in der Nähe nicht unbeträchtlich überhöht wird. Der Rückweg wurde nach 2 St. auf der Route des Anstiegs genommen.

Küstenland. In der Sections-Versammlung vom 30. März sprach Herr Professor Dr. Swida über die alten Verkehrswege im Gebiet der Section. Der Vortragende besprach die Entstehung der alten Römerstrassen, die über den grossen Wall der Alpen geführt wurden und ursprünglich ausschliesslich militärischen Zwecken dienten; sodann die allmälige Entwicklung des Handelsverkehrs der Länder des Südens mit denen des Nordens, in welche lange Wagenreihen der römischen Fuhrleute, mit den Producten des Südens beladen, dem ehernen Tritt der Legionen folgten; die wandernden Völker, welche, denselben Strassenzügen folgend, von Norden her in das blühende italische Land brachen und das stolze Römerreich in den Staub warfen, und schloss mit einem Blick auf die Geschichte der Emporien des Handels diesseits der Alpen und den schon damals bestehenden Concurrenzkampf zwischen den Linien des Predil und des Fellathals, der Eisenstrasse, »Via ferrea«, die nun zur wirklichen Eisenstrasse, der strada ferrata, geworden.

Am 12. April erfreute Herr Professor Dr. Emil Selenka aus Erlangen die Section durch einen Vortrag »Ueber Naturbetrachtung«. Anknüpfend an eine Aeusserung Fechners erörterte der Vortragende, wie sich unsere Sinneswahrnehmungen auf die Bewegung des uns umgebenden Mediums zurückführen lassen; wenige Schwingungen in der Secunde empfindet unser Gehörorgan als tiefen Ton, mehr Schwingungen als immer höheren Ton, millionenmal so viele nehmen andere Organe wahr als rothe Farbe, grüne Farbe, Wärme, Licht und so fort. Diese, auch durch einige Experimente verdeutlichten Ausführungen gaben dem Vortragenden Gelegenheit, eine Fülle von den meisten Zuhörern neuen Beobachtungen und Aufschlüssen über die Sinneswahrnehmungen der Menschen und Thiere mitzutheilen und die frappantesten und geistreichsten Schlussfolgerungen daran zu knüpfen, so dass die Versammlung gebannt und geblendet die Worte des Redners auf sich wirken liess.

München. Am 4. April sprach Herr Advocat Schuster über zwei Touren in der Algäuer Centralkette, die Ersteigung des Biberkopfs und des Hohen Lichts an einem Tage, und ebenso jene der Mädelegabel und des Grossen Krottenkopfs; auf das Hohe Licht wurde, ohne den Hochalpferner zu berühren, ein besserer Anstieg gefunden.

Am 11. April berichtete Herr O. v. Pfister über seine Theilnahme an der Eröffnung der von der Section Schwaben erbauten Jamthal-Hütte. Redner schilderte das Paznaunthal im allgemeinen und besonders den Seitenast des Jamthals, durch welches sich, ehe die grossen Kunststrassen gebaut waren, ein lebhafter Verkehr zwischen Italien und Tirol über den Futschölpass bewegte; auch in den Kämpfen der Bündner mit den Tirolern passirten bewaffnete Schaaren den Futschölpass, im Laufe der Zeit zerfielen aber die Saumpfade und das Jamthal verödete. — Der Hütteneröffnung ging eine Besteigung der Augstenspitze voran. Weitere Touren wurden leider durch Unwetter verhindert, was um so mehr zu bedauern, als die Umwallung des Grossen Jamthal-Ferners noch ziemlich unbekannte Gipfel aufweist und gerade damals Führer und Kenner aus allen angrenzenden Gebieten beisammen waren, so dass wenigstens eine Verständigung über die vielfach schwankende Nomenclatur möglich gewesen wäre.

Am 18. April behandelte Herr Trigonometer A. Waltenberger das Thema »Höhenmessungen mit besonderer Rücksicht auf das Hochgebirge«. Wir hoffen, den interessanten Vortrag in einem der nächsten Hefte der Zeitschrift bringen zu können.

Zum Schluss der Saison gab am 25. April Herr Apotheker Seitz aus seiner reichen Erfahrung eine Reihe von Bildern aus dem Leben des Alpenvolkes zum besten. — Herr Franz Wiedemann zeigte sodann Gletscherflöhe vor, welche Herr Baron Erich v. Thielau in Lampersdorf (Schlesien) dort im Eulengebirge gefunden und der Section übersendet hatte, ein Vorkommen, das bis jetzt noch nicht bekannt zu sein scheint. — Herr Pflaumer gab schliesslich eine Uebersicht über die statistische Bewegung der Mitgliederzahl der Section seit ihrer Gründung und eine Zusammenstellung der Mitglieder nach Beruf, Wohnort u. dgl.

Prag. Die Section hat unter dem Titel: »Zur Waldfrage in den österreichischen Alpengebieten.« Eine Denkschrift des Deutschen und Oesterreichischen Alpenvereins, eine 24 Seiten starke Broschüre herausgegeben. Wir werden auf dieselbe zurückkommen.

Nachrichten von anderen Vereinen.

Verband alpin-touristischer Vereine der Oesterreichisch-Ungarischen Monarchie. Der Central-Ausschuss des Oesterreichischen Touristen-Club und der Alpenclub »Oesterreich« versandten Mitte März eine Einladung zur Gründung eines Verbandes, welcher alle in Oesterreich und Ungarn befindlichen Vereine oder Sectionen derselben, welche daselbst ihren dauernden Sitz haben, umfassen soll. Als Zweck desselben wird angegeben: mit vereinten Kräften die alpin-touristische Sache zu fördern; Mittel zur Erreichung desselben sind: Regelmässige Zusammenkünfte von Delegirten, Mittheilungen über alle wichtigen einschlägigen Vorkommnisse, Austausch der Publicationen, erforderlichen Falls die Herausgabe geschäftlicher Verband-Publicationen; ferner wird beabsichtigt: erleichterter Bezug der verschiedenen Vereinspublicationen für die Mitglieder anderer Vereine, gleiche Rechte in allen Schutzhütten, gemeinsames Anstreben der Fahrpreisermässigungen auf den Bahnen.

Der Central-Ausschuss des Deutschen und Oesterreichischen Alpenvereins hat im Einvernehmen mit den österreichischen Sectionen und nach deren einstimmigem Votum den genannten Clubs die Ablehnung der erwähnten Einladung seitens des D. u. Ö. A.-V. und seiner einzelnen Sectionen notificirt, und zwar mit der Begründung, dass nach unseren Statuten die Sectionen unseres Vereins nicht zugleich mit anderen Corporationen in einen näheren Verband treten könnten, da sie bereits im Gesammtverein ihren Verband besässen und durch ihn nach aussen vertreten würden. Der Beitritt dieses letzteren selbst aber erscheint von vornherein ausgeschlossen durch den Wortlaut der Einladung, welche nur auf solche Vereine sich bezieht, welche dauernd ihren Sitz in Oesterreich haben. Ferner suche der projectirte Verband meist nur Zwecke zu verwirklichen, welche zum Theil ohnehin bereits erreicht sind, oder auf kurzem Wege leicht erreicht werden können, wie Schriftentausch und Aehnliches, so dass die Schaffung einer neuen complicirten Organisation hiezu nicht nöthig erscheine. Sämmtlichen Sections-Leitungen ist ein Abdruck dieser Antwort zugegangen.

Club alpin Belge. Die constituirende Versammlung dieses neugegründeten Clubs, welcher bereits über hundert Mitglieder zählt, fand auf Einberufung des Herrn Jules Leclercq, Mitglied der Section Paris des C. A. F. am 18. Februar zu Brüssel statt. Nach Annahme der Statuten wurden zum Präsidenten Herr Crocq, zu Vicepräsidenten die Herren J. Leclercq und Couvreur, zum Secretär Herr Fr. Crepin, zum Cassier Herr M. Lefebvre gewählt; die Versammlung schloss mit einem Banket.

Club alpin Français. In den Nummern 3 und 4 des »Bulletin mensuel« folgen auf die Mittheilungen der Central-Direction Berichte einzelner Sectionen und zwar der Section Paris in No. 3 über einen Vortrag über Vorarlberg und über den Verlauf der am 14. März abgehaltenen Jahres-Versammlung. Der Jahresbericht erwähnt als wirksamste Mittel der alpinistischen Propaganda der Jahresfeste, von denen das nächste, wie bereits mitgetheilt, in Chamonix abgehalten wird, der Wochenausflüge der Section und der auch von Seite der Regierung empfohlenen Schülerausflüge, ferner der gleich andern Ländern auch in Frankreich einzuführenden Feriencolonien und gedenkt der verstorbenen Mitglieder der Section: Leon Gambetta und Gustav Doré. No. 4 berichtet über eine Mont Blanc-Besteigung, über eine der Expeditionen nach Martinique zur Beobachtung des Venusdurchganges und bringt das Programm der Maiausflüge. Die Section Isère berichtet über Vorträge, über die Projecte von Eisenbahnen zwischen Frankreich und Italien, eine Besteigung der Belledonne, die Sous-Section Aix les Bains über Excursionen, die Section Vogesen über die Herausgabe eines eigenen Bulletins und über Wintertouren in den Vogesen, die Section Bordeaux über die Jahres-Versammlung, die im Bulletin der Section veröffentlichten Touren in den Pyrenäen und über eine Schülercarawane, die Section Mont Blanc über drei neuerliche Wintertouren der Frau B...y, die Section Maurienne gibt ein Tourenverzeichniss, die Section Atlas einen interessanten Bericht über die Besteigung des Abd-el-Kader el Djillali in Algier, die Section Madelaine eine Beschreibung des Gebirges, von dem sie den Namen führt, die Section Auvergne Touren nach Coudes, Sauvagnat und Saint-Yvoine, die Section Roussillon einen längeren Bericht über einen Ausflug zum Thurm von Madaloch, die Section Rouen erwähnt eines Osterausfluges in das Thal der Basse-Seine. In No. 4 folgen noch: eine Notiz über die ebenfalls von der Regierung patronisirten Schülercarawanen und Feriencolonien in Italien und über die fünfte solche Carawane von Arcueil, endlich eine ausführliche Beschreibung einer am 18. Januar ausgeführten Besteigung der Cime du Diable 2687 m in den Seealpen.

Das Januar-Heft des ***Bulletin der Section Sud-Ouest*** (Bordeaux) berichtet über die General-Versammlung vom 22. December v. J., über Besteigungen in den Pyrenäen und Touren durch Süd-Frankreich und Nord-Spanien und über die Betheiligung des C. A. F. und insbesondere der Section am geographischen Congress zu Bordeaux (4.—9. Sept. 1882).

Z.

Schweizer Alpenclub. Das Jahresfest findet vom 25. bis 27. August in Bern statt. Festpräsident ist der frühere Central-Präsident Herr Apotheker R. Lindt.

Società degli Alpinisti Tridentini. Die Leitung des Vereins wurde den Statuten gemäss für die Jahre 1883/84 von Trient nach Rovereto verlegt; zum Präsidenten wurde Baron E. Malfatti gewählt; in den verschiedenen Thälern des Gebiets, auf welches sich die Thätigkeit des Vereins erstreckt, wurden Delegirte, im ganzen 17, aufgestellt.

Steirischer Gebirgsverein. Der Verein hat 1882 keine neuen Bauten unternommen. Finanzielle Erwägungen führten auch zu dem Entschluss der grösstmöglichsten Reduction des Jahrbuchs, »für welches viel interessanter Stoff bereit war,« da »die Herstellungskosten einer solchen Vereins-Publication in keinem Verhältniss zu den Einnahmen standen.« Die Thätigkeit des Ausschusses 1882 begann mit der ehrenden Anerkennung alpiner Verdienste in Schrift und That. Herrn Oberlehrer Krainz in Eisenerz, dessen zahlreiche Publicationen werthvolle Beiträge zur alpinen Heimathskunde bilden, und Herrn Grillitsch in Wolfsberg (Kärnten), welcher das Unterkunftshaus auf der Koralpe dem Verein unentgeltlich zur Verfügung stellte, wurde das Ehrendiplom des Vereins zuerkannt. — Der Verein betheiligte sich an der Eröffnung der Kraus-Grotte, an der feierlichen Eröffnung des Erzherzog Johann-Monumentes in Neuberg, an der Eröffnung der Loser-Hütte unserer Section Aussee und an der alpinen Ausstellung in Salzburg, so wie am dort abgehaltenen alpinen Congress durch Delegirte.

Vereinspartien wurden auf den Hochlantsch, auf die Hohe Veitsch, und auf den Zirbitzkogel unternommen. Das Schutzhaus auf der Koralpe wurde in besten Stand gesetzt, das auf der Hohen Veitsch (»Graf Meran-Schutzhaus«) erhielt einen ständigen Hauswart.

Siebenbürgischer Karpathenverein. Die Zahl der Mitglieder ist bis Ende 1882 auf 1300 gestiegen. Der Sitz des Vereins ist Hermannstadt, jedoch hat er in den grösseren Städten Siebenbürgens (9) Sectionen. Vereinsvorstand ist Dr. C. Conradt, Vice-Vorstand E. A. Bielz, Secretär E. Sigerus, Cassier E. Lüdeke, Vertreter des Vereins in Wien Dr. F. Berwerth, Assistent im k. k. Hofmineraliencabinet. Der Jahresbeitrag ist fl. 2.—. Das mit Lichtdruckbildern schön ausgestattete Jahrbuch, wissenschaftliche und touristische Aufsätze enthaltend, erscheint im Mai und wird den Mitgliedern franco zugesendet.

Vereins-Hütten und Unterkunftshäuser*). Wegbauten.

Karlsbader Hütte an der Weisskugel. (Oetzthaler Gruppe). Die Vorbereitungen zum Bau dieser Hütte sind soweit gediehen, dass dieselbe mit Beginn der besseren Jahreszeit in kurzer Zeit fertiggestellt sein und noch Anfang September l. J. ihrer Bestimmung übergeben werden wird. Die Einrichtung der Hütte, in solidester Weise angefertigt, ist in seltener Vollständigkeit zusammengestellt und wird in einigen Wochen nach Mals transportirt werden; sie wird der auch in constructiver Hinsicht bestbeschaffenen Hütte jenen Grad inneren Comforts verleihen, wie er in solchen Höhen (2740 m) eigentlich nöthig ist, aber nicht immer gegeben werden kann. (Vortreffliche Lagerstätten und Kocheinrichtungen, Apotheke, Bibliothek, meteorolog. Instrumente, Gletscherseile, Eispickel etc. etc.) Die Hütte liegt am Tabaretenferner und bietet prachtvolle Fernsicht nach der Ortler-Gruppe und deren Umgebungen; die Tour Oetzthal - (Pitzthal -) Hochjoch - Weisskugel wird durch die Karlsbader Hütte mit der Route Spondinig-Ortlergruppe-Stilfserjoch practisch und direct in Verbindung gebracht. Der Besuch der Weisskugel von der

*) Als besondere Beilage zu dieser Nummer geben wir eine Uebersicht der Schutzhütten und Unterkunftshäuser in den deutschen und österreichischen Alpen. – Bezüglich weiterer Hütten- und Wegbauten unserer Sectionen verweisen wir auf die Auszüge aus den Jahresberichten der Sectionen, Anhang zum zweiten Nachtrag zum Mitglieder-Verzeichniss.

Südseite (Zugang Meran-Mals-Matscher Thal) ist von der Hütte aus in einer Zeit von 5 St. Auf- und Abstieg ermöglicht.

Rudolfs-Hütte im Stubachthal. Dieses prachtvoll an den Ufern des Weisssee gelegene Schutzhaus genügte schon im Jahre 1881 dem sich stets mehrenden Besuch nicht mehr, und nur dem durch den regenreichen Sommer des Jahres 1882 geminderten Besuch ist es zuzuschreiben, dass sich die Ueberfüllung nicht unangenehm fühlbar machte. Dieser Umstand, sowie die sich zeigende theilweise Baufälligkeit der Mauern machen einen Erweiterungs- und Umbau im Jahre 1883 dringend nothwendig. Die Schutzhütte soll auf das doppelte ihres bisherigen Raumes erweitert werden und 16 Besuchern Platz zum Uebernachten gewähren, aus Küche, Speiseraum, Damen-, Herrenzimmer und einem zum Schlafen benützbaren Oberboden bestehen, und wird bewirthschaftet werden. Der Bauvertrag ist Seitens der besitzenden Section Austria bereits abgeschlossen, und soll der Um- und Zubau, der einen Kostenaufwand von 2100 fl. erfordert, bis 1. August 1883 vollendet sein.

Schwarzenberg-Hütte. Diese von der Section Austria erbaute und 1882 eröffnete, am Fusse des Hochgrubergletschers in der Ferleiten prächtig gelegene Hütte, welche nach dem ersten touristischen Ersteiger des Wiesbachhorns, Sr. Eminenz Friedrich Fürsten zu Schwarzenberg benannt wurde, besteht aus 2 Gemächern, ist innen vertäfelt, enthält 10 Schlafstellen sammt abgesondertem Damenraum und ist mit Matratzen, Polstern, warmen Decken und allen nothwendigen Einrichtungsstücken reich versehen. Als Hochgebirgshütte ersten Ranges wird sie Besuchern des Wiesbachhorns und allen jenen, welche Touren im Gebiet der obersten Pasterze zu unternehmen beabsichtigen, eine wohnliche Stätte und Unterkunft bieten und zur Unternehmung solcher Touren von Fusch aus wesentlich beitragen.

Wegbau der Section Innsbruck im Vomperloch. Die General-Versammlung in Klagenfurt bewilligte der Section Innsbruck für Wegbauten im Vomperloch einen Betrag von fl. 300 und der hohe Jagdherr dieses Revieres, Se. Hoheit der Herzog von Sachsen-Meiningen spendete fl. 50 zu diesem Zweck.

Mit einem Kostenaufwand von 452 fl. wurden die Arbeiten im Laufe des Herbsts 1881 und im Frühjahr und Sommer 1882 durchgeführt. An beiden Thalseiten führen nunmehr sichere Steige durch einen mit grossartigen Naturschönheiten reich gesegneten bisher fast unbekannten Erdenwinkel, ohne dass ein gefährliches und mühseliges Irregehen, wie früher, zu befürchten wäre. An dieser Stelle sei gleich zweier Männer gedacht, die sich um das Zustandekommen dieser interessanten Wegbauten und die Ausführung derselben in hervorragender Weise verdient gemacht haben, und wird hiemit Seitens der Section Innsbruck Herrn Rassl, k. k. Oberförster in Schwaz für die gütige Befürwortung massgebenden Orts und Unterstützung des Projects und Herrn J. Reisigl, k. k. Forstwart ebendort, für die mit grosser Aufopferung, Ausdauer und Sachkenntniss persönlich durchgeführte Leitung der Arbeiten der wohlverdiente Dank öffentlich ausgesprochen.

Bevor man die starke Tagestour beginnt, erscheint es gerathen, sich mit Proviant zu versehen, da in stundenweitem Umkreis keine menschliche Wohnung zu treffen ist. Von dem Gasthaus Gunkel bei St. Michael im Gnadenwald führt ein mit Wegweisern und weisser Farbe bezeichneter Fussweg in $1^3/_4$ St. hinauf zur Walderalpe 1490 m. Währene des Aufstiegs öfter reizvolle Rückschau auf den parkähnlichen Gnadenwald, das Innthal und die gegenüber in sanften Formen sich erhebenden Bergeshöhen. Von der Walderalpe ab leiten Pfähle in streng nördlicher Richtung (rechts östlich deuten Pfähle die Richtung des Steigs auf das aussichtreiche Walderjoch an) in einigen Minuten zu einem kleinen Steig, der nach links zu einer völlig zerfallenen Holzknechthütte führt. Hier beginnt der alte, seit circa 150 Jahren unbenützte und total zerstörte, nun wieder vollständig hergestellte »Knappensteig«. In 15 Min. ein Wegweiser, welcher die Richtung ins Vomperloch angibt. Nach weiteren 15 Min. Tafel »Ganalpe-Schwaz«. Hier zweigt ein Steig ab, der für Touristen, welche aus dem Hinterauthal kommen und die Bahn bei Schwaz erreichen wollen — von hier ab $3^1/_4$ St. — von Vortheil ist, da so der Aufstieg zur Walder- und der Abstieg zur Ganalpe vermieden wird. In 25 Min. ab Tafel »Ganalpe-Schwaz« im Zickzack zur Bärenklamm. (Das Gefäll von der Walderalpe bis hieher 200 m.) Durch eine kaum 1 m breite, mit Stufen versehene Felsspalte in die eigentliche Bärenklamm. Zur Sicherheit am Ende des Schlufs Drahtseil. Dann auf nahezu ebenem Weg in 12 Min. zu einer Rasenbank. Aus schwindelnder Tiefe gähnt die einsame, wüste Bergschlucht des Vomperlochs herauf, und das sonst so laute Tosen des Wassers dringt kaum vernehmbar an das Ohr. Nord- und Südwände des Thales stürzen in bedeutender Neigung zum Bach ab und jenseits, tief unten zwischen Waldblössen schlängelt sich der Steig, den wir später kennen lernen werden, auf und nieder. Gegenüber baut sich die Vomper Kette in schauerlicher, fast beängstigender Oede auf, zerrissen und zerhackt, voll wüster Kare, jedoch ein erhebender Anblick, besonders wenn die stolzen Höhen in der Morgensonne erglühen. Am Nordsaum des Vomperlochs ragt als östlicher Thorwächter der feingeformte Hochnissel 2543 m auf; unvermittelt, fast ohne einen Vorbau, erhebt er sich aus dem tiefen Grunde des Vomper Thals. Ziemlich leicht ersteigbar, gewährt diese Spitze eine wundervolle Aussicht, reich wechselnd an wild erhabener und sanfter Schönheit. In der Richtung von O. nach W. folgen ferner: die Steinkarlspitze 2466 m mit ihrem gewaltigen Steilabsturz an der Ostseite, im Vordergrund die lange für unbezwingbar gehaltene, durch Herrn C. Gsaller in Innsbruck erstiegene Huderbank 2436 m, weiter zurück der noch jungfräuliche Kaiserkopf 2500 m, dann das Hochglück 2617 m. Die leicht kennbare, durch zwei massive Felsen flankirte Hochglückscharte ist der Uebergangspunkt in die »Eng.« Unter dieser Scharte befindet sich das schwer zugängliche Oedkar, aus welchem sich der Culminationspunkt der Vomper Kette, die Eiskarlspitze 2641 m erhebt. Diese Spitze deckt die dahinter liegende Spritzkarspitze 2631 m vollständig. Der Knotenpunkt der Hinterauthal- und Vomper Kette, die Grubenkarspitze 2664 m sammt dem Kar, sowie links die imposante Hochkanzel, die Brandlspitze 2634 m (Rossjoch) schliessen sich an. Letztere Gipfel gehören zur Umrandung des Rosslochs. -- Stärker steigt der Weg, nach Uebersetzung der Prügelklamm sich durch einen Bestand von alten, riesigen Legföhren windend, deren Ausrodung eben so viele Mühe als Kosten verursachte. Nach Durchquerung einer tiefen, plattigen Rinne zieht sich der Steig in Serpentinen abwärts zur Au im inneren Vomper Thal, einer kleinen 1109 m hoch gelegenen Ebene. Von der Rasenbank bis hieher 1 1/4 St. — Für Besucher des Hinterauthals, oder solche, die über das Lavatscher Joch nach dem Salzberg und nach Hall wollen, ist links vom Steig, wo derselbe die Thalsohle erreicht, ein Wegweiser angebracht, welcher die Richtung zum Ueberschall, dem Uebergang zum Haller-Anger zeigt. Wir folgen zunächst diesem Weg, der sich meist unweit des linken Bachufers, theilweise durch Wald und nur mässig steigend dahinzieht. Nach 1 St. 10 Min. wird auf neuer Brücke der Bach überschritten, in weiteren 5 Min. das armselige Lochhüttel 1290 m erreicht. Von da aus nach rechts (nördlich) gelangt man in's Grubenkar und in das Rossloch oder auf die Grubenkarspitze. Vom Hüttel geht der Weg nunmehr steil sich hebend in westlicher Richtung dem von Gemsen reich bevölkerten Thalschluss zu. Zur linken setzt in erschreckender Wildheit die von hier noch 1400 m hohe, fast verticale Nordwand der Grossen Bettelwurfspitze 2736 m zum Thal ab, ein Anblick, wie er wohl selten in den nördlichen Kalkalpen wieder gefunden werden mag. Nach langem, mühevollem Steigen wird der 1908 m hohe, sanft geformte Uebergangspunkt, »Ueberschall« genannt, bald darauf auch (ab Lochhüttel in 1 3/4 St.) die Alpe Haller Anger 1775 m, auf grünem Hang gelegen, erreicht. (Von hier nach Scharnitz 5 St., oder über das Lavatscher Joch 2077 m 2 1/2 St. zum Haller Salzberg.)

Um den Rundgang im Vomperloch fortzusetzen, kehren wir zur »Au« zurück und überschreiten den Bach auf einer ebenfalls neuen, mit einseitigem Geländer versehenen Brücke. Unter der Triefenden Wand vorbei und über eine kleine Leiter geht nun der Steig durch einen Buchenwald wieder scharf aufwärts zur Oedkarklamm (15 Min.). Hier bildet der Abfluss des Oedkars nach Regen oder bei der Schneeschmelze einen stattlichen Wasserfall. Rechts in tiefer Schlucht bricht sich, umgeben von furchtbaren Wänden, der Vomper Bach seinen Weg zu Thal. Den Steg des Oedkarbachs überschreitend, gelangen wir in weiteren 20 Min. zur unheimlichen Stierschlagklamm, in welche Drahtseile den Einstieg erleichtern. Der Weg steigt nun fortwährend ziemlich stark, bis in 1 1/2 St. ein von der Huderbank abzweigender Seitengrat erreicht ist, welcher einen herrlichen Anblick der Grossen Bettelwurfspitze, der Walderkammspitze und des thurmähnlichen Walderzunderkopfs bietet. In weiteren 20 Min.

steht man vor dem Absturz der früher sehr schlecht passirbaren Katzenleiter ca. 1260 m. Mit sicheren Drahtseilen und an besonders schwindelerregenden Stellen mit Geländern versehen, führt der Weg über 160 wegen ihrer Höhe gerade nicht bequeme Stufen den sehr steilen Abhang hinab. Nun geht es in kurzen scharfen Windungen zu einer finstern, wasserdurchströmten Klamm, und nach Uebersetzung des Zwerchbachs ist man binnen kurzer Zeit bei dem zwischen herrlichen Buchen versteckten herzoglichen Pürschhaus ca. 1000 m angelangt, von dem ein breiter Reitsteig in 1 1/2 St. zum lieblichen Hochplateau des Vomper Berges leitet. Von hier ab in's Gasthaus zur Pfannenschmiede in Vomperbach 40 Min.; oder über Vomp nach Schwaz 1 St. 10 Min.

Die Tour durch das Vomperloch kann Freunden grossartiger Naturschönheiten nicht warm genug empfohlen werden, und wer diese an sich ganz eigenthümliche Thalwanderung gemacht hat, wird sich für die gerade nicht unbedeutenden, jedoch vollständig gefahrlosen Anstrengungen überreich belohnt fühlen. Sämmtliche Steige führen durch sorgfältig gehegte, wildreiche Gemsreviere und es wird hier auf das an den Wegweisertafeln der Eintrittstellen (Zwerchbach, Knappensteig, Ueberschall) ausgesprochene Ersuchen »sich unnöthigen Lärmens zu enthalten« hingewiesen, welchem billigen Verlangen die Besucher gewiss entsprechen werden.

Innsbruck. *Julius Pock.*

Wegweiser auf das Hafelekar 2281 m. Das nördlich von Innsbruck aufsteigende Hafelekar, ein runder, stark begrünter, wenig felsiger Gipfel, zu oberst mit einem rothen Kreuze geschmückt, zeichnet sich durch seine leichte Besteiglichkeit (4 1/2 St. von Innsbruck), durch eine blos 1/4 St. westlich vom Gipfel sprudelnde köstliche Quelle und, wenn auch nicht unbegrenzte, doch sehr lohnende Aussicht aus. Als Anstiegpunkt gilt gewöhnlich die Hungerburg, allein im Wald oberhalb derselben durchkreuzen sich die verschiedenartigsten Steige zu einem wahren Wirrsal. Desshalb liess die Section Innsbruck 1882 die bequemste Anstieglinie durch 10 Tafeln und etliche Dutzend gelbfarbiger Pfeile und Striche an Bäumen und Steinen bezeichnen. Die Route läuft durch die Höttingergasse, an deren Eingang gegenüber der Innsbrucker Innbrücke sich die erste Tafel befindet, zur Höttinger Kirche und von dort über die Fahrstrasse zu den Steinbrüchen bis 10 Min. westlich der Hungerburg und dann durch den Wald über den ca. 1050 m hohen Titschenbrunnen, eine herrliche Gebirgsquelle, zum grünen Boden der sog. Arzler Rossfalle ca. 1550 m. Hier steht der letzte Wegweiser, und da das Hafelekar nun unmittelbar vor Augen steht, erscheint Weiteres überflüssig. Zu bemerken wäre nur, dass man vorerst nicht auf den Gipfel selbst, sondern auf das grüne Spitzchen westlich davon lossteuern soll, von wo es ganz bequem zum Kreuz ostwärts emporgeht. Vom Kreuz bis zur Quelle hat die Section schon 1879 3 Wegweiser errichtet, so dass nun überall eine sichere Leitung besteht.

Führerwesen.

Neustift in Stubai. Der 1882 gegründete Führer-Verein wählte für das laufende Jahr als Obmann Thomas Siller (Fleck Thomele), als Obmann-Stellvertreter Pankraz Gleinser (Marxer Kraze), als Beisitzer Josef Pfurtscheller (Burgeler) und Johann Danler (Assewieser). Das Tourenbuch, an welches die Touristen sich behufs ordnungsmässiger Zutheilung der Führer halten wollen, liegt beim Salzburger Wirth Herrn Jenewein in Neustift auf.

Im ***Glocknerhaus*** sind durch Veranstaltung des Heiligenbluter Führervereins während der Saison stets Führer bereit, so dass man nicht mehr nöthig hat, solche von Heiligenblut kommen zu lassen.

Im ***Hotel Fedaja*** (Marmolada) stehen, nach der Anzeige des Besitzers, Herrn Joh. Bapt. Finazzer zum Stern in Buchenstein, jeden Morgen zwei Führer für Touren bereit.

Die Section Oberland des S.-A.-C. hat ein ***Verzeichniss der patentirten Bergführer im Berner Oberland*** herausgegeben (Preis 50 cts., für Mitglieder des S. A.-C. 30 cts.) Dasselbe enthält auf 28 Seiten die Namen, Wohnorte, Geburtsjahre, meist begangene Touren und nennenswerthe Leistungen von 221 patentirten Bergführern des Berner Oberlands. Es ist dies also ein officielles Führerverzeichniss und gibt dem Touristen, der das Berner Oberland bereisen will, sofort Aufschluss über jene Führer, welche er zu seinen Partien am besten brauchen kann. Besonderen Werth erhält es noch dadurch, dass bei jenen 120 Führern, welche sich bis jetzt gegen Unfälle versichern liessen, ein Sternchen angebracht ist. Jene Touren, welche der betreffende Führer mehreremale gemacht hat, sind gesperrt gedruckt. Wir können die Nachahmung dieser schätzenswerthen Arbeit unseren Hochgebirgs-Sectionen nur empfehlen; derlei Verzeichnisse, wenn sie auf Bahnhöfen, in Gast- und Schutzhäusern oder sonst käuflich zu haben sind, werden vielen Bergfahrern willkommen sein; Jeder wird seinen richtigen Mann bald gefunden haben, oder wird sich ihn leicht brieflich bestellen können.

Personalien.

Im vergangenen Winter starb zu Neukirchen im Pinzgau ein Mann, der vor einem Jahrzehnt noch als einer der besten österreichischen Hochgebirgsführer mit Recht betrachtet werden konnte, ***Anton Rainer.*** Er war ein ausgezeichneter Steiger und mit Köderbacher aus Ramsau einer der ersten unserer Führer, welcher in die Schweiz mitgenommen wurde, wo er die hervorragendsten Gipfel, zumeist ohne Localführer, bestiegen hat. Rainer, der seit mehreren Jahren als Oberjäger in den Dienst des Grafen Hohenthal getreten war und nicht mehr führte, starb an den Folgenübeln einer Rippenfellentzündung.

Mittheilungen und Auszüge.

Aus dem Pusterthal. Die Section Hochpusterthal gibt Folgendes bekannt. Ueber die im Pusterthal in Folge der Hochwasser-Ereignisse nun herrschenden Verhältnisse scheint vielfach die Vorstellung verbreitet zu sein und wohl auch von daran interessirter Seite absichtlich verbreitet zu werden, dass jetzt eine Bereisung des Pusterthals und der Aufenthalt dort mit Schwierigkeiten und Unannehmlichkeiten verbunden und in diesem Sommer nicht anzuempfehlen sei.

Dem ist nun aber nicht so und die Section fühlt sich veranlasst, diesbezüglich eine Aufklärung zu veröffentlichen. Wohl ist das Thal und sind die Ortschaften vom Hochwasser schwer heimgesucht und geschädigt worden, allein für den Fremdenverkehr haben sich hiedurch die Verhältnisse nicht ungünstiger gestaltet. Der Charakter der Hochwasser-Verheerungen ist ja in den Hochthälern ein ganz anderer als in den Niederungen. In den Hochthälern ist in Folge des meist starken Gefälles die Ueberschwemmung keine so allgemein ausgebreitete, sondern sie ist mehr auf gewisse Richtungen beschränkt, die Wasser fliessen nach den Hochwassertagen meist überall rasch ab und es bleiben keine ungesunden Dünste zurück. So wurden auch im Pusterthal fast überall nur mehr minder grosse Theile der Ortschaften betroffen, vorzüglich die mehr an den Wasserläufen gelegenen gewerblichen Theile, während andere, besonders die Hauptverkehrstheile überall mehr verschont blieben. Die Fremden-Gasthäuser und Badeanstalten blieben dabei fast überall gänzlich verschont oder wurden weniger betroffen und sind längst wieder durchgehends in Stand gesetzt. Ebenso sind Strassen und Wege überall wieder hergestellt und ist man allenthalben eifrigst bemüht, die Spuren der Ueberschwemmung, so weit möglich, zu verwischen.

Man wird daher auch dieses Jahr im Pusterthal wieder mit der gleichen Bequemlichkeit verkehren können, die gleiche gesunde Luft und in den Gasthäusern die gleich gute Unterkunft wie früher und überall noch einen freundlichen angenehmen Aufenthalt dort finden.

Möge sich daher Niemand durch obige Befürchtungen von einem Besuch des mit einer so schönen merkwürdigen Gebirgswelt ausgestatteten Pusterthals abhalten lassen.

Arlbergbahn. Auf der Strecke Innsbruck-Landeck, welche im Lauf des Sommers im Secundärbetrieb eröffnet werden soll, waren Ende März 87.9 % der Gesammtleistung an Unterbau-Arbeiten beendigt; die Aufstellung des eisernen Unterbaues für die grosse Brücke über die Oetzthaler Ache war beendet, jene über den Pitzenbach im Zug; der Oberbau war auf 48.6 km (= 68.7 %) gelegt; an Hochbauten betrug die Leistung 70.3 %.

Auf den Strecken Landeck-St. Anton und Langen-Bludenz wurden die Erd- und Felsarbeiten an 105, die Entwässerungs-Anlagen an 5, die Fluss- und Uferschutzbauten an 15, dann die Böschungs- und

Futtermauern an 58 und jene der Tunnels an 15 Arbeitsstellen betrieben. Der Aushub der Fundamente für den Wolfsgruberbach-Viaduct, für zwei Rosana-Brücken, für den Höllentobel- und den Brunnentobel-Viaduct wurde begonnen, jener für die Innbrücke, den Trisana- und den Schmidtobel-Viaduct fortgesetzt. Im Montirungsgerüste für den Trisana-Viaduct sind fünf Joche der ersten und zwei Joche der zweiten Etage aufgestellt.

Die Gesammtleistung im Arlberg-Tunnel beträgt:

Gegenstand	Ostseite Meter bis Ende Februar	Ostseite Meter bis Ende März	Westseite Meter bis Ende Februar	Westseite Meter bis Ende März
Sohlenstollen	4069·2	4184·9	3310·9	3469·2
Firststollen	3898.6	4038·5	3038·7	3211·3
Vollausbruch:				
angefangen	130·7	128·9	121·1	152·3
beendet	3373·9	3474·2	2204·2	2304·9
Mauerung:				
angefangen	87·0	66·1	94·4	100·8
beendet	3278·3	3399·5	2083·9	2204·1

Mit Vollendung der Theilstrecke Innsbruck-Landeck wird sich der Besuch auch des ***Oetzthals*** und ***Pitzthals*** erheblich steigern. Der Eintritt in diese Thäler wird sich folgendermaassen gestalten. Für das Oetzthal ist Station für von Innsbruck kommende Touristen die diesseits der Achenbrücke gelegene Station Oetzthal; von hier bis Oetz 1 1/4 St.; — wer von Imst kommt, verlässt die Bahn an der Haltstelle Roppen; von hier zur alten Oetzbrücke und hinüber nach Oetz 1 1/2 St.; die Fahrzeit der Bahn von Innsbruck nach Stat. Oetzthal soll 2 St. betragen. — Für das Pitzthal ist Ausgangspunkt die 2 km vom Markt Imst entfernte am rechten Innufer gelegene Station Imst. (Omnibus zu jedem Zug.) Vom Bahnhof Imst nach Arzl sind 3/4 St., von Arzl nach Wenss 1 1/4 St. Wege werden gebaut.

Gerichtliche Entscheidung wegen Offenhaltung eines Saum- und Fusspfades. Aus der Praxis des k. k. Verwaltungsgerichtshofs in Wien dürfte folgende Entscheidung für unsere Kreise besonderes Interesse bieten. Es handelt sich um folgenden Sachverhalt. 1878 liess der Besitzer der Domäne Lunz in Niederösterreich den vom Seehof zur Neuländ und von da durch das Seebachthal zu den Lunzer Seen, zur Herrnalpe und zum Dürrenstein führenden Weg durch eine bei Neuländ aufgestellte Wegverbottafel aus Jagdrücksichten sperren. Der Gemeindeausschuss von Lunz verfügte hierauf, in Erwägung, dass die Beseitigung dieser Verbottafel im Interesse der Gemeinde gelegen sei: der Domänenbesitzer habe diese Tafel zu beseitigen. Dadurch erachtete sich letzterer beschwert und verlangte die Entscheidung des Niederösterr. Landesausschusses als II. Instanz, welcher die Verfügung des Lunzer Gemeindeausschusses mit der Motivirung bestätigte, dass der in Rede stehende Weg ein öffentlicher sei. Der Domänenbesitzer versuchte nun das äusserste Mittel und beschwerte sich gegen die Entscheidung des Landesausschusses bei dem k. k. Verwaltungsgerichtshof, welcher diese Beschwerde als unbegründet abwies. Aus den Entscheidungsgründen ist zu entnehmen, dass vor allem die Gemeinde Lunz zur Verfügung der Entfernung competent war, weil es sich um die Offenhaltung eines Saum- und Fusspfades und nicht um einen Gemeindefahrweg handelte, in welch letzterem Falle die Angelegenheit vor den Bezirks-Strassenausschuss gehört hätte. In sachlicher Beziehung wurde der durch glaubwürdige Gewährsmänner constatirte Thatbestand als wahr angenommen dahin: der Weg von Neuländ durch das Seebachthal zu den Lunzer Seen, zur Herrnalpe und zum Dürrenstein sei seit jeher als eine öffentliche Communication Jedermann, ob einheimisch oder fremd, ohne Beschränkung und insbesondere ohne eingeholte Erlaubniss zur Benützung freigestanden und sei auch so bis zur Aufstellung der Wegverbottafel beliebig benützt worden, weil durch diesen Weg eine allerdings nicht bequeme aber doch kürzere Verbindung mit Rothwald und Wildalpen vermittelt werde; diesen Weg hätten auch sogar die alljährlich am Jakobitage auf den Dürrenstein wallfahrenden Processionen benützt. Der k. k. Verwaltungsgerichtshof argumentirt hieraus, dass der fragliche Weg bisher dem öffentlichen Verkehr gedient habe, dass die Sorge für die Offenhaltung solcher Wege nach der Gemeindeordnung den Gemeinden obliege, dass jedoch die bei Neuländ aufgestellte Verbottafel den Zweck verfolge, den Verkehr auf diesem Wege zeitweise einzuschränken und zu verhindern und überhaupt dessen Zulässigkeit in das Belieben des Beschwerdeführers zu stellen, dass dagegen der Domänenbesitzer nicht nachgewiesen habe, es bestehe hier ein Wegservitut, oder doch wenigstens eine precarische (bittweise) Benützung seiner Privatwege, wesshalb die Gemeinde Lunz berechtigt war, zum Zwecke der Aufrechthaltung des bisher thatsächlich unbehinderten Verkehrs die Beseitigung der Verbottafel zu verfügen, und auch der Landesausschuss keinen gesetzlichen Anlass zur Aufhebung dieser Verfügung hatte. —

Diese principielle Entscheidung ist desshalb wichtig, weil es erfahrungsgemäss viele Jagdbesitzer im Hochgebirge auf verschiedene Art versuchen, stets begangene Steige zu sperren, damit das Wild nicht verscheucht werde, wodurch den Bergfahrern schon manche Partien verdorben wurden.

Wenn in einem oder dem anderen Falle die Verhältnisse so liegen wie bei dem Steige auf den Dürrenstein, so wäre den betreffenden Gemeinden ein ähnliches Vorgehen zu empfehlen. Andererseits darf auf den Beschluss der General-Versammlung unseres Vereins in Saalfelden (Zeitschrift 1879 S. 415): »Es sei den Sectionen anzuempfehlen, im Einverständniss mit den Jagdberechtigten an Orten, wo dies im Interesse des Jagdschutzes wünschenswerth erscheint, Tafeln anzubringen, welche den Besuchern des Berges bekannt geben, dass unnöthige, nicht im Zwecke der Bergbesteigung selbst gelegene Beunruhigungen den Jagdberechtigten schädigen« hingewiesen und derselbe wieder in Erinnerung zurückgerufen werden, damit unliebsamen Conflicten vorgebeugt werde.

Der Holzsturz am Königssee fand heuer am 1. Mai statt. 9 U. Früh versammelten sich um die beflaggten Schiffe an den Schiffhütten des Königssees viele Bewohner der Umgebung, sowie aus Reichenhall, Salzburg und selbst aus weiter Ferne, um dem grossartigen Schauspiel eines Holzsturzes an den steilen Uferwänden am Burgstall beizuwohnen. Vom prächtigsten Wetter begünstigt setzte sich die kleine Flotte in Bewegung, St. Bartholomä zusteuernd. Dort wurde gelandet und ein Imbiss eingenommen. Die Tafelmusik hiezu bildeten die Donner der vom Watzmann fast continuirlich sich ablösenden Schneelawinen, die gleich Giessbächen sich in die Tiefe stürzten. Gegen 1 U. setzte sich die Flotte wieder in Bewegung, um den Holzsturz anzusehen. Auf gegebenes Signal stürzte sich, nachdem man die Bande gelöst, aus einer Höhe von ca. 600 m vorerst mehr vereinzelt, dann aber im grossen die Holzmasse (180 Ster) herab unter dem furchtbaren Gekrache und dem Geknatter einzelner, mit Pulver geladener Holzstücke, welche oft erst im See, das Wasser hochaufthürmend, explodirten. Hierauf erfolgte der zweite Holzsturz am Schreinbach. Nachdem an der Klause die Schleusen gezogen, stürzte der Schreinbach in braunen, wildtosenden, den Rauchwolken einer stark keuchenden Lokomotive nicht unähnlichen Massen in den See, das vor ihm angestaute Holz mit in die Tiefe reissend. Der See wirbelte auf, und der Gischt trieb weit weg, in staubartigem Regen die Zuschauer benässend. — Das kleine von der Section Berchtesgaden veranstaltete, durch die liebenswürdige Unterstützung des Herrn Oberförster Krembs von Königssee zur Ausführung gelangte Fest war bei herrlichem Wetter vollständig gelungen.

Passions-Vorstellungen. Heuer werden und zwar vom 3. Juni beginnend in Brixlegg unter der künstlerischen Leitung des Herrn Professor Michael Stolz in Innsbruck Passions-Vorstellungen stattfinden.

Touristische Notizen.

Venediger-Gruppe.

Ueber das Hollersbachthal zur Prager Hütte. Den Besteigern des Gross-Venediger, welche den Weg über den Velber Tauern bereits kennen, erlaube ich mir den Uebergang durch das Hollersbachthal und die Plenitz-Scharte zu empfehlen. Das Hollersbachthal, welches sich 4 ½ km westlich von Mittersill bei der Ortschaft Hollersbach öffnet, hat viel Aehnlichkeit mit den beiden nachbarlichen Parallelthälern, dem Velber- und Habachthal. Ein gut erhaltener Weg führt stets an der rechten Bachseite, an einer grossen Zahl von Alphütten vorüber zu der am innersten Thalboden gelegenen Ofnerhütte. Hier, am Zusammenfluss des Weissenecker- und Seebachs, welche wasserfallartig herabstürzen, befindet sich die einzig zu überwindende Thalstufe, deren Uebersteigung 1 St. Zeitaufwand erfordert. Das landschaftliche Bild entbehrt nicht einer gewissen Grossartigkeit. Die das Thal umschliessenden Gipfelreihen mit ihren wild zerrissenen Gräten und Abstürzen, der schöne, theilweise vergletscherte Thalschluss und das prächtige Grün der Alpenmatten, in deren Mittelpunkt die ausgedehnte Weissenecker Alpe und der Kratzenberg-See sich befinden, lohnen den Besuch schon an und für sich reichlich. Unternehmenderen Touristen wäre die Besteigung der Kratzenbergspitze 3025 m, des Abrederkogel 2970 m, der Hohen Säule 2996 m, des Tauernkogel 2982 m, Larmkogel 2930 m etc., als ganz besonders günstige Aussichtspunkte zu empfehlen. Von der Alpe Weisseneck (5 ½ St. von Hollersbach), ist die Uebergangsstelle, die Plenitz-Scharte 2684 m, in 2 ½ St. zu gewinnen. Der am Westhang des Abreder sich hinziehende Steig führt einige Zeit durch ein Trümmerfeld, ist aber keineswegs schlechter, als die Strecke von der Velbertauern-Höhe ins Gschlössthal. Nach Ueberschreitung der Scharte kann die Prager Hütte über die Zunge des Viltragen-Keeses und an den westlichen Hängen des Kesselkopfs in 2 ½ St. erreicht werden. Es ist nicht nöthig weiter anzusteigen, da der Weg von der Scharte völlig eben sich hinzieht; der Aufstieg auf den Kesselkopf aus dem Gschlössthal, bekanntlich der ermüdenste Theil der Venediger-Besteigung, kann daher vermieden werden. Auf der Scharte geniesst man einen sehr hübschen Ausblick auf den Gross-Venediger und andere hervorragende Gipfel der Gruppe. Die Route über das Hollersbachthal dürfte wegen ihrer Kürze und Zweckmässigkeit jedenfalls öfter gemacht werden; nur wäre zu wünschen, dass die kurze Wegstrecke von der Weissenecker Alpe bis zur Plenitz-Scharte einer kleinen Reparatur unterzogen würde.

Als Führer für diese und andere Touren in den Bergen von Hollersbach, Habach und den Sulzbachthälern empfiehlt sich besonders Paul Raneburger, Bauer und Gemsjäger in Hollersbach, welcher dort allgemein als der beste Kenner dieses Gebietes gilt.

Salzburg. *L. Purtscheller.*

Dolomit-Alpen.

Zur Marmolada-Besteigung von Süden. Wir werden um Aufnahme folgender Zeilen zur Richtigstellung eines Irrthums, welcher sich in einen Bericht der Section Hamburg in den Mittheilungen 1882, Nr. 7, S. 210 eingeschlichen hat, ersucht.

Es heisst daselbst in einer Resumirung des Vortrags des Herrn Gabain: »Am folgenden Morgen 3 Uhr erstiegen die Wanderer den Ombrettapass, der aus dem Ombrettathal etc. in das nach Fassa ziehende Contrinthal führt. Von der Passhöhe aus wurde über Schuttabhänge zwischen dem Vernel und dem Hauptmassiv der Marmolada durch einen kurzen, aber schwierigen Kamm der Vernelpass und dann der Marmolada-Gletscher erreicht.« Zur Richtigstellung verweise ich auf meine Arbeit in der Zeitschrift, Band XI., S. 304 und auf die Zeichnung »das Contrinthal gegen N. und NO.« ebendaselbst. Nach dem Hauptmassiv der Marmolada folgt ein Seitengipfel derselben und zwischen den beiden liegt der Marmoladapass, welchen Herr Gabain erstieg, denn der Vernelpass liegt erst zwischen dem genannten Seitengipfel und dem Vernel. Auf ihn trifft weder die Bezeichnung »kurz« noch »schwierig« zu, weit mehr die Bezeichnungen »sehr lang« (circa 800 m Höhendifferenz zwischen Ombrettapass und Vernelpass) und »ungemein schwierig«. Auch kann man nicht, wie Herr G. that, über den Vernelpass den Marmoladagletscher erreichen, wohl aber über den Marmoladapass.

München. *Gottfried Merzbacher.*

Meteorologische Berichte aus den Ostalpen

April 1883.

Station	Luftdruck					Temperatur					Niederschlagsmenge des Monats in Millimetern
	Mittel	Maximum		Minimum		Mittel	Maximum		Minimum		
	mm	mm	am	mm	am	°C.	°C.	am	°C.	am	
Reichenau	717·1	725·5	8.	703·9	29	6·5	12·1	29.	—1·4	8.	34
Windisch-Garsten	706·2	710.0	3.	694·8	28.	5·6	27·0	18.	—5·5	22.	116
Salzburg	722·2	733·9	7.	707·0	29.	6·6	21·0	28.	—1·5	3.	57
Traunstein	709·5	720·0	7.	695·0	29.	5·4	18·9	28.	—3·1	3.	81
Rosenheim	—	—	—	—	—	6·75	21·4	28.	—2·7	3.	49
Hohenpeissenberg	674·66	683·9	7.	661·9	28.	3·37	17·5	28.	—6·3	8.	50
Lindau	—	—	—	—	—	8·32	22·0	28.	—1·3	13.	52
Klagenfurt	721·23	730·4	2.	706·7	29.	7·87	18·7	30.	—1·0	3.	14
Judenburg	695·1	703·6	2.	682·9	29.	5·4	15·6	29.	—3·8	22.	24
Toblach	658·0	665·0	3.	645·0	29.	2·5	12·0	30.	—8·5	8.	17
Innsbruck	708·3	717·8	8.	695·7	29.	12·7	19·0	27.	—2·0	8.	22
Tüffer	740·3	750·6	2.	724·7	29.	8·8	22·0	29.	—1·5	3.	83
Laibach	733·7	743·4	3.	718·5	29.	8·7	19·8	29.	—1·1	3.	68
Hochobir	591·26	598·4	3.	582·3	29.	—3·4	—4·3	29.	—12·3	7.	104
Schmittenhöhe	610·0	615.0	2.	607·0	11.	5·3	14·0	22.	0·0	19.	3

Literatur und Kunst.

v. Enderes, Aglaia, Frühlingsblumen. Mit einer Einleitung und methodischen Charakteristik von Prof. Dr. M. Willkomm. Mit 71 Abbildungen in Farbendruck, nach der Natur gemalt von Jenny Schermaul und Jos. Seboth, und zahlreichen Holzstichen. Leipzig. G. Freytag. Lief. 2—12.*) (Schluss.) à 1 M.

Allen Freunden der Natur, die an Blumen mehr suchen, als einen vergänglichen Genuss, mehr als ein Leben zu knicken, das kaum entspross aus Erdenbanden, wird das vorliegende Werkchen, in dem Poesie und Wissenschaft sich so freundlich die Hand reichen, höchst willkommen sein. Möge erstere die Brücke bilden, die den Laien einführt in die Ethik und Aesthetik der Blumenwelt und ihm das Bedürfniss nach letzterer weckt: nicht bald ist dieser Doppelzweck so innig verbunden wie hier.

*) Vergl. Mittheilungen 1882, S. 194.

Schliesslich sei erwähnt, dass derselbe Verleger eine Fortsetzung »Sommerblumen« erscheinen lassen wird, dessen Text Carus Sterne (Dr. Ernst Krause) besorgen wird; wenn dieser und jener sein Wort einlöst, dann ist die Literatur um zwei schöne Werke reicher, deren Ziel ein hohes, doch gewiss leicht erreichbares ist: eine tiefere Kenntniss der Pflanzenwelt im Laienkreise.

D. T.

Gletscherliteratur.

In der alpinen Literatur herrschen gegenwärtig zwei Themen vor: das eine ist die Waldfrage und die damit zusammenhängende nach der Ursache der so häufig gewordenen Elementarschäden, das zweite, rein wissenschaftliche ist die Frage nach den Erscheinungen der Gletscherwelt, sowohl der jetzigen als der einstigen. Interessirt an den jetzigen Gletschern am meisten die Erscheinung ihres ausserordentlichen Rückganges, so ist es bei dem Studium der alten Gletscher vorwiegend die Frage nach den Umgestaltungen der Erdoberfläche, die durch sie hervorgerufen worden sein sollen, welcher das Interesse zugewandt ist, und in welcher sich die eigentlichen Glacialisten und die Geologen begegnen.

Es ist noch kein Decennium verflossen, dass das Studium der alten Glacialerscheinungen in den Ostalpen ernstlich in die Hand genommen worden ist, es ist aber auch eine allgemein anerkannte Thatsache, dass ein Aufsatz in den Publicationen unseres Vereins es war, der am meisten Anstoss dazu gegeben hat, nämlich jener von F. Stark: »Die bayerischen Seen und die alten Moränen« (Zeitschrift 1873, S. 67 ff). Seitdem waren vor allem die ausgezeichneten Geologen der bayerischen Hauptstadt nicht müssig, und bald wird das Gebiet des alten Lech-, Amper- und Inngletschers für ebenso genau durchforscht gelten können, als das des Rhein- oder Rhonegletschers.

So hat auch das letzte Jahr zwei sehr bemerkenswerthe Bereicherungen zu unserer Kenntniss gebracht. Die Monographie von **Bayberger, der Inngletscher von Kufstein bis Haag** (Ergänzungsheft Nr. 70 zu Petermanns Mittheilungen, Gotha, Just. Perthes), ist eine ungemein fleissige und eingehende Beschreibung der alten Moränenzüge, erratischen Blöcke und aller anderen glacialen Bodenformen, welche sich — offenbar als Spuren eines grossen, hauptsächlich dem Innthal entströmenden Gletschers — auf dem genannten Gebiete erhalten haben. Ist diese Arbeit also vornehmlich beschreibend, aufzählend, Daten sammelnd, so beansprucht das grosse Werk **Albrecht Pencks: Die Vergletscherung der Deutschen Alpen, ihre Ursachen, periodische Wiederkehr und ihr Einfluss auf die Bodengestaltung.** Gekrönte Preisschrift. (Leipzig 1882, Barth) einen ganz anderen Rang in der wissenschaftlichen Literatur. Zum ersten Mal sollen die in den letzten Jahren von anderen gemachten und die eigenen Beobachtungen über die alten Gletschererscheinungen von Nordtirol und Oberbayern zu einem nach allen Seiten theoretisch abgerundeten und geschlossenen Bilde vereinigt werden. Ein solcher Vorsatz erfordert eine vollkommene Beherrschung des Beobachtungsmaterials sowohl, als der überaus reichen theoretischen Literatur, wie sie von skandinavischen, englischen und französischen Forschern in weit grösserem Umfang aufgehäuft worden ist, als von deutschen. An dieser Beherrschung lässt es nun Dr. Penck keineswegs fehlen; ja die Kapitel, worin er den bisherigen Gang der Theorien und Forschungen über die einzelnen Fragen darlegt, gehören zu dem Anziehendsten und Lehrreichsten, was man lesen kann, wie überhaupt die umfassende und sichere Kenntniss begleitet ist von einer bei Naturforschern nicht häufigen Eleganz und Sorgfalt der stilistischen Form, welche die Lectüre des umfangreichen Buches zu einem wahren Genuss macht.

Der erste Theil des Buches ist vorwiegend beschreibend. Vom Lech bis zum Chiemsee, und auch innerhalb des Gebirges werden die Gletscherspuren, besonders die alten Schotterablagerungen verfolgt; aus dieser Beschreibung ergibt sich aber dann im 2. Abschnitt, dass man sich genöthigt sieht, nicht weniger als drei verschiedene Eiszeiten anzunehmen, in welchen die Gletscher ihre

Massen verschieden weit in die Ebene hinausgeschoben haben. Der dritte Abschnitt behandelt dann das bestrittenste Gebiet, die Entstehung der Seen. Auch hier geht eine sehr lehrreiche Geschichte der Theorie voraus, dann folgt die Entscheidung für diejenige Ansicht, welche bisher von Alpengeologen nur ausnahmsweise angenommen worden war, nämlich: dass die Vorlandseen wie Ammer-, Starnberger und Chiemsee durch Gletschererosion entstanden seien. Es kann nun hier nicht unausgesprochen bleiben, dass Referent auch die Gründe, welche Penck dafür beigebracht hat, keineswegs für überzeugend zu halten im Stande ist, ja dass ihn dessen Beweisführung, so sorgfältig von allen Seiten das Material herbeigebracht und so geschickt es gruppirt ist, erst recht in der gegentheiligen Meinung bestärkt hat.*) Vielleicht findet sich auf einem Felde wo mehr Raum ist, Gelegenheit, den Nachweis hiefür zu erbringen; ich kann an dieser Stelle nur wiederholen, dass das Studium der Wirkung der modernen Gletscher noch am meisten Hoffnung gewähren dürfte, zu entscheidenden Daten zu gelangen. Das Schlusscapitel behandelt die Ursachen der Eiszeiten, welche Penck, wie wir glauben, mit Recht auf jene Schwankungen des Klima's der Erde zurückführt, welche durch die Aenderungen der Excentricität der Erdbahn innerhalb vieler Jahrtausende hervorgebracht werden.

Können wir also auch in einem Hauptpunkte mit dem Verfasser keineswegs übereinstimmen, so wollen wir doch gerne constatiren, dass Pencks Buch als eine glänzende Bereicherung der Glacial-Literatur anzusehen ist.

S. *R.*

Schober Karl, die Deutschen in Nieder- und Ober-Oesterreich, Salzburg, Steiermark, Kärnten und Krain. (Die Völker Oesterreich-Ungarns Band I.) Teschen 1881, Prochaska. M. 6.50.

Derselbe Verlag, der uns Dr. Eggers »Tiroler und Vorarlberger«**) gebracht, hat uns auch dieses Werk bescheert. Diese Länder liegen alle theils in, theils an den Alpen und daher dürfen auch wir das Buch nicht übersehen. Dasselbe ist mit Liebe, Fleiss und Verständniss gearbeitet und wird die Zeit, die der Leser darauf verwendet, reichlich lohnen. Ein jeder, der sich Austriaca nicht zur Lebensaufgabe gemacht, wird durch eine Fülle von Mittheilungen, so zu sagen Neuigkeiten überrascht werden, die ihm bisher noch nicht in die Hand gelaufen. Verfasser beginnt mit der »Einwanderung des deutschen Volksstammes«, welcher bekanntlich der bajuvarische war. Freilich weiss man von jenen Jahrhunderten nicht viel mehr, als dass man nichts weiss. Jahrzahlen und Ortsgeschichten ergeben sich erst, nachdem die ersten Zeiten der Besitznehmer, die ersten Kämpfe und Triumphe längst vorüber sind. In den eigentlich österreichischen Landen waren es die Wenden, mit denen sich die deutschen Einwanderer auseinander zu setzen hatten; um Salzburg, um das römische Juvavum, sassen noch die Romanen in dichten Haufen. An der östlichen Grenze lagerten lange noch wilde, räuberische Horden, die viel Angst und Noth verbreiteten, zuerst die Avaren, dann die Magyaren, zuletzt die Türken. Die bairische Ostmark an der Donau wurde bei Augsburg auf dem Lechfeld geboren. Nach der grossen Ungarnschlacht (955) konnten die Baiern von der Enns wieder bis an den Wiener Wald vorgehen, und dieses Gebiet nannte man damals die Ostmark. Wie es dann weiter ging, wie die Ostmark, Steiermark, Kärnten und Krain zuletzt habsburgisch wurden, ist männiglich bekannt.

Das zweite Capitel handelt von Religion, Reformation und Secten.

»Die Entwicklung des Ständewesens« gibt ein lebendiges Gemälde dieses Wesens, das sich da sehr grossartig aufspielte. Tirol und Baiern hatten zwar auch ihre feudalen Stände, aber in den Ländern, die hier behandelt werden, waren die Elemente, namentlich die Ritterschaft und die Städte, viel mächtiger

*) Auch Bayberger bringt einige sehr triftige Argum entegegen Pencks Ansicht vor.

**) Siehe Mittheilungen 1883, S. 94.

und daher die Vorgänge viel wuchtiger. Eine interessante Arabeske bieten die Ceremonien, die sich um dies Wesen winden — namentlich die Erbhuldigungen. In Steiermark ritten die Landboten dem kommenden Herzog mehrere Stunden weit entgegen, und führten ihn dann zum Hochamt in den Grazer Dom. In Kärnten ward es noch viel symbolischer gehalten, da der Herzog auf dem Zollfeld bei Klagenfurt unter grossen Feierlichkeiten einen dort sitzenden Bauern, der ihn erwartete und in windischer Sprache anredete, freundlich begrüssen und gute Aufführung versprechen musste, worauf der Landmann ihm erst seinen Sitz auf dem »Fürstenstein« einräumte.

Was bisher behandelt worden, wäre vielleicht auch anderswo, obwohl nicht so kurz und übersichtlich beisammen zu finden, die folgenden Capitel aber, welche die wirthschaftliche Entwicklung, Kunst, Wissenschaft und das Volksleben besprechen, sind wohl noch nirgend so kenntnissreich und sauber zusammengestellt worden. Höchst anziehend ist die Geschichte des Bergbaus, der schon unter Kelten und Römern in gutem Betrieb war, am Ende des Mittelalters in grossen Flor, später wieder in Verfall gerieth, aber neuerdings, zumal aus dem norischen Eisen, grossen Gewinn zieht. Nach diesem wird auch der Handel besprochen, der einerseits auf der Donau nach Ungarn, andererseits über die Alpen nach Wälschland betrieben wurde. Ihm war die Sorge der Landesfürsten immer gewidmet, ihm auch eine reiche Gesetzgebung, die uns freilich ungemein egoistisch und unbeholfen vorkommt, aber damals wohl nirgends andern Geistes war.

Fast die Hälfte unseres Buches ist den ästhetischen Fächern gewidmet, der bildenden Kunst, der Musik, der Poesie und der Wissenschaft. Auch in diesen Richtungen des geistigen Strebens zeigt sich ein kräftiges Emporblühen bis zum Ende des Mittelalters. Es wäre aber ganz unmöglich, den Inhalt dieser Capitel in wenigen Zeilen hier wieder zu geben und daher soll es auch gar nicht versucht werden.

Den Schluss bildet »das Volksleben der Gegenwart«, wo uns zuerst die unangenehme Nachricht entgegenkommt, dass manche ehemals deutsche Dörfer in Krain zunächst durch die Auswanderung geschwächt und dann ganz windisch wurden. Hierauf folgen Erörterungen über Körperbau, Charakter, Bauart der Häuser und der Dörfer, Kleidertracht, Almenwirthschaft, die Lieder und die Sitten des Volkes, was alles sehr angenehm zu lesen.

Wir schliessen mit aufrichtigem Dank, den wir dem Verfasser für eine Arbeit zollen, die uns ein lebensvolles und verlässiges Bild der im Eingang genannten Länder gewährt hat.

M. *L. St.*

Schröter, Dr. C., die Flora der Eiszeit, 4., 41 S. mit 1 Tafel. Zürich, Wurster & Co. M. 2.—

Unbedingt hat die Geologie und ihre Forschungsresultate für den gebildeten Alpenfreund und Touristen ein ganz besonderes Interesse; sie lehrt ja, wie die Gebirge, an denen er seine wahre Lebenslust hat, entstanden sind, und wie sie sich mälig besiedelt haben mit Pflanzen, Thieren — und Menschen. Da muss es natürlich gerade wieder die Eiszeit sein, die unser hundertfaches Interesse hat: die Tropenflora war zu Grunde gegangen, kalter Tod drohte durch Vereisung des grössten Theils der nördlichen Hemisphäre allen Vegetabilien und raffte sie thatsächlich dahin: der Rest ist, in Kürze gesagt — unsere heutige »Alpenflora«. Natürlich gieng das nicht so einfach zu, wie es scheint, und wer des Genaueren darüber nachlesen mag, dem sei obiges Werkchen — das 85. Neujahrsblatt an die Zürich'sche Jugend — bestens empfohlen. In klarer Darstellung und hübschem Stil behandelt der Autor: die Oberfläche des Landes während der Glacialperiode; dann die Vegetation der Eiszeit und zwar nach den Pflanzenresten aus den Ablagerungen (interglaciale und glaciale Flora) und den indirecten Beweisen für die Existenz einer arktisch-alpinen Flora im Tiefland, und benützt für seine Deductionen neben den Hauptarbeiten von

Heer, Christ u. a. auch die neueren Arbeiten von Penck etc. Die illustrirte Tafel enthält nebst einem Profil halbschematische Abbildungen von Blättern recenter und entsprechender fossiler Pflanzenarten. — Möge das Werkchen namentlich in Alpenkreisen recht grosse Verbreitung finden — es verdient sie bestens.

I. *D. T.*

Periodische Literatur.

Oesterreichische Alpen-Zeitung. Nr. 111. 112. E. Zsigmondy, der Zwölferkofel.

Schweizer Alpen-Zeitung. Nr. 9. 10. Egli-Sinclair, erste Hilfe im Hochgebirge. — Fäsy-William, aus dem Kanton Freiburg.

Club alpin Français. Bulletin mensuel 1883. Nr. 3. 4. Siehe Nachrichten von andern Vereinen.

Echo des Alpes 1883. Nr. 1. Cart, vacances en Tyrol (1. De Coire à Bozen). — F. A. Forel, les travaux du C. A. S. au Glacier du Rhone. — Divorne, la legende de la Pierreuse.

Jahresbericht des Steirischen Gebirgsvereins 1882. X. Jahrgang. Mitglieder-Verzeichniss. — Casseberich. — Panorama vom Hochlantsch.

Tourist. Nr. 7. 8. Nicol, die touristischen Vereine, ihre Entstehung, Organisation und Bestrebungen. — Mountainer, Thalleitspitze und Wildspitze. — Zelinka, der Mutnock und Breitnock.

Oesterreichische Touristen-Zeitung. Nr. 7. 8. Eichert, der Kulmriegel in Pittenthal. — Pokorny, Ogulin. — May de Madiis, vom Terkl auf den Kleinobir. — Graf Lamberg, das Sterntreiben in den österreichischen Alpenländern. — Schosserer, der Reiting. — Der Möllthaler Polinik.

Eingesandt.

Herr A. in Cassel gibt in Nr. 4 der Mittheilungen, S. 127 die dankenswerthe Anregung, auch für Zoologie und Mineralogie ähnliche Literaturzusammenstellungen zu verfassen, wie sie Tirol durch Herrn H. Schönach erhielt. Von demselben Wunsch beseelt — denn Bibliographien sind für jene, welche arbeiten, absolut nothwendig, und für jene, die diesen zusehen, wenigstens nicht uninteressant — möchte ich mittheilen, dass für ersteren Wissenszweig Director P. V. M. Gredler in Bozen bereits seit Jahren derartige »Ueberblicke« publicirt hat. Zum erstenmale erschien ein solcher im 1. Programm des Obergymnasiums von Bozen 1851: »die naturwissenschaftlichen Zustände Tirols« — und wenn wir von kleineren Notizen im Boten für Tirol (1856), und im Correspondenzblatt des zoologisch-mineralogischen Vereins in Regensburg (1860, 1866) absehen, so bieten die Aufsätze »Tirols zoologische Literatur« in der Zeitschrift des Ferdinandeums 3. Folge 1868 S. 59 ff.; 1875 S. 299 ff. und 1880 S. 243 ff. einen ganz vorzüglichen Einblick in die Literatur dieses wohldurchforschten Landes. — Leider besitzen wir für die mineralogische und geologische Literatur nichts ähnliches: vielleicht aber zaubert die Anregung, die der Verein zur Erforschung der deutschen Landeskunde gegeben, eine solche hervor.

Innsbruck, 1. Mai 1883.

Prof. Dr. v. Dalla Torre.

Die Mittheilungen erscheinen jährlich in 10 Nummern zu 2 Bogen, und zwar am 20. jeden Monats mit Ausnahme der Monate August und September. Die Mitglieder des Vereins erhalten dieselben unentgeltlich. Für Nicht-Mitglieder ist der Preis des Jahrgangs im Buchhandel 4 Mark.

Druck von Anton Pustet in Salzburg.

MITTHEILUNGEN

DES

DEUTSCHEN UND OESTERREICHISCHEN ALPENVEREINS.

No. 6. SALZBURG, JUNI. 1883.

Vereinsnachrichten.

Circular Nr. 77 des Central-Ausschusses.

Salzburg, Juni 1883.

I.

Wir beehren uns mitzutheilen, dass der Schriftführer des Central-Ausschusses Herr Anton Posselt-Csorich durch Beförderung zum k. k. Bezirkscommissär in Bruneck zu unserem Bedauern genöthigt wurde, die genannte Ehrenstelle niederzulegen. Der Central-Ausschuss hat beschlossen, nach §. 17 der Statuten diese Lücke in der Weise zu ergänzen, dass er den bisherigen Beisitzer Herrn Dr. August Prinzinger zum Schriftführer, und Herrn Hans Schmidt, k. k. Gymnasial-Professor, als Beisitzer in den Central-Ausschuss berief.

II.

Wird sind in der angenehmen Lage, Ihnen die Gründung der 93. Section unseres Vereins in Tegernsee in Oberbaiern anzuzeigen.

III.

Im Folgenden beehren wir uns, unter Bezugnahme auf Circular Nr. 76, Abs. III. (Mittheilungen 1883, Nr. 5) den Mitgliedern die Preise der Abonnementskarten und deren Verkaufsstellen mitzutheilen, und hoffen, dieselben werden sich des grossen Vortheils, welchen sie hiedurch geniessen, ausgiebig bedienen. Jede Verkaufsstelle wird die ihrer Lage entsprechenden Karten auf dem Lager halten, und wird der Verkauf noch im Laufe des Monats Juni beginnen können. Um einem allgemeinen Wunsch entgegenzukommen, sind auch Karten III. Wagenclasse angeschafft worden.

Routen	II. Classe	III. Classe
	Ö.-W. fl.	Ö.-W. fl.
Wien—Amstetten . . .	2.90	1.90
„ —Gaming	3.05	2.—
„ —Attnang	5.70	3.80
„ —St. Pölten . . .	1.40	—.95
„ —Salzburg	7.—	—.—
„ —Aussee	6.70	—.—
Amstetten—Waidhofen a. Y.	—.55	—.38
Amstetten—Linz . . .	1.45	1.—
„ (via St. Valentin)—Steyr	1.40	—.90
Attnang—Salzburg . .	1.65	1.10
„ —Gmunden . .	—.30	—.20
„ —Ischl	1.05	—.70
„ —Wels	—.70	—.48
„ —Passau (via Schärding)	1.85	1.25
St.Pölten—Schrambach	—.65	—.43
Waidhofen a. Y.—Hieflau	1.35	—.90
Waidhofen a. Y.—Admont	1.90	1.25
Linz—Budweis	2.90	1.95
„ —Wels	—.60	—38.
„ —Steyr	1.05	—.70
Steyr—Hieflau	1.90	1.25
Salzburg-Bischofshofen	1.25	—.80
Gmunden—Lambach .	—.65	—.43
Ischl—Hallstatt	—.50	—.35
„ —Aussee	—.80	—.55
Wels—Passau	1.90	1.25
„ —Lambach	—.33	—.23
Hieflau—Selzthal . . .	—.85	—.60
Admont—Selzthal . . .	—.35	—.23
Bischofshofen-Zell a. S.	1.10	—.75
Bischofshofen—St. Johann i. P.	—.23	—.15
Bischofshofen—Schladming	—.95	—.65
Hallstatt—Steinach . .	1.—	—.65
Aussee—Steinach . . .	—.70	—.45
Selzthal—St. Michael .	1.45	1.—
„ —Steinach . .	—.45	—.30
Zell a. S.—Kitzbichl .	1.35	—.90
„ —St. Johann i. Pongau	—.90	—.60
St. Johann i. P.-Bruck-Fusch	—.75	—.50
Schladming — Steinach	—.90	—.60
St. Michael — Villach S.-B.	4.05	2.70
Kitzbichl—Hopfgarten	—.65	—.43
Villach S.-B.—Tarvis .	—.65	—.43
Hopfgarten—Wörgl . .	—.23	—.15
„ —Innsbruck	?	?
Laibach — Radmannsdorf—Lees	1.20	—.80
Laibach—Krainburg .	—.70	—.45
„ —Jauerburg .	1.45	1.—
„ —Lengenfeld .	1.75	1.15
„ —Kronau . . .	2.10	1.35
„ —Ratschach—Weissenfels	2.20	1.45
Jauerburg—Tarvis . .	—.95	—.65
Tarvis—Ponteba . . .	—.75	—.50
Tarvis—Laibach S.-B. .	2.35	1.60
Leobersdorf-Gutenstein	—.85	—.60
„ — Weissenbach a. T.	—.45	—.30

Diese Abonnements-Karten werden an folgenden Verkaufs-Stellen zu beziehen sein:

in Aussee bei Herrn Apotheker *Lang;*
in Brünn bei Herrn *C. Winiker,* k. k. Hof-Buchhändler, Ferdinandstrasse 3;
in Bregenz bei Herrn *C. Veith,* Bankgeschäft;
in Erfurt bei Herrn Apotheker *A. Lucas,* Karthäuserstrasse 43;
in Golling bei Herrn *Leo Steinacher,* Gasthof zur Post;
in Graz bei Herrn *Joh. Günzberg,* Kaufmann, Herrengasse 18;
in Innsbruck bei Herrn *H. Hueber,* Margarethenplatz 1;
in Laibach bei Herrn *Jac. Witt,* Congressplatz 8;
in Linz bei Herrn *S. Lieb,* Café u. Theehandlung, Franz-Joseph-Platz 36;
in Passau bei Herrn Kaufmann *Zollner,* Neumarkt, Ecke der Grabengasse;
in Plauen bei Herrn *Otto Wolff,* Appreteur, am Mühlgraben 1;
in Prag bei Herrn *H. Dominicus,* Buchhandlung, kl. Altstädter-Ring 2;
in Salzburg bei Herrn *H. Kerber,* (Duyle'sche Buchhdlg.), Sigmund Haffnerg. 10;

in Steyr bei Herrn *V. v. Koller*, (Sandbök'sche Buchhandlung);
in Villach bei Herrn Apotheker Dr. *E. Kumpf;*
in Waidhofen beim Herrn Amtsdiener im Sparcassegebäude;
in Wels bei Herrn *Franz Holter*, Eisenhandlung, Theatergasse;
in Wien bei Herrn *Joh. Schönbichler*, Theehandlung, Wollzeile 4;
in Zell a. S. bei Herrn *J. Fill*, k. k. Tabak-Hauptverlag.

Jedes Mitglied des Deutschen und Oesterreichischen Alpenvereins und des Alpen-Club »Oesterreich« ist berechtigt, gegen Vorweisung der Mitglied-Karte für sich und seine Familienangehörigen Abonnements-Karten in diesen Verkaufsstellen zu beziehen.

Jede Abonnementskarte berechtigt zur einmaligen Fahrt, welche einmal und zwar in der Dauer von 24 Stunden unterbrochen werden kann, was jedoch dem betreffenden Stationschef anzuzeigen ist.

Die Abonnementskarten, welche während der Dauer eines Kalenderjahres, also bis Ende December eines jeden Jahres Giltigkeit haben, müssen beim Gebrauch an der Stations-Casse abgestempelt werden, da ungestempelte Karten ungiltig sind. Wird eine Eisenbahnfahrt durch mehrere combinirte Abonnementskarten ohne Unterbrechung zurückgelegt, so können diese Karten an jener Station, von welcher die Abfahrt erfolgt, markirt werden, um das lästige Einholen der Markirung während der Fahrt zu vermeiden. Vorsicht ist jedoch in diesem Fall geboten, da eine bereits markirte Abonnements-Karte nur 24 Stunden Giltigkeit hat.

Sämmtliche von uns aufgelegte Abonnements-Karten gelten für Personenzüge. Bei Benützung von Schnell-, Courier- und Expresszügen ist daher das normalmässige Zusatzbillet für Schnellzüge an der Stationscasse zu lösen.

Jeder Besitzer einer Abonnements-Karte hat Anspruch auf Freigepäck. Eine besondere Legitimation der Abonnements-Karten-Besitzer der Bahn gegenüber ist nicht erforderlich.

Auf Wunsch werden bereits an den Verkaufsstellen des Alpenvereins gekaufte Abonnements-Karten gegen solche anderer Routen und gegen entsprechende Aufzahlung oder Rückvergütung durch jede der bezeichneten Verkaufsstellen umgetauscht.

Jeder Abnehmer einer Abonnements-Karte erhält gratis eine Instruktion, die alles für den Gebrauch dieser Karten Wissenswerthe enthält.

Die Betheilung der Verkaufsstellen mit Abonnements-Karten ist im Zuge und werden die theilnehmenden Sectionen ersucht, jede weitere Bestellung von Abonnements-Karten sofort zu honoriren oder aber doch wenigstens im Monat zweimal die eingegangenen Beträge an die Section Austria zu senden, damit der Fond stets ergänzt wird.

Schliesslich werden, um rasche Effectuirungen zu ermöglichen, alle Sectionsleitungen gebeten, Anfragen, Briefe, Bestellungen und Geldsendungen etc. in dieser Angelegenheit an das Ausschussmitglied der Section Austria Herrn Carl Boess, Wappenmaler in Wien I. Graben 28, zu dirigiren.

Der Central-Ausschuss
des Deutschen und Oesterreichischen Alpenvereins.

E. Richter,
I. Präsident.

Berichte der Sectionen.

Algäu-Immenstadt. Im Hinblick auf den durch die Ueberschwemmungen herbeigeführten Nothstand, der speciell in Immenstadt alle Gräuel der Verwüstung des Wasserschadens im Jahre 1873 wachrief, fand heuer keine Faschingsunterhaltung statt; dagegen versammelten sich die Vereinsmitglieder, meist sehr zahlreich, am 16. Februar, 29. März und 26. April zu den regelmässigen Monats-Versammlungen, am 17. Januar und 1. März zur geselligen Unterhaltung in dem geschmackvoll renovirten Vereinslocal zur Post. In den Monats-Versammlungen hielten Vorträge: Herr Chorregent Scherer: Ueber die Altmühlalpe von Ingolstadt nach Kelheim in historischer und geologischer Beziehung; — Herr Uhrmacher Mayr: Nebelbilder oder humoristische Reiseskizzen über eine Tour nach Stubai und Bludenz; — Herr Maler Spindler: Eine Fahrt nach Airolo, dann über die Furcastrasse und den Rhonegletscher nach Grindelwald und Interlaken.

Austria. Montag den 4. Juni fand in einer feierlichen Sitzung des Sections-Ausschusses die Ueberreichung der von den Sectionen und Mitgliedern des Deutschen und Oesterreichischen Alpenvereins den Mitgliedern des Central-Ausschusses in Wien gewidmeten Adresse durch den Sectionsvorstand Se. Excellenz Freiherrn v. Hofmann statt, welcher in seiner Ansprache die Verdienste des abgetretenen Central-Ausschusses um den Verein in warmen Worten hervorhob, im Namen sämmtlicher Sectionen und Mitglieder den Dank an den früheren Central-Ausschuss aussprach und seiner Freude Ausdruck gab, mit dieser ehrenvollen Mission betraut worden zu sein. Dr. v. Barth sprach seinen Dank für die prächtige Gabe aus und bat die Section Austria, das Ehrengeschenk in Verwahrung nehmen zu wollen, welcher Bitte Se. Excellenz Namens des Sectionsausschusses entsprechen zu wollen erklärte.

Die auf Pergament kalligraphirte, mit einem reizend in Aquarell ausgeführten Bouquet von Alpenrosen verzierte Adresse lautet:

»Hochgeehrte Herren des Central-Ausschusses in Wien!

Das Vertrauen der Sectionen und Mitglieder unseres grossen Vereins hat Sie vor drei Jahren mit Stimmeneinheit an dessen Spitze berufen, und in Ihre erprobten Hände die gleich ehrenvolle wie verantwortliche Aufgabe gelegt, das Steuer des Vereins zu lenken, unsere Fahne hochzuhalten.

Sie haben diese Aufgabe glücklich gelöst; vergrössert an Zahl der Mitglieder und Sectionen, gewachsen an Bedeutung und Ansehen steht der Verein mächtig da, der Stolz und die Freude aller Alpenfreunde.

Heute, da Sie am Ziel Ihrer Function stehend, mit gerechter Befriedigung auf Ihre Thätigkeit zurückblicken, drängt es die Mitglieder, Ihnen den Dank für Ihre Amtsführung auszusprechen.

Nehmen Sie den wärmsten Dank entgegen in ihrer Gesammtheit, nehmen Sie denselben entgegen als Einzelne, jeder in dem Bereiche seiner besonderen Sphäre und Wirksamkeit.

Die Uebereinstimmung Aller in der Anerkennung Ihres mit freudiger Hingebung und Begeisterung für die hohen Ziele unseres Vereins gepaarten Wirkens möge Ihnen der beste Lohn sein für die opferwillige Leitung des Vereins, mögen Sie hierin die Befriedigung finden für Ihr glückliches Schaffen, ein schwaches Zeichen der dankbaren Gesinnungen, welche Ihrem Central-Ausschuss in Wien stets bewahren werden

die Sectionen und Mitglieder
des Deutschen und Oesterreichischen Alpenvereins.

Am 31. December 1882.

Die Adresse ruht in einer Cassette von braunem Leder, reich geschmückt mit ciselirten Bronceornamenten, am Deckel geziert mit dem alten doppelköpfigen in Holz kunstvoll geschnitzten Reichsadler, in einer Einfassung von grünem Email und grossen Bergkrystallen an den 4 Ecken, und bildet in ihrer Gesammtheit ein wahres Kunstwerk, welches in der ersten Herbstzusammenkunft den Sectionsmitgliedern zur Ansicht ausgestellt werden wird.

Berlin. In der Sitzung vom 10. Mai hielt Herr Director Schwalbe einen Vortrag über die lokale Verbreitung der Eishöhlen. Er will durch sein Thema zu weiteren Beobachtungen und zur Sammlung von Material anregen. Er betont zunächst, dass die von Fugger auf's Neue wiederholte Erklärung, die von Prevost und Deluc herrührt, dass das Eis in jenen Höhlen sich durch die kalte Luft im Winter bilde und den Sommer über andauere, nicht ausreichend sei. So erklärt die Theorie nicht, wie es kommt, dass an diesen oft tief gelegenen Höhlen die Bodenwärme nicht zur Geltung kommt, berücksichtigt nicht die Höhlen mit ansteigendem Boden und weiten Oeffnungen etc., auch sprechen die Fugger'schen Beobachtungen selbst für die niedrigen Gesteinstemperaturen, und wurde Eisbildung bis in den Sommer hinein wiederholt beobachtet. Die aussereuropäischen Eishöhlen werden nur kurz erwähnt, ebenso die übrigen ausserhalb der Alpen und Mitteldeutschlands. Letztere werden kurz einzeln besprochen. (In der Eifel, Niedermendig, Mayen, zwei Stollen im Westerwald, zwei in der Rhön, eine Eishöhle im Harz bei Questenberg, die Eisansammlungen bei Blankenburg in Thüringen, mehrere Stellen im sächsischen Erzgebirge und im böhmischen Mittelgebirge bei Leitmeritz.) Die alpinen Eishöhlen lassen sich in zwei Gruppen theilen, die in den Westalpen, denen sich die Eishöhlen des Jura anschliessen, und die österreichischen Eishöhlen, die im Gebiet des Untersbergs beginnen und sich dann in Steiermark und Krain vorfinden. Ueber viele dieser Eishöhlen sind dem Vortragenden Nachrichten zugegangen, die jedoch nicht einzeln mitgetheilt werden können. Schliesslich bezeichnete er als ganz besonders wünschenswerth Temperaturmessungen und Beobachtungen über die Zunahme und Abnahme des Eises in den einzelnen Jahreszeiten.

Hierauf sprach Herr Dr. Paul Lehmann über neue Gletscherforschungen in den deutschen Alpen und Mittelgebirgen. Nach einigen Skizzen über die Entwicklung der Gletscherforschung und die Bedeutung, die speciell die Alpen für dieselbe haben, gab der Vortragende eine Uebersicht über die hübschen Resultate der in Dr. Pencks Werk »Vergletscherung der deutschen Alpen« niedergelegten Forschungen und über die trefflichen Beobachtungen die Professor Partsch in seinem lesenswerthen Buche »die Gletscher der Vorzeit in den Karpathen und Mittelgebirgen Deutschlands« veröffentlicht hat. Eine Uebersicht einiger der an die Untersuchungen scharfsinnig geknüpfter Schlussfolgerungen ward zum Schluss des Vortrags gegeben.

Die Section hat beschlossen, Gletschermessungen im Gebiet der Berliner Hütte (Zemmgrund, Zillerthal) vornehmen zu lassen und hat hiezu für dieses Jahr vorläufig M. 500.— bewilligt.

Breslau. Am 29. April berichtete der Vorsitzende der Section, Herr Professor Dr. Seuffert, kurz über eine Frühlingstour auf den Brünnstein. — Dann hielt Herr Professor Dr. Partsch einen Vortrag über die barometrischen Höhenmessungen, ihre Methode, die Grenzen ihrer Zuverlässigkeit und ihren Werth für den Alpenwanderer. Auf Grund der neueren Arbeiten auf dem Gebiet der physikalischen Hypsometrie und im Anschluss an eigene Erfahrungen erläuterte er die Grundprinzipien, die unerlässlichsten Hilfsmittel und Vorsichtsmassregeln, die besonderen Vorzüge und Schwächen barometrischer Höhenbestimmungen und betonte am Schluss besonders die Wichtigkeit, welche das Barometer für den Gebirgsreisenden nicht nur zur örtlichen Fixirung, Sicherung und vollen Ausnützung der Resultate seiner Wanderungen, sondern beim Wandern selbst als Werkzeug der Orientirung besitzt. — Vor Schluss der Versammlung legte Se. Magnificenz, Prof. Dr. Gierke, ein Exemplar des Ungarischen oder Dacianischen Simplicissimus (1683) vor, welcher durch die merkwürdige, vielfach märchenhafte und andererseits von anscheinend modernen Zügen touristischer Technik belebte Schilderung einer Karparthenreise neuerdings die Aufmerksamkeit der Hochgebirgsfreunde erregt hat. (s. Mittheilungen 1883, S. 43.)

In der Monats-Versammlung am 26. Mai bot Herr Professor Dr. Freiherr v. Stengel in einem Vortrag über das Thal Montavon der Section die wiederholt geprüften, ausgereiften Eindrücke der Wanderungen, die er mit dem besten Kenner dieses interessanten Hochgebirgswinkels, Herrn O. v. Pfister, in dem Thal und seiner ebenso mannigfaltigen, wie grossartigen Umgebung unternommen hat. Er schilderte im Einklang mit der trefflichen Monographie seines Wandergefährten*) die drei Hochgebirgs-

*) O. v. Pfister, das Montavon mit dem Oberen Paznaun. Lindau 1882, Ludwig.

gruppen, die das Thal umgrenzen: die bleichen, schroffen Kalkzinnen des Rhätikon, die mächtigen Gletscher und die kühnen, meist nicht leicht zu erklimmenden Gipfel der Silvretta-Gruppe, endlich die Verwall-Gruppe, welcher trotz der mässigen Höhe ihrer auf gemeinsamem, breitem Sockel ruhenden Spitzen die Lage zwischen dem wilden Kalkzug der Lechthaler Alpen und der Gletscherwelt der alpinen Centralzone besonders wechselvolle Rundsichten sichert. Wie das Land sind auch die Leute der Beachtung der Reisenden werth. Den Ethnographen mahnen die merkwürdigen, bald deutlich romanischen, bald räthselhaft klingenden Ortsnamen an die älteste Völkermischung auf diesem Boden, an die Ueberwältigung der Rhäter durch die Römer. Auch im Körperbau und dem Gesichtstypus der Leute verräth sich noch der alte Grundstock der Bevölkerung, den die einwandernden Deutschen, hauptsächlich Alemannen, aber auch zahlreiche Walser (Burgundionen aus dem Oberwallis?) germanisirten. Auch dem Freunde alter Sitte und alter Freiheit bietet das Montavon manch bemerkenswerthe Eigenthümlichkeit. Kurz, Natur und Volk rücken in gleichem Grade das Montavon in erste Linie unter all den bisher von dem Haupttouristenzug seitwärts gelassenen Thälern, welche die Vollendung der Arlbergbahn unserer Wanderlust näher rücken wird.

Darmstadt. In den Monats-Versammlungen am 6. März und 3. April sprach Herr Ober-Medicinalrath Dr. Vix über Oberegypten und Nubien. Unter fortwährenden Vergleichen zwischen dem fernsten Alterthum und der Gegenwart und eingehendster Berücksichtigung der im Laufe der Zeiten eingetretenen Umwälzungen verbreitete er sich über Ausdehnung und geologische Beschaffenheit des Landes, Klima, Ertragsfähigkeit und Ausnützung des Bodens, Rassenunterschied der Bewohner, deren Geschichte, Sitten, Religion, Gewerbe und Kunstthätigkeit. Ebenso mannigfaltig waren die Gegenstände, welche Herr Dr. Vix zur Erläuterung seines Vortrags im Versammlungslocal aufgestellt hatte: Gesteine und Versteinerungen, Muscheln, Thongefässe aus alter und neuer Zeit, Waffen und Schmucksachen, mit Hieroglyphen bedeckte Scaratäen und Statuetten u. s. w.; ferner Landkarten und vorzügliche photographische Ansichten. Nicht minder interessant waren die Schilderungen seiner Reiseerlebnisse während seines sechsmonatlichen Aufenthalts in dem Reiche der Pharaonen und die seiner Fahrt nach den Nilkatarakten, ein fast unerschöpfliches Thema, weil dem Reisenden dort auch bei den unwesentlichsten Dingen der Eindruck des Fremden und Eigenartigen überall entgegentritt. Der Herr Vortragende wusste durch die bewunderungswürdige Klarheit, mit welcher er das ungeheure Material beherrschte, seine schwierige Aufgabe in eleganter oratorischer Form zu lösen. Als besonders erwähnenswerth seien noch seine Bemerkungen auf dem Gebiet der Ethnologie und die Schilderung seines durch seine Eigenschaft als Arzt sehr erleichterten Verkehrs mit den Eingebornen hervorgehoben; was den Vortrag noch besonders anziehend machte und ihm gewissermaassen einen stimmungsvollen Hintergrund verlieh, waren die überall eingestreuten prächtigen Beschreibungen der Nillandschaft mit ihrem reichen Naturleben und ihrer eigenthümlichen Schönheit.

Ferner sind inzwischen noch folgende Vorträge zur Mittheilung gekommen: Herr Gymnasiallehrer Dr. Windhaus, Besteigung des Ortler; Herr Chemiker Schlapp, Besteigung des Schaflanernock; Herr Postsecretär Krüger, Besteigung des Hochfeiler.

Erzgebirge-Voigtland. In der letzten Monatssitzung legte das Mitglied Herr Hauptmann Eger in Mülsen, St. Jakob, einen neuen Reisetornister aus Naturrohr vor, der sich durch gefällige Form, practische Einrichtung, insbesondere auch guten Anschluss an den Körper infolge Anbringung von Rückenstäben, die zugleich Luft zwischen Körper und Tornister zulassen, hiedurch aber das so lästige Schwitzen verhindern, sowie durch geringes Gewicht (ca. 1 kg) und billigen Preis (10 M.) auszeichnet. Der Herr Vortragende ist gerne erbötig, auf Anfragen Näheres mitzutheilen, bez. die Anschaffung solcher Tornister, die in den k. Lehrwerkstätten für Korbflechterei in Mülsen versuchsweise hergestellt werden, zu besorgen.

Küstenland. In der Wochenversammlung vom 18. Mai besprach Herr Professor Dr. Karl Moser einige von ihm in letzter Zeit gemachte prähistorische Funde. Der Vortragende zeigte mehrere z. Th. noch gut erhaltene Knochen (Menschenschädel mit Trepanation), Schädel vom Pferd und Schaf, wie einen Unterschenkel vom Höhlenbär, welche er in der Brlova jama, einer nächst Nussdorf in Krain befindlichen Grotte aufsammelte. Ungünstige Witterungsverhältnisse, wie noch ungünstigere Eisverhältnisse in der Grotte selbst, gestatteten eine gründliche Durchforschung derselben bis heute noch nicht. Die weiteren Ausgrabungen werden mittels einer vom Obmann der prähistorischen Commission der k. Akademie der Wissenschaften, Hofrath v. Hochstetter, angewiesenen Subvention vom Vortragenden zur geeigneten Zeit ausgeführt werden. Bemerkenswerth ist dieser Fund desshalb, weil diese Grotte die zweite Localität in Krain ist, an welcher Menschenknochen in grösserer Zahl gefunden wurden. Der Erhaltungszustand der Knochen und das Vorkommen derselben mit Knochen vom Höhlenbär *(Ursus spelaeus)* lassen auf ein hohes Alter schliessen. — Ausserdem zeigte der Vortragende Feuersteinmesser, römische Gläser und Broncen von der Insel Pelagosa, welche Objecte beim Leuchtthurmbau daselbst ausgegraben wurden, in den Besitz des Lloydagenten Herrn Topich auf Lissa kamen, und dem Vorsitzenden bei seinem Besuch auf Lissa freundlich überlassen wurden. Auch demonstrirte Hr. Prof. Moser Feuersteinsplitter und Messer aus Feuerstein von der Insel Cazza (Dalmatien), die er selbst dort gesammelt hatte auf einer Ende April mit dem Regierungsdampfer »Pelagosa« dahin unternommenen Reise und constatirte das Vorhandensein von Grabhügeln (Tumuli) auf der ganz unbewohnten Insel. Schliesslich zeigte der Vortragende einige römische und venetianische Münzen vor (darunter eine vortrefflich erhaltene römische Consular-Münze aus Silber). Sämmtliche vorgeführten Objecte wurden an das k. k. naturhistorische Museum in Wien eingesendet. Der Vortragende behält sich vor, s. Z. einen ausführlichen Bericht über die Nussdorfer Höhlenfunde zu erstatten.

Meran. Monats-Versammlung am 16. Mai. Der Vorstand, Herr Dr. Mazegger, berichtet über die fünfte Vertheilung von Hilfsgeldern an arme verunglückte Private und überschwemmt gewesene Gemeinden des Bezirkes; es wurden 887 kleinere Beträge nach Schnals, Naturns, Taufers im Vintschgau, Sulden, Tschengels, Matsch, Glurns, Purgstall, Gargazon und Ulten verabfolgt. Im ganzen wurden bisher von der Section fl. 3467.— an Hilfsgeldern vertheilt.

Weiter berichtet der Vorstand über die am 3. Mai in Bozen unter dem Vorsitze des Obmanns, Herrn Albert Wachtler, stattgehabten Delegirten-Versammlung, zu welcher fast alle Vorstände der Südtiroler Sectionen sich eingefunden hatten.

Zum Schluss hielt Herr F. L. Hoffmann seinen angekündigten Vortrag: »Eine Woche an der Adria.«

Salzburg. Das winterliche Vereinsleben gestaltete sich dieses Jahr besonders rege. Professor Fugger gab in vier aufeinanderfolgenden Monats-Versammlungen eine geologische Geschichte des Landes Salzburg, und die mit reichem Anschauungsmaterial ausgestatteten Vorträge lockten ein stets wachsendes Publikum herbei, so zwar, dass schliesslich, um dem allgemeinen Wunsche nach noch eingehenderer Belehrung zu genügen, ein mehrmonatlicher geologischer Cursus veranstaltet wurde, an welchem sich eine grössere Anzahl Mitglieder betheiligte. Herr Gierth sprach am 5. Januar über Salzburgische Orts- und Flurnamen.

In der Monats-Versammlung vom 6. Juni wurde der Section die Freude zu Theil, einen Vortrag von Dr. Anton v. Ruthner zu hören. Ist die Wiederkehr dieses Bahnbrechers des Alpinismus in Oesterreich in die Reihen der Mitglieder des D. u. Ö. Alpenvereins an und für sich ein freudiges Ereigniss, so konnte das Thema »die Bergsteigerei einst und jetzt« nicht interessanter gewählt sein. In gewohnter eleganter Form besprach Dr. v. Ruthner den Unterschied zwischen den Zuständen bezüglich Unterkünfte, Wege, Führer und Karten von heute und vor 20 bis 30 Jahren. In launiger Weise erzählte er zahlreiche Abenteuer mit schlechten Führern, deren Unkenntniss und Widerspenstigkeit, die Unzulänglichkeit der Karten, die Strapazen der schlechten und entlegenen Unterkünfte, welche ihn fast bei jeder neuen und grossen Tour verfolgten. Wie längst verklungene Sagen erschollen die Geschichten von Nicodem und Leander Klotz und Pellegrino Pellegrini; — sie führten in Zustände zurück, die, wenn auch nur wenige Decennien hinter uns, in der Gegenwart kein Abbild mehr finden. Und doch muss es eine schöne Zeit gewesen sein, als die Zahl unerstiegener Spitzen ersten Ranges noch kaum zu zählen war, als es noch so zu sagen unentdeckte Gebiete genug in den Alpen gab, wo neben dem Ruhm des Gipfelstürmers auch der des Entdeckers zu holen war. Ist mit den geschaffenen Erleichterungen die Uebung und mit dieser die Routine und Sicherheit gestiegen, so kann die jetzige Generation doch nur mit Dank und Verehrung der thatkräftigen und unternehmenden Männer gedenken, welche uns einstens die Bahn zu den Gipfeln der Alpen gebrochen haben.

Vorarlberg. (Aus dem Jahresbericht.) Der Bezirk Dornbirn hat eine Reihe von Wegweisern aufgestellt. Wegverbesserungen am Hohen Freschen und auf Tilisuna wurden durch die Wirthschaftspächter vorgenommen. Das längst projectirte Hauptunternehmen der Section, der Bau einer Unterkunftshütte auf Vermunt, harrt noch immer der Ausführung, ist aber der Verwirklichung näher gerückt. Für die Ueberschwemmten in Tirol wurden 107 fl. 40 aufgebracht.

Vereins-Hütten und Unterkunftshäuser. Wegbauten.

Kufstein. Die Section baut z. Z. aus eigenen Mitteln den Weg von der Edelfellen-Alpe einerseits zur Pyramidenspitze, andererseits stellt sie den unter den Wänden des Kessels und des Bärenthaler Grinns von der Edelfellenalpe zum Sattel der Hochalpe leitenden, total verwachsenen oder verschütteten Steig wieder her. Auch die Adaptirung und Einrichtung der vorderen Hütte der Hinteren Bärenbadalpe, sowie die Anlage eines Drahtseils an der Kopfkraxen ist im Zuge; letztere Arbeit ist bestimmt, die schwindlige Stelle am Uebergang vom Wiesberg auf das Sonneck leichter gangbar zu machen. Der Wegbau Edelfellen-Hochalpe bietet dann im Verein mit dem schon bestehenden Steig von der Pfandler- zur Edelfellen-Alpe einen bequemen Höhenweg unter den Wänden des Zahmen Kaiser mit ununterbrochen wechselndem Blick auf die Gipfel und Kare des Wilden Kaiser; und damit ist auch der Uebergang aus dem Kaiserthal nach Walchsee und Kössen erleichtert, indem die Hochalpe bisher aus dem Kaiserthal nur sehr mühsam oder mit Umwegen zu erreichen war. Die Bärenbad-Hütte bildet dagegen die Station für Besteigung des Sonneck, für Uebergänge über das Stripsenjoch ins Kaiserbachthal (St. Johann), sowie über das Kopfthörl nach Elmau und für Besteigung der Karlspitzen und des nur zweimal erstiegenen Todtenkirchl. — Die genannten Arbeiten gehen bereits ihrer Vollendung entgegen.

Führerwesen.

Führer-Versicherung. In Ausführung des Beschlusses der General-Versammlung in Salzburg (Zeitschrift 1882, S. 457) hat der Central-Ausschuss die Besorgung der Versicherung der autorisirten Führer in den deutschen und österreichischen Alpen der Section Austria übertragen. Dieselbe hat mit der Unfallversicherungs-Actien-Gesellschaft Zürich in Zürich für 2 Jahre einen Vertrag abgeschlossen, nach welchem jeder beitretende Führer mit 500 fl. versichert wird. Die Versicherung läuft vom 1. Mai bis 30. April des nächsten Jahres und ist hierfür jährlich eine Prämie von 5 fl. zu entrichten. Von dieser Prämie zahlt der Führer 2 fl., der Deutsche und Oesterreichische Alpenverein ebenfalls 2 fl. und die übrigen Alpenvereine (Oesterreichischer Touristen-Club, Alpenclub Oesterreich und die Societa degli alpinisti Tridentini) susammen 1 fl.

Von Seite der autorisirten Bergführer sind bisher 285 Beitritts-Erklärungen eingelaufen, hievon wurden 18 wegen zu hohen Alters (über 60 Jahre) abgelehnt, es sind somit 267 Versicherungen angenommen. Unter diesen musste für 10 Bergführer wegen gefährlicher Hantirung als Jäger, als Arbeiter bei Circularsägen u. dgl. eine Prämien-Aufzahlung von 2 ½ fl. geleistet werden, für 42 Führer wurde die Ergänzungsprämie von 2 fl. bezahlt.

Ein Führer (Mich. Egger in Kötschach) ist vor dem 1. Mai verunglückt; der Führer Franz Knauss in Ramsau hat sich am 11. Mai verletzt und sind die Verhandlungen über die Höhe der Entschädigung im Zuge.

Mittheilungen und Auszüge.

Aus Tirol. Einer amtlichen Bekanntmachung entnehmen wir folgendes:

»Die ausserordentlichen Elementarereignisse, deren Schauplatz ein grosser Theil Tirols im verflossenen Herbste war, scheinen vielfach Anlass zu der irrigen Meinung zu geben, als sei in Folge derselben der Besuch dieser mit Naturschönheiten so reich ausgestatteten Gegenden noch immer, auch derzeit erschwert und die Reise in diesen Thälern, sowie der Aufenthalt daselbst nur mit völligem Verzicht auf die sonstige Bequemlichkeit verbunden. Im Interesse des reisenden Publicums, welches Tirol so gerne besucht, aber auch im Interesse der Bewohner der genannten Thäler ist es geboten, dieser irrigen Anschauung, welche nur geeignet ist, die traurigen Folgen der Katastrophe ungerechtfertigter Weise zu vermehren, durch eine wahrheitsgetreue Darstellung der bestehenden Verhältnisse entgegen zu treten. Die Eisenbahnen sind von den Hochwasserverheerungen nur in einigen Strecken berührt worden und es sind die Folgen dieser Verwüstungen mit dem Aufgebot aller Kräfte allenthalben bereits längst beseitigt. Die Strassen und Wege in und durch das Ueberschwemmungsgebiet sind hergestellt; der Verkehr nach allen Richtungen, auch in die Seitenthäler, ist überall möglich; die Wasser sind vollständig abgelaufen und haben weder Sümpfe noch ungesunde Miasmen zurückgelassen. Der Gesundheitszustand im ganzen Lande ist ein normal sehr günstiger. Fast alle Gast- und Unterkunftshäuser sind unversehrt geblieben, und dort, wo wirklich Beschädigungen angerichtet wurden, ist seither Alles wieder in Stand gesetzt worden, so dass in allen Ortschaften für die Aufnahme und Beherbergung der Fremden in ausreichender und gleicher Weise gesorgt erscheint. Die Bevölkerung ist zu ihrer berufsmässigen Beschäftigung zurückgekehrt. Nirgends wird sich das Elend oder die Armuth der Bevölkerung, welche das Unglück mit Stärke trug, in zudringlicher Weise an die Grossmuth fremder Besucher herandrängen, sondern es wird im Gegentheil die für die allseitig bewiesene werkthätige Sympathie dankbare Bevölkerung gewiss bestrebt sein, den Reisenden mit freundlicher Zuvorkommenheit zu begegnen.

So bilden die Folgen der Ueberschwemmung, so schweres Unglück sie auch über das Land gebracht haben, weder ein Hinderniss noch eine Erschwerung für den Besuch und Aufenthalt in demselben, es ist vielmehr der Anblick der grossartigen Wahrzeichen ungebändigter Elementargewalten und der überall in Ausführung begriffenen umfassenden Schutz- und Regulirungs-Bauten geeignet, dem fremden Besucher eine besondere Anregung, seltenes und neues Interesse zu bieten.«

Innsbruck am 15. Mai 1883.

Der k. k. Statthalter in Tirol und Vorarlberg.

Für die Ueberschwemmten in Tirol. Das 98. Verzeichniss der beim k. k. Statthalterei-Präsidium in Innsbruck eingelaufenen Beiträge für die durch Wasser Verunglückten in Tirol weist die Gesammtsumme von 746 498 fl. 51 $^1/_2$ kr. aus.

Die Wetterkarten der k. bayerischen meteorologischen Centralstation München sind vom 1. Juli l. J. an um billigeren Preis als bisher zu beziehen. Die Vervielfältigung dieser Karten ist in die Hände einer anderen Firma übergegangen, durch deren Entgegenkommen die Centralstation in die Lage versetzt ist, diese Karten den Abonnenten bei Bezug durch die Post mit Beginn des neuen Quartals statt zu 6 M. zu 4 M. 50 für das Vierteljahr, beziehungsweise statt zu 2 M. zu 1 M. 50 im Monat zu liefern.

Bei der Bedeutung, welche diese Karten für die richtige Beurtheilung der Witterungsverhältnisse haben, indem sie den einzelnen Interessenten es ermöglichen, unter freier Benützung der örtlichen Zeichen, sowie seiner eigenen Erfahrung, sich selbst die Wetterprognose zu stellen, beziehungsweise dieselbe je nach dem Aussehen des Himmels oder den Angaben von Ortsbarometer und Windfahne noch im Laufe des Tages zu ändern, glauben wir besonders auf die hier gebotene Erleichterung im Bezuge dieser Karten aufmerksam machen zu müssen. Bei dieser Gelegenheit mag auch nicht unerwähnt bleiben, dass die Karten nunmehr täglich, und nur mit Ausnahme des ersten Weihnachts- und Osterfesttages veröffentlicht werden, und dass der Herstellung die grösste Sorgfalt zugewendet wird.

Bei einer auch nur geringen Mehrung der Abonnentenzahl wäre eine weitere Herabsetzung des Preises, etwa auf 4 M. — im Quartal zu ermöglichen; es ergeht desshalb an alle Freunde des Unternehmens die Bitte, die Verbreitung der Karten nach Kräften fördern zu wollen.

Die Preise für den telegraphischen Bezug der Prognose bleiben nach wie vor die gleichen, nämlich 15 M. im Halbjahr, 8 M. im Quartal und 3 M. im Monat und mag nur noch bemerkt werden, dass die Treffsicherheit der Prognosen sich während der Jahre 1881 und 1882 von 80·5% auf 84·2% gehoben hat. *v. B.*

Die Tauernbahn in ihren möglichen Routen und Beziehungen. Ein Blick auf die Eisenbahnkarte der Ostalpen genügt, um den Mangel einer Verbindungslinie zwischen der Giselabahn im N. und der Rudolfs- bezw. der Pusterthalerbahn im S. der Tauern zu erkennen; es fällt auf, dass diese Bahnlinien, obgleich nur 50—60 km von einander entfernt, über 300 km in fast paralleler Richtung nebeneinander fortlaufen, ohne eine andere Verbindung als an den Endpunkten zu besitzen. Der Gedanke, die bezeichneten Bahnlinien beiläufig in der Mitte durch eine neue Linie zu verbinden d. h. zwischen dem Tauernübergang bei Rottenmann-Wald durch die Rudolfsbahn im O. und dem Brenner im W. eine Uebergangs- und Hauptverkehrslinie einzuschalten, ist daher sehr naheliegend und drückt sich gemeiniglich in der Bezeichnung »Tauernbahn« aus.

Für das Zustandekommen dieser Gebirgsbahn macht sich in jüngster Zeit in den zunächst betheiligten Kreisen eine lebhafte Thätigkeit bemerkbar; die Landesvertretungen von Krain, Istrien, Kärnten, Salzburg und dem Küstenland, sowie die Handelskammern und Gemeindevertretungen der von der Tauernbahn mittelbar und unmittelbar berührten Kronländer haben wiederholt um Herstellung derselben petitionirt; in zahlreichen Publicationen, vornemlich aber in der Schrift: »Oesterreichs maritime Entwicklung und die Hebung von Triest« von Dr. Fr. X. Neumann-Spallart (Stuttgart 1882, Julius Maier), wird die Wichtigkeit und Nothwendigkeit der Tauernlinie dargethan und erst vor kurzem hat der Triestiner Abgeordnete Wittmann unter dem Beifall des österreichischen Abgeordnetenhauses den Bau der Tauernbahn gefordert.

Alle diese Umstände sowie Erwägungen strategischer und handelspolitischer Natur lassen mit ziemlicher Sicherheit annehmen, dass die ernstliche Inangriffnahme des Baues der Tauernbahn nicht mehr allzuweit entfernt ist und eine Verbindung geschaffen werden soll, welche, wie es den Anschein hat, die weittragendsten Folgen für den grossen Verkehr zwischen Nord und Süd nach sich ziehen würde.

Es lohnt sich somit wohl der Mühe, eine Untersuchung anzustellen, welche Richtungen die neue Eisenbahnlinie nehmen und welche Wirkungen das Project etwa verursachen kann. Wenn wir die einzelnen möglichen Richtungen der Tauernbahn in Betracht ziehen, so ergibt sich, dass nur fünf Tauernthäler auf der Nord- und sechs beziehungsweise acht Tauernthäler auf der Südseite der Tauern ernstlich in Betracht kommen können; es sind dies auf der Nordseite in der Richtung O.-W. das nördliche Taurach-, das oberste Enns-, das Grossarler-Thal, die Gastein und die Rauris, und damit correspondirend auf der Südseite das südliche Taurach- und das Zederhauserthal mit kurzer Berührung des Murthals im Lungau, das Lieser-, das Maltathal, die Malnitz und die Fragant, beziehungsweise das Möllthal als Fortsetzung für die beiden letzteren Thäler.

Alle übrigen Routen ost- und westwärts, also insbesondere das Forstau- und Weisspriachthal einer- und das Fuscher- und oberste Möllthal andererseits müssen vollständig ausser Combination bleiben, weil sonst der Effect der Distanzkürzungen zwischen Deutschland und Triest grossentheils verloren ginge und nicht nur die technischen Schwierigkeiten sondern auch die Kosten sehr erheblich vergrössert werden würden.

Dem entsprechend ergeben sich daher auch für die Tauernbahn folgende Richtungen:

I. Radstadt (St. Michael im Lungau)—Spittal a. d. Drau;
II. Eben (St. Michael i. L.)—Spittal a. d. Drau;
III. St. Johann i. Pongau (Grossarl- u. Maltathal)—Spittal a. d. Drau;
IV. Schwarzach (Gastein-Malnitz)—Sachsenburg;
V. Taxenbach (Rauris-Fragant)—Sachsenburg.

Die Linie I. würde von der Station Radstadt 826 m der Giselabahn abzweigen, die Enns übersetzen, längs der Taurach und der Radstädter Tauernstrasse über Untertauern 1004 m bis zur Hinteren Gnadenalpe 1310 m fortlaufen und bei einer Länge von 15.4 km ausser der schwierigen Thalenge zwischen Untertauern und der Vorderen Gnadenalpe daher eine Steigung von 454 m zu überwinden haben. Mittels eines nur 4.2 km langen Tunnels wäre der Radstädter Tauern zu durchbrechen und das Twenger-Lantschfeld im Lungau d. i, der obere Theil des südlichen Taurachthals bei 1350 m zu erreichen. In der weiteren Strecke von 15 km gelangt man zunächst nach Tweng 1246 m, hierauf zu den Werken der Lungauer Eisengewerkschaft und endlich nach dem alten Marktflecken Mauterndorf 1091 m; die Taurach nimmt von hier die östliche Richtung, um sich bei Tamsweg 1021 m mit der Mur zu vereinigen, während die Bahntraçe auch hinter Mauterndorf noch die südliche Richtung beibehalten, bei Schloss Moosham aber gegen W. umbiegen und nach weiteren 12.3 km St. Michael im Lungau 1068 m und Höf 1052 m erreichen würde. Von Höf bis Schellgaden 1100 m, einem aufgelassenen, einst sehr ergiebigen Silberbergwerk, müsste die nur 2 km lange Traçe am nordöstlichen Abhang des Bergrückens zwischen Zederhaus- und Murthal hinziehen, dann die Mur übersetzen und wieder in südlicher Richtung mittels eines 5.4 km langen Tunnels die Ortschaft Gries 1180 m bei Rennweg im Lieserthal erreichen. Von Gries bis Gmünd 732 m beträgt die Entfernung 17.6 km und das Gefäll 448 m, was einem Verhältniss von 1:39 gleichkommt. Das Terrain zwischen Gries und Gmünd zeigt unvermittelte Niveaubrüche, Thalengen, Rutschstellen und Mangel an Seitenthälern zur Entwicklung eines Schienenweges. Von Gmünd bis zum Anschluss bei Spittal a. d. Drau 554 m müsste die 15 km lange Traçe ununterbrochen an den Ufern der tief eingeschnittenen Lieser hinziehen und sich bald auf dem rechten bald auf dem linken Ufer an die brüchigen Lehnen anschmiegen, ein schwieriges und gefährliches Terrain.

Linie II. würde, von der Station Eben 856 m der Giselabahn ausgehend, in dem obersten Ennsthal aufwärts an den aufgelassenen Eisenwerken von Flachau vorüber bis zur Gasthofalpe 1200 m hinanführen; das Thal bietet dem Eisenbahnbau nirgends erhebliche Schwierigkeiten; gleichmässig ansteigend erreicht man bei einer Länge von 19 km ab Eben in fast gerader südlicher Richtung die imposanten Thalschlüsse der Enns, des Marbachs und Pleislingbachs. Mittels eines 6.6 km langen Tunnels wird das correspondirende südliche Tauernthal, der Zederhauswinkel bei 1336 m und in einer weiteren Strecke von 16.6 km, welche der vielen Thalengen und raschen Windungen wegen sehr bedeutende technische Schwierigkeiten verursachen würde, Höf bei St. Michael im Lungau erreicht. Die Fortsetzung bis Spittal wurde schon unter I. behandelt.

III. würde von St. Johann 568 m Salzach- aufwärts, dann zwischen St. Johann und Schwarzach auf das rechte Salzachufer übersetzen und mit der zulässigen Maximalsteigung sich der Liechtensteinklamm zuwenden, um nach Ueberwindung derselben den Boden des Grossarler Thals zu gewinnen, welcher vom Ende der Klamm bis See, dem prächtigen, gletscherumsäumten Thalschluss, einem Eisenbahnbau keine namhaften Schwierigkeiten entgegensetzen könnte. Von St. Johann bis See 1040 m wäre somit auf eine Länge von 26.8 km eine Steigung von 472 m, zuvor aber die ungemein beschwerliche und kostpielige Passage der 5 km langen Liechtensteinklamm mit ihren jähen Thalwendungen, Wasserfällen und Lawinengängen zu überwinden; eine Umgehung dieser Thalsperre ist nach den Terrainverhältnissen ausgeschlossen. Die Fortsetzung der Linie von See könnte nur in der Richtung nach dem obersten Theil des Maltathals mittels eines 6.4 km langen Tunnels erfolgen, welcher bei den Samerhütten, in der Nähe der von unserer Section Klagenfurt erbauten Elend-Hütte (c. 1800 m) ausmünden müsste. Um aber die enorme Niveaudifferenz zwischen See und dem geeigneten Punkt des Maltathals auszugleichen, wäre die Herstellung eines Tunnels erforderlich, der länger als der durch den Gotthard sein müsste, denn die Traxhütte in der Schönau im Maltathal, welche von See in gerader Richtung 16 km entfernt liegt, hat noch eine Seehöhe von 1200 m. Das grosse Gefäll des Thals, die wiederholten Terrassenbildungen, Schluchten und unvermittelte Thalwendungen, zu beiden Seiten hohe steile Felshänge, furchtbare Lawinengänge lassen einen Bahnbau durch das Maltathal, man kann nicht sagen technisch unmöglich, wohl aber vom finanziellen Standpunkt undenkbar erscheinen. Hinsichtlich der Fortsetzung von Gmünd nach Spittal siehe I.

Die Linie IV., welche man kurzweg die Gasteiner Linie nennt, würde von der Station Schwarzach der Giselabahn und nicht, wie mehrfach angenommen wird, von Lend oder Taxenbach abzweigen, weil sonst die Entwicklung des Bahnkörpers zur Ueberwindung der Gasteiner Klamm nur schwer durchführbar wäre. Von Schwarzach 600 m bis Klammstein 778 m am Ende der Gasteiner Klamm beträgt die Entfernung, vorausgesetzt, dass der keilförmig zwischen der Gasteiner Ache und der Salzach sich vorschiebende Gebirgsrücken mittels eines 1 km langen Tunnels durchbrochen wird, wodurch überdies der grösste und schwierigste Theil der Gasteiner Klamm zu umgehen ist, 9 km und die Steigung 178 m oder 1 : 50. Die Fortsetzung der Eisenbahn von Klammstein durch das Gasteiner Thal bis Böckstein 1127 m, (bis Hofgastein entlang der regulirten Ache) könnte bei der Länge von 22.5 km und den günstigen Terrainverhältnissen nur geringe Schwierigkeiten verursachen, in der Voraussetzung, dass die Linie nicht auf der östlichen Thalseite über Kötschach, sondern auf der westlichen über Anger, Vorderschneeberg etwa 40 m höher als Bad-Gastein 1020 m neben der »Bellevue« und von hier mittels eines etwa 400 m langen Tunnels in die Ebene der Böcksteiner Terrasse geführt wird. Die Betonung der westlichen Thalseite hat ausser der Rücksicht auf die Umgehung des Gasteiner Wasserfalls und der grösstmöglichsten Schonung des Kurorts, vornehmlich darin ihren Grund, dass auf dieser (westlichen) Seite durchweg festes Terrain ohne Grabenbildungen gegeben ist, während die Ostseite mit ihren Gräben und besonders der den Graukogel umgebende Mantel fortwährenden Abbrüchen ausgesetzt sind. Hiezu käme noch die grosse Schwierigkeit, auf der Ostseite den Kurort Bad-Gastein und die Thalenge zwischen Bad-Gastein und dem Böcksteiner Boden zu passiren und der weitere Umstand, dass der durch besonderes Landesgesetz bestimmte Schutzrayon der Gasteiner Thermen am Graukogel inmitten liegt.

In Böckstein gabelt bekanntlich das Gasteiner Thal in das Anlauf- und Nassfelder Thal; eine auch nur oberflächliche Kenntniss der Terrainverhältnisse genügt, um zu erkennen, dass ein Eisenbahnbau nur durch das von Böckstein in südöstlicher Richtung anfangs mit geringer, dann aber mit immer mehr zunehmender Steigung bis zum Fuss des Ankogels 3253 m und Tischlkars 3008 m sich hinziehende Anlaufthal geführt werden könnte. Dieser Umstand und die Rücksicht auf die Höhenlage des correspondirenden südlichen Tauernthals, des Seebachthals bei Malnitz 1185 m lassen das 8 km lange Anlaufthal nur am Eingang in einer Länge von höchstens 4.5 km zum Bau geeignet erscheinen. Die Fortsetzung der Bahn würde zwischen dem Tauernkreuz 1300 m im Anlaufthal und dem Seebachthal (in 1250 m) die Herstellung eines 5.8 km langen Tunnels durch den Hauptkamm der Tauern bedingen. Die weitere Fortsetzung bis Malnitz in einer Länge von 3.3 km ist ohne Schwierigkeiten; die folgende Strecke von Malnitz 1185 m bis Obervellach im Möllthal 686 m hat auf eine Länge von nur 7 km ein Gefäll von 499 m. Es würde Gegenstand einer Detailaufnahme sein, festzustellen, ob dieses grosse Gefäll durch Einlegung von Schleifen in den Dössengraben oder in das Möllthal und seine Gräben zu überwinden ist.

Von Obervellach bis Sachsenburg unterliegt der Bahnbau auf 19 km Länge nur dann einigen Schwierigkeiten, wenn, wie angedeutet, die Traçe zur Ausgleichung des Gefälles nicht in der Thalsohle geführt werden sollte.

Die Variante V. endlich müsste von Taxenbach 685 m aus durch die Kitzlochklamm, dann durch die Rauris bis Kolm-Saigurn 1597 m in einer Länge von 28 km fortwährend in der zulässig höchsten Steigung und unter Anwendung von Entwicklungsschleifen hergestellt werden. Bei Kolm-Saigurn wäre der Hauptkamm der Tauern mittels eines mehr als 13 km langen Tunnels zu durchbrechen, um das correspondirende Tauernthal, die

Fragant, zu erreichen, welche (am südlichen Tunnelende) 1652 m, also noch höher als Kolm gelegen ist; in der weiteren Fortsetzung fällt dieses Thal bei einer Länge von 4 km bis zur Mündung ins Möllthal auf 1032 m, so dass in dieser kurzen Strecke 620 m Gefäll zu überwinden wären. Die Strecke bis Obervellach würde keine wesentlichen Schwierigkeiten verursachen, bezüglich der Fortsetzung nach Sachsenburg gilt das oben über die Gasteiner Linie gesagte.

Die Ergebnisse der angestellten Untersuchungen lassen sich daher in folgende Tabelle zusammenfassen:

No.	Bezeichnung der Linie	Seehöhe des Ausgangs- (Punktes der Linie in Metern)	Culminations-	End-	Gesammtlänge in Kilometern	Haupt-Tunnellänge in Kilomet.
I.	Radstadt—Spittal	826	1350	524	86.9	4.2 und 5.4
II.	Eben—Spittal	856	1336	524	83	6.6 und 5.4
III.	St. Johann—Spittal	568	1800 resp. 1200	524	80	6.4 resp. 16
IV.	Schwarzach—Sachsenburg	600	1300	543	70.6	5.8
V.	Taxenbach—Sachsenburg	685	1600	543	73	13

Die beiden Linien Radstadt—Spittal und Eben—Spittal sind somit die längsten, müssten zwei Gebirgsrücken durchbrechen, die Wasserscheiden zwischen Enns und Mur und Mur und Drau überschreiten und würden mit Ausnahme von St. Michael und Gmünd eine ganz unproduktive Gegend durchziehen.

Die Linie St. Johann—Spittal, um 7 resp. 3 km kürzer als die vorgenannten, dürfte vom touristischen Standpunkt aus vielleicht die interessanteste sein: sie führt in die grossartigen Gefilde der Gletscherregionen des Grossen und Kleinen Elends und in eines der wundervollsten Tauernthäler, sie wäre aber auch in technischer Beziehung weitaus am schwierigsten und finanziell wohl unmöglich.

Die Linie Taxenbach—Rauris, kürzer als die eben bezeichneten Routen, weist nächst der Richtung St. Johann—Spittal die ungünstigten Steigungs- und Gefällverhältnisse auf und bedarf überdies zur Durchbrechung des Tauernhauptkamms des längsten Tunnels. Beiden letzteren Linien ist gemein, dass sie, jene mit Ausnahme von Gmünd und diese mit Ausnahme des Möllthals völlig unproduktive und unwirthliche Gegenden durchziehen würden, welche ausser Holz ein Minimum an Verkehr aufzuweisen haben.

Es ist daher wohl gestattet, den Schluss zu ziehen: Die Tauernbahn kann nur von Schwarzach an der Giselabahn über Gastein, Mallnitz und Obervellach nach Sachsenburg zum Anschluss an die Südbahn geführt werden.

Diese Route ist nicht nur die absolut kürzeste (70.6 km), sie ist es auch betreffs der Relationen der Gisela- und Südbahn überhaupt, sie liegt fast genau in der Mitte zwischen Rottenmann und dem Brenner, gestattet den relativ niedrigsten Uebergang, erfordert den kürzesten Tunnel und zieht gleichzeitig das Gasteiner- und Möllthal, zwei sehr wichtige produktive Faktoren, in ihren Bereich, verursacht die geringsten technischen Schwierigkeiten und daher auch die verhältnissmässig niedrigsten Kosten, während alle übrigen Linien derartige Vortheile für sich nicht geltend zu machen vermögen, wenn auch die Berührung des Lungaus, des obersten Quellgebiets der Mur, mit einer Bevölkerung von rund 13 000 Seelen, seinem grossen Holzreichthum und seinen Eisenwerken durch eine Eisenbahnlinie volkswirthschaftlich höchst wichtig und wünschenswerth wäre.

Mit der Herstellung der Eisenbahn über Gastein würde der alte Handelsweg von der Adria, von Triest und Venedig über die Tauern nach Süd- und Mitteldeutschland wieder hergestellt, und sowie sich vor Jahrhunderten und Jahrtausenden auf dem Saumweg, dessen Spuren noch heute sichtbar und deutlich zu erkennen sind, einst der Verkehr mühselig und schwerfällig über den Hohen (Korn-) Tauern bewegte, so würden dann die Völker und Güter des Südens und Nordens leicht und in unberechenbaren Massen ihren Weg durch den Tauern nehmen. —

Die Tauernbahn für sich allein hat aber, eine so wichtige Masche in dem österreichischen Gebirgsbahnnetz sie auch bilden mag, nur geringe Berechtigung, wenn nicht gleichzeitig im Norden und Süden die nothwendigen Ergänzungslinien sich organisch einfügen; erst dann, wenn das deutsche und österreichische Netz vervollständigt, d. h. wenn Salzburg auf dem linken Salzachufer über Mühldorf mit Landshut und Regensburg, wenn ferner Tarvis mit Görz durch die Predillinie und Innsbruck durch die Fernbahn und Arlbergbahn mit den südlichen Theilen von Baiern, Württemberg und Baden und mit dem Bodensee verbunden ist, wird die Tauernbahn auch die grosse, verkehrspolitische Wichtigkeit und jene hohe volkswirthschaftliche Bedeutung erlangen, welche ihr von den hervorragendsten Fachmännern zuerkannt wird. Es ist an dieser Stelle nicht möglich, auf die supplementären Routen der Tauernbahn näher einzugehen, allein das möge gestattet sein, zu bemerken, dass speciell Triest den allergrössten Werth auf den Bau der Tauern- und Predilbahn legt und die Herstellung der allerdings minder kostpieligen Strecken Herpelje-Triest und der sogenannten Laaker Linie, d. i. einer zweiten Eisenbahn über den Karst von Laak nach Görz oder Nabresina als Ersatz nicht anzuerkennen vermag.

Ingenieur Büchelen hatte zur Veranschaulichung der gegenwärtigen Verkehrsgebiete von Triest, Fiume, Venedig und Genua und deren Umgestaltung durch neue Eisenbahnlinien grosse graphische Tableaus in Triest ausgestellt, welche sich des verdienten, lebhaften Interesses aller Kreise erfreuten. Aus dieser Darstellung ist zu entnehmen, dass 1. Triest eine mangelhafte, einseitige Eisenbahnverbindung mit seinem Hinterlande besitzt; dass es 2. durch die sich daran schliessenden weiteren Anschlüsse mangelhaft mit den wichtigsten Absatzmärkten verbunden ist; dass 3. die Eisenbahnentfernungen zwischen Triest und den meisten binnenländischen Plätzen grössere sind, als jene von Fiume, Venedig und Genua und dass daher 4. das Verkehrsgebiet von Triest durch diese Concurrenzhäfen auf ein wahres Minimum reducirt wird.

Daraus ergibt sich, dass das Verkehrsgebiet von Triest ein winzig kleines Terrain umfasst, auf welchem jene Orte von noch dazu untergeordneter Bedeutung gelegen sind, zu welchen Triest näher hat, als die übrigen Häfen, dass durch die Linien Herpelje-Triest und Bischoflaak-Idria-Görz, resp. Nabresina, das Verkehrsgebiet von Triest wohl erweitert, aber nur ein Auskunftsmittel geschaffen und dass endlich eine wirkliche Abhilfe in grossen Zügen nur durch Erbauung der Predil- und Tauernbahn mit den Ergänzungen von Salzburg nach Nordwest und von Innsbruck nach dem Westen erreicht wird.

Zur Beleuchtung der Wichtigkeit der Tauernbahn in Beziehung zu dem österreichischen Emporium an der Adria erschien mir diese Ablenkung von dem eigentlichen Gegenstande unerlässlich.

Auf die geologischen Verhältnisse näher einzugehen, gestattet der Raum nicht; nur dies darf constatirt werden, dass dieselben dem Bahnbau im allgemeinen, besonders auf der Nordseite, günstig sind; auf der Südseite finden sich allerdings Thonschieferlager und einige brüchige Lehnen, die aber von keiner bedeutenderen Ausdehnung sind; im grossen wird sich die Tauernbahn durch Kalkformationen (Radstädter Tauern und Gasteiner Klamm), Gneiss- und Granitbildungen bewegen.

Die Kosten können, da eine genauere Aufnahme noch nicht vorliegt, nur annähernd bestimmt werden, dürften aber 15 Millionen Gulden gewiss nicht überschreiten; man muss eben berücksichtigen, dass die Schwierigkeiten nicht so gross sind, als es den Anschein hat, dass die längsten Strecken, wie durch das Gasteiner- und Möllthal, fast gar keine technischen Anstände verursachen und die Grundeinlösungen auf eine sehr geringe Summe zu stehen kommen.

In strategischer Beziehung die Wichtigkeit der Tauernbahn auseinander zu setzen, kann füglich unterbleiben, es genügt ein Blick auf die Karte, um die hohe Bedeutung derselben in dieser Hinsicht zu erkennen.

Nach dem Bau der Predil- und Tauernbahn würde Venedig von deutschem Gebiet vollständig abgedrängt und selbst Genua müsste von seinem derzeitigen Verkehrsgebiet grosse Strecken an Triest abgeben, derart, dass dann jeder Ort der gesammten deutschen Küste nach Triest näher hätte, als nach einem anderen, am Mittelmeer oder der Adria gelegenen Hafenplatz.

Die Distanzkürzungen, welche durch die Predil- und Tauernlinie ab Triest erzielt würden, betragen beispielsweise für

Salzburg	397 km	Linz	286 km
Pilsen	362 „	Dresden	280 „
Passau	360 „	Berlin	267 „
Prag	337 „	Stralsund	267 „

Kürzungen, gegen welche die sog. Tarifpolitik mit ihren Differentialtarifen ohne weiters hinfällig wird, weil jene etwas bleibendes und die Unabhängigkeit repräsentiren, diese aber einem fortwährenden Wechsel unterworfen sind.

Die Kürzungen in Procente umgesetzt, bewegen sich zwischen 50 und 15; in wieweit Zeit und Geld erspart werden könnten, zeigt beispielsweise die Route Triest-Prag. Bei dieser würde nämlich durch die Tauernlinie allein eine Reduction der Fahrzeit von 35 % und des Fahrpreises von 45 % ermöglicht, während die Distanzkürzung nur 25 % beträgt und von Salzburg nach Triest würde man in derselben Zeit, wie heute von Salzburg nach Wien gelangen. Interessant ist der Umstand, dass die gerade Linie von Hamburg nach Triest genau über Salzburg führt und diese Stadt bei ihrer günstigen Lage an der Grenze zweier grosser Reiche, unmittelbar vor den Eingängen in die Alpen und mit den hier zusammenlaufenden Bahnlinien zur Vermittlung des grossen Verkehrs nach allen Richtungen, zu einem Hauptumschlagsort gehoben werden könnte.

Welch grosse wohlthätige Folgen für Stadt und Land Salzburg, besonders für den so wichtigen Fremdenverkehr der neue Schienenweg nach sich ziehen würde, entzieht sich natürlich vorläufig der Berechnung; als gewiss darf man aber annehmen, dass der Aufschwung in den von der Tauernbahn durchzogenen Theilen ein ganz ausserordentlicher werden und wahrscheinlich eine neue Periode der Blüthe Salzburgs und Kärntens herbeiführen würde, grösser und ergiebiger, als der einstmalige reiche, seit Jahrhunderten aber versiegte Bergsegen der berühmten Gold- und Silberbergwerke in den Hohen Tauern jemals war.

Es erübrigt nur noch des alpinen, touristischen Moments zu gedenken, welches sich an die Tauernbahn knüpft. Wie bereits erwähnt, besteht zwischen Rottenmann (St. Michael a. M.) und dem Brenner keine Schienenverbindung mit den nord- und südseits der Centralkette sich hinziehenden Eisenbahnen. Jede der angegebenen möglichen Routen der Tauernbahn führt uns in der denkbar bequemsten Weise in grossartig schöne Theile der Alpen, und einzelne derselben würden erst förmlich erschlossen werden. Der Hauptvortheil der Tauernbahn aber dürfte für den Alpinisten in der Möglichkeit liegen, seinen Standpunkt mit Leichtigkeit von Süd nach Nord und umgekehrt zu verlegen, sich die Witterungsverhältnisse, welche dies- und jenseits der Tauern oft verschieden sind, zu Nutze zu machen und in der kürzesten Zeit in das Herz der hehren Gebirgswelt der Hohen Tauern vorzudringen.

Wir im Norden der Tauern würden Gelegenheit finden, unser Verlangen, auch die südlichen Alpengebiete eingehender kennen zu lernen und mit unseren liebwerthen, wackeren Vereinsgenossen jenseits der Tauern in innigeren Verkehr treten zu können, zu befriedigen; und diese könnten wir hingegen öfter als es bisher möglich war, in unseren Gauen begrüssen und willkommen heissen. —

Bei der grossen Wichtigkeit der Tauernbahn und ihrer Ergänzungslinien und dem allgemeinen Interesse, das sich derselben mehr und mehr zuwendet, gewinnt die Anschauung, dass nach Vollendung der Arlbergbahn der Bau der Tauern- und Predilbahn in Angriff genommen werden wird, steigende Berechtigung, und bei der lebhaften Action der berufenen Vertreter der zunächst betheiligten Kronländer Salzburg, Kärnten, Krain und Istrien mit Triest darf dem Zustandekommen des grossen Unternehmens zuversichtlich entgegengesehen werden.

Salzburg. *H. Stöckl.*

Auf der **Oberinnthaler Bahn** werden folgende 4 Züge verkehren:

Innsbruck—Landeck:	ab	4.37,	8.52,	2.52,	7.14
	an	7.22,	11.36,	5.36,	10.10.
Landeck—Innsbruck:	ab	4.50,	9.35,	3.3,	7.37
	an	7.33,	12.19.	5.47,	10,21.

Die Post ins **Oetzthal** geht täglich früh 6 U. von Station Oetzthal ab. An Sonntagen verkehrt dieselbe nur bis Umhausen, statt bis Sölden.

Zwischen **Kufstein** und **Kirchbichl** ist eine Haltstelle Langkampfen errichtet worden.

Vier unserer Mitglieder in Bozen haben es unternommen, diesen Sommer auf den vier unten genannten Gipfeln **Behälter für die Karten der Ersteiger** zu stiften in Form runder Zinkbüchsen mit Verschluss und mit einem grossen Glas, so dass die Karten leicht herauszunehmen und auf diese praktische Art immer geschützt sind. Es wird daher an alle Besucher dieser grossartig schönen Berge die freundliche Bitte gerichtet, ihre Namen genau einzulegen, auch werden die Büchsen dem Schutze der Besucher empfohlen.

Da alle vier Gipfel Aussichtspunkte ersten Rangs sind, so verdienten sie wohl, besser besucht zu werden, besonders der Kesselkogel; er ist leicht und darf der Gang durch das schöne Tschaminthal, das grossartige Bärenloch und die Grasleiten zu den schönsten und grossartigsten Partien in den Dolomiten gezählt werden. Louis Villgrattner in Tiers kann als guter Führer für diese Tour genommen werden. — Die Besorgung haben übernommen für den Rosengarten Herr Heinrich Vogt, für den Kesselkogel Herr Alois Hanne, für den Langkofel Frau Antonia Santner und für die östliche Geisslerspitze Herr Joh. Santner.

Electrische Beleuchtung der Krausgrotte bei Gams. In der heurigen Reisesaison wird die Steiermark um eine Sehenswürdigkeit reicher sein, auf die wir besonders die Besucher des Ennsthals aufmerksam machen wollen. Als derzeit einzige durch electrisches Licht beleuchtete Höhle, und wegen ihrer besonders günstigen Lage inmitten einer Fülle von Naturschönheiten und Naturmerkwürdigkeiten, verdient die Krausgrotte einen recht zahlreichen Besuch, und wir wünschen dies umsomehr, als es von der heurigen Frequenz abhängt, ob die provisorischen Installationen im nächsten Jahr in definitive verwandelt oder ob die electrische Beleuchtung als unrentabel ganz aufgegeben werden soll. Bezüglich der Installation können wir mittheilen, dass drei der grösseren Hallen mit Bogenlampen versehen werden, wovon auf die grosse Haupthalle allein drei Lampen entfallen, von denen jede eine Lichtstärke von 1000 Normalkerzen besitzt. Die Verbindungsgänge sowie die kleineren Hallen werden vorläufig wie bisher mit Stearinkerzen beleuchtet, was auch theilweise zur Sicherheit des Publikums bei einer eventuellen Betriebsstörung beitragen wird. Die Leitung vom Ort der Aufstellung der Gramme'schen Dynamomaschine bis zum Grotteneingang hat eine Länge von 1 ½ km. Der Motor ist eine der alpinen Montangesellschaft gehörige Wasserkraft, von der jedoch nur circa 5 Pferdekräfte benützt werden.

Die Eisenbahnstation für Gams ist die Haltstelle Landl der Kronprinz Rudolf-Bahn, von der der Ort Gams 1 St. entfernt ist. Die Grotte selbst ist ½ St. weiter im Thal und nur 100 m über der Thalsohle gelegen. Der Felspass »die Noth« befindet sich unmittelbar unter dem Grotteneingang. Die Wege sind neu angelegt, gut traçirt und trotz der schwierigen und kostpieligen Erhaltung in vortrefflichem Zustand. Obmann des Gamser Grotten-Comité ist Herr L. Schweyer, Ledermeister und Gastwirth in Gams, an den eventuelle Anfragen zu richten sind.

K.

Eine ***Nachricht von Dr. Güssfeldt*** findet sich in den Verhandlungen der Berliner geographischen Gesellschaft; Güssfeldt schreibt in einer Postkarte an Dr. Reiss:

»Cauquennes, Decbr. 30. 1882. Ich bin sehr zufrieden mit meinen Erfolgen, habe 14 Tage in den Cordilleren bivouaquirt und die schöne Entdeckung eines Gletschers erster Ordnung von 4 Stunden Länge, im Stile des Aletsch-Gletschers gemacht; 12 Photographien, alle gelungen, von ihm genommen. Sämmtliche Instrumente sind ausgezeichnet im Stande. Eine Basis von 980 m (Diff. $\pm$ 3 m) zweimal gemessen; viele Höhen trigonometrisch genommen. Die Uhren sind ausgezeichnet im Gange, so dass vortreffliche Zeit-Uebertragungen erhalten wurden; eine botanische Collection alpiner Pflanzen (wilde Kartoffeln oberhalb des Gletschers) wurde gewonnen, ebenso Proben von anstehendem Gestein und von der Moräne.

Gesundheit gut; morgen (31. Dec.) breche ich auf, zunächst nach Argentinien, von da zurück durch Maipú, dann in die Acongagua-Gegend, wo noch Schwierigkeiten zu überwinden sind.«

Touristische Notizen.

Karwendel-Gruppe.

Bärenalplscharte (ohne Führer.) Am 19. Juli 1882 brach ich Morgens 6 U. mit meinem Kameraden Schneider von der Vereins-Alpe auf, um über die Bärenalplscharte, die mir der abgesprengten Stellen halber als schwieriger Uebergang geschildert wurde, zur Hochalpe im Karwendelthal zu gelangen. Nachdem wir von den Hütten weg kurze Zeit den in das Ronthal führenden Steig verfolgt hatten, bogen wir rechts ab und gelangten auf einen Pürschsteig, der stets gut kenntlich, theils durch Latschen, theils an Schuttabhängen fast eben hinführend, uns dem Hintergrund des Thals näher brachte. Eine scharf ansteigende Geröllreisse ist noch zu überwinden und wir stehen dicht unter den nördlichen Felsabstürzen der uns vom Karwendelthal trennenden Hauptkette (8 U.). Hier bemerkt man wieder die Spuren eines Steiges, der hart am Fuss der Felswand sich östl. gegen das Vogelkar hinzieht. Wir verfolgen ihn wenige Schritte und versuchen circa 200 m links eines über den röthlichen glatten Fels herabschiessenden Wasserfalls bei einem Steilabsatz, der uns zu einer dem Anschein nach gangbaren Schlucht verhelfen sollte, den ersten Anstieg. Schon nach wenigen äusserst mühsamen Tritten sahen wir die Unmöglichkeit eines Weiterkommens ein, und hatten gerade Noth, wohlbehalten wieder zum Steig herabzugelangen. Vergebens suchten wir nach einem etwa zweimannhohen Steilabsatz im Fels, der abgesprengten Stelle, wie wir aus der Beschreibung wussten, wir waren weder an einem solchen vorbeigekommen, noch sah das Felsterrain vor uns dergestalt aus. Es war 9 U. vorbei, als wir umkehrten, das Wasser überschritten und und nun auf der rechten Seite des Wasserfalls den Anstieg versuchten. Zunächst boten sich wenig Schwierigkeiten; an schmalen Felsbändern ging es hinan, dann brachten uns niedrige Wandabsätze von einer Grasterrasse zur nächst höheren, dicht links neben uns schoss das Wasser über den röthlichen Fels hinab. Schon glaubten wir unsere Mühe von Erfolg gekrönt, denn nur mehr wenige Meter ober uns sah man das Wasser im Bogen von der Jochhöhe herabfallen, als ein glatter etwa zimmerhoher Felskoloss uns im letzten Augenblick jedes Weiterkommen unmöglich machte. Nach der Seite hin war nirgends auszuweichen, und so mussten wir, dem ersehnten Ziel so nahe, abermals den Rückweg antreten. Um 11 U., also nach 2stündigem resultatlosem Umhersteigen waren wir wieder beim Wasser an der Schuttreisse angelangt und rasteten $1/2$ Stunde; bei Betrachtung der Karte fiel uns ein zweiter weiter östlich gelegener Einschnitt im Hauptkamm auf; wir hatten vermuthlich zu früh den Anstieg im Fels versucht. Nach $1/4$stündigem Marsch längs der Felswand übersteigt man einen von rechts herunterziehenden Rücken, und nun zieht der Steig durch eine grellweisse Geröllhalde, in welche circa 100 m oberhalb ein bald höherer bald niedrigerer mauerartiger Felsabfall niedersetzt. An der tiefsten Stelle (c. 2—2 ½ Mannshöhen), musste die Sprengung erfolgt sein; ich versuchte an dem Wändchen hinaufzuklettern, es gelang, und bald stand auch mein Begleiter, dem ich aus fester Stellung mit dem Bergstock nachhelfen konnte, neben mir. Die Steilstufe, die einzige Schwierigkeit beim Uebergang, war überwunden. Alsbald trafen wir auf Tritte eines früheren Steiges, die uns Gewissheit verschafften, dass wir uns auf richtiger Fährte befanden; ohne weitere Schwierigkeiten erreichten wir gegen 1 U. die Jochhöhe. Wir waren somit seit dem Aufbruch aus der Vereins-Alpe 7 St. unterwegs, eine Zeit, in der wir, auch was schwieriges Felssteigen anbelangt, die schönste Bergtour auf einen Gipfel hätten ausführen können. Was uns so irre führte, waren die von den Jägern auf der Vereins-Alpe erhohlten Angaben, dass man gleich am Wasserfall ansteigen müsse, während der später gefundene Anstiegspunkt c. 20 Min. weiter östlich liegt. Nach halbstündiger Rast auf dem Joch betraten wir den in Schlangenwindungen zum Karwendelthal hinabführenden Steig und erreichten 2 ¼ U. das Pürschhaus am Anger; die dazu gehörigen Sennhütten waren 2 Tage vorher total niedergebrannt. Hier verblieben wir bis 3 U. und gingen dann zur Hoch-Alpe hinauf, wo wir gegen 5 U. Abends anlangten. Da hier gar nichts, nicht einmal Brod, zu bekommen war, auch Jäger Probst, den wir hieher bestellt, nicht eintraf, so mussten wir den Plan einer Birkkarspitz-Besteigung aufgeben und wanderten am nächsten Morgen nach Hinter-Riss hinaus.

Lamsenspitze 2604 m. Am 29. Mai 1882 war ich, die Eng früh 5 U. verlassend, gegen 7 U. auf das Lamsenjoch, den Uebergang nach Schwaz gelangt; unterwegs hatte sich der herzogliche Jäger Probst aus Hinterriss angeschlossen. Bei prachtvollem Wetter erglänzten dicht ober uns die schroffen Wände der Lamsenspitze, und von Probst unterstützt, reifte in mir der Entschluss, die Besteigung des längst ersehnten stolzen Gipfels trotz keinerlei Vorbereitungen und sehr beschränkter Zeit (ich musste am selben Tag noch in Augsburg sein) in Angriff zu nehmen. 7 U. verliess ich mit Probst das Joch; an einem rechts vorspringenden Felskegel geht es zunächst hinan, dann im Bogen links um die Ecke biegend, erscheint durch ein schneerfülltes Kar getrennt, im fortlaufenden Hauptkamm die scharfe Einsattlung der Lamsscharte, der Uebergang ins Lamskar. Das Schneefeld wird überschritten und nun beginnt das schwierigste Stück der ganzen Ersteigung: Die Gewinnung der Lamsscharte, die wir nach vorsichtigem Passiren der drei im röthlichen Fels abgesprengten Stellen kurz nach 9 U. betraten. Nach kurzer Rast steigen wir jenseits schräg rechts hinab ins Lamskar und gehen nun fast horizontal, theils auf Geröll, theils auf Schnee, an den westl. glatten Abstürzen des Bergmassivs hin, bis etwa nach 20 Min. zum ersten Mal ein scharfer Einschnitt im Fels ein Ansteigen erlaubt.

Der Einschnitt wird verfolgt; einige hohe schmale Tritte, dann wenige nach links führende Bänder und wir stehen auf einer mit spärlichem Gras bedeckten Terrasse. Hat man diese gewonnen, so kann — unter sonst normalen Verhältnissen — das Erreichen des Gipfels als gesichert betrachtet werden. In steiler Schlucht steigen wir zunächst gerade empor, wenden uns später in dem grösstentheils gangbaren, wenn auch etwas brüchigen Terrain nach halbrechts, betreten ohne weitere erhebliche Schwierigkeiten den schmalen Grat und nach kurzer Wanderung auf demselben gegen NW. den Gipfel um 10 U. 40. — Wetter prachtvoll. Aussicht namentlich auf die östliche Hälfte der Karwendel-Gruppe sehr instructiv. Aufenthalt bis 12 U. 40 Min. Alsdann nicht wie im Anstieg am Grat zurück, sondern vom Steinmann direct abwärts in bröckligem Terrain zur Grasterrasse und von da gerade hinab ins oberere Lamskar. 1 U. 20 standen wir wieder auf der Lamsscharte, wenige Meter unter uns noch die schlimmsten Stellen vor Augen. (Bei einer Besteigung der Lamsenspitze von der Zwerchbachhütte im Vomperloch aus, dem bisher üblichen Ausgangspunkt, bleibt die Lamsscharte rechts liegen, wird also gar nicht berührt; bei deren gegenwärtiger Beschaffenheit eine wesentliche Erleichterung.) Bald waren auch diese überwunden und in schneller Fahrt sausten wir an dem von der Lamsenspitze gegen das obere Stallenthal abfallenden Schneefeld hinab, dessen Fuss wir kurz vor 2 U. erreichten. — Hier trennte sich Probst von mir; er ging zurück über das Lamsenjoch zur Eng und nach Hinterriss, ich hatte keine Zeit zu verlieren, wollte ich noch rechtzeitig in Schwaz ankommen; im Sturmschritt ging es auf schlechtem Pfad zur Stallen-Alpe und von da unter heftigem Gewitterregen das endlose Stallenthal hinaus dann am Kloster Viecht vorüber zum Bahnhof von Schwaz, den ich um $4^3/_4$ U. unmittelbar vor Abgang des Zuges erreichte, der mich Nachts 2 U. nach Augsburg brachte.

Augsburg. *Frhr. v. Feilitzsch.*

Verwall-Gruppe.

Ballunspitze 2669 m. Von Partenen im Montavon verfolgt man den Weg zum Zeinisjoch bis auf die etwa 500 m über diesem Ort gelegene Inner-Ganiferalpe. Hier biegt man rechts ab und überschreitet den Bach auf leichter Brücke, über welche ein gut kenntlicher Pfad auf die Kopsalpe führt. Während des Aufstiegs hat man fortwährend prächtigen Rückblick auf den schönen Wasserfall des aus dem Scheidsee kommenden Verbellenerbachs. Von den Hütten der Kopsalpe aus, in deren Nähe ein etwas sumpfiges Terrain zu passiren ist, hält man sich, theilweise Geröllhalden überschreitend, direct auf den Gipfel zu und gelangt dann an den nördlichen der auch in der Generalstabskarte angegebenen Wassertümpel. Auf diesen zu zieht sich von der eigentlichen Gipfelpyramide aus eine mit schwachem Graswuchs bedeckte Geröllhalde, die von dieser Seite aus den einzig practikablen Anstieg bietet. Der obere Theil dieser Halde ist so steil, dass es sich wohl empfiehlt, Steigeisen anzulegen, besonders da auch die weiter oben zu passirenden Fels- und Grasbänder an Steilheit nichts zu wünschen übrig lassen. Im ganzen kann die Ersteigung der etwa 450 m über den genannten Wassertümpeln sich erhebenden Felspyramide als eine anstrengende, theilweise sogar schwierige bezeichnet werden. Die Aussicht, obgleich sehr schön, ist nicht so frei, wie die von dem viel leichter zu ersteigenden Vallüla; es fehlt der schöne Einblick ins Montavon, von dem nur ein verschwindend kleiner Theil sichtbar ist, und eben so ist der Einblick in das Paznaun durch zwei unten vorstehende Felszacken beschränkt. Dagegen wird die Silvretta-Gruppe, mit Ausnahme von Lobspitze und Litzner, die durch den Vallüla verdeckt sind, sowie die Rhätikon-Kette und Verwall-Gruppe sehr schön übersehen.

Den Abstieg nahm ich durch die grossen Trümmerhalden nach Wirl zu, in dessen oberster Alphütte wir Abends 11 Uhr bei finsterer Nacht anlangten. Zum Aufstieg brauchten wir von Partenen aus 6 St., wobei jedoch in Rechnung zu nehmen ist, dass ich am gleichen Tag schon von Bludenz kam. Mit frischen Kräften wird sich die Besteigung in etwa 5 St. ermöglichen lassen. So viel es von oben scheint, ist eine Besteigung von der Vallüla-Alpe nicht möglich, dagegen dürfte sich von unterhalb des Kleinvermunt-Sees ein nicht zu schwieriger Weg nach der Spitze finden lassen.

Calw. *Emil Zöppritz.*

Stubaier Gruppe.

Zur Nomenclatur der Kalkkögel. Da bisher für diese zwischen Hohem Burgstall und Saile sich ausbreitende, von den Thälern Schlick, Senders und der Lizumeralpe begrenzte,- hochinteressante Kette der wunderlichsten Gipfelformen eine feste und genügende Nomenclatur nicht existirte, so fassten, nachdem der Unterzeichnete in den Thälern ringsum die Kundigsten des Volkes zu Rathe gezogen, die sich für diese Kette näher interessirenden Mitglieder der Section Innsbruck den Beschluss, unter Benützung der schon vorhandenen Namen oder unter Anschmiegung an die populären Bezeichnungen unterhalb liegender Oertlichkeiten für die wichtigsten Punkte eine detailirte Nomenclatur in die Literatur einzuführen und dieselbe, soweit noch nöthig, unter dem Volke einzubürgern. Diese Namen sind folgende (von Süd gegen Nord und Ost): 1. Schlickermannlen, ca. 2750 m, eine Gruppe abenteuerlicher Zacken im S. des Schlickerschartls (Uebergang vom Schlickerthal zum Oberbergersee). In den Mittheilungen 1880, S. 26 habe ich den südlichsten Punkt derselben als »Südliche Spitze der Schlickerwand«, das Uebrige als »Stellwagen« bezeichnet. — 2. Seespitze, 2818 m Sp.-K., der Culminationspunkt der Kalkkögel, eine drohende burgzinnenartige Cyclopenmauer, a. a. O. von mir als »Nördliche Spitze der Schlickerwand« benannt. — 3. Riepenwand, 2726 m. O.-A., ein ungeheurer stumpfer Felsklotz, rings am Fusse von Riepen (Steinreissen) umgürtet. — 4. Ochsenwand, 2697 m. O.-A., ein dachfirstähnlicher, oben breiter, imposanter Felsenbau, von Wechner in den Mittheilungen 1883, S. 18 als »Riepenwand« beschrieben. — 5. Steingrubenspitze, 2634 m O.-A., ein bischofmützenähnliches, oben etwas abgestutztes Felsgerüst, nach der nördlich angelagerten »Steingrube« benannt. — 6. Drei Säulen, 2565 m Sp.-K., drei nebeneinanderstehende, prismatische Felsensäulen im N. der Steingrube, — 7. Malgrubenspitze, ca. 2580 m, nach der südlich angelagerten Malgrube bezeichnet, eine zugespitzte, fast kristallähnliche, schmucke Felsgestalt, sowie die zwei folgenden im Ostzuge der Kalkkögel gelegen. — 8. Markreisenspitze, 2620 m Kat., von der im S. herabziehenden Markreise benannt, der aussichtsreichste und von Gestalt einer der schönsten Kalkkögel, westlich von Innsbruck gesehen als kühn gebaute, drohende Bischofsmütze erscheinend. — Ihre östliche stark entwickelte Schulter ist 9. der Ampferstein, 2551 m Sp.-K., von N. gesehen fast einem Ampferblatt ähnelnd. Genauere Berichterstattung folgt später.

Innsbruck. *Carl Gsaller.*

Die Höhenzahl der Mutte. Herr Graf Sarnthein gibt in der Februar-Nr. der Mittheilungen S. 58 die »Mutte« zwischen Gschnitz- und Obernbergerthal als ungemessen an, dem ist nicht so. Die Originalaufnahme des Militär-geographischen Instituts bezeichnet sie mit 2635 m, was vielleicht nur eine Wiedergabe der Katastermessung (»Muttenjoch, westl. v. Obernberg, der höchste Kopf«, siehe Pechmanns Höhenverzeichniss) von 1389.9⁰ = 2635 m ist. Aus der vorstehenden näheren Bezeichnung des Katasters erhellt klar, dass damit die »Mutte« Sarnthein's und nicht der Uebergang gemeint ist.

Innsbruck. *Carl Gsaller.*

Hohe Villerspitze, 3091 m, zweite Ersteigung auf neuem Weg. Herr Ludwig Purtscheller aus Salzburg, mein Bruder Richard und ich brachen am 5. Sept. 1882, 6 U. 53 Früh von der Alpeiner Alpe im Oberbergthal auf, um trotz des Nebels der genannten Spitze unseren Besuch abzustatten. Die südlichen Felswände der Villerspitze erreichten wir 9 U. 15, durchstiegen die Wände ziemlich direct aufwärts, indem wir anfangs ein felsiges Couloir, dann gegen links sich hinanziehende Grasstellen benützten, worauf wir wiederum in ein Couloir über ein schmales Felsband gelangten, eine ziemlich schwierige Stelle. Nun gerade aufwärts fast direct zum Gipfel (10 U. 50). Wir fanden eine Steinplatte mit den Initialen des Herrn Gsaller, des ersten Ersteigers.*) Der von uns gewählte Weg ist jedenfalls viel kürzer, als jener Gsallers in den NW.-Wänden und nicht gerade eminent schwierig. Die sehr steilen Grasstellen sind, besonders wenn sie vom Regen nass sind, unangenehm. Da wir keinerlei Aussicht hatten, so benützten wir die Zeit zur Erbauung eines gewaltigen Steinmanns, den wir auf dem gegen W. vorgeschobenen Felszacken erbauten, wo er im Kar unten leicht gesehen werden kann. Den Abstieg traten wir 12 U. 15 an, und waren 2 U. 45 am Fuss

*) Siehe Zeitschrift 1879, S. 277.

der Felsen. Der grössere Zeitaufwand ist durch das durch Regen veranlasste sehr vorsichtige Klettern bedingt. Alpeiner Alpe (nach vielfachen Rasten) 4 U. 42.

Wien. *Emil Zsigmondy.*

Zillerthaler Gruppe.

Gefrorene Wand-Spitze 3289 m und ***Riffler*** 3239 m, an einem Tage. Am 9. Sept. 1882 gelang es meinem Freunde Jul. Prohaska, meinem Bruder Richard und mir, ohne besondere Schwierigkeiten dieses Problem zu lösen. Sommerberg-Alpe im oberen Tuxerthal ab 5 U. Früh. Nach Ueberspringung des Tuxerbachs benützten wir zum Anstieg die die Zunge des Tuxerferners im O. begrenzenden Grashänge. Den Tuxerferner betraten wir 6 U. 53 ziemlich hoch ungefähr dort, wo eine von der Gefrorenen Wand-Spitze zur Sommerbergalpe gezogene Linie den Gletscherrand schneidet. Wir hielten uns etwas rechts dem Abhang entlang bis gegen die Rippenscharte, von der aus wir bequem unsern Gipfel erstiegen (9 U.). Der Schnee war so hart gefroren, dass wir es nicht nothwendig fanden, auf der ganzen Wanderung das Seil anzulegen. Die Aussicht war fast ganz rein. Sie ist durch das Olperermassiv gegen SW. etwas eingeschränkt, doch bieten die blanken Wände dieses Berges selbst, an denen sich nicht einmal Neuschnee zu halten vermag, reichlichen Ersatz hiefür. Wir verliessen den Gipfel 10 U. 50 auf dem NO.-Grat, der bald eine sehr steile Stufe bildet. Wir umgingen sie anfangs auf der Zemmer Seite abkletternd; dort wo der Grat wieder mehr horizontal zu werden beginnt, schlugen wir uns auf die Tuxer Seite und benützten ein steiles ca. 50° geneigtes Schnee- und Eiscouloir zu den obersten Firnen der Gefrorenen Wand hinab; denn das war auf den ersten Blick klar, dass die Gratkletterei, wenn überhaupt möglich, so doch ungleich schwieriger und zeitraubender war, als das von uns eingeschlagene Verfahren. Der Schnee liess uns blos bis zu den Knöcheln einsinken. Wir hielten uns unter der Randkluft und waren sonst von Klüften durchaus nicht gehindert. Einmal mussten wir einen Moränenwall überschreiten, was schon nahe unter dem Riffler geschah. Die Wand, welche der Rifflergipfel nach Westen zeigt und welche von Löwl durchklettert wurde, liessen wir zu unserer rechten liegen und benützten die links angrenzende Schneewand, die einen sehr bequemen Anstieg zulässt. 1 U. 10 standen wir am Gipfel des Riffler. Aussicht nicht mehr ganz klar. Wir hielten uns bis 1 U. 50 auf und bewerkstelligten dann unsern Abstieg über das sehr erweichte Federbett in den Kessel und erreichten 5 U. 2 Rosshag.

Wien. *Emil Zsigmondy.*

Venediger-Gruppe.

Merbspitze 3086 m und ***Glockhaus*** 3214 m Sonklar. Am 21. August 1882 4 U. 45 früh mit Georg Nöckler St. Jacob im Ahrnthal verlassend, erreichten wir in 1 $1/2$ St. den Bauernhof Steger am linken Ufer des Ahrnbachs, wo der Alpensteig abzweigt. Nach Ueberwindung eines steilen, bewaldeten Hanges und einiger Alpenterrassen empfing uns das Becken eines flachen, offenen Hochthals, in dessen Vordergrund die Merbalpe sich befindet. Die Fortsetzung der Tour wurde durch Regen und aufsteigende Nebelmassen in Frage gestellt. Eine zerfallene, von uns nothdürftig reparirte Schirmhütte gewährte durch 1 1/2 St. einigen Schutz. Endlich besserte sich die Witterung und wir setzten den Weg über das obere Trümmerkar fort. Der Nebel liess uns über die Lage der Merbspitze längere Zeit in Zweifel. Nach Ueberwindung eines steilen Schneehangs und einiger kleiner Felspartien kamen wir in greifbare Nähe des Gipfels. Rasch stiegen wir die letzten morschen Gratabstürze hinauf und betraten, den höchsten Punkt 12 U. Mittags. Die Spitze bietet — das Wetter hatte sich indessen völlig gebessert — eine höchst lohnende Aussicht auf die prächtigen Eisgipfel der westlichen Venediger-Gruppe und auf die gegenüber liegenden Erhebungen des Zillerthaler Hauptkamms. Sehr schön zeigt sich auch die Rieserferner-Gruppe. Der Niederblick auf die begrünten Matten der Prettau, des Röth- und Affenthals mit ihren vergletscherten Hochmulden ist ebenso anheimelnd als freundlich. Das Gestein besteht aus einem sehr morschen, verwitterten Glimmerschiefer, daher auch der Name »Merbspitze«. (Die dialectische Bezeichnung »merb« ist identisch mit mürbe.) Der Berg wird wegen der unterhalb befindlichen Bergbaue und des röthlichen Gesteins auch Knappen- oder Rothe Spitze genannt.

Das Endziel meiner Tagestour, das südöstlich gelegene Glockhaus, fällt durch seine kühn aufstrebende Thurmgestalt und wildzerrissenen Gratflanken ins Auge. Es gehört zu den ausgeprägtesten Bergformen der Gruppe. Bedeutend niedriger als die Merbspitze ist die Löffelspitze; der Punkt 3130 der Sp.-K. bezieht sich nicht auf diese Spitze, sondern auf den zwischen Glockhaus, Merbspitze und Löffelspitze liegenden Sattel. Die Löffelspitze steht ca. 500 m weiter östlich, das Glockhaus ca. 100 m südlich des Sattelpunkts. Beide Erhebungen sind in den Karten der N. M.-M. nicht cotirt. Um von der Merbspitze zum Glockhaus zu gelangen, mussten wir, da der Grat sich bald als ungangbar erwies, in die oberste Mulde des Affenthals absteigen. Wir stiegen, obwohl die Schwierigkeiten durch ein rechtseitiges Ausbiegen zu umgehen gewesen wären, direct hinab. Auf den steilen Plattenlagen verhinderten nur die günstige Schichtenstellung und verwitterte Beschaffenheit des Gesteins das Abgleiten. Nach Ueberwindung mehrerer schlechter Stellen betraten wir das unten von den Wänden sich ablösende lockere Geschiebe. Wir überquerten es möglichst hoch und stiegen, die Kammabstürze links lassend, gegen den Sattel an. Ohne weitere Schwierigkeiten war dieser erreicht. Der beeiste Kamm fällt südwestlich gegen das Affenthalkees, östlich gegen das Rothfleckkees sehr steil ab. Nun war noch das eigentliche Felsgerüste des Glockhaus zu erklettern. Lose übereinander gethürmte Blöcke und die grosse Steilheit der Wandstufen erforderte ein sehr behutsames Steigen. Wir hielten uns anfänglich auf der dem Sattel zugekehrten Gratkante und umgingen dann, als grössere Abstürze das Vordringen verwehrten, die letzten Theile des Thurms südöstlich. 2 St. 5 Min. nach Verlassen der Merbspitze — allerdings nach forcirtem Marsch — betraten wir den höchsten Gipfelpunkt. Ein 2 m hoher Steinmann wurde errichtet. Der Gipfel bietet ein noch viel ausgebreiteteres Panorama, als die Merbspitze; meine Absicht, von demselben einen möglichst klaren Einblick in die Kamm- und Thalverhältnisse der südwestlichen Venediger-Gruppe zu gewinnen, ward vollkommen erreicht. Südlich des Glockhaus erhebt sich eine andere sehr imposante Felspyramide, Punkt 3165 der O.-A., für welche ich aber keinen sicheren Namen in Erfahrung bringen konnte. Sie dürfte, wie mancher andere Gipfel der Umgebung noch unerstiegen sein. Der in den Karten vorkommende Name »Grosses Glockhaus« ist richtig zu stellen; die Anwohner kennen nur ein Glockhaus. Der Beiname »Gross« ist schon desshalb nicht zutreffend, weil die Spitze (nach Sonklar 3214 m) niedriger und wenigér massiv ist, als das sogenannte »Kleine Glockhaus« 3228 m. Der Name »Kl. Glockhaus«, womit die unbedeutende Kammanschwellung südlich der Daberspitze gemeint ist, wäre ganz aus der Kartographie zu eliminiren, umsomehr da diese Bezeichnung, wie ich allen Grund habe zu vermuthen, nur auf ein Versehen bei einer der früheren Mappirungen zurückzuführen sein dürfte.

Das Glockhaus kann auch vom Schwarzachthal über die jetzt völlig eisfreien Felshänge, und vom Röththal über das Rothfleckkees bestiegen werden. Nach mehr als 1 St. Aufenthalt kehrten wir wieder auf gleichem Weg zum Sattel zurück und stiegen dann rasch über den steilen Firn des zerklüfteten Rothfleckkeeses hinab. Der massenhaft aufliegende Neuschnee war sehr zur Lawinenbildung geneigt, doch waren wir durch unsere hohe Lage vor Gefahr sicher. Ein heftiger Platzregen überraschte uns, als wir an der grossen Mittelmoräne des stark zurückgegangenen Gletschers anlangten. Noch $1/2$ St. dauerte unser Marsch über das bis zum Thalboden sich erstreckende wilde Trümmerfeld. Die Hirten nennen diese Localität die »Distelflecke«, wegen der rothen Farbe des kupferhaltigen Gesteins, das hier allgemein vorherrscht. In einzelnen Blöcken fanden wir schöne Kupferkieskrystalle. $6\,1/2$ U. nahm uns das Dach der gastlichen Röth-Alpe auf. Den Gemsjäger Georg Nöckler von St. Jacob, welcher mich durch einige Tage bei meinen Arbeiten in der Venediger-Gruppe begleitete, erlaube ich mir wegen seiner besonderen Tüchtigkeit und Ortskunde — er hatte vor 30 Jahren als erster die Dreiherrenspitze erstiegen — bestens zu empfehlen, umsomehr als es in der Prettau an geeigneten Führern für Hochtouren fehlt.

Salzburg. *L. Purtscheller.*

Ortler-Gruppe.

Thurwieserspitze ca. 3650 m. Vom höchsten Gipfel der Thurwieserspitze zweigt ein den Ferner, welcher der Thurwieserspitze im SW. angelagert ist (nennen wir ihn Thurwieserspitzferner) von dem unter dem Ortlerpass und Hochjoch gelegenen Ferner scheidender Felsgrat ab.

Diesem letzteren Ferner könnte man passend den Namen Hochjochferner beilegen. Die bisherige Collectivbezeichnung »Vedretta di Zebru« für die Gletscher, welche in den Höhen des Zebruthals gelagert sind, ist ja entschieden unzureichend. Diese Gletscherbedeckung ist auf der Sp.-K. viel zu mächtig dargestellt, die Gletscher sind seit den Aufnahmen, auf welchen die Zeichnung beruht, wenigstens um ein Drittel ihrer Länge zurückgegangen. Der Gipfel der Thurwieserspitze ist aber von dem Kleinen Eiskogel, d. i. von der Abzweigung des Fernerkogelkamms kaum mehr als 250 m entfernt. Ich bin also gezwungen, anzunehmen, dass sich die Höhencote der Sp.-K. 3650 m, wenn sie sich auf den höchsten Punkt bezieht, um ca. 200 m zu weit westlich eingetragen ist. Da wir dies nicht wussten und den Thurwiesergipfel auf der Sp.-K. an richtiger Stelle verzeichnet glaubten, wählten wir (meine Freunde Geyer, Prohaska, mein Bruder Richard) unsere Anstiegsroute zu weit westlich. Vom Thurwieserferner erstreckt sich eine Schneehalde ziemlich hoch in die von dem Massiv Trafoier Eiswand-Thurwieser südwärts abfallenden Felsen hinauf; das von ihr nächst westlich gelegene Couloir benützten wir zum Anstieg. Bis zu den Felsen, wo wir 6 U. 40 anlangten, benöthigten wir von der Alpe Prato Reghino 3 St. 10 Min. Im Anfang trafen wir auf ein glattgeschliffenes Couloir; im weitern Aufstieg war das schieferige Geröll sehr beschwerlich. Schwierigkeiten bot wiederum blos der Ausstieg auf den Grat, wo eine mehrere Meter hohe fast senkrechte Wand sich vorfand. Zu unserem Erstaunen erkannten wir nun, dass wir uns auf dem Kamm zwischen Trafoier Eiswand und Thurwieserspitze, vielleicht sogar näher der ersterern befanden. Der Grat zum Thurwieser hin war sehr zerrissen, und wir zogen es beim ersten senkrechten Absturz vor, lieber 100 m in die Südwände wieder abzusteigen; hier hatten wir Stufen hauend ein breites Eisfeld zu traversiren und um einen Felsvorsprung uns herumzuwinden, ehe wir über Schnee wiederum gegen den Gipfel ansteigen konnten. Der höchste Gipfel ist ein thurmartiger Bau, der gegen S. fast senkrecht abfällt und von einem nach rechts hinaufziehenden vereisten Couloir sich durchzogen zeigte. Es mag dies wohl der im Jahrbuch des Ö. A.-V. VI. S. 404 erwähnte »2 Klafter hohe überhängende Felskopf« sein, der von dieser Seite seines Contrawinkels wegen nur mittels einer Leiter erstiegen werden kann, die damals nicht mitgenommen worden war. Die Höhe dieses Felsthurms beträgt sicherlich mehr als 15 m. Wir erstiegen die Höhe des Grates vollkommen, so dass wir nun im W. des eigentlichen Gipfels standen; darauf gelang es uns, über den äusserst scharfen, steilen brüchigen Grat 11 U. 20 den Gipfel selbst zu forciren. Beim Steinmann fanden wir Karten der Herren Otto Schück (1874), Blezinger (1876), Stedefeld (1878) und L. Friedmann (1880). Von den übrigen Besteigern fand sich nichts mehr vor. Der Genuss der fast klaren prachtvollen Rundsicht wurde durch einen sehr scharfen Oststurm verleidet. Um 12 U. 20 traten wir den Abstieg an. Anfangs hielten wir uns in ein Couloir südöstlich hinab, dann aber überstiegen wir den links befindlichen Felskamm und hofften von dort aus die Thurwieserschneide erreichen zu können. So lange die Felsen gangbar waren, hielten wir uns an diese. Dann fasste ich festen Stand und an 40 m Seil begann Geyer bis nach der Schneide hinüber Stufen zu hauen, und in deren Nähe angelangt, mit der Brust gegen die Bergseite Stufen in den dort vorhandenen Schnee zu treten. Dies dauerte solange, als das Seil reichte. Dann folgten die Uebrigen. Dieses Manöver mussten wir noch einmal wiederholen, dann war die Schneide bereits so wenig geneigt, dass wir uns regelmässig anseilen konnten. Während des ganzen Abstiegs herrschte ein schauerlicher Sturm, der durch das Aufwirbeln von Eisnadeln beinahe das Sehen unmöglich machte. Einige Minuten später hatten wir den Kleinen Eiskogel erreicht. Der Abstieg von hier aus zur Firnmulde des Untern Ortlerferners war sehr schwierig wegen eines Eisbruches, wo langwieriges Stufenhauen und die Passirung eines mehrere Meter hohen senkrechten Eiswandels nothwendig war. Auch auf der zerrissenen Zunge des Ortlerferners zwangen die Spalten oft zu Umwegen. Ueber das Bergl erreichten wir 7 U. 30 die heil. Drei Brunnen und nach 20 Min. Rast 8 U. 20 Trafoi. — Marschzeit 14 St. 28 Min.

Wien. *Emil Zsigmondy.*

Punta di San Matteo 3633 m und ***Pizzo Tresero*** 3616 m. Die Nacht vom 19. anf den 20. August 1882 beherbergte meine Freunde Georg Geyer und Julius Prohaska, meinen Bruder Richard und mich das kleine Baito Villa coma, welches zur Malga Paludei im oberen Val del Monte gehört. Das Baito kann eigentlich nur zwei Gäste aufnehmen, ist aber im übrigen besser als die Baitos gewöhnlich sind. 3 U. brachen wir auf, erreichten 5 U. 20 den Rand der Vedretta Giumella, hielten uns auf derselben nordwestlich bis an das eigentliche Massiv der Punta di S. Matteo heran, bogen dort, wo die stärkere Steigung beginnt, nordöstlich ab und gewannen so den Kamm zwischen Punta und Giumella und auf diesem 7 U. 55 den Gipfel der ersteren. Die Aussicht, anfangs ziemlich klar, ist besonders auf die nähere Umgebung, den Fornogletscher und seine Umrahmung, äusserst grossartig. 9 U. 30 verliessen wir den Gipfel auf dem NW.-Grat, um die von Payer 1867 in umgekehrter Richtung ausgeführte Gratwanderung zum Pizzo Tresero anzutreten. Die zum Fornogletscher überhängenden Schneewächten zwangen uns anfangs zu grosser Vorsicht. Bald jedoch kamen wir auf ein sicheres Terrain. Der Kamm wird felsig und schwingt sich zu einer mit einem Steinmann gekrönten Felskuppe auf, die wir 10 U. 15 erreichten. Der Steinmann wurde von den Herren Poliaghi und Alberto Riva mit dem Führer L. Bonetti aus S. Caterina und dem Träger Pietrogiovanni Pietro 1881 erbaut und zwar zu Ehren des bei der Monte Rosa-Katastrophe verunglückten Führers Pedranzini aus S. Caterina. Man könnte daher die Spitze, wenn sie nicht schon anderwärtig einen Namen hat, Punta di Pedranzini nennen. — Wir verfolgten nun den Grat, der einige Felsköpfe bildet und dann wieder ein Firngrat wird, weiter und gelangten 11 U. 30 auf den Kleinen Pizzo Tresero, in dessen Steinmann wir die Karten von 4 vorhergegangenen italienischen Expeditionen fanden. Nach $^1/_4$ St. Aufenthalt kletterten wir den felsigen Absatz zur Scharte hinab und erreichten nach einer weitern $^1/_4$ St. 12 U. Mittags den mit einer rothen Fahne geschmückten Gipfel des Grossen Tresero. Die Aussicht war durch die Mittagsnebel sehr beeinträchtigt, nur der Abblick auf S. Caterina sehr schön. Nach 1 St. Aufenthalt bewerkstelligten wir unsern Abstieg anfangs auf dem Südgrat, dann über den westlich desselben befindlichen Gletscher zur Alpe Tresero und gelangten 4 U. nach S. Caterina. Marschzeit 9 St. 19 Min.

Wien. *Emil Zsigmondy.*

Gailthaler Alpen.

Spitzeck. Es gibt bei so mässigem Aufstieg wohl keinen zweiten Punkt, von dem aus sich das Villacher Becken und ein grosses Stück des Kärntner Landes so prächtig darbietet. Das Spitzeck ist der östlichste Vorsprung des Kadutscherberges, einer Fortsetzung des Bleiberger Erzberges. Im W. von Villach gelegen zeigt sich das Spitzeck als bewaldete Bergkuppe; es ist jedoch ein Plateau, welches man nach $2\,^1/_2$stündigem Aufstieg von Mittewald aus erreicht und von welchem man auf zwei Punkten folgende herrliche Aussicht geniesst. Nach W. ragt über die Dörfer Ebenwald, Rubland, Pogöriach etc. der Staff 2200 m und NW. davon das Guldeck hervor. Nach NW. übersieht man das ganze Drauthal von Weissenbach bis Sachsenburg mit allen Ortschaften, darunter Paternion und Spittal. Von Sachsenburg nach NW. verfolgt das Auge das Möllthal über den Danielsberg hinaus bis nach Obervellach, von zahllosen Bergspitzen umgeben. Nach N. überragen die Millstätteralpe 2100 m und der Rosennock und östlich davon der Wöllanernock und wahrscheinlich die Turracher Höhen. Im NO. liegt der Ossiacher See in seiner ganzen Ausdehnung offen, in welchem sich die Görlitzen spiegelt. Ueber die Ruine Landskron und den Ossiacher See hinaus sieht man die Gegenden um Feldkirchen und St. Veit und die Felsenfeste Hochosterwitz, welche an die Saualpe angelehnt scheint, welch letztere man in ihrer ganzen Ausdehnung sieht. Weiter folgen im O. der Wörther See, Klagenfurt und der Keutschacher See. Darüber hinaus schliesst das Kärntnerisch-Steirische Grenzgebirge das Bild ab. Nach SO. liegt nahe der Facker See, der Ort Rosegg sammt dem Schlosse, das Rosenthal und die Gegend um Bleiburg.

Nach S. und SO. hemmen der Dobratsch und die Karawanken weitere Aussicht; jedoch präsentirt sich dieser Gebirgszug selbst prachtvoll. Dass sich Villach und Umgebung von diesem Punkt so schön, wie von keinem andern zeigt, das bewirkt der weite Vorsprung dieses Punktes in das Villacher Becken.

Man erreicht Spitzeck von Mittewald aus (an der Bleiberger Strasse gelegen), wo auch Führer und Reitpferde zu haben sind. Man verfolgt $^1/_4$ St. die Bleiberger Strasse bis zur sogenannten Schneckenreide, einer

im Jahre 1806 in Serpentinen erbauten Kunststrasse. Von da gelangt man in 1/2 St. zur Findinghube der Ortschaft Kadutschen und nun auf bequemem Reitweg in 1 St. auf den Steinhupfnock, einen südlichen Vorsprung des Kadutscherberges mit dem »kalten Brunnen«. Nun auf gutem Fussteig aufwärts zum Spitzeck. Da der Anstieg ganz auf der S.-Seite liegt, so kann das Spitzeck meist schon im April bestiegen werden.

M.

Meteorologische Berichte aus den Ostalpen

Mai 1883.

Station	Luftdruck Mittel	Luftdruck Maximum		Luftdruck Minimum		Temperatur Mittel	Temperatur Maximum		Temperatur Minimum		Niederschlag-menge des Monats in Millimetern
	mm	*mm*	*am*	*mm*	*am*	*0 C.*	*0 C.*	*am*	*0 C.*	*am*	
Reichenau	716·5	722·7	12.	707·8	2.	13·5	19·1	16.	—7·4	2.	68
Windisch-Garsten	706·7	712.6	16.	695·5	1.	11·3	36·0	17.	—2·0	4.	75
Salzburg	722·1	730·6	12.	711·2	1.	13·5	28·2	26.	—3·3	12.	90
Traunstein	710·1	718·0	18.	699·0	1.	12·22	26·9	26.	—1·4	21.	87
Rosenheim	—	—	—	—	—	19·91	28·4	26.	—1·3	5.	81
Hohenpeissenberg	675·5	682·8	13.	664·2	1.	9·56	24·7	26.	—3·3	12.	117
Lindau	—	—	—	—	—	13·16	24·0	24.	—2·4	11.	107
Klagenfurt	721·5	728·4	13.	710·2	6.	14·28	26·6	28.	—5·8	13.	63
Judenburg	695·7	702·4	13	684·3	2.	11·9	24·2	27.	—0·1	23.	43
Toblach	658·3	665·0	29.	647·0	5.	10·1	21·0	25.	—1·0	22.	61
Innsbruck	708·9	716·9	12.	698·0	2.	13·7	27·0	26.	—1·0	3.	50
Tüffer	740·2	747·4	13.	727·3	6.	15·1	27·0	30.	—3·2	22.	120
Laibach	733·8	740.6	13.	720·8	6.	14·7	26·4	25.	—3·0	22.	85
Schmittenhöhe	612·0	617.0	17.	607.0	9.	8·0	8·0	17.	—7·3	21.	3
Hochobir	594·2	600·5	29.	582·9	2.	1·9	13·8	25.	6·7	21.	90

Literatur und Kunst.

Buchheister Dr. J., Anleitung, wie die Führer sich bei plötzlichen Unglücksfällen zu verhalten haben. Hamburg 1882.

Diese im Auftrag der Section Hamburg des D. u. Ö. A.-V. verfasste Abhandlung enthält auf 6 Seiten in äusserst compendiöser, leicht verständlicher Form die Vorschriften, wie sich die Hochgebirgsführer bei Quetschungen, Wunden, Verrenkungen, Verstauchungen, Knochenbrüchen, Erfrierungen und bei Schneeblindheit zu benehmen haben. Wir wüssten nicht, wie man das Nöthige in knapperer, einfacherer, allgemein verständlicherer Weise sagen könnte, als dies in dem vorliegenden Büchlein geschehen ist. Wenn eine Bemerkung zu machen ist, so dürfte es nach unserer Meinung die sein, dass es vielleicht practisch wäre, das Allerwichtigste fett zu drucken.

Der Eine oder Andere wird vielleicht die Erwähnung der künstlichen Respiration vermissen. Wir können jedoch die Auslassung dieser Massregel bei Scheintodten aus dem Grunde nur billigen, weil die Methode der künstlichen Athmung doch zu complicirt ist, um einem ungeübten Hochgebirgsführer in Kürze begreiflich gemacht zu werden. Es muss also mit vollster Anerkennung ausgesprochen werden, dass sich die rührige Section Hamburg sowie der Herr Verfasser mit diesem Musterwerkchen sehr verdient gemacht haben. *S.*

Voetsch Dr., Fussleiden und rationelle Fussbekleidung oder das Fussbekleidungswesen vom ärztlichen Standpunkte aus. Stuttgart 1883, Metzler. 2 M.—

Gestützt auf vieljährige Erfahrung, welche von Seite mehrerer hervorragender Ausstellungen durch die Verleihung von Ehrenpreisen vollste Anerkennung gefunden hat, unternimmt es Verf., der Frage, worin die hauptsächlichsten Mängel des heutzutage im Gebrauch befindlichen Schuhzeugs bestehen und wie denselben abgeholfen werden könnte, näher zu treten. Ausgehend von der normalen Grundform, wie sie die bisher unbekleidet gebliebenen Füsse der jüngsten Kinder darstellen, welche allein als gesund und normal gelten können und als Maasstab der Gesundheit aller anderen Füsse zu betrachten sind, finden wir im zweiten Kapitel die physiologischen Functionen gesunder Füsse dargelegt. Wenn man die belasteten Theile der Fussohle durch Linien mit einander verbindet, so erhält man das vom Verfasser sogenannte Fuss- oder Sohlendreieck, nämlich ein ungleichschenkliges, rechtwinkliges Dreieck, dessen rechter Winkel dem kleinen Zehenballen entspricht, während $^2/_3$ eines rechten Winkels auf den grossen Zehenballen und $^1/_3$ auf die Ferse entfallen. An die Stelle dieser normalen Belastungslinien werden von dem heutigen Modeschuh andere gesetzt, indem die heutigen Begriffe von Schönheit der Füsse, welche ihr Ideal nur in der Reduction derselben auf ein möglichst kleines Kaliber und in einer dem gesunden Fuss nicht zukommenden symetrischen Form suchen, von denen des Alterthums sehr bedeutend abgewichen sind. Durch die Verrückung der normalen Belastungslinien kömmt es zwischen dem normalen Fusse und der symetrisch gestalteten Fussbekleidung zu einem fortwährenden Kampf, welcher gewöhnlich mit dem Unterliegen des Fusses endet, nachdem es dem stärkeren Theile, der Fussbekleidung, gelungen ist, dem Fuss ihre Form aufzuzwingen. Es kann nicht ausbleiben, dass dadurch auch der Gang wesentlich beeinflusst wird; so entsteht ein Gang, welcher von dem normalen sehr weit entfernt ist. Mit Recht wendet sich Verfasser mit aller Entschiedenheit gegen die hohen Absätze. Wir stimmen fast allen angegebenen schlechten Folgen rückhaltlos zu, wenn wir auch nicht so weit gehen können, den Modeschuh für die Entstehung von Unterleibsleiden und nervöser Ueberreizung verantwortlich zu machen. Es ist nicht nöthig, bei den vielfachen Störungen im Gebiete des Nervensystems gerade auf den Modeschuh recurriren zu müssen. Richtig ist, dass Jeder geht, wie er gehen kann, und wer dies nicht glaubt, der möge sich vergegenwärtigen, dass man ganz anders geht oder mit anderen Worten, andere Belastungslinien sucht, wenn man eine Blase oder eine andere schmerzhafte Verletzung des Fusses sich zugezogen hat. Im 4. Kapitel werden die Fussleiden besprochen, d. h. jene Zustände, welche durch Druck und Reibung der Fussbekleidung auf den Fuss gesetzt werden. Die Zahl der Fussleiden ist, wie bekannt, enorm gross und es würde zu weit führen, hier ausführlich zu werden. Es mag nur erwähnt werden, dass die verschiedenen, so lästigen, abnormen Zustände, wie Hühneraugen, Blasen, Entzündungen der Oberhaut und der Gelenke, eingewachsene Nägel und Vogelkrallen, Fusschweiss und kalte Füsse in dem Büchlein eine eingehende Würdigung gefunden haben. — Im 5. Kapitel stellt Verf. in ausführlicher Weise die Ansprüche fest, welche an eine rationelle Fussbekleidung gestellt werden müssen. Der rationelle Sohlenschnitt, die Behandlung der Zehenspitzen, sowie des Fersentheils, die Beschaffenheit des Oberleders und alles andere hieher Gehörige ist vorzüglich abgehandelt und bildet eigentlich den Kern der Schrift. Nicht in allen Punkten möchten wir dem verdammenden Urtheil beitreten, welches der Verf. über den Hausschuh fällt, gerne aber unterschreiben wir dasselbe über den Pantoffel. Der zweite Theil dieses Abschnitts beschäftigt sich mit der Frage, wie in schweren Fällen von Fussverunstaltung die Fussbekleidung beschaffen sein müsse, und wir möchten nur wünschen, dass die in diesem Absatz ausgesprochenen Regeln allgemeine Beachtung fänden. Zum Schluss enthält dieser Theil die zur Herstellung einer rationellen Fussbekleidung erforderlichen Fussmaasse. Eine kurze Beleuchtung erhält auch der Strumpf, und wird auch von den Strümpfen die Unterscheidung in rechte und linke gefordert. — Im 6. und letzten Abschnitt spricht Verf. eingehend über das Personal des Schuhmachergewerbes und plaidirt, nachdem er den Beweis erbracht, welche Fehler der Schuhmacher schon beim gebräuchlichen Maassnehmen zu machen pflegt, für die Hebung der Ausbildung des Schuhmachers. Mit vollem Recht sehen wir den Verfasser zu Felde ziehen gegen die Unsitte, schon vorhandene Leisten dem Kunden aufzuzwingen, statt ihm eigene Leisten zu schneiden, woraus allein die Möglichkeit, einen rationellen Schuh zu verfertigen, resultiren würde. Noch grösseren Vorwurf aber verdient die Gebahrung der Schuhbazare. Solche in einem Schuhbazar fertig gekauften Schuhe tragen wollen, heisst in der That nichts anderes, als in fremden, entlehnten Stiefeln gehen. Es hat uns aufrichtig gefreut, dass Verf. über den Grossbetrieb der Schusterei, über die Schuhfabriken und Schuhbazare, weil hier nicht für den gegebenen Fall gearbeitet wird, ein ungünstiges Urtheil fällt, dem wir uns voll und ganz anschliessen können. Wenn aber dieser Kampf mit dem Grossbetrieb erfolgreich durchgeführt werden soll, dann wird als erste Bedingung gefordert werden müssen, dass die Schuhmacher in ihrem kleinen Betrieb Vieles bessern, was gegenwärtig entschieden noch sehr im Argen liegt. Das Ideal der Schuhmacherei ist und bleibt immer das Arbeiten von Fall zu Fall, über die für jeden Einzelnen zuvor hergestellte Leiste. Dazu gehört aber, dass der Schuhmacher nicht bloss Lederarbeiter bleiben darf, sondern dass er sich vorerst in tüchtigen Fachschulen, wie sie fü1 andere Handwerke bereits zahlreich vorhanden sind, jene Kenntnisse holt, wie sie für die Herstellung einer rationellen Fussbekleidung unbedingt gefordert werden müssen. Dass aber die Frage eine wichtige ist, das geht, abgesehen von dem grossen Personal, das im Schuhmachergewerbe Beschäftigung und Existenz findet, schon aus dem einen Umstand hervor, dass gar oft die Frage über Sieg und Niederlage von der Marschtüchtigkeit und diese von einer guten Fussbekleidung abhängt. Es geht daraus hervor, dass auch der Staat bei dieser Frage nach der möglichst guten, rationellen Ausbildung der Schuhmacher in hervorragender Weise betheiligt ist.

Dies ist im Wesentlichen der Inhalt des vorliegenden Werkchens. Man wird daraus ersehen haben, dass es viel Beachtenswerthes bietet. Jeder, der sich die kleine Mühe des Durchlesens der Abhandlung nicht reuen lässt, wird dieselbe um manche Kenntniss reicher mit Befriedigung aus der Hand legen. Dies kann sogar von dem schöneren Geschlecht behauptet werden, bei dem doch sonst der Sinn für rationelle Fussbekleidung nur sehr kümmerlich entwickelt zu sein pflegt.

Zum Schluss möge noch erwähnt werden, dass das Verständniss des Inhalts durch eine Reihe guter und sehr instructiver Abbildungen wesentlich gefördert wird.

M. *S.*

Kartographisches.

Von kartographischen Arbeiten, welche in den letzten Monaten über einzelne Theile der Ostalpen, dann grössere Gebiete der österreichisch-ungarischen Monarchie erschienen sind, liegt uns eine Anzahl neuer Erscheinungen vor, über welche wir im Nachstehenden berichten. — Das k. k. Militär-geographische Institut in Wien hat die Bearbeitung einer **Uebersichtskarte von Mittel-Europa**, speciell der österreichisch-ung. Monarchie im Maasstab 1 : 750·000 unternommen, auf welche wir in erster Linie aufmerksam machen. Diese Karte reicht im S. bis Konstantinopel und Rom, im W. bis Basel und Köln, im N. bis Berlin, und im O. bis Kiew und zum Bosporus; sie wird nach ihrer Vollendung 30 Blätter von 33×38 cm Grösse umfassen. Nomenclatur, Eisenbahnen, Landes-

und Provinzgrenzen, dann ein Theil der Comunicationslinien sind schwarz, die Strassen von $2^1/_2$ m Breite und darüber roth, Gewässer, Gletscher und Sümpfe blau und das Terrain in braun in Schraffenmanier ausgeführt. Das uns vorliegende Probeblatt D2, welches die Central-Karpathen, das ungarische Erzgebirge, die Beskiden und das Karnatische Waldgebirge umfasst, macht einen äusserst gefälligen Eindruck. Die Terrainzeichnung ist klar und sauber ausgeführt, die technische Ausführung kann eine vorzügliche genannt werden, und wir stehen nicht an, dieses Kartenwerk den hervorragendsten kartographischen Leistungen der Neuzeit beizuzählen. Wenn wir hiebei den Wunsch nach grösserer Deutlichkeit und Schärfe der kleineren Cursivschrift aussprechen, welche in dunkleren Terrainpartien meist schwer zu lesen ist, so geschieht es, weil wir der schönen für militärische, commercielle, administrative und geographische Zwecke gleich wichtigen Karte gerne nach ihrer Vollendung das Prädikat tadellos beilegen möchten. — Die vom k. k. Militär-geographischen Institut publicirte **Karte des Schneeberg-, Raxalp-, Hochschwab- und Oetscher-Gebietes,** aus zwei Blättern im Maasstab 1 : 75.000 bestehend, reiht sich den früher veröffentlichten Karten über das Salzkammergut, die Umgebung von Innsbruck u. s. w. an. Die Karte ist eine Zusammenstellung aus den einschlägigen Blättern der Militärmappirung und dürfte dieselbe den zahlreichen Touristen, welche diese interessanten, landschaftlich reizenden Berggebiete besuchen, besonders willkommen sein. Im Gebiete der Rax und des Schneeberges fehlen allerdings verschiedene Bezeichnungen und Anstiegslinien, doch dürfte es schwer sein, in dem gegebenen Maasstabe alle diessbezüglichen Details übersichtlich einzufügen. Was den angewandten Braundruck für die Waldregionen betrifft, so ist derselbe etwas zu dunkel gehalten, eine lichtere Nüançe würde die Deutlichkeit des Kartenbildes wesentlich erhöhen. — Die in den letzten Jahren besonders von Wienern stark besuchten Gebiete der Raxalpe, des Schneebergs und der Veitsch und die Umgebungen des Semmering erfuhren eine weitere kartographische Bearbeitung durch **Gustav Freytag** in seiner **Spezial-Touristenkarte** der **Niederösterreichisch-steirischen Grenzgebirge.** Die Blätter sind im Maasstab 1 :50.000 in braunen Terrainschraffen und mit rothen Weglinien bearbeitet. Die Terrainzeichnung ist etwas monoton und die Schrift entbehrt des gefälligen Charakters, auch lässt die Deutlichkeit des Wegnetzes bei den Saumwegen und Fusssteigen trotz der angewandten rothen Bezeichnung manches zu wünschen übrig. Was jedoch die Vollständigkeit der Angaben über Nomenclatur, Wegrichtungen u. s. w. betrifft, so nehmen die Freytag'schen Kartenblätter einen hervorragenden Rang ein und bilden dieselben eine willkommene Bereicherung der touristischen Hilfsmittel.

Das Salzkammmergut in sechs Blättern, herausgegeben von **Jul. Albach,** Maasstab 1 : 12.500. Dieses Kartenwerk ist in jener eigenthümlichen Manier bearbeitet, deren Vorzüge und Mängel wir schon früher besprochen haben. Auch bei dieser Karte fehlt es, besonders bei verwickelten Terrainpartien, vielfach an Klarheit des Wegnetzes und lässt hierin die technische Ausführung manches zu wünschen übrig. Einzelne Berggebiete, beispielsweise das Tennengebirge und zum Theil die Dachsteingruppe, sind in der Darstellung durch den Ueberdruck der Plateauflächen mit einem dicken braunen Ton entschieden als misslungen zu betrachten. Die Nomenclatur wurde gegenüber den früher publicirten Blättern der Albach'schen Alpenkarte vielfach ergänzt, immerhin erscheint eine weitergehende Verbesserung im Interesse des touristischen Gebrauches angezeigt. Es fehlen, um nur Einiges zu erwähnen, die Bezeichnungen Schareck, Maltathal, Grobsteinhütte, Austriahütte; die Schreibweise An Kogl und Hochalp-Sp. ist mindestens eine ungewohnte u. dgl.

R. Maschek's Karte von Mittel- und West-Kärnten, zwei Blätter 1:150.000 ist für Touristen als Uebersichtskarte, aber nur als solche, brauchbar, die Terraindarstellung ist skizzenhaft und ohne gründliche Durcharbeitung behandelt; ausserdem copirt die Karte die Nomenclatur des vorhandenen Kartenmaterials ohne jegliche Kritik. — Bezüglich der Terrainzeichnung gilt dasselbe von **Artarias Karte der Umgebung von Bruneck und Bozen. (Die Dolomitalpen von Südtirol.)** 1:129.600. Als störend muss ausserdem die Doppelbezeichnung der Höhenzahlen in Metern und Klaftern bezeichnet werden. — **Die Karte der gefürsteten Grafschaft Tirol** bearbeitet von **A. Steinhauser** und **R. Maschek** 1:432.000, leidet an technischer Unfertigkeit, Mangel an Deutlichkeit der Terraindarstellung und Schrift und ist voll von groben Fehlern in den Namenbezeichnungen. In der Ortler-Gruppe, den Vorarlberger Alpen, im Isarquellgebiet und Kaisergebirge fehlen viele wichtige Namen ganz und gar, und sind eine Menge veralteter und ganz unrichtiger Benennungen aufgenommen. Aehnliche Unvollkommenheiten weisen die Zillerthaler, die Südtiroler Alpen u. s. w. auf. In der Ortler-Gruppe wurden nur die Höhendaten für der Ortler- und Vertain-Spitze aufgeführt, während die Königsspitze und der Cevedale ohne Höhenangaben belassen wurden, im Kaisergebirge findet sich das Kaiserthal an der Ostseite des Gebirgsstockes angegeben u. s. f.

M. *A. W.*

Touristische Literatur.

Theils noch während der vorjährigen Reisesaison, theils heuer sind uns eine Anzahl von Schriften zugegangen, die wir jetzt, wo das Interesse reger, kurz besprechen.

Höfler's Führer von Tölz und Umgebung ist noch 1882 in 4. vermehrter Auflage (München, J. A. Finsterlin, geb. M. 2.40) erschienen. Derselbe beginnt sehr praktisch mit einer Erklärung von oberbayerischen Ausdrücken und einem Höhenverzeichniss mit Namen-Erklärungen; an letzteren hat Ludwig Steub mitgewirkt; die Auflage ist sorgfältig revidirt, beigegeben sind vier kleine Panoramen: der Isarwinkel vom Tölzer Calvarienberg, Gebirgsansicht vom Kloster Reutberg (zwei Blatt) und der Isarwinkel von Gaisach aus. — **Ph. Steindel, Garmisch und dessen gesammte Umgebung.** (Garmisch 1882, Adam, geb. M. 1.—), beschränkt sich auf die gewöhnlichen Partien und ist also mehr für Jene bestimmt, welche die Berge »von unten anschauen«; nur Schachen, Kramer und Krottenkopf sind in den Bereich gezogen; wir sind aber der Ansicht, dass es sogar für den Thalsohlenmenschen angenehm wäre, wenigstens etwas Positives über die Hochtouren, sei es auch nur über die Zugspitze und die dort geschaffenen Erleichterungen, zu erfahren. — Weit mehr entspricht seinem Zweck nach jeder Richtung der von unserer Section Berchtesgaden herausgegebene **Führer durch das Berchtesgadener Ländchen etc.** mit Karte nach Keil (2. Auflage 1882, Berchtesgaden, Vonderthan, M. 1.20), der neben dem anderen Wissenswerthen (Unterkunft, Führer, Tarife) ein nahezu erschöpfendes alphabetisches Verzeichniss der Touren, vom einfachen Spaziergang bis zum Anstieg auf die Hochzinnen der ganzen Gruppe gibt, welches dieses handliche Büchlein bei längerem Aufenthalt unentbehrlich macht. Bei dieser Gelegenheit möchten wir der Wirksamkeit des Verschönerungs-Vereins Berchtesgaden gedenken. Man hat öfter den Gebirgssectionen vorgeworfen, dass sie lediglich Verschönerungsvereine seien; dort aber glauben wir hat man das Richtige getroffen, der Verschönerungs-Verein und die Alpenvereins-Section arbeiten Hand in Hand; ersterer sorgt für das Mittelgebirge, die Steige zu den näheren Alpen, darüber erst beginnt die Thätigkeit der Section; so werden die Mittel zusammengehalten und ihrem eigentlichen Zweck zugeführt. Wer jetzt das Berchtesgadener Mittelgebirge begehen will, der findet nach allen Richtungen die genauesten Wegmarkirungen, sorgsam gepflegte Steige etc. Dafür hat der Verein von 1871—1882 M. 17 361.— verausgabt und mit seiner aufopfernden Thätigkeit die Alpenvereins-Section der Sorge hiefür enthoben. Durch Uebersendung eines hübsch gedruckten Jahresberichts, und nicht wie anderwärts durch den Polizeidiener, wird jeder ankommende Fremde zu einem freiwilligen Beitrag eingeladen, und wohl keiner entzieht sich dieser Pflicht. —

Der von unserer Section Austria herausgegebene **Führer auf den Schneeberg und die Raxalpe** von **Dr. Wratisl. Fikeis**, bereits früher in diesen Blättern besprochen, ist in 2. Auflage (Wien 1882, Lechner, cart. M. 1.20) erschienen. — Von den vom Fremden-Verkehrs-Comité des Steirischen Gebirgsvereins herausgegebenen **Steirischen Wanderbüchern** ist **Nr. 3: Ennsthaler Alpen und Steirisches Salzkammergut** umfassend, erschienen (Graz 1883, Ferstl), und zwar hat Herr Professor **Johannes Frischauf**, der eminente Kenner jener Gebiete, die Bearbeitung übernommen; damit können wir uns auf die Notiz beschränken, dass das Buch das Ennsthal mit seinen Seitenthälern, also die Berge von Hieflau und Eisenerz, die Johnsbacher Kette, die Haller Mauern, die Niedern Tauern in besonders ausführlicher Behandlung, die Dachstein-Gruppe in ihrem ganzen Umfang und das Gebiet von Aussee sammt dem Todten Gebirge umfasst, — Alles nach Eisenbahnrouten practisch geordnet und mit eingestreuten geschichtlichen Notizen, die sich nicht blos auf die Orte, sondern auch auf die Ersteigung der Hochgipfel beziehen. — Hier sei noch der **Festgabe** gedacht, welche unsere Section Salzburg den Theilnehmern des internationalen alpinen Congresses gespendet hat; es ist eine zu diesem Zweck veranstaltete Ausgabe des bekannten **Giselabahn-Führers**, welche jedoch besonderes Interesse erlangt durch eine 32 Seiten starke Einleitung von Professor Richter: »**Die Erschliessung der Salzburger Alpen.** Geschichtliche Skizze.« — Weiter ist zu erwähnen: eine von der Grotten-Commission neu herausgegebene Broschüre: **Die Adelsberger Grotte**, (Laibach, Kleinmayr und Bamberg), welche nächst der Grottenbeschreibung den neu fixirten Tarif enthält, aber auch in manchem Besucher der Klagenfurter General-Versammlung angenehme Erinnerungen wachrufen wird. — **Obladis, ein Tiroler Sauerbrunn**, ist der Titel einer hübschen Skizze des bekannten Walter White, welche Hans v. Vintler übersetzt und die Curanstalt herausgegeben hat. — Wenn wir zum Schluss ein fremde Gebiete berührendes Buch erwähnen, so soll dies kein Präcedenzfall sein und geschieht einmal, weil unsere Section Coburg der Herausgabe nahe steht, dann aber, weil das Werkchen in der Behandlung etwas Neues bietet; es ist der **Skandinavische Reisebegleiter. Fünf Wochen in Norwegen** i. J. 1881, mit Karte (Coburg, Riemann, geb. M. 2.—), der uns eine ganz glückliche Verquickung der angenehm fliessenden Erzählung mit dem Schematismus und den Hilfsmitteln des Reisehandbuches dünkt, eine Methode, welche sich auch für Gebiete der Alpen empfehlen dürfte; sind wir doch mit Specialisiren bereits dahin gekommen, dass eigentlich schon eine Orientirungsreise dazu gehört, um ein modernes Reisehandbuch benützen zu können. *T.*

Periodische Literatur.

Oesterreichische Alpen-Zeitung. Nr. 113. 114. E. Zsigmondy, Marmarole (Monticello). — Purtscheller, Foppa di Mattia und Sorapiss.

Schweizer Alpen-Zeitung. Nr. 11. 12. Fäsy, der S. A. C. auf der schweizerischen Landesausstellung. — Lavater, die Alpen in alter Zeit.

Alpine Journal Nr. 79. Green, a Journey into the Glacier Region of New Zealand III. — Slingsby, Stray Jottings on Montaineering in Norway. — Stafford Anderson, the Dent Blanche from Zinal. — Barrington, the first Ascent of the Eiger.

Carinthia, 1883, Nr. 1—4. Hauser, der Markt Obervellach. — Director Jos. Payer †. — v. Hauer, Chronik 1882. — Seeland, der Winter 1883 in Klagenfurt. — Bericht über das naturhistorische Landesmuseum 1882. — Seeland, eine Zirbelkiefer aus der Göstritz. — Mittheilungen aus dem Geschichts-Verein.

Rivista alpina Italiana. Nr. 3. Caso, Vincenzo Cesati. — Piolti, il Bricco Mussiglione. — Prato, sulla situazione dell' Edelweiss.

Tourist. Nr. 9. 10. v. Dalla Torre, Aphorismen über die Fauna der Hochalpen. — Knauss, Wintertouren auf den Hohen Dachstein. — Sattler, eine neue Gebirgsstrasse. — Sommerfrischen in Steiermark. II. Serie. — Eissler, Pfingsten auf dem Ebenstein. — Franziszi, das Hefenschlagen.

Oesterreichische Touristen-Zeitung. Nr. 9. 10. Kraus, die Naturwunder von Gams. — Müller, Neas und Neaser. — Aus dem Teichlthale. — Simony, Ersteigung des Hohen Dachsteins am 8. Sept. 1842. — Sahlender, erste Erforschung des Bärenlochs und neue Entdeckungen in der Frauenmauerhöhle bei Eisenerz. — Pokorny, Mte. Maggiore. — Rabenlechner, Rigi.

Bolletino del Club alpino Italiano per l'anno 1882 (Vol. XVI. Nr. 49). Atti del XV. Congresso in Biella. — Gonella, rifugi costratti sulle Alpi e sugli Appennini per la cura del C. A. J. — Cainer, gli alpinisti italiani al Congresso Internationale di Salisburgo del 1882. — Budden, la pescicoltura in montagna. — Flatz, escursione alpine nell' inverno. — Da Schio, di alcune osservazioni ipsometriche fatte sul S. Gottardo. — Baretti, il Monte Bianco Italiano. — Anelli, Gite nella Vallee d'Aosta. — Fiori e Ratti, Punta Ramiere, Punta Boucier, Mte. Granero. — Simonetti, ascensione della Levanna Centrale. — Nievo, prima ascensione della Punta piu alta del Gruppo del Rodes. — Bertoldi, salita della Carega. — Diamantidi, escursioni nelli Alpi Dolomitiche. — Fiori e Ratti, la Barre de Ecrins. — Barale, ascensione dell' Aiguille d'Arve, Punta centrale. — Gonella, Finsteraarhorn e Jungfrau.

An die hochgeehrten Sectionen und Mitglieder des Deutschen und Oesterr. Alpenvereins.

Ein für uns, die gefertigten Mitglieder des gewesenen Central-Ausschusses, ungemein freudiger und erhebender Anlass bewegt uns, nochmals in Gemeinschaft vor Sie zu treten.

Sie haben uns durch einen Ausdruck Ihrer Anerkennung unseres Wirkens überrascht, welcher, ebenso herzlich in seinen Worten, als künstlerisch vollendet in seiner kostbaren Hülle und Ausstattung, uns mit wärmstem und aufrichtigstem Danke und insbesondere auch mit inniger Genugthuung desshalb erfüllt hat, weil er uns die frohe Gewähr bringt, dass wir das, was neben dem Gedeihen der uns anvertrauten Sache unser oberstes Ziel war, wirklich erreichten: die Zufriedenheit und das Wohlwollen unserer Vereinsgenossen.

Indem wir Ihnen den Ausdruck unseres innigsten Dankes für die ehrende Auszeichnung, welche Sie uns zu Theil werden liessen und die wir höchstens durch unser stets aufrichtiges, bestgemeintes Bemühen und Bestreben halbwegs verdient zu haben glauben, aussprechen, bitten wir Sie, uns Ihr freundliches Wohlwollen auch ferner zu erhalten und davon überzeugt zu sein, dass die Zeit, welche wir in freudigem Zusammenwirken mit Ihnen an der Spitze des Vereins zubringen durften und welche nunmehr einen so überaus schönen Abschluss für uns gefunden hat, zu den ungetrübtesten Erinnerungen jedes Einzelnen von uns gehören wird.

Wien, 4. Juni 1883.

Carl Ritter v. Adameck; Dr. B. J. Barth Edler v. Wehrenalp; Dr. August Böhm; Dr. Wratislaw Fikeis; Carl Göttmann; Adolf Ritter v. Guttenberg; Dr. Alois Klob; Adolf Leonhard; Arthur Oelwein; Th. Trautwein.

Die Mittheilungen erscheinen jährlich in 10 Nummern zu 2 Bogen, und zwar am 20. jeden Monats mit Ausnahme der Monate September und November. Die Mitglieder des Vereins erhalten dieselben unentgeltlich. Für Nicht-Mitglieder ist der Preis des Jahrgangs im Buchhandel 4 Mark.

Druck von Anton Pustet in Salzburg.

MITTHEILUNGEN

DES

DEUTSCHEN UND OESTERREICHISCHEN ALPENVEREINS.

No. 7. SALZBURG, JULI. 1883.

Vereinsnachrichten.

Circular Nr. 78 des Central-Ausschusses.

Salzburg, Juli 1883.

I.

Da die nächste Nummer der Mittheilungen am 20. August, also unmittelbar vor der General-Versammlung zur Ausgabe gelangen wird, bringen wir nochmals in Erinnerung, dass

1. nach §. 24 der Statuten jeder Section nur so viele Mitglieder zur Stimmenzahl bei der General-Versammlung zugerechnet werden, als sie Jahresbeiträge bis 31. Juli an die Central-Casse abgeführt hat, weshalb die Herren Sections-Cassiere ersucht werden, etwa ausstehende Beträge bis dahin an die Central-Casse einzusenden; und dass

2. Wohnungs-Anmeldungen für die General-Versammlung in Passau im Verlaufe des Monates Juli an Herrn Josef Kuchler, Fabrikanten in Passau, unter genauer Angabe, wohin die Karten gesandt werden sollen, zu richten sind.

II.

Ferner haben wir mitzutheilen, dass die General-Direction der k. bayerischen Verkehrs-Anstalten auf unser Ansuchen den Theilnehmern der General-Versammlung in Passau, welche sich durch ihre Mitgliedskarte als solche legitimiren, eine Verlängerung der Giltigkeitsdauer der Retourkarten auf 27 Tage, d. i. vom 15. August bis einschliesslich 10. September, gütigst gewährt hat, wofür wir hiemit unsern besten Dank aussprechen.

III.

Im Nachstehenden beehren wir uns die Tagesordnung der diesjährigen General-Versammlung bekannt zu geben.

Tagesordnung

der 10. ordentlichen General-Versammlung des D. u. Ö. Alpenvereins in Passau am 28. August 1883.

1. Erstattung des Jahresberichtes.
2. Erstattung des Rechenschaftsberichtes.
3. Wahl eines C.-A.-Mitgliedes an Stelle des ausgeschiedenen Herrn A. Posselt-Czorich, zweier Rechnungsrevisoren und zweier Ersatzmänner.
4. Antrag des C.-A.:

Zum Zwecke der Veranstaltung einer neuen Mappirung der Berchtesgadener Gebirgsgruppe (zwischen Saale und Salzach), vorzunehmen durch Herrn Trigonometer A. Waltenberger in München, und zur Herausgabe einer Karte dieser Gruppe sei aus dem Vereinsvermögen für 1883 ein Betrag von 1400 fl. und für 1884 ein Betrag von 2000 fl. dem C.-A. zur Verfügung zu stellen.

Schon in seinem Antritts-Circular hat der C.-A. die Meinung ausgesprochen, es erscheine nach Vollendung der Anleitungen zu wissenschaftlichen Beobachtungen auf Alpenreisen angezeigt, das Interesse des Vereins an der Förderung der Wissenschaft durch Veranstaltung selbständiger wissenschaftlicher Unternehmungen zu bethätigen. Da gleichzeitig an ihn die Aufgabe herantrat, die Herstellung von kartographischen Beilagen für die Jahrgänge 1884 und 1885 der Zeitschrift ins Auge zu fassen, so glaubt er beiden Zwecken gerecht zu werden, wenn er die selbständige Neuaufnahme einer interessanten Alpengruppe vorzunehmen beantragt, von welcher den bestehenden Verhältnissen nach eine entsprechende kartographische Darstellung eben nur durch eine theilweise Neuaufnahme erzielt werden kann. Dies ist die Gruppe der nördlichen Kalkalpen zwischen Salzach und Saale, welche zur einen Hälfte nach Oesterreich, und zur anderen nach Baiern gehört. Die Aufnahmen des bairischen Antheils stammen aus einer so frühen Zeit und unterscheiden sich schon durch den Mangel der Höhenangaben und Höhenschichten so sehr von den neueren österreichischen Aufnahmen, dass nur durch eine Vermessung des bairischen Antheils eine einheitliche Grundlage für eine neue Karte geschaffen werden kann.

Da die Berchtesgadener Gruppe eines der schönsten und vielbesuchtesten Gebiete der Alpen ist, so glaubt der C.-A., dass die Herausgabe einer einheitlichen, nach jeder Richtung hin allen Anforderungen entsprechenden Karte ein Unternehmen ist, welches dem Verein sowohl Ehre machen, als auch sogar einen Theil der Kosten selbst zu decken im Stande sein würde.

Was aber als die Hauptsache erscheint: es ist dem C.-A. gelungen, die bewährteste Kraft, welche vielleicht für ein solches Werk überhaupt zu Gebote steht, nämlich Herrn Trigonometer A. Waltenberger zu gewinnen, welcher einen Theil der Sommer 1883 und 1884 dieser Arbeit widmen wird. Zugleich hat auch die kgl. bayerische Regierung ihre Genehmigung und sogar moralische Unterstützung gütigst zugesagt, so dass der C.-A. wohl die bestimmte Versicherung aussprechen kann, dass er den Mitgliedern eine ausgezeichnete und zwar durchaus selbständige Leistung darzubieten vermögen wird.

5. Antrag des C.-A.:

Es sei dem C.-A. zum Zweck der Beihilfe zur Aufforstung von Wäldern für das Jahr 1884 ein Betrag von 1000 fl. in Gold aus dem Vereinsvermögen zu bewilligen.

Die vom D. und Ö. A.-V. theils selbständig, theils mit Zuwendung von Unterstützungen ausgeführten Aufforstungsarbeiten sind durchweg sehr befriedigend ausgefallen; die angelegten Forstkulturen zeigen ein erfreuliches Aussehen und gedeihen zusehends unter der Aufsicht sachverständiger Organe. Wenn auch dieser Erfolg ermunternd ist und das gegebene Beispiel allenthalben Nachahmung findet, so muss doch andererseits wieder zugegeben werden, dass mit den geringen bisher aufgewendeten Mitteln unsere Thätigkeit auch nur eine sehr bescheidene sein konnte. Dieser Umstand sowohl, als die durch die Hochwasserkatastrophen des vorigen Herbstes mehr als je dringend gewordene Forstfrage in den Alpenländern lassen die Forderung einer ausgiebigeren Beihilfe für Aufforstungszwecke wohl hinreichend gerechtfertigt erscheinen.

6. Antrag des C.-A.:

Die General-Versammlung wolle beschliessen: Der C.-A. wird ermächtigt, zum Zweck der Unterstützung meteorologischer Beobachtungen aus dem Vereinsvermögen angemessene Beiträge zu verwenden.

7. Antrag des Herrn Riemann und Genossen:

Es werde den Gebirgs-Sectionen eine Summe bis zum Höchstbetrage von 200 fl. bei der Central-Casse zur Verfügung gestellt, zum Zweck der Gewährung von Reiseentschädigungen an solche Personen, welche in den Wintermonaten in den Versammlungen dieser Sectionen Vorträge zu halten sich bereit finden lassen.

Die Motivirung führt aus, dass das winterliche Vereinsleben der in den kleinen Orten im Gebirge befindlichen Sectionen wegen des Mangels belehrender und anregender Vorträge vieles zu wünschen übrig lasse. Da jedoch auch die Möglichkeit fehle, durch Reiseentschädigungen fremde Kräfte herbeizuziehen, so sei es wünschenswerth, die Mittel des Gesammtvereins für diesen gewiss im Interesse desselben liegenden Zweck in obigem bescheidenen Ausmaasse heranzuziehen.

Vom C.-A. befürwortet.

8. Antrag des C.-A.:

Der C.-A- wird ermächtigt, zur Errichtung weiterer Führerbibliotheken und besseren Ausstattung der bereits errichteten die Summe von 300 Mark zu verwenden.

Die General-Versammlung von 1882 hat zur Errichtung von Führer-Bibliotheken eine gleiche Summe bewilligt. Da der C.-A. von der Nützlichkeit dieser Einrichtungen überzeugt ist, und in Ausführung obigen Beschlusses bereits zwei solide Bibliotheken errichtet hat, so hält er es für wünschenswerth, durch Einsetzung des Betrages von 300 Mark in den Voranschlag von 1884 die Fortbildung dieser Institution zu ermöglichen.

9. Voranschlag zur Vertheilung der Vereins-Einkünfte im Jahre 1884:

60% für die Vereinspublicationen.
25% für Weg- und Hüttenbauten.
10% Regie.
5% Ausserordentliche Ausgaben.

10. Subventions-Anträge für Weg- und Hüttenbauten.

Section	Gegenstand	Angesprochener Betrag	Befürworteter Betrag
		M.	M.
Algäu-Kempten	Erbauung einer Unterkunftshütte am Rappensee	1237	800
Berchtesgaden	Wegverbesserung auf den Watzmann, Mitterkaser-Falzalpe-Watzmannanger	200	200
	Wegverbesserung v. Trischübel n. Oberlahner	200	200
	„ auf den Hundstod . . .	100	—
	„ auf den Funtensee-Tauern	100	—
	Wegbau auf den Edelweiss-Tauern auf der Reitalpe	100	—
	Wegverbesserung auf die Schönfeldspitze .	300	—
Schwarzer Grat	Wegbauten im Argentobel bei Riedholz . .	600	500
Tölz	Wegbau auf die Benedictenwand	300	300
Weilheim-Murnau	Wegverbesserungen von Eschenlohe zur Hütte an der Krottenkopfspitze	100	100
		fl.	fl.
Ampezzo	Vorarbeiten zum Hüttenbau auf der Tofana.	Unbest	300
Austria	Umbau der Rudolfs-Hütte	1000	700
	Wiederherstellung der Schwarzenberg-Hütte .	500	300
Bozen	Schlern-Haus	1500	1200
Frankfurt	Ausbau des Gepatsch-Hauses und Wegverbesserung dahin	600	400
Gastein	Wegbau vom Nassfeld zum Schareck . .	200	200
	„ zum Redsee	50	50
Golling	Wegbauten auf das Hagengebirge u. Kl. Göll	150	120
Hochpusterthal	Wegbauten auf den Helm u. den Dürrenstein	175	175
Imst	Wegverbesserung zur Muttekopf-Hütte, Reparatur der Hütte selbst u. des Weges in die Schlucht beim Calvarienberg . . .	100	100

Section	Gegenstand	Angesprochener Betrag	Befürworteter Betrag
		fl.	fl.
Innsbruck	Weg über das Bildstöckl-Joch	450	300
Iselthal	Wegbau durch das Mulitz- und Steinkas-Thal	250	100
Kitzbühel	Wegverbesserung auf das Kitzbühler Horn .	300	—
	Wegbau vom Kitzbühler-Horn zum Gaisstein	200	100
	Wegverbesserung zum Schleierfall . . .	100	50
Kufstein	Wegbau über die Kopfkraxen zum Sonneck und Adaptirung der Hütte auf der Bärenbad-Alpe	300	300
Oberinnthal	Wegverlegung von der Gepatschbrücke zum Vereinshaus	150	150
Pinzgau	Unterkunftshaus am Steinernen Meer, I. Rate	1100	800
	Wegbau zu den Hirzbachfällen im Fuscher-Thal	250	200
Pongau	„ von Filzmoos zum Gosausee . .	400	400
Salzburg	Untersberg-Haus (letzte Rate)	800	800
Villach	Wiederherstellung der Schutzhütte am Manhart	800	600
Vorarlberg	Haus am Vermunt-Gletscher	2500	—
	als erste Rate befürwortet	—	1200
Zillerthal	Wegbauten in Dornauberg	260	200
	Kellerjoch-Schwaz	300	—
	Schmirner-Joch	50	—
Hochw. H. Curat	Wegbau Zwieselstein-Gurgl	200	100
Ing. Gärber			
Herren Grüner u. Brucker	Wegbauten in Inner-Oetzthal	200	100

Angesprochen zusammen M. 3237 fl. 12 885
Befürwortet „ M. 2100 fl. 8945

Die Abstriche rechtfertigen sich durch die zur Verfügung stehende Summe von nur 10 200 fl. Oe. W.

Antrag der Section Pongau: Den Rechnungsabschluss über die Vorarbeiten zur Hochkönighütte zu genehmigen und den Rest der i. J. 1880 hiefür bewilligten Subvention mit dem Betrage von 247 fl. 09 kr. zum Wegbau Filzmoos-Gosausee zu verwenden.

Vom C.-A. befürwortet.

Antrag der Section Lichtenfels: Es sei für Wegweisertafeln, Wegmarkirungen und Wegverbesserungen im Frankenwald eine Subvention von 120 Mark zu bewilligen.

Der C.-A. ist nicht in der Lage, dieses Ansuchen zu befürworten.

11. Einladung der Section Constanz, die General-Versammlung des Jahres 1884 in **Constanz** abzuhalten.

Vom C.-A. befürwortet.

IV.

Um mehrfach geäusserten Wünschen der Sectionen und Mitglieder entgegenzukommen, haben wir durch die Verlagsfirma des

Atlas der Alpenflora A. Hartinger und Sohn in Wien, Einbanddecken zu diesem Werke anfertigen lassen.

Wir verweisen hinsichtlich der Details auf einen den beiden nächsten Heften der Alpenflora beiliegenden Prospect und ersuchen die geehrten Sectionsleitungen, die Bestellungen der einzelnen Mitglieder zugleich mit denen der Hefte selbst gesammelt an den Central-Ausschuss in Salzburg, nicht aber an die Verlagsfirma zu leiten.

V.

In Beantwortung mehrerer Anfragen bringen wir neuerdings in Erinnerung, dass Bestellungen auf Specialkarten der Oesterr.-Ungar. Monarchie 1 : 75000 nicht an den C.-A., sondern von den Sectionsleitungen für die einzelnen Mitglieder an Herrn R. Lechners Buchhandlung in Wien I., Graben 31 zu richten sind, welche einen Universitäts-Nachlass von 20 % gewährt.

VI.

Abonnementskarten. Vor allem fühlen wir uns verpflichtet, der löblichen k. k. Direction für Staatseisenbahnbetrieb dafür unseren Dank auszusprechen, dass uns dieselbe die weitere schätzenswerthe Begünstigung gewährte, nach Schluss des Jahres die nicht verkauften Abonnementskarten gegen Baarzahlung zurück zu nehmen.

Ferner bringen wir zur angenehmen Kenntniss, dass sich uns in Angelegenheit des gemeinsamen Ankaufes von Abonnementskarten auch der Steirische Gebirgsverein angeschlossen hat und dass ausser den bereits publicirten Verkaufstellen noch folgende errichtet wurden:

in Graz bei Herrn G. Lechner, Sporngasse 1;
in Greiz bei Herrn Erich Schlemm, Ludwigsplatz;
in Traunstein bei Herrn Plenagl, Buchhandlung.

Sämmtliche Verkaufstellen sind mit Abonnementskarten dotirt.

Hinsichtlich jener Mitglieder, welche nicht am Ort einer Verkaufstelle domiciliren, sei bemerkt, dass solche Mitglieder ihre Bestellungen auf Abonnementskarten nicht an die Verkaufstellen, sondern an ihre Sectionsleitungen zu richten haben, da die Verkaufstellen Correspondenz grundsätzlich nicht führen. Seitens der letzteren werden nur persönliche Bestellungen effectuirt u. zw. müssen die gewünschten Karten genau nach dem Routenverzeichniss angegeben werden, und darf denselben das Combiniren von Touren nicht zugemuthet werden. Es ist hier zu erinnern, dass die Verkaufstellen den Verkauf aus besonderer Gefälligkeit und kostenfrei besorgen. Schliesslich wird zur allgemeinen Kenntniss gebracht, dass von nun an Anmeldungen aller Art in dieser Angelegenheit für dieses Jahr geschlossen sind und daher auch Neubeitritte von Sectionen nicht mehr angenommen werden können.

Verzeichniss der Routen.

Ergänzt aus Nr. 6.

Routen	II. Classe	III. Classe
	Ö.-W. fl.	Ö. W. fl.
Admont—Selzthal	—.35	—.23
„ —Waidhofen a.Y.	1.90	1.25
Amstetten—Linz	1.45	1.—
„ —Steyr (via Valentin)	1.40	—.90
Amstetten—Waidh.a.Y.	—.55	—.38
Amstetten—Wien	2.90	1.90
Attnang—Gmunden (K. R. B.)	—.30	—.20
Attnang—Ischl	1.05	—.70
„ —Linz	1.25	—.85
„ —Passau (via Schärding)	1.85	1.25
Attnang—Salzburg	1.65	1.10
„ —Wels	—.70	—.48
„ —Wien	5.70	3.80
Aussee—Ischl	—.80	—.55
„ —Steinach	—.70	—.45
„ —Wien	6.70	4.50
Bischofshofen—Golling	—.55	—.37
„ —St. Joh. i. P.	—.23	—.15
Bischofshofen—Lend	—.55	—.35
„ —Salzburg	1.25	—.80
„ — Schladming	—.95	—.65
Bischofshofen-Steinach	1.85	1.25
„ —Zell a.S.	1.10	—.75
Bruck-Fusch — St. Johann i. P.	—.75	—.50
Budweis—Linz	2.90	1.95
„ —Steyr (via Gaisbach)	3.20	2.15
Ebensee—Ischl	—.37	—.25
Eisenerz—Hieflau	—.35	—.23
Friesach—Glandorf	—.75	—.50
„ —Judenburg	1.30	—.85
„ —Klagenfurt	1.15	—.75
„ —Villach	1.90	1.30
Gaming—Wien	3.05	2.—
Glandorf—Judenburg	2.—	1.35
„ —Klagenfurt	—.43	—.28
„ —Villach	1.20	—.80
Gmunden (See-Bahnhof) —Lambach	—.65	—.43
Gmunden—Wien	5.90	3.90
Golling—Salzburg	—.70	—.45
Gutenstein-Leobersdorf	—.85	—.60
Hainfeld—Leobersdorf	1.—	—.70
„ —St. Pölten	—.75	—.50
Hallein—Salzburg	—.43	—.27
Hallstatt—Ischl	—.50	—.35
„ —Steinach	1.—	—.65
Hieflau—Selzthal	—.85	—.60
„ —Steyr	1.90	1.25
Hieflau—Waidhofen a.Y.	1.35	—.90
Hopfgarten—Innsbruck	1.80	1.20
„ —Kitzbühel	—.65	—.43
„ —Wörgl	—.23	—.15
Innsbruck—Imst	1.25	—.85
„ —Landeck	1.70	1.15
„ —Telfs	—.65	—.43
„ —Zirl	—.35	—.23
Ischl-Wien	6.60	4.50
Jauerburg—Laibach	1.45	—.95
„ —Tarvis	—.95	—.65
St. Johann i. P.—Lend	—.33	—.23
„ —Zell a. See	—.90	—.60
Judenburg—Leoben	1.15	—.75
„ —St. Michael	—.90	—.60
Kitzbühel—Zell a. See	1.35	—.90
Krainburg—Laibach	—.70	—.45
Kronau—Laibach	2.—	1.35
Laibach—Lengenfeld	1.75	1.15
„ —Radmannsdorf-Lees	1.20	—.80
Laibach — Ratschach-Weissenfels	2.20	1.45
Laibach - Tarvis	2.35	1.60
Lambach-Wels	—.33	—.23
Lend—Zell a. See	—.60	—.37
Leoben—St. Michael	—.28	—.20
„ —Selzthal	1.75	1.15
Leobersdorf — Weissenbach a. Tr.	—.45	—.30
Lilienfeld—Wien	2.—	1.30
Linz—Steyr	1.05	—.70
„ —Wels	—.60	—.38
„ —Wien	4.35	2.90
St. Michael—Selzthal	1.45	1.—
„ —Villach (S.-B.)	4.05	2.70
Passau—Wels	1.90	1.25
St. Pölten—Schrambach	—.65	—.43
„ —Wien	1.40	—.95
Pontafel—Tarvis	—.75	—.50
Ponteba—Tarvis	—.85	—.55
Radmannsdorf—Tarvis	1.20	—.80
Ratschach — Weissenfels-Laibach	2.20	1.45
Salzburg—Wien	7.—	4.80
„ —Zell a. See	2.30	1 55
Schladming—Steinach	—.90	—.60
Selzthal—Steinach	—.45	—.30
Tarvis—Villach	—.65	—.43
Waidhofen a. Y.—Wien	3.40	2.25
Wels—Wien	4.90	3.25
Wörgl—Zell a. S.	2.15	1.45

Der Central-Ausschuss

des Deutschen und Oesterreichischen Alpenvereins.

E. Richter,
I. Präsident.

Berichte der Sectionen.

Austria. Am 17. Juni fand die Frühlingsfahrt der Section nach dem reizend gelegenen Lilienfeld statt, an welchem sich auch der Reiseclub des Wiener akademischen Gesangvereins und der I. Wiener Hornistenclub betheiligten. Mehr als 130 Personen verliessen Wien mit Separatzug um $^3/_4$6 U. Früh und trafen $^1/_2$9 U. in Lilienfeld ein, wo ihnen durch die Gemeindevertretung, den Lilienfelder Gesangverein und die zahlreich erschienene Bevölkerung in dem beflaggten Bahnhof und dem decorirten Markt ein ebenso festlicher als herzlicher Empfang bereitet wurde. Nach dem gemeinschaftlichen Frühstück hatte sich das bis dahin regnerische Wetter aufgeheitert, so dass die programmmässigen Ausflüge stattfinden konnten und auch die Sehenswürdigkeiten besichtigt wurden, worauf im Markt um 2 U. das gemeinschaftliche Mittagessen stattfand. Nach demselben erfolgten die Concertvorträge des Reiseclub des Wiener akademischen Gesangvereins, des Lilienfelder Gesangvereins und des I. Wiener Hornistenclub, worauf sich die Gesellschaft zerstreute und Spaziergänge unternahm, oder sich bis 8 U. an einem Tanz betheiligte. Darauf erfolgte der Abmarsch zum Bahnhof, wo trotz des gerade eingetretenen Regens ganz Lilienfeld den Wiener Gästen das Geleite gab, welche noch lange an den genussreichen Tag mit Vergnügen zurückdenken werden. Um 11 U. Nachts war Wien wieder erreicht.

Berlin. In der Sitzung vom 14. Juni berichtete Herr Dr. Darmstädter über seine im Frühjahr ausgeführten Excursionen in Spanien und den französischen Pyrenäen. Er bespricht ausführlich den Monserret, den Palmenwald von Elche, und geht nach einer allgemeinen Charakteristik des Reisens in Spanien auf eine orographische Beschreibung der Pyrenäen und auf eine Schilderung seiner Reise durch die Pyrenäenbäder über. Von den in den Pyrenäen durchwanderten Orten lenkt er die Aufmerksamkeit der Versammlung namentlich auf Pau, Eaux Bonnes, Eaux Chaudes, Lourdes, Cauterets, Gavarnie, Bagnères de Luchon und schildert mit Hilfe von Photographien eingehender die Cascade de Cerisey, den Cirque de Gavarnie, dessen Wasserfälle er noch in gefrorenem Zustande antraf, und die Vallée des Lis und Vallée de L'oust, wo die noch mit hohem Schnee bedeckten Berge die Schönheit der Gegend wesentlich erhöhten. — Hierauf berichtete Herr Winckelmann über einige Touren im Berninagebiet, die aber durch das ungünstige Wetter des vorigen Sommers sehr beeinträchtigt wurden; er spricht namentlich über den Piz Tschierva, Piz Kesch und Piz Bernina selbst, den er durch das »Loch« und die »steile Wand« bestieg, und von dem aus er auch eine ungetrübte Aussicht genoss. Auch dieser Vortrag wurde durch eine Anzahl Photographien veranschaulicht.

Bozen. Am 8. Juni hielt die Section eine ausserordentliche General-Versammlung ab, wobei es sich hauptsächlich um Vorlage und Genehmigung des Schlernhütten-Bauprojects handelte. Wie bereits berichtet wurde, soll nämlich ein über die Sommermonate mit einer Wirthschaft verbundenes Schlernhaus gebaut werden, welches Raum für 50 bis 60 Personen gewährt. Die Kosten würden sich auf circa 4365 fl. belaufen, welchen nach dem Plan als Bedeckung gegenüberstehen: 1500 fl. erbetene Subvention der heurigen General-Versammlung in Passau, 515 fl. Schlernhüttenfond und 410 fl. an subscribirten Beiträgen; es bliebe demnach noch eine Restsumme von 1940 fl. zu decken, welcher Betrag theils durch verlosbare Antheilscheine, theils durch einen Bazar aufgebracht werden soll. Bezüglich der Erlangung des nöthigen Grundes von der Gemeinde Völs dürften nunmehr alle Schwierigkeiten überwunden sein.

Dresden. Dem Jahresbericht, der als besondere Brochüre mit zwei die beiden von der Section erbauten Hütten darstellenden Lichtdrucken erschien, ist eine Geschichte der Section beigegeben, die am 23. April 1873 gegründet wurde und heuer, wie bereits die Mittheilungen Nr. 3, S. 69 berichten, ihr zehnjähriges Stiftungsfest begangen hat. 1874 bereits konnte an eine Thätigkeit nach aussen gedacht werden, und am 11. August 1875 wurde die Dresdener Hütte dem Verkehr übergeben. Mit deren Bestehen hat sich die Zahl der Führer in Stubai auf 20 gehoben und der Touristen-Verkehr in das innere Oetzthal nimmt seinen Weg hauptsächlich über das einst gefürchtete Bildstöckeljoch. — Der Bau der Hütte kostete über 3000 M. — 1881 wurde der Bau der Zufall-Hütte im Martellthal beschlossen und am 23. August 1882 wurde dieselbe eröffnet; die Kosten betrugen gegen 3000 fl. — Die Section, welche Ende 1873 35 Mitglieder zählte, weist bis Ende Mai 1883 einen Bestand von 208 auf.

Erfurt. In der Sitzung vom 26. Mai schilderte Herr Apotheker Bucholz einen im vorigen Jahr mit einem anderen Sectionsmitglied und dem Führer Caspar Kriner aus Mittenwald von Fall a. d. Isar aus unternommenen Ausflug zum Pürschhaus am Krametseck, mit welchem eine Besteigung des Scharfreiters 2099 m und der Abstieg nach Hinterriss verbunden war. 1 St. etwa hinter Fall beginnt der prächtige Reitweg, welcher meist durch Wald in 2 1/2 St. zum Krametseck hinaufführt. Hier eröffnet sich eine herrliche Aussicht, insbesondere nach N., wo der Walchensee und seine Umrandung sichtbar wird. Nach S. verdeckt der Scharfreiter Vieles, doch bietet sein Nordabsturz mit dem grossartigen Kar einen überaus interessanten Anblick. Der kühn aufragende Gipfel lockte zu einer Besteigung, obwohl Mittag schon vorüber war. Nachdem Anfangs ein guter Jägersteig fast ohne Steigung an einen Punkt geführt hatte, wo sich ein überraschender Blick auf die mit Neuschnee bedeckten Zähne und Felsthürme der Hinterauthaler Kette aufthat, musste zunächst fast 1000′ abgestiegen und diese Höhe über morastige Grasgehänge höchst beschwerlich wiedergewonnen werden. Bei der Moosalpe beginnt eine Wegmarkirung der Section München, ziemlich steil, meist an dem Rande des erwähnten Kars gelangt man zum Gipfel, welcher nach 4 Uhr erreicht wurde. Die Aussicht, obwohl keine eigentliche Fernsicht gewährend, ist trotzdem oder besser gerade desshalb und bezüglich der Riss-Achenseer Gebirgsgruppe ungemein lehrreich. Ein Anfangs nicht leichter Abstieg, welcher jedoch nach Betreten des vom Herzog von Coburg angelegten Leckthal-Reitsteiges sich ganz behaglich gestaltete, führt in das Rissthal. Im Laufe des Vortrags wurde einer Reihe botanischer Funde Erwähnung gethan. — Diesem Vortrag liess der Vorsitzende eine Beschreibung der Soierngruppe, einer Vorlage des Karwendel, folgen. Nachdem Lage, Grenzen, Kammverlauf, Gipfel und Schartung dieser wenig bekannten Gruppe beschrieben waren, wurde auch der hydrographischen Verhältnisse gedacht und die Zugänge eingehend geschildert. Hiezu bot die Erzählung eines im Juli 1879 in Begleitung des erwähnten zuverlässigen und willigen Führers Caspar Kriner aus Mittenwald (während des Sommers meist im Vorderriss anzutreffen und bei dem Herrn Oberförster zu erfragen) unternommenen Ausflugs zum »Königshaus an den Soiern« Gelegenheit. Von Vorderriss wurde auf gutem Reitweg in 3 ½ St. die Fischbachalpe erreicht, wo auch ein Weg von Krün heraufkommt. Auf dem für halbwegs Schwindelfreie gut gangbaren und sehr zu empfehlenden »Lakaienstieg« (mit Schwindel behaftete Personen machen einen Umweg von etwa einer halben St. bis zum k. Reitweg) wird in etwa ¾ St. der Kessel erreicht, in welchem das Königshaus oberhalb zweier herrlich grüner Bergseen (1573 m hoch) fast rings von bis 2500 m hohen Bergen mit ihren gemsenreichen Karen umschlossen, in grossartigster Einsamkeit liegt. Wiederum ein Reitweg führt vom Königshaus bequem in 1 ½ St. empor auf einen der höchsten Gipfel des Felsencircus, auf die 2200 m hohe Schöttelkarspitze, welche einen Pavillon trägt. Der Abstieg zum Königshaus wird in 1 St. zurückgelegt und von dort auf Reitweg in 1 St. die tiefste Einsenkung zwischen der Grossen Soiernspitze und Krapfenkarspitze, die Scharte »an der Jägersruh« erreicht, wo sich ein überwältigender Ausblick auf die Falken und die Hinterauthaler Kette bietet. Am Südabfall der Soiernspitze hin gelangt man zuerst durch das Steinkar, dann durch das Fritzenkar über den »Sattel« auf gut gebahntem Weg in 2 ½ St. zur Vereinsalpe und den Jagdhäusern des Herzogs von Nassau, wo man Unterkunft findet. Von hier führen gute Wege nach Mittenwald (3 St.). Die ganze Tour Vorderriss-Soiern-Schöttelkarspitze-Jägersruh-Vereinsalpe erfordert bei bequemem Gehen ausschliesslich Rasten 9—10 St.

Frankfurt a. M. In der Sectionssitzung am 12. März hielt der Vorsitzende, Herr Dr. Petersen, einen Vortrag über die Adamello-Presanella-Gruppe und eine Wanderung durch Judicarien im August v. J., wobei der Adamello bestiegen und die Brenta-Gruppe von Campiglio nach Molveno über die Bocca di Brenta durchquert wurde. Unter den bei dieser Gelegenheit gemachten Vorlagen sind Handstücke des dem Adamellostock eigenthümlichen Tonalit und ein dem Vortragenden von Herrn Bankdirector Sendtner in München gewidmetes Aquarell, das Sarcathal bei Pinzolo mit der reizend gelegenen Kapelle von S. Stefano darstellend, hervorzuheben. Ausserdem waren in der Sitzung aufgelegt grosse photographische Aufnahmen aus den Vogesen von dem bekannten Photographen

Ad. Braun in Dornach und eine Ansicht der Oetzthaler Alpen von der Aeusseren Oelgrubenspitze, aufgenommen von Herrn C. Benzien in Berlin.

Zur ersten Sitzung der neuen Section Mainz, welche von seitherigen Mainzer Mitgliedern der Frankfurter Section begründet worden, hatte sich Herr Dr. Petersen am 19. März dorthin begeben und hielt daselbst bei diesem Anlass einen Vortrag über die Tendenzen des Alpenvereins und über Land und Leute in Tirol, insbesondere in den Oetzthaler Alpen.

In der letzten Vereinssitzung entwarf Herr C. W. Pfeiffer eine Schilderung der bei Gelegenheit der letzten General-Versammlung in Salzburg ausgeführten Festfahrt auf den Untersberg zur Besichtigung der Herrlichkeiten dieses berühmten Berges. Die Fahrt war reich an heiteren und komischen Situationen, besonders als die grosse Gesellschaft den Abstieg über die glatten Kalkplatten bei der Schwaigmühlalpe zu vollziehen hatte und von heftigem Regen überfallen wurde. — Ein von Dr. Maué empfohlener Rucksacktragkorb nebst verschiedenen Reisetornistern von Herrn Sattler P. Scherer, sowie ein sehr leichter Reisetornister aus den k. Lehrwerkstätten für Korbflechterei zu Mülsen in Sachsen wurden vorgezeigt.

Innsbruck. Am 15. Juni fand in Eck's altdeutscher Stube die General-Versammlung statt, die von zahlreichen Mitgliedern und Gästen besucht und mit der Anwesenheit des Hrn. Bezirkshauptmanns Dr. Hoflacher beehrt war. Der Vorstand, Herr Prof. Dr. Adolf Hueber, erstattete zunächst einen eingehenden Jahresbericht über die Leistungen und das Gedeihen der im 14. Jahre ihres Bestandes befindlichen Section, woraus sich ein schönes klares Bild alpiner Thätigkeit ergab. Von den in den Mittheilungen bisher nicht veröffentlichten Daten seien hiemit einige herausgehoben: Auf der Waldrast liess die Section 2 Wegweiser für den Abstieg nach Neustift und Fulpmes errichten. An der grossen Aufgabe, die Wunden der schrecklichen Katastrophe v. J. 1882 einigermaassen zu heilen, konnte sie auch mitwirken, da es ihr ermöglicht wurde, an die hart betroffenen Neustifter 700 fl. zu vertheilen. Die im Vomperloch hergestellten Wegbauten, welche durch Lawinen Schaden gelitten hatten, sind auf Initiative des Herrn Pock bereits wieder renovirt. — Der grosse Bergführer-Tarif für den politischen Bezirk Innsbruck-Umgebung wurde neu herausgegeben. — Dem Comité für Wegverbesserung in die Martinswandgrotte bei Zirl wurde eine Subvention von 20 fl., dem neugegründeten Verschönerungs-Verein in Silz eine solche von 25 fl. gespendet. Der liebenswürdige Gast bei den Sections-Versammlungen, Hr. Apotheker Stapf, machte der Sectionsbibliothek 2 Exemplare des Panoramas vom Helm zum Geschenk. An geselligen Versammlungen wurden im verflossenen Vereinsjahr 7 gehalten, darunter am 17. Januar 1883 eine, in welcher Hr. Notar Dr. Hechenberger einen Vortrag über die Vergrösserung Innsbrucks in den letzten 120 Jahren hielt; manchmal waren sie auch durch Cither-Vorträge der HH. Obpacher, Wopfner, Jennewein, Köb, durch National-Gesänge u. dgl. gewürzt. — Zum Schluss erwähnte der

Vorstand mit Anerkennung der Herren, die durch Veröffentlichung eingehender Artikel in den Mittheilungen, Tagesblättern oder sonst vom Leben der Section Kunde gaben (so die Herren Gsaller, Pock, Graf Sarntheim, Wechner u. a.), dankte sämmtlichen Herren, die zum schönen Stande der Section irgendwie beigetragen, und endete mit einem begeisterten Toaste auf den D. u. Ö. Alpenverein und die Section. (Gegenwärtige Mitgliederzahl 168.) Nach Erstattung des Casseberichtes hielt Herr Prof. Dr. v. Dalla Torre einen Vortrag, worin er die Theorie über den Zusammenhang der Ueberschwemmungen mit den Sonnenflecken, den Nordlichtern und dem Erdmagnetismus auf Grund der von Dr. Paul Reis für die Ueberschwemmungen am Rhein verwertheten Chroniken entwickelte.

Küstenland. Das Fest, mit welchem die Section am 16. Juni die Vollendung des ersten Decenniums ihres Bestehens in den prächtig decorirten Räumen des Ferdinandeums am »Jäger« feierte, nahm einen ungemein animirten, alle Theilnehmer vollkommen befriedigenden Verlauf und war von dem herrlichsten Wetter begünstigt. Der Sectionsvorstand Herr P. A. Pazze begrüsste mit kurzen markigen Worten die Versammlung, dankte für das durch die zahlreiche Betheiligung dem Verein bekundete Wohlwollen, begründete und rechtfertigte die festliche Begehung dieses Tages, und lud die Gesellschaft ein, das Fest zu eröffnen mit einer begeisterten Huldigung aus treuem Herzen, für das herrliche, berggeschmückte Heimathland und den erhabenen Alpenfreund, der es glorreich beherrscht. Nachdem die stürmischen Hochrufe, mit denen diese Ansprache erwidert ward, verklungen, riefen die Klänge der »schönen blauen Donau« zum Tanzvergnügen, das sich nun lebhaft entwickelte. Aber schon nach wenigen Tänzen ertönte eine Fanfare, rother Feuerschein erglühte und zur Balconthür herein trat ein seltsamer Gast, der leibhaftige Berggeist Enzian in grauer Kutte, mit wallendem weissen Bart, mit Bergstock und Rucksack. Er hielt eine launige Ansprache an die Versammlung und wendete sich dann an den Sections-Vorstand, dem er schliesslich als Zeichen der Anerkennung für sein eifriges und erfolgreiches Wirken einen prachtvollen silbernen Pocal überreichte. Sichtlich bewegt, dankte der Sections-Vorstand für die ihm erwiesene Ehre, sowie für alle ihm zu Theil gewordene Nachsicht und wohlwollende Unterstützung, pries die Bestrebungen und Erfolge der alpinen Vereine, allen voran des Deutschen und Oesterreichischen Alpenvereins und brachte ein donnerndes Hoch den Männern, die vor 10 Jahren die Section Küstenland gegründet, vor Allen ihrem eigentlichen Schöpfer, langjährigen Leiter und fortwährend eifrigsten und opferwilligsten Mitglied, Herrn Baron Czoernig. Der so Gefeierte dankte mit warmen Worten und schloss mit einem wohlbegründeten Hoch auf die Mitglieder des Sections-Ausschusses und besonders des Central-Ausschusses.

Die Festnummer des »nur im dringendsten Nothfall erscheinenden« Sectionsorgans Enzian, welche unter die Anwesenden vertheilt wurde, enthält unter einer meisterlich ausgeführten bildlichen Darstellung der

Becher-Uebergabe durch den Berggeist auch die gereimte Ansprache, die derselbe dabei gehalten und ferner mit der Ueberschrift »Alpine Sittenpredigt« eine launige Belehrung für die Jünger des höheren Bergsteigens.

Bei dieser Gelegenheit hat die Section eine eigene Broschüre herausgegeben: Zehn Jahre alpinen Wirkens im Küstenland. Gedenkblatt, herausgegeben von der Section Küstenland des D. u. Ö. A.-V. zur Feier der Vollendung ihres zehnjährigen Bestandes, welche mit einer Geschichte der 1873 mit 23 Mitgliedern gegründeten und jetzt 193 Mitglieder zählenden Section beginnt, und beherzigenswerthe Worte über den Ö. A.-V., den D. A.-V. und die Vereinigung beider ertheilt. Als Hauptthätigkeit der Section nach aussen erscheinen die Ordnung des Führerwesens in den Bezirken Flitsch und Tolmein, die Herausgabe eines Itinerars für das Küstenland, die Erbauung eines Schutzhauses am Krainer Schneeberg und der Baumbach-Hütte im oberen Trentathal.

Prag. Filiale Karlsbad. Einladung zu der am 2. und 3. September a. c. stattfindenden Eröffnungsfeier der Karlsbader Hütte 2740 m (zehnte Schutzhütte der Section) im Matscher Thal am Südfuss der Weisskugel. Programm. Sonntag 2. September, Versammlung in Mals im Gasthaus des Herrn Postmeister Flora. Begrüssung der Gäste durch das Sectionsmitglied Herrn Dr. Karl Becher. — Montag 3. Sept. 5 Uhr Morgens Aufbruch nach Matsch, 1½ St., gemeinsames Frühstück im Gasthaus zur Stadt Karlsbad. Fortsetzung der Tour im Matscher Thal zum Glieshof (½ stündige Rast) und zur Karlsbader Hütte. 12 Uhr Mittags feierliche Eröffnung der Hütte durch das Sectionsmitglied Herrn Ludwig Schäffler. Uebergabe derselben an den Sectionsobmann Herrn Johann Stüdl. Alpines Mittagsmahl. Freie Unterhaltung bei Zitherspiel und Gesang. — Dienstag 4. Sept. sind gemeinschaftliche Touren von der Hütte aus in Aussicht genommen und ist für Führer, Proviant etc. vorgesorgt. Projectirt sind: Weisskugel 3741 m mit Abstieg einerseits nach dem Hochjoch-Hospiz, anderseits über den Steinschlagferner nach Schnals; Schwemserspitze und retour zur Hütte; Uebergang via Langgrubjoch nach Schnals. Bei genügender Betheiligung Besteigung der Freibrunnerspitze nach Langtaufers, Innere Quellspitze, Salurnspitze u. a.

Sectionentag. In Salzburg fand am 3. Juni die alljährliche Zusammenkunft der benachbarten Sectionen statt. Diesesmal waren durch Delegirte vertreten: Berchtesgaden, Gastein, Golling, Pinzgau, Pongau, Reichenhall, Rosenheim, Salzburg, Traunstein. Es wurden die von der heurigen General-Versammlung anzusprechenden Subventionen durchberathen und einer Probeabstimmung unterworfen, sodann die bei derselben angenommenen Positionen (in der Gesammthöhe von fl. 2700 und M. 700) der gegenseitigen Unterstützung bei der General-Versammlung empfohlen. Pinzgau und Pongau erbitten sich Unterstützung eines Gesuches um Belassung von Subventionen, welche unübersteiglicher Hindernisse wegen nicht den ursprünglichen Zwecken gewidmet werden können. In beiden Fällen waren es Interessen der Jagd, welche denen des Touristenverkehrs entgegen standen. — Rosenheim wünscht, dass die Sectionen mehr als bisher zu Beiträgen zur Führer-Unterstützungs-Casse herangezogen werden. — Der Central-Ausschuss, welcher fast vollzählig die Versammlung mit seiner Anwesenheit beehrte, erbittet sich anlässlich der jetzt von Vereinswegen in Ausführung begriffenen kartographischen Aufnahme des Berchtesgadener Gebietes die moralische und thatkräftige Unterstützung der betreffenden Sectionen für den Mappeur Herrn Waltenberger in München. — Zwei ad hoc Delegirte der Section Austria, die Herren C. v. Adamek und C. Böss erläuterten die Action, welche eben zur Erwerbung der Abonnementskarten der österr. Bahnen im k. k. Staatsbetrieb für alle Vereinsmitglieder durchgeführt wird. — Den Sectionentag für 1884 einzuberufen, wird Salzburg beauftragt.

Am 3. Mai d. J. fand in Bozen eine Versammlung von Delegirten der im *Hilfs- und Actions-Comité vereinigten Südtiroler Sectionen des D. und Ö. A.-V.* unter Leitung des Obmanns der Section Bozen, Herrn Albert Wachtler, statt, um über die endgiltige Vertheilung und Verwendung des Reservefonds, welcher aus 30% der dem Comité zugeflossenen Spenden besteht, zu berathen. Es wurde hiebei beschlossen, einen Betrag von 5000 fl. vorläufig noch zu Nachhilfen im Sinne der Hilfsaction zurückzuhalten, die restliche Summe von nahezu 27 000 fl. aber behufs sofortiger Verwendung zu Hilfszwecken nach den von jeder einzelnen Section gewonnenen Erfahrungen unter die betheiligten 7 Sectionen nach dem bisherigen (am Brixener Delegirten-Tag vom 16. November 1882 festgestellten) Quotenverhältniss zu vertheilen. Hiebei wurde insbesondere von den Sectionen Bozen und Meran die Hilfeleistung durch Sicherung einiger das Grundeigenthum in bedrohlicher Weise gefährdenden brüchigen Berglehnen durch Aufforstung, Weidenpflanzungen und Berasung in Aussicht genommen, da hiedurch weiteren schädlichen Folgen der Ueberschwemmung vorgebeugt und nützliche Anregung gegeben werden könne.

Nachrichten von anderen Vereinen.

Alpine Club. Die Nummern 79 und 80 (Februar und Mai) des Alpine Journal enthalten wieder eine Reihe hochinteressanter Beschreibungen alpiner Excursionen ersten Rangs, wie wir dieselben regelmässig in den Publicationen des Alpine Club zu finden gewohnt sind. Wir erwähnen zunächst den dritten Artikel von Rev. W. S. Green über seine Besteigungen in Neu-Seeland mit zwei Illustrationen, wovon namentlich der als Titelbild beigegebene Holzschnitt als mustergiltig bezeichnet werden kann. Nach den Zeichnungen und nach den von Herrn Green gegebenen Beschreibungen zu urtheilen, scheinen die Neu-Seeländischen Alpen vielfache Aehnlichkeit mit den Hochalpen der Schweiz zu haben, dagegen ist das Reisen in dortiger Gegend selbstverständlich mit ganz besondern Schwierigkeiten verknüpft. Namentlich wurde bei Herrn Greens

Expedition viel Zeit mit Beschaffung von Lebensmitteln verloren. Seine Angaben über die beste Art, in den Neu-Seeländischen Alpen zu reisen, die er auf Grund seiner eigenen Erfahrungen zum Besten gibt, sind desshalb besonders werthvoll. Die Hochgipfel stehen hinsichtlich ihrer Besteigbarkeit in gleichem Rang mit den schwierigsten Spitzen der europäischen Alpen. Der Culminationspunkt Mount Cook (ca. 12 350' engl.) erfordert grosse Ausdauer, Kaltblütigkeit und langwierige Eisarbeit. — Für touristische Unternehmungen in Norwegen finden sich im gleichen Heft sehr schätzenswerthe Angaben in W. C. Slingsby: Stray Jottings on Mountaineering in Norway. — Die Reihe touristischer Artikel dieses Hefts schliesst mit einem humoristisch geschriebenen Aufsatz von J. Stafford über eine neue Besteigung der Dent Blanche (Walliser Alpen). Die gute Art der Engländer, Berichten über wirklich schwierige alpine Unternehmungen gefällige Form zu geben, finden wir auch im Heft 80 in C. T. Dent's: An old friend with a new face, wieder. Die äusserst gelungene Beschreibung eines Besteigungsversuchs der Aiguille du Midi, direct von Pierre pointue aus, bei dem denkbar ungünstigsten Wetter, gehört zum besten, was uns in dieser Richtung zu Gesicht gekommen ist. — Herr W. M. Conway stellt in seinem Aufsatz: The Passes across the Weissthor Ridge die Uebergänge in der Monte Rosa-Gruppe zwischen Monte Rosa und Rothhorn zusammen. Die beigegebene Ansicht, mit roth eingezeichneten Routen, ist zwar klar und verständlich, aber nicht so schön ausgeführt wie frühere, ähnliche Illustrationen des Alpine Journal. — Als Seitenstück zu Rev. Greens Reisen in Neu-Seeland finden wir in Heft 80 Mayor J. W. A. Mitchells Twenty years' Climbing and Hunting in the Himalayas. Verf. hat das asiatische Hochgebirge während eines zwanzigjährigen Aufenthalts in Indien regelmässig besucht und ertheilt guten Rath über Ausrüstung und Reiseplan. Abgesehen von der See- und Landreise bis zum Fuss des Gebirges, deren Kosten sich ungefähr auf 60 Pfd. Sterl. stellen, muss das Reisen im Gebirge selbst erstaunlich billig sein. Verf. berechnet letztere Kosten mit ca. 1 ½ Pfd. Sterl. pro Woche, wobei zu berücksichtigen ist, dass man mit 8—12 Trägern reist. Die Bergbewohner sollen vorzügliche Führer abgeben. Die Reise in Gesellschaft eines Arztes zu unternehmen, ist besonders wünschenswerth. — Von den in den beiden Heften enthaltenen kleineren Aufsätzen und Notizen erwähnen wir noch: The first ascent of the Eiger. Allenthalben, auch bei Studer wird der Name des ersten Ersteigers des Eigers Harrington statt Barrington geschrieben, was durch dessen Bruder R. M. Barrington zunächst richtig gestellt wird. In einem an letzteren gerichteten Schreiben gibt C. Barrington dann kurze Daten über die mit den Führern Almer und Bohrer ausgeführte erste Ersteigung. *C. W. P.*

Club alpin Français. No. 5 des Bulletin mensuel bringt den Bericht über die General-Versammlung des C. A. F. zu Paris am 24. April l. J. Die Einnahmen betrugen 69 336 fr. 25 c., die Ausgaben 58 418 fr. 10 c. Die Centraldirection wurde auf Antrag der Section

Atlas ermächtigt, mehrere arabische Scheiks zu correspondirenden Mitgliedern zu ernennen. Der Jahresbericht erscheint im Annuaire für 1882. Weiter gibt dieses Heft das genaue Programm des Jahresfests zu Sixt und Chamonix in den Tagen vom 11.—17. August; darnach treffen die Theilnehmer am 11. August in Bonneville ein; am 12. Vormittags 9 Uhr findet die General-Versammlung in Sixt statt, auf welche um 11 Uhr ein Bankett und Abends ein Fest folgen. Am 13. wird ein officieller Ausflug nach dem See von Gers und Besteigung der Pointe-Pelouse 2475 m unternommen. Für die nächsten Tage sind eine Reihe von Ausflügen nach und in Chamonix vorgeschlagen. Anmeldung hat bis zum 31. Juli zu geschehen. Hierauf folgen Berichte der Sectionen Paris, Isère, Süd-West, Epinal, Mont Blanc, Rouen, Bourbonnais über ihre Frühjahrsausflüge, welche sich hauptsächlich auf das Sectionsgebiet beschränkten; sohin die Rede des Vicepräsidenten des C. A. F. Mr. Durier, die er über Schülercarawanen auf dem am 30. März in dem Saal der Sorbonne zu Paris stattgefundenem pädagogischen Congress hielt; ferner Berichte über Schülercarawanen von Arcueil, Sainte-Croix, Bordeaux, Dieppe, von denen die erstere auch Salzburg und Tirol berührte und den Uebergang von Ferleiten über das Glocknerhaus nach Kals machte; endlich eine Notiz über die im Salon ausgestellten alpine Objecte behandelnden Gemälde und eine kurze Abhandlung über die Sichtbarkeit weit entfernter Länder von Bergspitzen aus. *Z.*

Club alpino italiano. Das Bolletino des Jahres 1882 (Nr. 49) beginnt mit einer Mittheilung des Directionsrathes, wonach künftig ein Jahrbuch - Bolletino annuale und eine Monatsschrift: Rivista alpina veröffentlicht werden sollen. Letztere erscheint seit Januar 1882 (s. Periodische Literatur). Die Mitglieder werden zum Studium der Gebirge, insbesondere jener Italiens ermuntert; doch soll der Ascensionismus zurücktreten, dagegen volle Aufmerksamkeit den Naturwissenschaften, der Topographie, Gletscherkunde, Ethnographie und den Gebräuchen der Alpenbewohner zugewendet werden. Gelehrte Abhandlungen werden ausgeschlossen, da die Gesellschaft nicht rein wissenschaftliche Zwecke anstrebt; scientifische Beiträge werden daher nur angenommen, insoferne sie bessere Kenntniss der Berge vermitteln. Durch Beschränkung der Vereins-Publicationen hofft die Central-Direction den Hütten- und Wegbauten grössere Mittel zuwenden zu können. Daher auch die Bitte um möglichst knappe Fassung der Berichte. Zu Illustrationszwecken sollen in der Regel nur Photographien, Zeichnungen dagegen nur aus Künstlerhand eingesendet werden.

Weiter enthält das Bolletino den Bericht über den XV. Congress der italienischen Alpinisten in Biella, Oropa nnd Gressoney (August 1882). Der hochverdiente Präsident des C. A. I. Herr Q. Sella erwähnte in seiner kurzen Begrüssungsrede, dass der Zweck der Congresse des C. A. I. nunmehr darin liege, den Theilnehmern das Gebiet kennen zu lehren, welches dem Congress-Orte benachbart ist — also ein Anklang an die officiellen

Excursionsgebiete des S. A. C. Es folgte ein interessanter Vortrag des Astronomen Prof. G. V. Schiaparelli über eine Veränderung in der Lage der Rotationsachse der Erde. Begründung: Die Astronomen Fergola in Neapel, Nyrén in Pulkova und Bessel in Königsberg haben beobachtet, dass für Europa, älteren Messungen gegenüber, die geographischen Breiten sich vermindert haben, dass daher der Nordpol sich von unserem Welttheil, und zwar um 30—40 m im Jahrhundert, entferne. Wahrscheinliche Hauptursache: Abtragung der Hochgebirge, deren vom Wasser benagte Massen in entfernte Gebiete transportirt werden. Rückt nun Europa dem Aequator näher, so müssen der Centrifugalität wegen seine Meere relativ anschwellen. Es wird untersucht, ob die beobachtete Thatsache der Polwanderung sich am besten durch eine starre oder elastische, oder begrenzt plastische Consistenz des Geoids erklären lässt. Schiaparelli neigt der letzten Ansicht zu. Es werden nun die Folgen dieser Stellungsveränderung der Erdachse ausführlich und höchst geistreich erörtert. Allerdings wird die Erkenntniss der Hypothese, wenn diese richtig ist, erst sehr spät unseren Nachkommen praktischen Nutzen bringen.

Erste Ersteigung der Dent du Géant durch die H. H. Alessandro, Corradino, Alfonso und Gaudenzio Sella am 29. Juli 1882 (mit 3 Ansichten). Den genannten Alpinisten gelang die Ersteigung dieses bisher unbezwungenen Felszahnes nach mehrtägigen Vorarbeiten der drei Führer Maquignaz, welche Stifte einschlugen und feste Seile anbrachten. Besonders wird J. J. Maquignaz gelobt. — Winterbesteigung des Matterhorns durch Vittorio Sella am 16. März 1882 mit dem Führer L. Carrel aus Valtounanche, sehr anstrengende Arbeit von aussergewöhnlicher Dauer.

Professor Brunialti referirte sodann über die Beschlüsse des internationalen alpinen Congresses zu Salzburg. Nachdem die Versammlung diesen zugestimmt hatte, wurde bestimmt, dass die nächstjährige Versammlung im Brescianer Gebirge stattfinden solle. — Aus dem Verzeichniss der vom C. A. I. erbauten Unterkunftshütten nennen wir folgende in den Alpen befindliche (im Appeninn sind deren drei): 1. Rifugio alla fontana di Sacripante, 2950 m, dient so wie 2. Rifugio dell' Alpe Alpetto 2334 m, zur Besteigung des Monte Viso. — 3. Capanna al Crot del Ciaussiné, 2650 m, für die Besucher der Bessanese. 4. Capanna del l'Aiguille Grise 3335 m, Mont Blanc-Kette. Ebendaselbst 5. Hütte am Col du Géant 3362 m, dann 6. Hütte der Grandes Jorasses circa 2600 m, und 7. Capanna del Triolet, welche blos 340 Lire kostete. 8. Pavillon auf der Spitze des Grammont 2763 m. 9. Capanna Budden auf der Becca di Nona im Gebiet von Aosta, 3165 m. 10. Unterkunftshütte auf der »Cravatte« am Matterhorn, 4134 m; 11. Capanna Carrel am Grand Tournalin, 3400 m. 12. Capanna Linty am Hohlicht, Südseite des Monte Rosa, 3140 m, 1 ½ St. ober dieser 13. Capanna Gnifetti, auf ca. 3630 m Seehöhe. 14. Hütte am Monte Bo, 2616 m. 15. Rifugio del Pizzo Cistella (Val di Vedro), 2877 m. 16. Ricovero del Motterone, dem bekannten Aussichtsberg ober dem Lago d'Orta, ca. 1300 m. 17. Ricovero al Pizzo Marone, auf ca. 1600 m Höhe, ober dem Lago Maggiore. 18. Capanna di Moncodine, 1876 m, ober dem Comer See. 19. Baita alla Madonna della Neve (Val Sassina), 1500 m. 20. Capanna della Disgrazia, 2524 m; an demselben Berge 21. Capanna della Disgrazia sul versante di Valle Malenco, 2800 m; nahe bei dieser 22. Rifugio al l'alpe Painale. 23. Capanna Marinelli beim Scerscen-Gletscher 3000 m, in der Bernina-Gruppe. 24. Baita della Brunone 2475 m, Veltlin. 25. Rifugio dell' Adamello 2500 m, im Val Salarno. 26. Rifugio sulla Marmolada, ca. 3100 m, ganz in den Felsen gehauen. — Weiter werden demnächst eröffnet werden: 27. Neue Hütte auf dem Col du Géant, 28. eine solche am Ruitor-Gletscher; 29. Capanna de la Tour 4000 m, am Matterhorn, endlich 30. Hütte im Val Zebru, ca. 3000 m, 5 St. von S. Antonio (Ortler-Gruppe). Durch die Errichtung dieser ansehnlichen Zahl meist sehr hoch gelegener Hütten hat sich der C. A. I. um die Alpinisten hochverdient gemacht. — Eine Skizze des Herrn Scipione Cainer über die Reise einiger italienischer Alpinisten zum Congress in Salzburg (Marmolada-Glockner-Steinernes Meer) zeigt von richtigem Verständniss und freundlicher Würdigung von Land und Leuten. Wohl nur durch einen Druckfehler sind dem Gaisberg bei Salzburg 2187 m gegeben. — R. H. Budden, Präsident der Section Florenz, liefert einen gründlichen Artikel über künstliche Fischzucht im Gebirge; uns interessiren darin zunächst die Mittheilungen über dieselbe im Ledro- und Garda-See und in der Sarca. — Erste Ersteigung der höchsten Spitze im »Gruppo del Rodes«, in den bergamaskischen Alpen 3060 m, von Giuseppe Nilvo. — Besteigung der Barre des Écrins 4101 m, von Cesare Fiorio und Carlo Ratti. — Eine von Alessandro Balduino gezeichnete, in Farbendruck ausgeführte Ansicht der Südostseite der Mont Blanc-Kette verdient alle Anerkennung.

Der erwähnten Rivista alpina italiana entnehmen wir folgende Notizen von allgemeinem Interesse: No. 1, 1883. Aberto Prevosti theilt mit, dass D. Marinelli und die Führer Imseng und Pedranzini am Monte Rosa im August 1882 nicht, wie man angibt, von einer Lawine (vielleicht richtiger Eissturz) bedeckt, sondern dass sie vom Luftdruck mitgerissen worden seien, da sie vom Lawinengang 200 m entfernt waren. Er meint, dass sie sich hätten retten können, wenn sie beim ersten Verspüren des Windstosses sich zu Boden geworfen hätten, wie es der unbeschädigt gebliebene Träger Corsi gethan hat. — No. 2. Der diesjährige Congress des C. A. I. wird in Brescia vom 20.—25. August 1883 stattfinden; für jenen des J. 1884 hat die Section Turin die Einladung ergehen lassen und wird letzterer mit dem internationalen Congress daselbst zusammenfallen. — Aus einem Bericht über die erste Versammlung der Associazione meteoroliga italiana in Neapel, September 1882, ist zu ersehen, dass dieselbe u. A. Messungen der Oscillationen der Gletscher, Erhebungen über deren ältere Schwankungen, Mittel zur Förderung meteorologischer und climatologischer Studien in den Alpen und Beobachtungen

über elektrische Naturerscheinungen anstrebt. — Nr. 3. F.]
Varallo) will bemerkt haben, dass das Edelweiss nur auf
lenden begrasten Felsen vorkommt. — Die Central-Directio
gende Subventionen: 100 Lire der Section Aosta für Arbe
Fall; 300 L. der Section Brescia für die Hütte am Ada
ein Itinerar der Provinz Brescia; weiter 100 L. für di
Enza, 200 L. nach Bologna, 50 für Florenz für Arbeit
— Eine neue Section des C. A. I. wurde in Lecco gegr
24. März 1883 zählte der C. A. I. 34 Sectionen. Die a
gliederzahl von 2929 bezieht sich jedoch nur auf 23 derselbe
Verzeichnisse einsandten. — No. 4. Interessante Beobachtu
Calabrò-Lombardo über den Aetna-Ausbruch vom 22. M
Aufruf des Herrn Dr. Oreste Mattirolo, Secretär der vom C. A.
Commission für das Studium der Alpenflora, worin er die
Theilnahme an den Forschungen bittet. — No. 5. L. Vacca
licht einen Bericht des Marquis de Caney vom 23. Juli
Regentin von Savoyen über die Mineralquellen von Courma
1—5 enthalten Circulare der Central-Direction, eingehend
über fremde Alpenvereine, Anzeigen über verschiedene g
missglückte Winterbesteigungen. Berichte der Sectionen:
Wochen-Versammlungen mit Vorträgen) Bergamo, Verba
Florenz und Mailand.

Der Rechnungsabschluss für 1880 weist aus:
L. 32 081. 49, worunter 27 440 an Mitgliederbeiträgen.
25 403. 65, unter denen 12 776 für Publicationen, 517. 5
tionen alpiner Arbeiten, 1254 für eben solche an Sectionen
Auslagen für Gehalte, Miethzinse und Administration nehme
in Anspruch. Schliesslicher reiner Cassarest L. 5231. 84.

Der ***Gmündner Gebirgsverein*** legt einen
kurze Zeit vor dem Melnikfall rechts abzweigt und nach
etwas steilen, jedoch schattigen Anstieg einen Punkt erreic
Hochalm- und Preimelspitze, das Hochalmkees mit seinem sc
Preimel- und Fidelkarkees prächtig und ganz nahe sichtbar
führt der Steig, immer mässig fallend und prächtige Rückbl
thal gewährend, in ½ St. zum gewöhnlichen Weg, welchen
der Veitlbaueralm trifft. Der Mehraufwand an Zeit bei Be
Steigs beträgt nur etwa ¾ St. Ebenso lohnend und noc
der Abstecher zu den Gössfällen auf im Vorjahre vom Gebir
legtem Steig (hinauf und zurück ½ St.); besonders der o
sehr sehenswerth.

Schweizer Alpenclub. Wie in den Mitthei
S. 253 erwähnt, sollen die Erhaltungskosten von Hütten au
ren als der bauenden Section zugewiesen werden können; e
die Unterhaltungs- und Aufsichtskosten der Clubhütten so
sie die Bergsectionen weniger belasten. Die getroffenen

sind folgende: Die Sectionen Rhætia, Bern, Wildhorn, Pilatus, Tödi, Alvier, Säntis und Toggenburg, Diablerets unterhalten und beaufsichtigen selbst ihre sämmtlichen Hütten. Die Section Oberland behält ihre Hütte am Guggigletscher; die Dossenhütte kommt der Section St. Gallen für 1883-1885 zu, der Pavillon Dollfuss der Section Zofingen, die Schwarzegghütte der Section Basel. Die Sectionen Blümlisalp und Burgdorf verwalten gemeinsam die Hütten am Hohthürli und am Wetterhorn. Die Section Mont-Rosa behält ihre Hütten am Weisshorn, am Stockje und am Grand-Combin mit einer von Section Genf auf zwei Jahre (1882-1883) bewilligten Unterstützung; die Hütten am Matterhorn und die Concordia-Hütte werden von den Herren Seiler und Cathrein besorgt; die am Mountet 1883-1884 von der Section Diablerets unterhalten und von deren Untersection Jaman beaufsichtigt. Endlich unterhält die Section Titlis die der Section Uto gehörende Hütte am Spanort. —

Der mit der Versicherungsgesellschaft Zürich über Annahme der vom Staat nicht patentirten Führer geschlossene Vertrag wurde genehmigt. Im Jahre 1881 hat dieselbe vom S. A. C. als Versicherungsprämien (es waren nur sechsmonatliche Versicherungen) Fr. 2262 empfangen, und an die Versicherten Fr. 576 ausbezahlt. Im Jahre 1882 hat sie Fr. 3120 empfangen (fast alle Versicherungen waren auf ein Jahr geschlossen) und 5428 Fr. 50 ausbezahlt. Sie verlangt nunmehr, dass die während der Wintermonate eingetretenen Unglücksfälle nur dann Anspruch auf Entschädigung geben, wenn sie den Tod oder Invalidität zur Folge haben; ausgeschlossen wären mithin einfache Verletzungen, welche nur eine zeitweilige Arbeitsunfähigkeit verursachen.

Die in Folge eines Aufrufs des Deutschen und Oesterreichischen Alpenvereins zu Gunsten der Ueberschwemmten in Tirol und Kärnten eingeleitete Sammlung hat Fr. 5157·50 ergeben, abgesehen von direct an den C.-A. eingesandten Geldern.

Das Central-Comité hat von der Section Bern einen von ihrem Ehrenpräsidenten, Herrn Gottlieb Studer, gestellten Antrag erhalten, dahin gehend, der S. A. C. möge eine Kundgebung erlassen, in welcher er: 1. seine Zwecke darlegen solle; 2. das Publikum, namentlich die jungen Leute auf die Gefahren aufmerksam machen, welche Besteiger hoher Berge laufen; 3. alle zu grösster Vorsicht ermahnen, um die in letzterer Zeit so häufigen Unglücksfälle zu verhüten. Das Central-Comité hat diesen Antrag angenommen und folgende Kundgebung erlassen:

Der Schweizer Alpenclub an die Touristen im Gebirge.

In früheren Zeiten hatte man nur Grauen vor den Bergen; in unseren Tagen spielt man mit ihnen. Die eine Uebertreibung ist so unvernünftig wie die andere; aber jene war unschädlich, die heutige kostet Menschenleben. Es gibt Unfälle, die weder vorausgesehen noch abgewendet werden können. Glücklicherweise ist deren Zahl gering. Andere, gleichfalls nicht zahlreiche Unfälle haben nicht so sehr Unvorsichtigkeit als eine berechnete Verwegenheit zur Ursache. Mancher bietet Gefahren, deren Umfang er wohl ermessen, wissentlich die Stirn. Nicht vereinzelt ist die Meinung, dass die Alpenvereine zu diesen

Kühnheiten auffordern. Es mag sein, dass sie, durch ihr blosses I ohne es zu wollen, einen gefährlichen Wetteifer unter ihren Mitglie gerufen haben. Der Schweizer Alpenclub hält es für seine Pflicht, Einfluss zu reagiren, für welchen er jede Verantwortlichkeit ablehnt ihm die Mittel nicht zu, eine unsinnige Leidenschaft zu mässige Clubisten, denen es gefällt, ihr eigenes Leben zu wagen, gibt er dass sie nicht das Recht haben, das Leben Anderer aufs Spiel zu von seinen Führern zu viel verlangt, der macht sich eines Frev

Die Ursache der meisten Unfälle muss man jedoch in der suchen. Oft verleiten eifrige Touristen schwache Genossen zu schwierigen Unternehmen. Oefter noch stürzen sich junge Leute, Erfahrung durch Kraft ersetzen zu können, in Abenteuer, dere tragisches sein kann. Dazu braucht es weder Gletscherspalten nc Niederen Bergen, wie die Dent de Jaman und das Stockhorn, f viele Opfer wie den stolzesten Gipfeln. Die Unbesonnenheit schafft selbst da, wo keine vorhanden ist.

Wichtig ist es stets, die möglichen Wetterveränderungen z Ein Ausflug von wenigen Stunden oberhalb der bewohnten Regic Nebel gefährlich werden. Auf unbekannten Gletschern ist selbst Spaziergang nicht gefahrlos. Wer an irgend einer Körperschwäch Kurzsichtigkeit, Taubheit, u. s. w., darf sich niemals allein ins G Die Menge der Theilnehmer an einer Besteigung vermindert die G wegs, sie vergrössert sie nur. In den von ganzen Schaaren oder unternommenen Ausflügen soll eine genaue Aufsicht, sowie eine stre walten. Die beste Sicherheit besteht für alle Reisend darin, dass sie zuverlässige Führer nehmen und ihnen

Mögen diese einfachen, von der Erfahrung eingegebenen einer allgemeineren Beachtung gewürdigt werden.

In Namen des Schweizer Alpenclub:

Der Centralpräsident — Der Se

Eug. Rambert. — Dr. W.

Wendelsteinhaus. Am 16. Mai wurde das in dies mehrfach erwähnte, vom Vereine gleichen Namens mit einem A 16 000 M. erbaute und mit zahlreichen Schenkungen im I gegen 3000 M. ausgestattete Haus eröffnet. Trotz des zue haften, dann schlechten Wetters hatten sich aus Stadt und grosse Menge Gäste eingefunden. Der I. Vereinsvorstand Kaufn hielt die Begrüssungsrede, dankte den Gästen, welche trotz des Wetters so zahlreich erschienen, gab eine Schilderung des Bau schnell und befriedigend zum Abschluss zu bringen nur d stützung des Werkes von allen Seiten und durch die Begei dasselbe möglich war, welche Bauleiter wie Arbeiter beseelte, di warmen Süden hergekommen, auf dieser rauhen Höhe jeder trotzten. Er schloss mit einem Hoch auf Se. Maj. den K Freund der Natur und der Berge. Baumeister Schröter Segenswünschen für alle Aus- und Eingehenden die Schlüssel woranf Pfarrer Forstmeier von Bairisch-Zell die Weihe vo eine Ansprache hielt mit Erinnerung an die Schriftworte: Sie und lieblich ist es, wenn Brüder einträchtig bei einander wohne amtsassessor Baron v. Miller, Vertreter der Alpenvereinssektio rühmte das Werk als eine Zierde des Bezirks, welches auch d schaft zu Gute kommen werde, da eine meteorologische Station hier errichtet werden soll. Weiter sprachen der Vertreter des Central-Ausschusses des D. u. Ö. A.-V., Herr Dr. Zeppezauer, der Vorstand der Section München, Advocat Schuster, Vertreter der Sectionen Salzburg und Kufstein, und zweiter Vorstand Professor Kleiber, welcher den Dank der Gesellschaft aussprach an die Gäste, die Behörden, welche das Unternehmen unterstützten, an die Bairisch-Zeller Gemeinde und alle zum Fest Mitwirkenden.

Der Wirthsstube gegenüber befindet sich ein kleines, meist durch freiwillige Beisteuern hergerichtetes Renaissancezimmer, das zum Gesellschaftslokal bestimmt ist und einen sehr behäbigen, anmuthigen Eindruck macht mit den Thürverkleidungen, Wand- und Plafondgetäfel, Kachelofen und prächtigen Fenstern von Butzenscheiben mit bemalten Einlagen, welche die Wappen von München und Rosenheim, Embleme der Geselligkeit u. s. w. in heraldischer Fassung darstellen. Die Hausordnung, welche u. A. Lärm und Ruhestörung im Haus nach 10 Uhr Nachts verbietet, sowie den überaus billigen Speisentarif findet man angeschlagen. Im oberen Stock befinden sich 6 Zimmer, zwei Vorderzimmer mit je 2, die anderen mit je 3 Betten. Vereinsmitglieder haben bei grossem Andrang das erste Recht auf Betten und zahlen für dieselben den halben Preis, gleiche Vergünstigung geniessen bei den Betten zu 2 M. die Mitglieder des Alpenvereins und des Turner-Alpenkränzchens. Der Dachraum, in welchem sich das Massenquartier à 70 Pf. befindet, sieht sehr wohnlich aus, ist hoch und luftig. Am Boden sind Reihen hölzerner Laden je mit Matraze, Kopfpolster und Decken für 22 Gäste, während ein Nebenverschlag 8 solche Betten für Damen enthält.

Ueber die Verkehrsverhältnisse sei noch bemerkt: In Schliersee schliesst zum Frühzug eine Post an. Nach Bairisch-Zell sind 4 St., von dort 3 St. zum Touristenhaus; von Brannenburg im Innthal geht man auf meist sehr angenehmen Waldwegen in 3 St. zur Reindler Alpe, von da auf dem von der Section Rosenheim neu gebauten Steig in 1½ St. zum Wendelsteinhaus, von dem man den Gipfel auf sicherem Steig in 12 bis 15 Minuten erreicht.

Der ***Verband deutscher Touristen-Vereine*** hat sich am 14. Mai in Fulda definitiv constituirt. In der General-Versammlung unter dem Vorsitz des Herrn Hauptmann Haus, Präsidenten des Frankfurter Taunusclub, waren 15 deutsche Touristenvereine mit zusammen 10 734 Mitgliedern vertreten und erklärten durch ihre Delegirten den definitiven Beitritt zu dem Verband, nämlich der Odenwaldclub, Rhönclub, Offenbacher Touristenclub; Stettiner Touristenclub, Rhein- und Taunusclub, Rheinische Touristenclub, Vaterländische Gebirgsverein Saxonia, Freigerichterbund, Spessart-Touristenverein in Hanau, Taunusclub Wetterau, Verein der Spessartfreunde in Achaffenburg, Vogelsberger Höhenclub, Taunusclub, Thüringerwaldverein und Vogesenclub. Unter den gefassten

Beschlüssen sind folgende hervorzuheben: Der aus Mitgliedern des Frankfurter Taunusclub gewählte provisorische Central-Ausschuss wird als definitiver für drei Jahre, mit dem Sitz in Frankfurt a. M. gewählt und derselbe beauftragt, ein Verbandsabzeichen auszuwählen, welches den Verband und den speciellen Verein deutlich bezeichnet; die Beiträge werden procentualiter entsprechend den Jahreseinnahmen der einzelnen Vereine vertheilt; die Vereine versehen den Central-Ausschuss mit dem nöthigen Material zu Berichterstattungen; den Sectionen wird das Abonnement auf das Verbandsorgan empfohlen.

Personalien.

Durch den jüngst erfolgten Tod des Ingenieur-Geographen ***I. M. Ziegler*** verliert die kartographische Wissenschaft und Geographie im allgemeinen einen ihrer hervorragendsten Vertreter und die Schweiz im besonderen einen der ausgezeichnetsten Männer auf den bezeichneten Wissenschaftsgebieten.

Ziegler erreichte das 82. Lebensjahr und starb nach mehrjährigem Gichtleiden zu Basel. Er war ein Schüler des berühmten Geographen Ritter und Begründer und langjähriger Leiter des rühmlichst bekannten kartographischen Instituts von Wurster in Winterthur. Noch bis in sein hohes Alter war Ziegler schöpferisch thätig. Sein letztes Werk, ein geographischer Text zur geologischen Karte von Europa, bearbeitete und vollendete er noch kurz vor seinem Tode. Die Thätigkeit Zieglers war eine ebenso vielseitige, als anregende und fruchtbringende. Zahlreich sind die kartographischen Werke und Schriften, welche er veröffentlichte, und einzelne seiner Arbeiten, beispielsweise die Karte der Schweiz in 4 Blättern, dann die vorzügliche Karte des Kantons Glarus (4 Blatt, 1 : 50 000) haben grosse Verbreitung und allseitige Anerkennung gefunden. Von der grossen Zahl der kartographischen Werke Zieglers benennen wir ausser den oben bezeichneten die topographische Karte des Kantons Glarus in 16 Blättern (1 : 25 000), die Karte des Engadin (8 Bl. in 1 : 50 000), dann des Tessin (1 : 100 000), ferner die vorzüglichen Schulkarten der Schweiz und die hypsometrische Karte der Schweiz, auf welcher verschiedene Farbentöne in sinnreicher und origineller Weise mit Isohypsen in Verbindung gebracht wurden.

Die Ziegler'schen Karten zeichnen sich durchgehends in Darstellung des Terrains, besonders bei felsigen Halden, Steilabstürzen und Karen durch naturwahre, individualisirende Wiedergabe der Plastik aus und einzelne dieser Darstellungen sind geradezu musterhaft. Ziegler war aber nicht blos ein guter Kartenzeichner, sondern auch ein wissenschaftlicher Kartopraph, welcher die kartographisch darzustellenden Gebirgsgebiete mit dem Auge eines tüchtigen Geographen und Geologen betrachtete.

In zahlreichen Schriften hat Ziegler auf die Nothwendigkeit der wissenschaftlichen Durchdringung des kartographischen Materials hingewiesen, und die Verdienste, welche sich damit der berühmte schweizer Kartograph erworben, werden sicherlich noch lange fruchtbringend nachwirkend bleiben.

München. *A. Waltenberger.*

Die Thalgemeinde Villnöss hat Herrn Dr. ***Ignaz V. Zingerle*** zu ihrem Ehrenbürger ernannt, und dadurch nicht so fast den Gelehrten, nicht den Professor, auch nicht den Schlossherrn auf Gufidaun, sondern in erster Linie den Schriftsteller geehrt. Herr Dr. Zingerle ist nämlich der Verfasser der in fünf Auflagen und auch in einer englischen Uebersetzung erschienenen, reizenden Künstlernovelle »Engelmar«, deren Reinertrag der edeldenkende Schlossherr auf Gufidaun den vom Hochwasser Geschädigten des Vilnössthals widmete.

Führerwesen.

II. Nachtrag

zum Verzeichniss der autorisirten Führer in den deutschen und österreichischen Alpen.

(Mittheilungen 1881, Nr. 7, S. 219 und 1882 Nr. 6, S. 184.)

Baiern.

Baumgartner Josef, Rosenheim, Innstrasse, Salzburger Hof.
Jrlinger Wolfg., Brandstatt am Salzberg, Berchtesgaden.
Pfisterer Peter, beim Gastwirth Weinzierl, Mühlgraben.
Reichhofer Anton, Reichenhall.
Reichhofer Georg, Reichenhall.
Zu streichen: Eggenberger Anton, Feilenbach; Fritz Georg, Mühlwink; Schmid Johann, Obersteinachmühle; Schwaighofer Andrä, Mühlgraben.

Nieder-Oesterreich.

Jagersberger Josef v. Apfler, Puchberg, Bez. Neunkirchen.
Inthaler Daniel, Reissthal, Bez. Wr. Neustadt.

Ober-Oesterreich.

Bezirk Gmunden.

Bauer Carl, Gmunden.
Eisl Mathias v. Alterhosmann, St. Wolfgang.
Hemetzberger J. v. Rothauer, Hallstatt.
Neubauer Franz v. Taglsohn, Goisern.
Panzl Josef, St. Wolfgang.
Panzner Anton v. Bergknapp, St. Wolfgang.
Perfaller Johann v. Solererhans, St. Wolfgang.
Pfandl Mathias, Hallstatt.
Prager Peter, St. Wolfgang.
Reitter Anton, Gmunden.
Russbacher Mathias, St. Wolfgang.
Schachl Ignaz v. Zimmerbräu, St. Wolfgang.
Simon Benedict v. Kammerbauer, St. Wolfgang.
Stummer Josef, Ebensee.
Unterberger Michael v. Luler Michel, Goisern.
Wallner Carl, Ebensee.
Wallner Josef, Ebensee.
Westenberger Anton II. v. Messner, St. Wolfgang.
Wiesauer Johann, Traunkirchen.

Bezirk Kirchdorf.

Berger Johann, Vorderstoder.
Dietl Johann, Hinterstoder.
Duckkovits Peter, Spital am Pyhrn.
Kniewasser Franz, Hinterstoder.
Priller Eustachius, Hinterstoder.
Stadlhuber Ferdinaud, Spital am Pyhrn.
Stallinger Ignaz, Hinterstoder.
Stummer Johann, Windischgarsten.

Steiermark.

Bezirk Bruck a. d. Mur.

Auer Mathias, Rothmoos bei Weichselboden.
Berger Anton, St. Ilgen.
Breitler Dyonis, Veitsch.

Eggl Johann, Wirth, Altenberg.
Fahrenberger Peter, Weichslboden.
Frühauf Josef, Aflenz.
Graf Stefan, Büchsengut.
Heitzlhofer Simon, Aflenz.
Hollerer Mathias, Gollrad.
Kalisch Ferdinand, Mariazell.
Köllerer Johann, Tragöss.
Köllerer Mathias, Tragöss.
Köllerer Peter, Tragöss.
Leggerer Josef, St. Ilgen.
Plachl Georg v. Hansirgl, Weichslboden.
Singer Franz, St. Ilgen.
Stengg Peter v. Weber, Mixnitz.
Tiefengraber Anselm, Ramsau.

Bezirk Gröbming.

Griesshofer Alois, Aussee.
Marold Josef, Steinach.

Bezirk Leoben.

Hold Ant., Werkswagner, Vordernberg.
Schweiger Vincenz, Tischlermeister, Mautern.

Kärnten.

Bezirk Hermagor.

Berger Andreas, Hermagor.
Eder Peter, Hermagor.
Egger Michael, Zimmermann, Kötschach Nr. 9.
Klebein Jakob, Tratten.
Lackner Josef v. Waldner, im St. Lorenzer Gitschthal Nr. 8.
Moser Jos. v. Hafner, Kötschach Nr. 48.
Politsch Stefan, Schneider, Köstendorf.
Putz Josef, Hausbesitzer, Mauten.
Riebler Adam sen., Schlossermeister, Mauten.
Riebler Anton jun., Schlossermeister, Mauten.
Telesklav Kristan, Keuschenbesitzer, Kallendorf.
Telesklav Peter, Keuschenbesitzer, Kallendorf.
Walker Paul v. Seber, im St. Lorenzer Gitschthal Nr. 6.

Bezirk Klagenfurt.

Paulitsch Johann, Feistritz Nr. 30,

Bezirk Spital.

Fercher Josef, Obermalta.
Gfrerer Josef, Dösen.
Klampferer Georg, Brandstatt.
Klampferer Josef, Brandstatt.
Rosskopf Jakob, Stapitz.
Suntinger Johann, Winklern.
Suntinger Josef, Winklern.
Weichselederer Johann, Obervellach.
Zu streichen: Granögger Math., Untertauern.

Bezirk Villach.

Melchior Thomas, Bleiberg.
Schader Mathias, Bleiberg.

Bezirk Völkermarkt.

Benedeizig Andreas, Eisenkappel.
Robleck Michael, Eisenkappel.
Wriessnig Franz, Eisenkappel.

Bezirk Wolfsberg.

Regger Alexander, Wolfsberg.

Krain.

Bezirk Radmannsdorf.

Logar Peter, Feistritz.

Bezirk Stein.

Ursic Michael v. Miha, Feistritzgraben.
Ursic Valentin v. Tine, Feistritzgraben.

Salzburg.

Bezirk Salzburg, Stadt.

Hodes Johann, Linzergasse 12.
Karl Anton, Gärtner, Rupertgasse 8.
Kiener Josef, Stadtträger, Kapuzinerstiege 1.
Langer Josef, Kirchendiener, Bierjodlgasse 6.
Wimmer Joh., Hafner, Steingasse 35.

Bezirk Salzburg, Land.
Hallein.

Frey Josef, Maurer.
Nessmann Eugen, Dienstmann.

Golling.

Angulanza Mathias, Postbediensteter.

Abtenau.

Schorn Josef, Schuhmacher.

St. Gilgen.

Cappo Franz, Nachtwächter.
Ellmauer Paul, Schuster.
Lehrbauer Johann, Taglöhner.
Randacher Josef, Uhrmacher.
Strasser Simon, Weber.

Bezirk Zell am See.

Hofer Franz, Krimml.
Lechner Josef, Neukirchen.
Moshammer Alois, Saalfelden.
Nothdurfter Peter, Krimml.
Nothdurfter Silvester, Mittersill.
Schranz Georg, Dorf Fusch.
Ullmann Anton, Zell am See.
Unterwurzacher Nicolaus, Krimml.
Zlöbl Georg, Bucheben.

Tirol.

Bezirk Bozen.

Pitscheider Alois, St. Christina.
Schenk Alois, St. Christina. .

Bezirk Brixen.

Gestorben: Braunhofer Josef, Mareis.

Bezirk Bruneck.

Auer Josef, Lappach.
Ausserhofer Bartlmä, Rain.
Ausserhofer Johann, Rain.
Ausserhofer Josef, Rain.
Canins Johann, St. Cassian.
Dapunt Franz, St. Vigil.
Flöss Franz, St. Vigil.
Griessmaier Peter, Prettau.
Griesmaier Mathias, Prettau.
Kahn Peter, St. Martin in Gsies.
Kirchler Stefan, v. Steffl, Luttach.
Lindner Johann, Bruneck.
Mayrhofer Jacob, Weissenbach, Taufers.
Messner Anton, Mitterthal, Antholz.
Niederwieser Joh., v. Stabeler, Taufers.
Ninz Josef, St. Leonhard (Abtei).
Oberhollenzer Carl, Steinhaus.
Oberleiter Michael, Taufers.
Pescoller Anton, St. Vigil.
Reden Johann, Taufers.
Reden Martin, Taufers.
Reyer Thomas, St. Magdalena in Gsies.
Rives Bernhard, Piccolein.
Rohracher Josef, Antholz.
Rottonara Josef, Corvara.
Rudiferia Josef, St. Cassian.
Schuster Franz, Bruneck.
Steiner Michael, Geiselsberg.
Zingerle Silvester, Geiselsberg.
Verzichtet: Karbacher Peter, Welsberg.

Cavalese.

Soraperra Antonio, Canazei.
Micheluzzi Simone, Canazei.
Pitscheider Luigi, Canazei.

Bezirk Imst.

Dialer Alois, Imst.
Doblander Jos. Anton, Neuhausen.*
Frischmann Josef, Längenfeld, Station Vent*.
Gufler Chrisostomus, Längenfeld.*
Hammerlander Gottlieb, Imst.
Holzkneeht Johann, Umhausen.*
Plattner Alois, Oetz.*
Plattner Josef, Oetz.*
Prantl Sigisbert, Zwieselstein.*
Schöpf Ignaz, Sautens, Station Gepatschhaus.*
Schrott Josef Anton, Imst.

Bezirk Innsbruck.

Angerer Alois v. Oberhoppbichler, Bad Volderthal.
Pirchl Josef v. Zopf, Zirl.
Sailer Martin v. Glaser, Zirl.
Schneider Franz v. Huissla, Zirl.

Bezirk Kufstein.

Bichler Josef, Veitenbauernsohn, Kaiserthal.
Gratt Josef, Schneidermeister, Kufstein.

Bezirk Landeck.

Hohenegger Christian, Langtaufers.
Klebott Rudolf, Galtür.
Lorenz Gottlieb v. der ältere Baluner, Galtür.
Lorenz Ignaz v. der jüngere Baluner, Galtür.
Walter Johann, Galtür.

Bezirk Lienz.

Ausserhofer Joh. v. Schiet, Kals.
Entstrasser Rupert v. Untermair, Kals.
Groder Josef v. Mair, Kals.
Holaus Christian, Kals.
Innerkofler Sebastian v. Untermessner, Schustermeister, Sexten.
Kerer Johann v. Kunzer, Kals.
Rogl Karl v. Oberfüger, Kals.

Bezirk Meran.

Angerer Alois, Sulden.*
Eberhöfer Josef, Martell.
Fahrner Mathias, Prad.
Gögele Josef, St. Leonhard, Passeier.*
Gruber Johann, Schlanders.*
Nischler Anton, Katharinaberg.*
Nischler Wendelin, Schnals.
Pfitscher Sebastian, Rabenstein.
Pixner Sebastian, Pfelders.
Raffl Michael, Rabenstein.*
Theiner Johann, Prad.
Trafoier Johann, St. Nicolaus, Ulten.*

Bezirk Primör.

Zurückgetreten: Tissot Pietro, Transaqua.

Bezirk Schwaz.

Standort Mayrhofen:

Egger Max, Mayrhofen.*
Fankhauser Josef, bei der Linde im Lindthal.

*) Wiederholt aus dem I. Nachtrag, weil dort Standorte nicht angegeben werden konnten.

Fankhauser Simon, bei der Linde im Lindthal.*
Haunsberger Josef, Mayrhofen.*
Hörhager Johann II., Mayrhofen.*
Moser Georg, Mayrhofen.*
Oblasser Franz, Mayrhofen.

Standort Dornauberg:

Lechner Jakob, Breitlahner.*
Wechselberger Franz, Rosshag.

Standort Gerlos:

Waibl Georg v. Pitzinger, Gerlos.
Zu streichen: Holzer Thomas, Mayrhofen.

Bezirk Tione.

Botteri Pio di Gioramola, Strembo.
Clementi Vito di Nicolo, Roncone.
Ferrari Angelo Spalla, Borzago.
Pedri Luigi, Pinzolo.
Sauda Anselmo, Villa Rendena.

Vorarlberg.

Bezirk Bludenz.

Beck Adam, Brand.*
Beck Jakob, Brand.*
Bitschnau Josef, Schruns.*
Durig Heinrich, Schruns.*
Heine Ferdinand, Bludenz.*
Khüny Fidel, Bludenz.*
Lerch Christian, Pattenen.*
Maier Bernhard, Brand.*
Neyer Christian, Bludenz.*
Sugg Josef, Brand.*
Zudrell Christian, Schruns.*

Bezirk Bregenz.

Wüstner Mathias, Mellau.

Bezirk Feldkirch.

Barbisch Franz, Rankweil.
Steurer Ignaz v. Rothgärtner, Feldkirch.
Weber Bernhard, Rankweil.

Mittheilungen und Auszüge.

Untersberghaus. Die feierliche Eröffnung des von der Section Salzburg fertig gestellten Untersberghauses findet am Sonntag den 29. Juli statt. Die ausführlichen Programme werden abgesondert versendet.

Ober-Innthaler-Bahn. Am 30. Juni hat der letzte Eilwagen*) auf der Route Innsbruck-Landeck verkehrt. Ueber die am 1. Juli eröffnete Bahnstrecke Innsbruck-Landeck bringt der T. B. aus der Feder des Herrn Franz S. Pitra eine hübsche Schilderung, der wir Folgendes entnehmen:

Die ganze Arlbergbahn ist 137 km lang. Davon entfallen auf die Thalstrecke 74, auf die beiden Bergstrecken Landeck-St. Anton und Langen-Bludenz 53, auf den grossen Tunnel 10 km. Die Thalstrecke setzt bei der Strassenkreuzung nächst dem Peterbründl an und reicht bis zum

*) Die Postcurse verkehren nunmehr:
Landeck ab 1 U. 30 NM. und 11 U. 30 Nachts.
Bludenz an 10 U. 45 A. und 8 U. 35 Früh.
Bludenz ab 5 U. Früh und 6 U. 30 A.
Landeck an 2 U. 5 NM. und 3 U. 35 Früh.
Imst ab 5 U. 40 Früh und 11 U. 20 VM.
Reutte an 1 U. 45 NM. und 8 U. 15 A.
Reutte ab 8 U. 15 VM. und 2 U. NM.
Imst an 3 U. 20 NM. und 9 U. A.
Offene Landauer.
Die Frühfahrt hat in Telfs Anschluss von und nach Nassereit.
Landeck—Meran ab 4 U. 30 Früh, an 8 U. 5 A.
Meran—Landeck ab 5 U. Früh, an 9 U. 45 A.
In Landeck resp. Nauders zweimal Anschluss nach Schuls.

linken Brückenkopf der grossen Innbrücke zu Landeck. Das Stück Innsbruck-Peterbründl ist die sogenannte Zufahrtsstrecke. Was die Kosten betrifft, so sind sie im Präliminare auf 36 Millionen Gulden fixirt. 16 kostet der Tunnel, 7 600 000 Gulden entfallen auf die Thalstrecke, der Rest auf die beiden Rampen. Was zunächst die Bahnwärterhäuser betrifft, so sind sie in der äusseren Form ganz der landesüblichen Bauart angepasst. Nach ihrer inneren Einrichtung sind sie das Beste, was bis jetzt überhaupt in diesem Genre geleistet wurde. — Auf den Wiltener Feldern öffnet sich der Blick auf die Kalkkette im N. Die erste Haltestelle ist Völs (7 km ab Innsbruck). Die Völser hätten eine Station haben können, haben aber diese Vergünstigung aus unbegreiflichen Gründen refüsirt. Darauf folgt Station Kematen. Gegenüber die Martinswand mit der durch Beiträge der Section Innsbruck jetzt zugänglich gemachten Kaiser Max-Grotte. — Kurz vor Zirl passirt man den »Reissenden Ranggen.« Dies ist kein böser Giessbach, wie sich Wiener Blätter sagen lassen sollen, sondern eine ziemlich steile Berglehne, die hart in den Inn abfällt. Da man die Berglehne nicht anschneiden durfte, drängte man den Inn ab und legte den Bahnkörper über einen gewaltigen Damm in dessen früheres Bett. Der Uferschutzbau ist 450 m (also fast $1/2$ km) lang und besteht aus einer Stützmauer und einem derselben vorlagernden Steinwurf mit einem Materialaufwand von rund 10 000 cbm Stein. Zur Sicherung dieser Bauten wurde bei km 13·5 ein Steinsporn in den Inn gebaut. Die Berglehne selbst ist reichlichst mit Schutzvorrichtungen ausgestattet. Da zudem die Schichtung des Ranggen eine horizontale ist, ist der Bahnkörper absolut ausser Gefahr. Das Landschaftsbild ist eine glückliche Verbindung einer Stromlandschaft mit einer Hochgebirgslandschaft. Ueber dem nahen Inn mit seinen reichen Auen blickt die imposante Solstein-Gruppe herüber. Die Klamm des Ehbachs lässt wildromantische Partien ahnen und nach rückwärts liegt das weite Thal offen. Die Thürme der »marianischen Stadt« winken noch ein herzliches »Reise wohl« — um den Ranggen geht es herum, und wir fahren in die Station Zirl ein. Unmittelbar hinter dem Bahnhof steht ein Gasthof. Von Zirl nach Flaurling hat die Bahn ihre längste Gerade. Auf der Strecke von $3\,1/2$ km geht sie schnurgerade aus. Darum sind wir auch so geschwind in Flaurling. Namhafte Steigungen haben wir bisher keine. Bei Telfs sind wir auf einmal in einer anderen Gegend. Das Gebirge hat seine Formen gewechselt. Drüben über Telfs ragt die Hohe Munde wie der Daumen eines Urriesen empor. Was sich von ihr in unvordenklichen Zeiten in Bergstürzen losgerissen hat, ist zum Mittelgebirge geworden. Telfs selbst erfreut sich einer ungemein freundlichen Lage. Nach Nord und West durch Gebirg geschlossen, liegt es gegen den Inn offen da. Seine hübsche Kirche mit den zwei verschiedenen Thürmen gibt für das ganze Bild einen recht hübschen Mittelpunkt. Den Südrand des Innthals begrenzen reich bewaldete Vorberge, auf dessen westlichstem die Ruine Hörtenberg thront. Von da ab tritt das Hochgebirge (südseits) unvermittelt an die Thalebene.

Wie ein Steildach fällt es ab. Nirgends ohne Blösse, immer bewaldet zieht es westwärts. Im Norden begleitet uns das Mittelgebirge weiter. Erst bei der nächsten Haltestelle Stams, wo es der letzte Fluss von Obsteig her durchbricht, nimmt es ein Ende. Wir fahren nun wie zwischen zwei Dächern hindurch: Südseitig bewaldet, nordseitig felsig und wasserlos. Die Lage von Stams ist reizend, leider liegt es von der Bahn ziemlich weit entfernt. Die nächste Station ist Silz (37·8 km ab Innsbruck), auch dieser Ort liegt ziemlich weit weg. Die Steigung der Bahn betrug bis hieher 2—5 pro Mille. Diese Steigung ist so unbedeutend, dass wir sie eigentlich gar nicht wahrgenommen haben. Erst von Silz an sind bedeutende Steigungen und mehr Kunstbauten. Bis hieher liegen 1·7 km Bahn im ehemaligen Innbett; die längsten Strecken am Peterbründl und am Ranggen. Eine nennenswerthe Ueberbrückung gibt es bis hieher nicht. Erst mit Silz beginnt die schöne Partie. Sowohl Landschaft als Bahnkörper werden von hier an interessanter. Die Bahn führt von Silz ab bald wieder an den Inn und längs desselben auf gewaltigem Steindamm weiter. Durch einen Einschnitt tritt sie wieder auf das Wiesenland hinaus. Schloss Petersberg präsentirt sich recht hübsch, jenseits des Inn haben wir immer die steilen Wände des Tschirgantstocks. Ungefähr bei km 43 beginnt die Bahn mit 8.8 pro Mille zu steigen, das Maximum der Steigung, welches auf der Thalstrecke überhaupt in Anwendung kam.*) Um kostpieligere Bauten zu vermeiden, war dies unumgänglich geboten. Die Bahn steigt bis gegen die Station Oetzthal (45·8 km von Innsbruck). Der Bahnhof Oetzthal gemahnt durch die Eleganz seiner Einrichtung deutlich daran, dass wir uns auf einer Touristenbahn befinden. Was der reisende Fremde nur erwarten kann, findet er hier, nicht nur bequeme Einrichtung, sondern sogar Comfort. Nicht einmal an allen hauptstädtischen Bahnhöfen findet man Toilettezimmer, wo man sich waschen und umkleiden kann. Der Oetzthaler Bahnhof ist damit ausgestattet. Die Wartesäle sind von dem der III. Classe angefangen durchweg elegant, ja luxuriös eingerichtet, alle mit einer Holztäfelung ausgekleidet, der Fussboden parquetirt, die Decken in reicher Holztäfelung ausgestattet. Für gute Ventilation ist überall gesorgt. Die Wohnungen der Beamten erfreuen sich nicht minderer Vorsorglichkeit, als die Räume, die dem Verkehr dienen. Die Herren Bahnbeamten sind um ihre Wohnungen geradezu zu beneiden. Zur Winterzeit in strengem Dienst da draussen zu sein, weltverlassen, wie am Oetzthaler Bahnhof, ist freilich nicht das schönste Loos. Dafür

---

*) Auf der Strecke Landeck—St. Anton beträgt die Maximalsteigung 26·4‰, auf jener Langen—Bludenz aber gar 31·4‰. Das sind aber noch immer nicht die grössten, die überhaupt angewandt werden. In den Curven muss selbstredend die Steigung eine geringere sein, da hier die Reibung an sich schon grösser ist, als auf geraden Strecken. Der Minimalradius für Curven beträgt auf der Thalbahn 300 m, auf den beiden Bergstrecken 250 m. In den Curven beträgt die Maximalsteigung auf der Thalstrecke 5·8‰, auf der östlichen Rampe 23·4‰, auf der westlichen 28·4‰.

muss eben ein schönes Heim entschädigen. — Hinter dem Bahnhof Oetzthal hat sich ein Hôtel aufgethan, das Hôtel Sterzinger, vorerst freilich nur ein Interimsbau. Ueber 20 m hohe Dämme geht es nun der Oetzbrücke zu. Diese ist das grossartigste und schönste Bauwerk der ganzen Thalstrecke. In drei Oeffnungen überspannt sie die Schlucht der Oetzthaler Ache. Die mittlere Oeffnung misst im Lichten 80 m, die beiden seitlichen je 18 m. Die Hauptöffnung ist durch einen eisernen Parabelträger überspannt. Die Brücke liegt 18 m über dem höchsten Wasserstand der Ache. Der Ausblick von der Brücke ins Oetzthal hinein ist wunderbar schön. Nach N. haben wir gerade gegenüber die Weisse Wand mit einer Reihe von Schutthalden von immenser Ausdehnung. Die Bahn führt bei der Maximalsteigung von 8·8‰ gegen das Dörfchen Oetzbruck zu und rückt mehr vom Inn gegen das Gebirge ab. Bald erreichen wir die Haltstelle Roppen. Haben wir bis jetzt unseren Sitz bald rechts, bald links genommen, so schlagen wir uns jetzt definitiv nach rechts. Wir kommen zu einer der schönsten Partien der ganzen Bahnstrecke. Die Bahn kommt wieder an den Inn; hoch, über gewaltigen Steindämmen führt sie dahin. Wo früher auch nicht ein Fussteig ging, zieht jetzt die Bahn ihre Bögen. Der Inn musste hier wieder abgedrängt, die Berglehne auf die Länge von fast einer Gehstunde angebrochen werden. Ungeheure Felsmassen wurden zur Verschüttung des Innbetts aufgewendet und zur Fundirung der Dämme. Dieses Bahnstück ist ein Meisterwerk der Baukunst. 80 m hoch starren linker Hand die Felsmauern empor, rechts rauscht, meist tief unter uns, der Inn dahin. Wir fahren durch das »Gesäuse« des Inn. Jetzt fahren wir unter einer Jahrhunderte alten Wasserleitung durch — dann rollt der Zug über die Pitzbrücke. Diese ist ein genaues Abbild der grossen Oetzbrücke, nur in verjüngtem Maasstab. Sie ist halb so lang wie jene. In der Höhe von 7—8 m überschreitet sie die Pitzthaler Ache. Die Fundirung der Pitzbrücke stiess auf ausserordentliche Schwierigkeiten. Nachdem wir noch einen hübschen Wasserfall passirt, fährt der Zug in die Station Imst (55 km) ein. Wo jetzt der Bahnhof liegt nebst allen zugehörigen Bauten, floss früher der Inn. Von Silz bis hieher liegt nicht weniger als eine Strecke von 6·3 km Bahn im ehemaligen Innbett. Dies spricht deutlicher als alles für die Schwierigkeit der Bahnanlage sowohl wie für die Tüchtigkeit der Unternehmung. Der Imster Bahnhof ist im wesentlichen genau so ausgestattet, wie der in Oetzthal. Ueberdies besitzt er eine grossartige Wasserleitung. Die Schwierigkeit der Anlage lässt es uns ganz wohl begreifen, dass er einen Kostenaufwand von rund 60 000 fl. erforderte. Vom Bahnhof zur Königskapelle sind kaum 10 Minuten Gehens, nach Imst hinein braucht man immerhin eine gut gemessene halbe Stunde. Den Bahnhof dem Ort näher zu legen, war absolut unmöglich. Von Imst nach Landeck haben wir noch zwei Stationen, die längsten der Strecke. Ausser der Station Imst haben wir einen prächtigen Blick auf den Markt hinüber. Der Tschirgant, den wir bisher als kolossale Bergwand nach seiner Breitseite gesehen haben, hat auf einmal ein ganz anderes Gesicht. Er hat die Gestalt einer riesigen, seitlich steil abfallenden Pyramide angenommen. — Vorwärts geht es durch Auen und reichen Wiesgrund. Häuser sind sehr spärlich angesäet. Ueber dem Inn wird Mils sichtbar, bald fährt der Zug in die Station Schönwies ein. Schönwies ist ein unbedeutendes Nest, hat nicht einmal — unglaublich aber wahr — nicht einmal ein Wirthshaus. Nach Mils hinüber ist eine halbe Stunde. Wir kommen zu einer weitern Glanzpartie der Bahn. Mit der Maximalsteigung von 8‰ geht es wieder aufwärts. Stolz blickt die Kronburg auf uns nieder. An ihrem Fuss hat man den Inn nicht nur abgedrängt, sondern ganz umgebettet. Was wir früher an grossartigen Dammbauten gesehen haben, wird hier wiederholt. Von Imst bis Landeck liegen etwas über 4 km Bahnlinie im ehemaligen Flussbett. Im ganzen haben wir 12·1 km Inn-Einbauten, wovon auf die Streckenhälfte Silz-Landeck 10·4 km entfallen. Die Berge rücken näher aneinander, bei Zams erweitert sich das Thal wieder. Zams liegt ungemein freundlich da. Bei Zams rollt der Zug schon langsamer, denn die Station Landeck ist bereits in Sicht. Die Stationsanlagen von Landeck sind grossartig. Was die früheren Bahnhöfe an Eleganz der Ausstattung geboten haben, wird hier noch überholt. Nicht nur, dass alle Räume, wie nothwendig, grösser sind, sie sind auch reicher ausgestattet. Der Restaurationssaal würde dem feinsten Hôtel Ehre machen. Ebenso grossartig ist die Lage des eine halbe Stunde flussabwärts vom Markt gelegenen Bahnhofs Landeck.

Arlberg-Tunnel. (Amtlicher Bericht über die Fortschritte bis Ende Mai.) Das auf der Ost-Seite aufgeschlossene Gestein — dunkler quarzreicher Glimmerschiefer — zeigt mitunter im Sohlstollenfirst grössere Auskeilungen, die häufig noch vor der Erweiterung des Stollenprofiles einen Einbau erforderten. Da der gesteigerte Wasserstand in der Rosanna eine höhere Luftspannung ermöglichte, wurde bei Anwendung von acht Bohrmaschinen in 31 Tagen ein mittlerer Tagesfortschritt von 5·94 m erzielt, welche Leistung nur von der des Vormonats und jener im Juni 1882 übertroffen worden ist, wobei noch zu bemerken, dass »vor Ort« bereits 464 m vom Culminationspunkt des Tunnels entfernt liegt und bereits ein bedeutender Theil des Ausbruchmaterials in einer Steigung von 15‰ auf die vorgenannte Entfernung gefördert werden muss.

Das auf der Westseite aufgeschlossene Gestein — granitführender Glimmerschiefer — zeigte sich ziemlich gleichmässig mit wenig Letten und Graphiten in den Gleitflächen und gestattete durchweg die Anwendung leichten Eiseneinbaues nach Anfahrt der Maschine. Es waren, wie in den Vormonaten, vier Maschinen auf einer Spannsäule in Verwendung, und wurde mit denselben in 31 Tagen ein bisher auf dieser Seite noch nicht erreichter mittlerer Tagesfortschritt von 6.15 m erzielt. Der beiderseitige Gesammtfortschritt von durchschnittlich 12.09 m per 24 Stunden übertrifft alle bisherigen Leistungen.

Die Gesammtleistung im Arlberg-Tunnel beträgt:

Gegenstand	Ostseite. Meter bis Ende		Westseite. Meter bis Ende	
	April	Mai	April	Mai
Sohlenstollen	4369·2	4553.4	3630·2	3821·0
Firststollen	4183.8	4338·8	3384·9	3525·2
Vollausbruch:				
angefangen	122·8	152·8	123·2	160·8
beendet	3639·0	3780·7	2484·4	2540.3
Mauerung:				
angefangen	81·6	101·2	107·2	71·0
beendet	3549·2	3665·1	2317·0	2469·3

Touristische Notizen.

Karwendel-Gruppe.

Eiskarlspitze 2641 m. (Erste Ersteigung nach H. v. Barth.) Beherrscht von den gewaltigsten Häuptern der Vomperkette, dürfte das Engthal zu den schönsten Thälern in unsern nördlichen Kalkalpen zählen, zudem es auf guten Wegen für Jedermann leicht zugänglich ist. Am 25. Juni 1882 früh $2^3/_4$ U. verliess ich mit meinen Freunden Heinrich Camelly und Hans Huppmann aus München die Branntweinhütte, welche allerdings nur Heulager, aber Wein und gute Alpenkost bietet. $4\frac{1}{2}$ Uhr waren wir schon am Rand der Schneefelder angelangt, die sich heuer sehr weit ausdehnten und so den Aufstieg zur westlichen Hochglückscharte sehr erschwerten. Bis an die Brust in dem weichen Schnee steckend, erreichten wir die zwar nicht sehr steil anstrebende westliche Scharte*), jeden Tritt erkämpfend. Ankunft 6 U. Siegesgewiss standen wir dort oben, auf schmalem Einbruch, zur linken der gewaltige Eckpfeiler, zur rechten über einer langen Gratfortsetzung kühn die Eiskarlspitze emporstrebend. Bald jedoch folgte eine unliebsame Ueberraschung; wir hatten die unrichtige Scharte angestiegen und standen jetzt mitten im Gehänge, das fast glatt zum Oedkar abstürzt. Bei Ersteigung des Hochglück i. J. 1881 hatte ich mich schon bei dem Wirth Steinlechner in der Eng nach dem Uebergang ins Vomperloch erkundigt, und die Weisung erhalten, die rechte Scharte sei der Verbindungsweg, damit sagte er aber nicht, dass dies von der Südseite zu betrachten sei. Da nun auch Hermann v. Barth die östliche Scharte erstieg, um den Uebergang zum Hochglück-Gipfel zu bewerkstelligen, und dann sich verleiten liess, an den prallen Mauerwänden den Abstieg ins Oedkar zu machen, so konnten wir auch seine Anweisungen nicht gebrauchen. Da die

*) Vergl. Mittheilungen 1882, S. 87 und Zeitschrift 1879, S. 240: Lergetporer, Touren in der Vomperkette.

Eisen seit geraumer Zeit in Thätigkeit waren, so sollte jetzt auch das Seil in Anwendung kommen; es galt die Hauptrinne, die in glattem Ausbruch plötzlich zum Oedkar abstürzt, zu verlassen. Nach rechts drängt es uns dem Hauptgrat zu. Doch war keine Möglichkeit vorhanden, ihn von dieser Tiefe aus zu erreichen. So leitete uns denn ein schmales Gesimse etwas abwärts, einer mächtigen Rinne entgegen, deren oberes Ende gleichfalls am Grat endet und (siehe Profilzeichnung Nr. 21 aus Barths Nördlichen Kalkalpen) von Süden gesehen ebenfalls eine kleine Scharte bildet. Doch in diese sollten wir nur schwer gelangen. Während ich gerade abwärts mich auf ein Rippenband hinausliess, um das Terrain unter mir zu untersuchen, hatte Freund Huppmann schon einen kleinen Kamin passirt, der aber plötzlich auf eine ca. 3 m hohe Wand abbrach, unten jedoch eine 2′ breite Verbindungslinie mit der erwähnten Rinne bildete, um dann abermals ca. 100′ auf die Schneefelder des Oedkar abzustürzen. Da dies der einzige Ausweg war, um das Oedkar zu gewinnen, so waren wir froh, als Huppmann am Rand des erwähnten Kamins sitzend, heraufrief, man solle ihm nur das Seil zuwerfen, es gehe schon. Ich trat eben hinzu, als Camelly, auf einem kleinen Felsgrat sitzend, das Seil wieder flott fühlte und ein Ruf von unten uns sagte, dass der erste unten sei. Hinunter sehen konnten wir nicht. Als ich an die Reihe kam, und oben mit Händen und Füssen an den Kamin stemmend, hinunterrutschte, bemerkte ich schon, dass dies für Camelly bedenklich werden würde. Ich wollte mich mit dem Körper drehen, als ich den Halt verlor und frei über dem Abhang schwebte, doch ich ward von verlässigen kräftigen Turner-Armen gehalten, und langsam baumelte ich dem Bande zu. Es folgten nun Stöcke und Rucksäcke, und Camelly war bereits im Kamin. Leider hatten wir nur ein 10 m langes Seil bei uns, das nun Camelly nicht mehr gebrauchen konnte, da es doppelt zu kurz war. Nicht ohne Gefahr erreichten wir endlich durch die Rinne den Boden des Kars (7 ½ U.), hier wurde eine wohlverdiente Rast gehalten. Mächtig war hinter uns die Felswand emporgewachsen und mit Staunen sahen wir in den dunklen Schacht, den wir passirt, hinauf an die röthlich braune Wand, die wir herabgekommen. ¼ St. später standen wir schon am jenseitigen Ende des Oedkars, am Fuss des starken Zweigkamms, welchen die Eiskarlspitze gegen S. entsendet, als Scheide zwischen Oedkar und Spritzkar. Jetzt begann der Aufstieg zum Grat über schräge mit Schutt und Grasboden bedeckte Stufen, die von einigen Rippen durchbrochen waren; nach 2 St. standen wir auf dem Zweiggrat. Ein grossartiges Bild erschloss sich hier. Die innersten Seitenthäler des Vomperloches lagen vor uns im tiefen Dunkel, als Gräben und Schluchten zerspalten und zerrissen. Grausig, dumpf tönte das Brausen des Vomperbaches aus geheimnissvoller Tiefe, und in mächtigen Plattenlagen streckt sich der erst noch breite Grat, plötzlich zur schmalen Schneide geworden, himmelhoch zur Eiskarlspitze, dem ersehnten Ziel, empor. Ein ca. 10′ hoher Zahn, der an der Ostseite in halber Höhe an schmalem Gesimse passirt wurde, war die einzige Unterbrechung auf dem nun wieder gangbaren Grat. Zusehends verschärften sich aber die Terrainverhältnisse, als wir dem Gipfel jetzt näher rückten. Schroffige plattige Zähne und Zacken von sehr geringer kaum fussbreiter Scheitelfläche traten jetzt an uns heran; sie werden keck überschritten, da das Gestein noch stufenreich und fest ist. Schon stehen wir am Fuss des letzten Gipfelaufbaues. (10 U.) Ging es doch leichter, als wir gedacht, als wir nun die wie künstlich aufeinandergelegten Plattentafeln passirten und in den fingerbreiten Rissen der abgeschliffenen Felsen unsern Weg suchten, auf blätterdünnem Grat entlang. Es mussten aber dennoch die gebotenen Hilfsmittel erspäht und benützt werden, denn auf Mannslänge grenzt Luft an das Gestein, stürzt die Wand hinab ins Spritzkar zur einen, ins Oedkar zur andern Seite. Bald betraten wir den östlichen Endpunkt des Gipfels, sahen hinab, hinüber zur Scharte; von dieser Seite ist wohl keine Möglichkeit der Ersteigung. Wir waren schon in fast gleicher Höhe mit dem weiter westlich gelegenen Gipfel. Doch der letzte Theil unserer Aufgabe dürfte die völlige Unbefangenheit des Auges, die feinstfühlende Sicherheit des eisenbepanzerten Fusses auf diesen dünnen blättrigen Spitzschrofen erheischen. Kaum gab die Zackenkante einen halben Fuss breit Raum, knirschend sprangen die losgetretenen Felssplitter in die grausige Tiefe. Es war ein Balancirgang durch den freien Aether. Mit Spannung sah ich, nachdem ich die letzte Stelle hinter mir hatte, meinen Gefährten zu, wie sie ebenfalls auf dem schmalen First des verwitterten Gemäuers herüberkommen. Die Uhr zeigte 10 U. 45 M., als wir uns zur längeren wohlverdienten Rast auf schmalem Gipfelgrat niederliessen. In einer Schneewächte gegen das Engthal wurde eine weisse Flagge an den Bergstock befestigt, sie sollte den Wirthsleuten in der Eng sagen, dass wir wohlbehalten auf dem treuen Wächter ihres Thales angekommen sind. Die Aussicht ist grossartig zu nennen; der Tag war herrlich. Offen lag die mächtige Karwendel-Gruppe mit ihren schönen Berggestalten in nächster Umgebung. 2 St. dauerte unser Aufenthalt auf dem Culminationspunkt der Vomper Kette. Auf demselben Weg kehrten wir ins Oedkar zurück; schon im Aufstieg hatten wir eine grosse Daube gefunden; sie dürfte noch von v. Barth stammen; auch die Signalstange, welche v. Barth in der Fortsetzung des Grates auf brüchiger Mauerzinne, als seltenes Zeichen menschlicher Thätigkeit fand, bemerkten wir. Auf den bekannten Steilstufen, bald diese bald jene Daube passirend, ging es rasch abwärts, dem mächtigen Oedkar zu, das sich in weitem Bogen herumschwingt. Drückend heiss war die Luft in diesem weiten Kessel, den wir überqueren mussten, um unser Glück an den prallen Wänden zu suchen.

Ehe es aber zum Aufstieg kam, gönnten wir uns kurze Rast. (1 U. 50). Zweimal traten wir wieder an unsern alten Weg heran, jedesmal kehrten wir wieder ins Geröll zurück. Es war nicht möglich, die Wand ohne künstliche Mittel zu ersteigen, die uns aber natürlich fehlten. Wie die Maus in der Falle strebten wir bald in dieser bald in jener Rinne empor,

— überall glatte Wände, keine Möglichkeit der Ersteigung. Dass die jetzt rechts in nicht gar weiter Entfernung befindliche Rinne als Uebergang benützt werden könnte, vermochten wir nicht zu glauben, sondern wir eilten zurück zu unserem Abstieg. Mit Misstrauen sahen wir uns die heikle Passage von der Seite an, dann ging es aber gerade empor in der Hauptrinne, die sich mehr und mehr besser zeigte und gestaltete. Wohl waren die Wände glatt abgespült und fast stufenlos, so dass es nur vorsichtig und langsam empor ging, wobei uns nur der grosse Klotz auf dem Grat, der dieselbe Gestalt zeigte wie jener in der Scharte, immer etwas ängstigte, da wir ja um ihn herum sollten. Doch wir waren schon abgestumpft und gleichgiltig geworden, und so trachteten wir denn, endlich auf den Grat zu kommen. Hastig und nur flüchtig die fingergrossen vorstehenden Steine brauchend, eilte ich voraus. Im schnellsten Tempo stieg ich hinan, nichts achtend, da ja auch keine Gefahr mehr für meine Begleiter sich zeigte. Mit fliegendem Athem erreichte ich endlich in 1 St. vom Kar aus den Grat, blickte hinab ins Hochglückkar, hinüber zur Scharte. Ein Ausruf der Ueberraschung trieb meine Freunde zum raschen Tempo, mit Staunen sahen wir, dass der Weg offen und es möglich war, den gefürchteten Felsthurm zu umgehen. Ehe wir aber die letzte Kletterei zur Scharte unternahmen, liessen wir uns zum letztenmal auf dem Grate zur Rast nieder (2 U. 30). Auf schmalem aber gut gangbarem Gesimse wurde dann der Zacken umgangen und um 4½ U. die Hochglückscharte wieder erreicht. Leider war der Schnee zu weich, um abfahren zu können. So tappten wir denn das endlose Kar hinab, oft bis an die Hüften einsinkend. Herzlich froh waren wir, als wir die grauen Terrassenstufen erreichten, und am Kirchl einen kräftigen Schluck Wasser bekamen. Es dämmerte, als wir vollends hinabzogen, auf bekanntem Pfade der Enghütte zu. Hier erwarteten uns die Wirthsleute schon mit Aengsten, die es sich auch nicht nehmen liessen, uns um 9 Uhr Abends noch einen kräftigen Glühwein und eine grosse Pfanne köstlichen Schmarrns zu bereiten.

München. *Heinrich Schwaiger.*

Risser Falk 2405 m. In der Absicht, vom Falkenkar aus zunächst den Laliderer Falken und im Anschluss hieran womöglich den Risser Falken zu ersteigen, verliess ich in Begleitung des Jägers Probst am 21. Juli 1882 5 U. früh das Neuner-Wirthshaus in der Hinter-Riss.

Im Rissthal aufwärts überschritten wir beim Garberl-Hof den Bach und betraten am linken Ufer den c. 30 m ober der Thalsohle ziehenden Pürschweg, der, bald rechts abbiegend, ins Falkenkar führt. Nach etwa 20 Min. stiegen wir zum Bachbett ab und verfolgten am rechten Ufer des fast ganz eingetrockneten Falkenkarbachs über Moosboden und Geröll die schwachen kaum kenntlichen Steigspuren. Zunächst in der Mitte, später im rechten Drittheil der ganzen Karbreite geht es über kleine Felsköpfe durch Latschen und Alpenrosengestrüpp aufwärts und in 2¼ St. von Riss betraten wir bei dem aus dem oberen Kar abfliessenden Schneewasser das grobe Geröllfeld. Zur rechten zieht ein schroffer Zweigkamm ins Kar herab, durch tiefe Kluft vom Hauptstock des Risser Falken getrennt, links erheben sich die glatten Wände des Laliderer Falken. Ueber Geröll und Schnee erreichen wir den obersten Karboden und stehen nun hart unter dem niedrigen zackigen Kamm, der, jenseits ins Blausteigkar abfallend, die beiden Falkengipfel verbindet. Ein starkes Rudel Gemsen sprang auf und trennte sich: ein Theil sprang links über steile glatte Platten hinan zum Laliderer Falken, die Mehrzahl setzte über die Schrofen zur rechten den Zweigkamm hinauf zu einem deutlich sichtbaren Einschnitt im Grat, den sie eine nach der andern passirten und jenseits verschwanden. Sie zeigten uns nach beiden Seiten die Linien des Anstiegs; von hier aus ist, wenn auch schwierig, über steile schmal gebänderte Felsschichten der Gipfel des Laliderer Falken zu ersteigen; wir mussten, einestheils durch das sich bedenklich gestaltende Wetter, anderntheils durch unzählige von den Gemsen losgelöste unausgesetzt herabsausende Steine genöthigt, unser erstes Projekt für diesmal aufgeben und uns mit einer Besteigung des Risser Falken begnügen. Durch die erwähnte Lücke im Zweigkamm hatte Probst schon früher Gemsen herüber und hinüberspringen sehen, recognoscirte einmal diesen Wechsel und fand in ihm eine gangbare Uebergangstelle zum Hauptmassiv des Risser Falken. Den Plattenlagen zu unterst gegen rechts ausweichend, war über spärlichen Grasboden und haltbare Schrofen ohne Schwierigkeit der Einschnitt erreicht. Lothrecht fällt jenseits der Fels zu der uns vom Hauptgipfel trennenden Schlucht nieder, doch zeigen sich links quer an der Wand fortlaufend schmale im Zusammenhang stehende Bänder, unverkennbar der Gemswechsel. Das Felsterrain ist zum Glück fest und die luftige Passage dauert nicht lange, denn schon nach wenigen sorgfältig ausgesuchten Tritten stehen wir am oberen Rand der in schmalem Sattel auslaufenden von W. heraufziehenden Grünen Rinne. Beim weiteren Anstieg gingen wir nicht die Grüne Rinne hinunter, sondern querten, dieselbe links lassend, oben eine steile nach rechts ins kleine Kar abfallende Schlucht, hatten von nun ab den rundlichen vom Hauptgipfel herabziehenden Grat circa 80—100′ zu unserer linken, stiegen stets auf der dem Falkenkar zugewendeten Ostseite über niedrige Steilstufen und plattiges Gehänge unschwierig schräg rechts aufwärts und erreichten ohne weitere Mühen den Gipfelgrat, auf dem sich wenige Meter vor uns der mächtige Steinmann erhebt, 9¾ U.; der ganze Anstieg hatte somit 4¾ St. in Anspruch genommen; lächerlich wenig im Vergleich zu der, bei den bisherigen von Ladiz ausgegangenen auf der Südseite bewerkstelligten Besteigungen erforderten Zeit. — Ueber 3 St. hielten wir uns am Gipfel auf, besahen uns die Notizen der bisherigen Ersteiger und beschäftigten uns lange mit solider Wiederaufrichtung des wacklig gewordenen Steinmannes, dessen Haupt nun wieder das Holzstück mit roth und weisser Fahne schmückt. Unterdessen hatte sich das Wetter bedenklich verschlimmert; graue Wolkenmassen zogen näher heran, und es war Zeit zum Rückweg. Gerne wäre ich den unmittelbar neben dem Steinmann am Grat ausmündenden Kamin H. v. Barths zur Grünen Rinne abgestiegen, allein Probst rieth des hereinbrechenden Unwetters halber ab, und so verfolgten wir zunächst einige Minuten den Grat, stiegen dann auf der Ostseite über hohe Wandstufen schräg abwärts, bis wir nahezu ober der bereits erwähnten links gegen das Kar abfallenden schmalen Schlucht standen; hier wandten wir uns rechts, überkletterten den rundlichen vom Gipfel herabziehenden Felsrücken, und geriethen auf dessen westlicher, dem Einschnitt der Grünen Rinne zugekehrten Seite alsbald in ein Chaos von mächtigen, in hohen Stufen übereinandergelagerten Felsblöcken, von einander getrennt durch unzählige Risse und steile Felsgräben. In den einladendsten derselben wird der Abstieg fortgesetzt, und bald stehen wir auf dem Boden der Grünen Rinne, etwa 130—150 m unter deren höchstem Punkt am Sattel. (Es ist demnach auch auf dieser Linie, von der Ausmündung der Grünen Rinne wenig herabsteigend, ohne erhebliche Schwierigkeit ein Anstieg möglich.) Hier angelangt, darf man sich nicht verleiten lassen, die gut gangbare und zum Abstieg so einladend aussehende Grüne Rinne weiter abwärts zu verfolgen; man würde auf hohe Steilabsätze und in die glatten vom Kar Thalelekirch abschiessenden Plattenhänge gerathen; man steigt vielmehr von der Sohle der Grünen Rinne gleich wieder den sich jenseits erhebenden Querriegel hinan und benützt auf dessen Schneide einen als tieferen Einschnitt bemerkbaren Gemswechsel, um jenseits wieder absteigend in einen mit Geröll erfüllten breiten Graben zu gelangen. Zum Theil in demselben, zum Theil an dessen gebänderten mit Graspäckchen besetzten Seitenwandungen steigen wir zunächst gerade, später mehr links gehalten hinab, und deutlich ist bereits der braungrau heraufschimmernde sog. Lappensteig zu sehen, ein zu Jagdzwecken in die unabsehbare zum Johannisthal hinabziehende Latschenwüste schnurgerade ausgehauener c. 1 m breiter Streif; er bildet die kürzeste, wenn auch äusserst mühsame Abstiegslinie ins Johannisthal und ist dessen oberes Ende etwa 100—120' rechts nach Verlassen des Grabens zu suchen. Wir betraten dasselbe kurz vor 3 U. und stiegen über die einfach abgehauenen und über einander geworfenen Latschenstöcke unbequem und unter Regen bis etwa auf die Hälfte der Latschenregion ab, woselbst wir gegen den strömenden Regen unter einem hohen dichten Latschenbusch Schutz suchten. Nach $1/2$ St. setzten wir auf schlüpfrigem Terrain den geraden Abstieg fort, gelangten am unteren Ende der Latschen auf die Spuren eines alten Pürschweges, der uns an den rechtsseitigen Steilhängen der Falkenklamm entlang ober die Latschenbüsche des Falkengries führte. Von hier ab traten wir in den zur rechten sich hinziehenden lichten Tannenwald ein und verfolgten dessen Saum etwa 20 Min. abwärts; wenige Schritte noch auf dem rauhen Geröllbett des Johannisbachs und ein über letzteren gelegter Baumstamm bringt uns auf das linke Bachufer und den jenseitigen Hang hinauf zum bequemen herzogl. Reitsteig, auf dem wir über die Johannisthal-Alpe (Niederleger) nach 1 St. unseren Ausgangspunkt Hinterriss unter fortwährendem leichten Regen erreichten. Es war 6 U. und hatte somit der ganze Abstieg incl. Rasten 5 St. in Anspruch genommen.

Augsburg. *Frhr. v. Feilitzsch.*

Adamello-Presanella-Gruppe.

Caré alto 3461 m, ***Passo di Lares*** 3145 m und ***Passo della Lobbia alta*** 3034 m. (Vom Refugio di Lares bis zur Leipziger Hütte.) Die Nacht vom 13. auf den 14. August 1882 verbrachten mein Bruder Richard und ich in einem Baito neben dem im Bau begriffenen Refugio di Lares der S. A. T. 1 U. 15 früh verliessen wir unser Nachtlager und erreichten 4 U. 5 den Lares-Gletscher zwischen den beiden Zungen, welche sein nördlicher Theil nach O. vorstreckt. Bis dahin waren wir wegen der Finsterniss sehr langsam marschirt, auch ist $1/2$ St. Rasten abzuziehen. Schlechtes Wetter. Der Nebel lag bis 3100 m herab. Wir hielten uns etwas im Bogen nach rechts auf die Einsattlung zwischen M. Coël und M. Foletto zu, welche wir 6 U. 15 erreichten. Der Schnee, bis dahin ziemlich weich, wird härter. Unmittelbar an das Massiv des Caré alto herangelangt, hielten wir uns rechts bis wir die Scharte gegen das Fumothal erreichten und nun über Eis (c. 50 Stufen) den wilden zum Caré alto hinanziehenden Felsgrat gewinnen konnten. Dieser verwandelte sich in einen sehr scharfen Schneegrat, der auf einem Vorgipfel endigte. Ueber ein Schartl und plattige Felsen erzwangen wir 9 U. den höchsten Gipfel. Wir fanden daselbst Karten der Herren Freshfield (1873), Schnorr (1877), Roger Gaskell und Holzmann (1880) und Alberto de Falkner (1882). Es wurde uns nicht ein einziger Ausblick zu Theil, trotzdem starker Sturm die Nebel vor sich herpeitschte. 9 U. 45 verliessen wir den Gipfel und hielten uns bis auf den Pass unter dem M. Foletto in unserer Anstiegsroute. Hier (11 U. 45) verliessen wir diese nach links und erreichten 1 U. 10 den Passo di Lares 3145 m. Dieser Theil des Gletschers ist sehr reich an überaus verwickelten Spalten. Ueber die flache Firnmulde des Lobbiagletschers, die fast keine Spalte zeigte, erreichten wir um 3 U. 15 nach einem wegen der vielen meterhohen Schneehügel äusserst ermüdenden Marsch den Passo della Lobbia alta (Rast bis 4 U. 3); 5 U. 30 endlich verliessen wir den Mandronferner, dort wo die Adamellobesteiger ihn gewöhnlich betreten, nachdem wir vielleicht 1 St. Zeit dadurch verloren, dass wir zu weit rechts in die schauerlichen Seracs und Eisbrüche geriethen, wo ein Erreichen des linken Gletscherufers unmöglich war. Um 7 U. 30 bei Einbruch der Nacht waren wir beim Mandronhaus der Section Leipzig. Gesammtmarsch 14 St. 47 Min.

Presanella 3561 m und ***Monte Gabbiol*** 3410 m. In Gesellschaft meiner Freunde Georg Geyer und Julius Prohaska und meines Bruders Richard brach ich am 18. August 1882 2 U. 25 Früh von den verlassenen Tamaléhütten im obern Nardisthal auf; wir erreichten bei ziemlich schönem aber sehr kaltem, stürmischem Wetter 8 U. 30 den Gipfel der **Presanella**, wo wir uns bis 10 U. aufhielten. Wir verfolgten anfangs den Westgrat, gingen dann aber unter die Randkluft des Nardis-Gletschers herab und kamen 10 U. 36 auf den Pass zwischen Presanella und Gabbiol. Auf dem zu letzterem hinanziehenden Felsgrat, wo dieser ungangbar wird, auf der NW.-Seite ausweichend, zuletzt über eine schmale Schneeschneide gewannen wir den **Gabbiol**. Die Ersteigung desselben ist jedem, der in der Nähe vorbeikommt, dringend anzurathen, denn die Abblicke in das Val di Genova und auf den Mandronferner sind weit schöner, als von der Presanella selbst. Beim Abstieg gingen wir erstlich bis zu dem Pass NO. vom Gabbiol zurück, lavirten dann zwischen mehreren ungeheuren Spalten des Presanellagletschers gegen den Cercenpass hin und überschritten den westlichen Antheil des genannten Gletschers direct nach abwärts. Von den zahlreichen Spalten, auf die wir stiessen, machte keine besondere Schwierigkeiten. Gletscherrand 12 U. 45; Pizzano 4 U. 45; Marschzeit 11 St. 28 Min.

Wien. *Emil Zsigmondy.*

Meteorologische Berichte aus den Ostalpen

Juni 1883.

Station	Luftdruck					Temperatur					Niederschlagmenge des Monats in Millimetern
	Mittel	Maximum		Minimum		Mittel	Maximum		Minimum		
	mm	mm	am	mm	am	0 C.	0 C.	am	0 C.	am	
Reichenau	717·2	723·7	29.	708·2	6.	16·7	21·1	6.	11·5	19.	90
Windisch-Garsten	706·7	713·3	29.	697·7	9.	15·2	32·4	4.	5·0	20.	175
Salzburg	723·1	730·2	13.	713·6	6.	16·2	29·0	4.	8·4	23.	299
Traunstein	710·2	716·0	29.	702·5	6.	15·6	27·6	5.	5·6	21.	257
Rosenheim	—	—	—	—	—	16·50	28·2	5.	7·4	21.	221
Hohenpeissenberg	677·6	683·2	13.	668·3	6	12·35	22·3	30.	3·5	19.	209
Judenburg	696·8	703·2	14.	687·6	6.	15·3	25·5	5.	6·4	20.	113
Toblach	661·0	666·0	30.	651·0	6.	12·0	20·0	26.	4·0	19.	113
Innsbruck	710·0	717·3	13.	701·2	6.	15·3	26·0	29.	5·0	21.	152
Tüffer	740·6	747·8	14.	732·1	6.	18·8	27·5	5.	8·8	21.	124
Schmittenhöhe	607·7	613.0	29.	601.5	19	5·3	10·0	30.	2·0	19.	9
Hochobir	596·4	601·8	14	587·8	19.	6·4	14·2	30.	1·6	19.	100

Literatur und Kunst.

Touristische Literatur.

In derselben Weise bearbeitet, wie der 1882 erschienene Führer durch das Pusterthal und die Dolomiten, behandelt **Rabl's illustrirter Führer durch Salzburg, das Salzkammergut und Berchtesgadnerland** mit besonderer Berücksichtigung der Umgebungen von Salzburg, Ischl, Berchtesgaden, der Salzkammergut-Seen und des Gebietes der Hohen Tauern. Mit 50 Illustrationen und 1 Karte. Wien, Hartleben. Gebunden 2 fl. = M. 3.60, das benannte Gebiet in ausführlicher Schilderung und unter fleissiger Zusammenstellung des Bekannten; der Umfang von 18 Bogen für dieses kleine Gebiet erklärt sich durch weitschweifige, sich in überflüssigen Wiederholungen bewegende Diction und absichtliches Abweichen von der für Reisehandbücher doch sattsam bewährten Form und Satzeinrichtung. — Ein bei Gelegenheit der Hygienischen Ausstellung bei R. Schuster in Berlin erschienenes **Panorama von Gastein** bringt die phototypischen Reductionen dreier von Professor Albert Hertel für genannte Ausstellung gemalter Bilder (Wildbad Gastein, Böckstein-Thal (auf welchem das Schareck links vom Nassfelder Tauern steht), Kötschach-Thal) mit Erkennungsschema und Text von Ludwig Pietsch. — Der thätige Gmündner Gebirgsverein hat unter dem Titel: **Gmünd in Kärnten und seine Umgebung (Malta- und Lieser-Thal)** einen 120 S. starken Führer im Selbstverlag herausgegeben, der in einem allgemeinen Theil die geographischen und Erwerbsverhältnisse, in einem touristischen Theil aber Wege nach Gmünd und dessen Umgebung, das Maltathal mit seinen prächtigen jetzt besser zugänglichen Scenerien und seinen Bergtouren und endlich das Katschthal mit dem einschlägigen Theil des Lungaus behandelt. — **Bad Ratzes am Fuss des Schlern** in seiner neuen Gestalt behandelt **Dr. K. Prossliner** in Bilin in einer 80 S. starken Broschüre (Bilin 1883, Plattig), welche das Wissenswertheste in medicinischer und touristischer Hinsicht enthält, sodann einen Abschnitt „Kunsthistorisches nach Professor Gredler, dann Mineralogisches, Faunistisches, Entomologisches und Malakologisches; letztere Rubriken mit Fundorten und weiteren Bemerkungen. — Wenn auch schon 1869 erschienen, so wollen wir doch noch ein uns jetzt zugekommenes Schriftchen erwähnen: **Das Bad St. Vigil,** auch Cortina genannt, bei St. Vigil im Enneberg (Augsburg, Schmid), welches kurz die Ausflüge schildert, die von jenem freundlichen Idyll aus, einem der ruhigsten Orte in den Dolomiten, zu unternehmen sind. *T.*

Periodische Literatur. *)

Oesterreichische Alpen-Zeitung. Nr. 115—117. Purtscheller, der Monte Pelmo. — Kellner, auf der Passhöhe des Bernina. — Hodek, Pfingstpartien auf die Veitsch. — v. Lendenfeld, erste Ersteigung des Hochstetter-Dom (Neu-Seeland). — Prochaska, Punta di S. Matteo und Piz Tresero.

Schweizer Alpen-Zeitung. Nr. 13, 14. Veragusch, der Transport Verunglückter im Gebirge. — Rathsherr Hauser †. — Hofer, über die Ursachen der Gletscherabnahme. — Heim, die Lauinen. — Kramer, Excursion auf das Grosse Spannort.

Echo des Alpes. No. 2. Cart, Vacances en Tirol (2. Les Dolomites). — Weber, Zermatt et le Riffel en Janvier. — Favre, excursion au Buet.

Mittheilungen der Section für Höhlenkunde des Oe. T.-C. Nr. 2. Kříž, das Photographiren in Höhlen. — Ruska, das Lamprechtsofenloch.

Mittheilungen des naturwissenschaftlichen Vereins für Steiermark 1882. Hanf, die Vögel des Furtteiches. — Hoernes, Beitrag zur Kenntniss der miocänen Meeresablagerungen der Steiermark. — Holzinger, zur Frage des Handels mit Kräutern und Giften in Steiermark. — Wilhelm, die atmosphärischen Niederschläge in Steiermark 1882.

Tourist. Nr. 11, 12. E. Zsigmondy, die Hohe Villerspitze. — Ruith, Alpenübergänge bayerischer Kriegsvölker. — Jahne, von der Mur zur Drau. — Hadwiger, Zugspitze und Schneefernerkopf.

Oesterreichische Touristen-Zeitung. Nr. 11, 12. Torrens, von einer Vergessenen (Dürnstein). — Steinhauser, Karten vom Schneeberg. — Plant, des Sandwirths Andreas Hofer Gethsemane.

*) Ueber die Publicationen des Alpine Club, des Club alpin Français und des Club alpino Italiano bringen wir fortan kurze Referate unter „Nachrichten von anderen Vereinen".

Druck von Anton Pustet in Salzburg.

MITTHEILUNGEN

DES

DEUTSCHEN UND OESTERREICHISCHEN ALPENVEREINS.

No. 8. SALZBURG, AUGUST. 1883.

Vereinsnachrichten.

Circular Nr. 79 des Central-Ausschusses.

Salzburg, August 1883.

I.

Die Beaufsichtigung des Führerwesens in den Hochalpen wurde von jeher als einer der wichtigsten Zweige der Vereinsthätigkeit betrachtet. Um nun dieser Aufgabe gerecht werden zu können, bedarf der C.-A. möglichst vieler und eingehender Informationen. Wir ersuchen daher alle Vereinsmitglieder dringendst, ihre etwaigen Erfahrungen nach dieser Richtung, besonders aber Klagen und Beschwerden dem C.-A. oder der nächsten Vereins-Section mittheilen zu wollen, welche ja leicht im Stande sind, bei der zuständigen Behörde Bestrafung des Schuldigen oder sonstige Abhilfe zu erwirken. Wenn alle Misstände, auf welche unsere reisenden Mitglieder treffen, sofort zur Anzeige gelangten, so würde eine so eingehende und vielseitige Beaufsichtigung dazu führen, diese Uebelstände im Keim zu ersticken, und es würde ebenso das Ansehen des Vereins steigen, als das einzelne reisende Mitglied immer mehr gegen derartige Unannehmlichkeiten gesichert würde.

Auch um die Einsendung von Berichten über interessante Touren oder andere merkwürdige Vorkommnisse auf den Alpenreisen erlauben wir uns die Vereinsmitglieder abermals dringendst zu ersuchen, damit unseren Mittheilungen auf diese Weise stets neuer und interessanter Stoff zugeführt werde.

II.

Die Firma G. Scheid in Wien liefert jetzt auch silberne Vereinszeichen, welche um den Preis von 4 Mark durch den C.-A. zu beziehen sind.

Der Central-Ausschuss

des Deutschen und Oesterreichischen Alpenvereins.

E. Richter,

I. Präsident.

XIII. Sammel-Liste

des Deutschen und Oesterreichischen Alpenvereins für die Ueberschwemmten in Tirol und Kärnten.

Section Austria des D. u. Ö. A.-V. sendet div. Einnahmen mit	fl.	36.20
„ „ eine aus Offenburg eingelangte Spende mit 19 M.	„	11.16
„ „ specielle Widmung des Herrn Mich. Ritter v. Eichenfeld für einen in Folge Ueberschwemmung besonders Bedürftigen in Welsberg	„	4.—
Section Moravia des D. u. Ö. A.-V.	„	25.—
zusammen	fl.	76.36
Hiezu die bereits früher ausgewiesenen	„	145 078.08
Total-Summe der Einnahmen Ö.W.	fl.	**145 154.44**

XI. Verwendungs-Ausweis.

	fl.	kr.
1. An die Section Zillerthal	700	—
2. „ „ „ Villach	336	16
3. „ „ „ Iselthal	100	—
4. „ „ „ Hochpusterthal obige specielle Spende	4	—
5. Für d. Ueberschwemmten i. Pinzgau den Rest mit	60	79
	1 200	95
Hiezu die bereits ausgewiesenen	143 953	49
Total-Summe der Verwendung	**145 154**	**44**

Der Central-Ausschuss des Deutschen und Oesterreichischen Alpenvereins.

E. Richter,
I. Präsident.

Berichte der Sectionen.

Algäu-Kempten. Der alljährige Ausflug fand am 1. Juli bei prächtiger Witterung und unter Betheiligung von über 60 Mitgliedern und Angehörigen derselben statt. Als Ziel war die Rottacher Höhe 1142 m, auch Humbacherberg genannt, gewählt, jener Bergrücken, welcher sich am rechten Illerufer 3 St. oberhalb Kempten in einer Länge von 1½ St. vor dem Grünten ausdehnt. Bis zur Station Oberdorf b. I. wurde die Bahn benützt; von hier führt der Weg über die Iller an der Ruine Langeneck vorüber, deren Mauern aus dunklem Wald hervorragen, zur Rottachmühle und weiter in theilweise starker Steigung zur nördlichen Spitze des Berges mit der Ruine Vorderburg; meist am Kamm zieht sich der Pfad fort zum höchsten Punkt, der sogen. Sternwarte, mit herrlicher Aussicht. In westlicher Richtung verfolgt das Auge den mannigfach gewundenen Lauf der Iller und deren wiesenreiche Ufer bis über Kempten hinaus, während weit darüber weg die Ebenen des Württemberger Landes sich zeigen; in südöstlicher Richtung erhebt sich der Grünten, weiter zurück links die Thannheimer, rechts die Oberstdorfer Berge. — Nach 3 $^1/_2$stündigem Marsch war die Sternwarte erreicht. — Der Abstieg erfolgte nach Rettenberg und durch den Buchenwald und über die Zollbrücke nach Immenstadt. Im dortigen Schiesshaus liess die prächtige Aussicht und musikalische Unterhaltung mit eingeschaltetem Tänzchen die Stunden des Abends nur zu rasch schwinden; die Nachbarsection Algäu-Immenstadt, welche auch einige Mitglieder auf die Sternwarte entsandt hatte, trug in mehrfacher Weise dazu bei, den Aufenthalt an ihrem lieblichen Sectionssitz zu verschönern. 10 Uhr Abends kehrte man nach Kempten zurück.

Asch. In der Sitzung vom 18. Juli wurde der Bau eines Unterkunftshauses auf dem Hainberg bei Asch beschlossen und zwar auf Grund zu verausgabender 200 Stück unverzinslicher, verlosbarer Actien à 10 fl. Die unter den Mitgliedern der Section eingeleitete Subscription ergab das günstigste Resultat, denn bereits vor Beendigung der Subscription waren 160 Stück Actien gezeichnet, so dass die Ausführung des Baues vollständig gesichert ist. Der Bau wird künftiges Frühjahr in Angriff genommen. Der Hainberg gestattet als höchste Erhebung im Elstergebirge eine sehr schöne Fernsicht in das Fichtel- und Erzgebirge.

Breslau. Die Monats-Versammlung am 30. Juni hörte einen Vortrag des Privatdocenten Dr. E. Gothein über seine Wanderungen in Apulien und am Monte Gargano. Eine Reihe stark contrastirender landschaftlicher Bilder, die wunderbare natürliche Hafenbildung von Brindisi, der städtereiche, dörferarme apulische Küstensaum, die staubige, einförmige, steppenähnliche Tavogliera da Puglia, das steilwandige, nur noch von einem mässigen Rest des alten Buchenwaldes gekrönte Massiv des Monte Gargano, vereinte sich im Rahmen dieser Reiseschilderung mit lebendigen Skizzen des italienischen Volkslebens, zu dessen Beobachtung das grosse Wallfahrtsfest am Tage des hl. Michael die schönste Gelegenheit bot. Ein weiter, bis in die Anfänge des Mittelalters zurückgreifender Rückblick über die Entstehung und die eigenthümliche Bedeutung der seit 1200 Jahren auf dem Monte Gargano heimischen Verehrung dieses Erzengels kennzeichnete besonders wirksam die Einwirkung, welche die Gestalt des gewitterreichen, jäh aus weiter Tiefebene am Meeresrand aufstrebenden Gebirgsstocks auf Glauben und Empfinden des Volkes in weitem Umkreis ausgeübt hat.

Moravia in Brünn. Bei der I. ordentlichen Jahresschluss-Versammlung vom 27. December 1882 wurde der vorjährige Ausschuss wiedergewählt, und fungirten demnach zu Beginn des Vereinsjahres 1883 Herr Kandler als Obmann, Herr Consistorialrath Rambousek als Obmannstellvertreter, Hr. Berger als Cassier, die HH. Dr. Hože und P. Poye als Schriftführer und die Herren Dr. Brenner, Palliardi, Dr. Sonnek und Sporner als Ausschussmitglieder. Aus dem Jahresbericht ist die erfreuliche Thatsache zu entnehmen, dass die Zahl der Mitglieder — nunmehr 192 — in fortwährendem Steigen begriffen, und auf allen Gebieten der Vereinsthätigkeit ein erfreulicher Aufschwung zu verzeichnen ist. Wesentliche Verdienste um das Gedeihen der Section hat sich der k. k. Hochschulprofessor Herr Alexander Makowsky erworben, welcher desshalb von der Plenar-Versammlung einstimmig zum Ehrenmitglied der Section ernannt wurde. Was die einzelnen Zweige der Vereinsthätigkeit anbelangt, so wurden bei den jeden Mittwoch in Brünn stattfindenden Wochen-Versammlungen Vorträge wissenschaftlichen und touristischen Inhalts gehalten u. z. von den Herren: Dr. Brenner über Hygiene des Bergsteigens, — k. k. Assistent Schnitzler über Kartographie, — Assistent Rzehak über die Entstehung der Gebirge, — Dr. Sonnek: Ethnographisches aus den Alpen, — k. k. Hochschulprofessor Makowsky über das Wandern der Steine, — k. k. Hochschulprofessor v. Niessl über den Gebrauch des Aneroids bei Bergbesteigungen, — k. k. Professor Kovatsch über Murgänge und Wildbäche nebst Bemerkungen über die letzten Hochwasser, — k. k. Professor Trauer über Strassen und Wege in den Alpen, — k. k. Prof. Kreuter über Berg- und Hochgebirgsbahnen, — Dr. Ed. Senft, Wanderungen in den Dolomiten, — Victor Böhm über eine Reise in Spanien und Marocco, — C. Kandler über die General-Versammlung in Salzburg, — Dr. Manuel über die Besteigung des Untersbergs, — Emil Putzker über die Besteigung des Ortler, — Dr. Hože, über die Hohe Tatra, — Palliardi über einige Wanderungen in der Oetzthaler Gruppe etc., — Consistorialrath Rambousek über Wanderungen in den Voralpen, — Dr. Siersch über die Besteigung des Venedigers. — An einer der Wochen-Versammlungen nahm der berühmte Naturforscher Dr. A. E. Brehm Theil, welcher in freier Discussion seine volle persönliche hinreissende Liebenswürdigkeit entwickelte und durch den reichen Schatz seiner Erfahrungen und seines Wissens die Bewunderung der Anwesenden erregte. Ferner gelang es, den Schriftsteller P. K. Rosegger für eine Vorlesung zu gewinnen, welche am 6. März 1883 im Saal der höheren Töchterschule stattfand. An dieselbe schloss sich ein Bankett zu Ehren des Dichters. — Abgesehen von den gewöhnlichen Sections-Versammlungen wurde am 25. November 1882 ein Damenabend und am 29. Januar 1883 ein Kränzchen arrangirt, welch letzteres im Redoutensaal in Brünn abgehalten und allgemein als das glänzendste Ballfest der Saison bezeichnet wurde. — Es gelang ferner, eine Bibliothek zu gründen, welche bereits eine stattliche Anzahl von Werken der alpinen Literatur, Karten etc. enthält, in der k. k. Hofbuchhandlung Carl Winiker in Brünn aufgestellt ist und von dem Vereinsmitglied Herrn Carl Göttinger verwaltet wird. Nebst mehreren kleineren Ausflügen unternahm die Section auf Einladung der Kremsierer Mitglieder einen Ausflug auf den Hostein (nächst Bystritz). Am Vorabend des Ausflugs hielt Herr Prof. Makowsky im Saal der Kremsierer Oberrealschule einen Vortrag über vulkanische Erscheinungen in Mähren. — Die Section beabsichtigt nunmehr in Brünn ein Wetterhäuschen zu errichten.

Traunstein. Im Laufe des heurigen Jahres wurden drei Vorträge im Vereinslocal gehalten. Herr Rechtsanwalt Fries berichtete über seine Reise nach Schottland, wobei derselbe interessante Daten über das schottische Hochland mittheilte, Herr Kaufmann Esenwein sprach über seine Wanderungen in Rumänien und Bulgarien, wobei der Vortragende das dortige Volksleben in sehr anziehender Weise schilderte. — Den Glanzpunkt jedoch bildete der Vortrag des Herrn Dr. Anton Edlen von Ruthner aus Salzburg über die erste Besteigung des Grossvenediger. Nach einem kurzen Ueberblick über die Gliederung des Alpengebirges, speciell des Centralkamms, ging der Vortragende auf sein eigentliches Thema über und behandelte dasselbe mit gewohnter Meisterschaft. Die Eleganz der Sprache und die Gediegenheit des Vorgetragenen, vermischt mit höchst komischen Intermezzos, fesselten die Aufmerksamkeit des zahlreichen Auditoriums bis zum letzten Moment.

Nachrichten von anderen Vereinen.

Club alpin Français. Den in No. 7 des Bulletin mensuel veröffentlichten Nachrichten der Centraldirection entnehmen wir die Gründung einer neuen Section zu St. Etienne. Die Section Paris berichtet über ihre Ausflüge im Juni, von denen der in die Normandie eine grössere Ausdehnung hatte; die Sous-Section Gap über ihr Jahresbanket, die Sous-Section Briançon erwähnt die Eröffnung der Bahnlinie von Gap bis Guillestre, welche im künftigen Jahre bis Briançon laufen wird, gibt dann ein Verzeichniss ihrer elf Unterkunftshütten; die Sous-Section Aix-les Bains bringt den Bericht über ihre General-Versammlung und die Section Lyon über ihr Jahresfest am Mont-Pilat; die Section Seealpen über eine sieben Tage dauernde Tour in Corsica; die Section Madeleine gibt das Programm ihres Ausfluges nach Thiers und auf den Puy de Montoncelle bekannt. An die Mittheilungen über die fremden alpinen Vereine und deren Publicationen reiht sich eine Besprechung der in London 1883 erschienenen Schrift »Die Hochalpen im Winter« von Frau Fred. Burnaby, Mitglied der Section Mont-Blanc des C. A. F.; der darin erzählten Winter-Gebirgstouren der Verfasserin erwähnten wir an dieser Stelle bei Besprechung der Berichte dieser Section bereits mehreremale. Den Schluss bildet die Erzählung der von drei Touristen in Oisans und Vercors unter ungemein ungünstigen Schneeverhältnissen ausgeführten Wintertouren; der höchste hiebei erstiegene Punkt war die Tête de la Maye 2522 m.

Z.

Schweizer Alpenclub. Die Section Bern veröffentlicht nachfolgendes Programm der XIX. General-Versammlung: Samstag den 25. August 2 Uhr Nachmittags: Delegirten-Versammlung. 8 Uhr Abends: Gemüthliche Vereinigung. Sonntag, 26. August: 8—10 Uhr Besichtigung des naturhistorischen Museums etc. 10 Uhr: General-Versammlung. — 1 Uhr: Bankett im Casino. — 7 Uhr Abends: Schänzli, gesellige Vereinigung. — Montag, 27. August: Fahrt nach Langnau, und Partie auf die Rafrüti. — Der Preis der Festkarte ist 10 Franken.

Auf der Tagesordnung der Abgeordneten-Versammlung stehen ausser den laufenden folgende Anträge: Bericht über die mit den schweizerischen Eisenbahngesellschaften gepflegten Verhandlungen, dahinzielend, für die einzeln oder in Abtheilungen reisenden Clubisten eine Preisermässigung zu erwirken. — Excursionsgebiet für 1884. Das C.-C. schlägt vor, das jetzige Gebiet noch beizubehalten. Dasselbe würde also 3 Jahre auf der Tagesordnung geblieben sein; aber das vergangene Jahr war so ungünstig, dass man es kaum anrechnen dürfe. Das Excursionsgebiet ist übrigens ein weites, wenig bekanntes; es bleibt noch ungemein viel darin zu thun; es kann, ohne Gefahr zu laufen, die Clubisten überdrüssig zu machen, der Aufmerksamkeit derselben für ein ferneres Jahr empfohlen werden. Die Verspätung der Vertheilung des von H. v. Fellenberg verfassten Itinerarium, die Opfer, welche der Druck einer so umfassenden und in allen Hinsichten gründlichen Arbeit erfordert hat, sind ein weiterer Grund, das Excursionsgebiet noch beizubehalten. Endlich war es nicht möglich, die Karte 1 : 50 000 für das Blatt 488 (Blümlisalp) fertig zu stellen. Erst nächstes Jahr werden die Mitglieder die revidirte Karte des ganzen Excursionsgebiets besitzen. Für heuer wird man sich mit derjenigen vom vergangenen Sommer begnügen müssen. Alle diese Gründe scheinen mehr als hinreichend, um die Beibehaltung des jetzigen Excursionsgebiets zu rechtfertigen. — Versendung der Circulare etc. Nach bisherigem Brauch muss das C.-C. jeder Sendung von Circularen oder anderen Schriftstücken an die Sectionsvorstände ebenso viele Briefmarken beifügen, als die betreffende Section Mitglieder zählt. Der Antrag des C.-C. geht dahin, die Sectionen mögen die Vertheilung der Circulare an ihre Mitglieder auf sich nehmen.— Entsprechend einem von Herrn G. Studer gestellten und von der Section Bern angenommenen Antrag hat das C.-C. eine Erklärung*) verfasst und ausserhalb wie innerhalb der Schweiz verbreitet, welche alle Bergfahrer ermahnt, die Vorsicht nicht ausser Acht zu lassen. Diese Erklärung legt den Gedanken an eine grössere Publication nahe, welche die Gefahren der kleinen wie grossen Bergbesteigungen behandeln würde, sowie die Mittel, dieselben zu vermeiden und Unglücksfälle zu verhüten. Es müsste dies ein praktisches, kurzgefasstes, jedoch möglichst vollständiges, auf Erfahrung beruhendes Handbuch sein. Das C.-C. hat diesen Gedanken angenommen, und ersucht um Ermächtigung, einen oder mehrere Preise für die beste Arbeit auszusetzen, sowie um die Gewährung einer Maximalsumme von 400 Fr. für die Preise nebst Vollmacht für die Art und Weise des Ausschreibens der Bewerbung und für eventuelle Veröffentlichung der gekrönten Preisschrift. — Bericht über die Führer-Versicherung.

Das Jahrbuch, 18. Jahrgang 1882/83 ist Mitte Juli erschienen (siehe unter Literatur und Kunst); die Einnahmen betrugen 1882 exclusive Egger-Fond Fr. 12 790.65, darunter 2609 Jahresbeiträge à 4 Fr. und 241 Eintrittsgelder à 5 Fr.; unter den Ausgaben mit Fr. 14 725.18

*) S. Mittheilungen 1883, S. 222.

befanden sich: Für das Jahrbuch 17. Jahrg. (Zuschuss) Fr. 1655.50, für das Itinerar Fr. 1603.85, für das Mitglieder-Verzeichniss Fr. 1448.—, für das Echo des Alpes Fr. 1250.—, für Excursionskarten Fr. 296.20, somit für Publicationen nach Abrechnung der Egger-Fonds 50% der Einnahmen. (Die Mitglieder sind jedoch verpflichtet, das Jahrbuch gegen Nachzahlung von 10 Fr. zu kaufen.) Weitere Ausgaben sind: Für Vermessung des Rhône-Gletschers in 1882 Fr. 2080.35, für die meteorologische Station auf dem Säntis Fr. 1000.—, für 3 Clubhütten Fr. 1012.— etc.

Vereins-Hütten und Unterkunftshäuser. Wegbauten.

Nachtrag

zum Verzeichniss der Schutzhütten und Unterkunftshäuser

in den Deutschen und Oesterreichischen Alpen. (Mittheilungen Nro. 5.)

Sarnthaler Gruppe.

Latzfonser Kreuz 2150 m, Gemeinde Latzfons, erbaut 1743, Kassianspitze 1 St.; Stat. Klausen, Vahrn. 1 Z., 4 P.

Hohe Tauern.

Adelen-Hütte am Kühkarköpfl (Fusch) wurde 1882 eröffnet. 4 B., 6 P.

Elend-Hütte c. 1800 m, AVS. Klagenfurt, 1880, Oberstes Maltathal (Gross-Elend). 6 B., 12 P.

Stüdl-Hütte ist Privateigenthum.

Julische Alpen.

Maria-Theresia-Schutzhaus nicht 1404 m (Angabe des Ö. T.-C.) sondern 2404 m (Sp.-K.).

Krottenkopf-Hütte. Am 8. Juli wurde diese von der Section Weilheim-Murnau erbaute Hütte eröffnet. Der Weg zu derselben geht von Eschenloh im Loisachthal aus, in dessen Nähe die Section zwei Klammen, die Schwarze Brühl- und die Gachen Tod-Klamm, eröffnet hat. Ein guter markirter Saumweg zieht am linken Ufer der Eschenleine entlang durch Wald ostwärts bergan. Aus der Tiefe tönt das Getöse des eingeengten, der Loisach zustrebenden Eschenleinbachs, dessen Uferabstürze dräuend emporstarren. Bald winkt von drüben der bewaldete Kegel der Mittagspitze (Hirschberg), neben welchem der mächtige Rücken des Heimgartens herüberlugt. Links unten liegt idyllisch die Einöde Wengwies. Der Pfad zieht in die Höhe, bis das Massiv des Simetsbergs den Blick in die Ferne hemmt. Ein weites, von tiefen Gräben durchschnittenes Waldthal breitet sich aus; im NO. aber ragen keck die Felsköpfe des Herzogstands. Nun verengt sich der Steig und wendet sich rechts an eines Sturzbachs Rand jäh aufwärts zur Pusterthal-Alpe. Einsam liegt die Alm nahe dem Ufer eines Sturzbachs, in einem ungeheuern, von Felswänden gebildeten, wildromantischen Kessel; die Abstürze der Hohen Kiste und des Kistenkars und deren Ausläufer, die mächtige schmale Zinke der Hohen Kiste selbst, dann rückwärts die sanften Conturen des Simetsbergs geben diesem Fleckchen Erde das Gepräge seltener Grossartigkeit. Ueber

Geröll und Getrümmer geht es weiter zur Scharte zwischen Platteneck und den Ausläufern der Hohen Kiste, und in das Hochthal der Kühalpe. Ein neu angelegter Steig zieht von hier gegen den Südrand des Hohen Kistenkopfs. Farbstriche zeigen die Wegrichtung, welche der rauhe Pfad, den Südabhang des Kistenkopfs querend, aufwärts zu einer scharfen Grateinsenkung westlich der ebengenannten Spitze führt. Diese Grateinsenkung, von welcher aus man wieder das Loisachthal mit Eschenloh erblickt, liegt fast schon in gleichem Niveau mit der Krottenkopf-Hütte und dahin führt ein dem jähen Gehänge mühsam abgewonnener, gut gangbarer Steig. Tief unten im öden Bergkessel liegen die zur Zeit nicht bezogenen Hütten der Kühalpe. Am andern Gehänge liegt die Unterkunftshütte, sicher gelagert auf dem Sattel, der Krottenkopf und Hochriesskopf verbindet. Nahe unter dem kahlen Haupt der Hohen Kiste, an der gegen N. abfallenden Schneide läuft der Pfad zur Hütte, die man in 5—6 St. von Eschenloh erreicht. In solidester Weise aus Holz hergestellt, bietet sie zur Einkehr Raum genug für etwa 18 Personen. Ein bequemer Steig führt in ca. $^1/_2$ St. auf den Krottenkopf, oder in $^1/_4$ St. auf den fast dieselbe grossartige Aussicht bietenden Riesskopf. An der Eröffnungsfeier betheiligten sich 19 Mitglieder der Sectionen Weilheim-Murnau und München.

Kaiser Maximilians-Grotte bei Zirl. 3 St. westlich von Innsbruck, oberhalb der Station Zirl der Oberinnthaler Bahn erhebt sich die imposante Martinswand mit der interessanten Maximilians-Grotte, an die sich das Andenken an die wunderbare Rettung des im Jahre 1484 auf der Gemsjagd verstiegenen Kaisers Maximilian knüpft. Ein thatkräftiges Comité von Zirlern und Innsbruckern, an der Spitze Herr Forstinspector Jos. Klement, hat nun heuer, unterstützt mit Beiträgen von der Alpenvereins-Section Innsbruck und dem Verschönerungs-Verein Innsbruck-Zirl, den in die Grotte führenden Weg, der bisher stellenweise schlecht und gefährlich war, derart verbessert, mit Stufen, durchlaufendem Drahtseil an der Bergseite und mit Eisengeländer gegen die Thalseite, Ruhebänken an den schönsten Punkten in der luftigen Höhe u. dgl. hergestellt, dass es ein wahrer Genuss genannt werden kann, bei schönem Wetter auf aussichtreichem, gefahrlosem Pfad der denkwürdigen hochthronenden Grotte einen Besuch abzustatten. — Nachdem am 24. Juni unter allem möglichen Festgepränge und zahlreicher Theilnahme von nah und fern — auch Herr k. k. Bezirkshauptmann Dr. Hoflacher von Innsbruck war erschienen und hielt in Zirl eine herrliche Rede — die Kaiser-Grotte mit dem neuen bequemen Zugang eröffnet worden ist, wünschen wir herzlichst, dass die P. T. Touristen am Bahnhof Zirl die gebotene Gelegenheit ergreifen, um den $^5/_4$stündigen lohnenden Gang von dort durch den Markt zur weithin sichtbaren stolzen Erinnerungsstätte kaiserlicher Kühnheit und tirolischer Treue anzutreten.

H.

Die Section ***Kufstein*** hat am 29. Juli die seither der Gemeinde gehörige (erste) Alphütte auf der ***Hinteren Bärenbadalpe*** im

Kaiserthal eröffnet. Mit dem gut deutschen alten Spruch: »Gott segne dieses Haus und Alle, die da schreiten ein und aus,« vollzog der Vorstand der Section, Herr Dekan Dr. M. Hörfarter, die Weihe des Hauses und übergab es seiner Bestimmung; er gedachte in kerniger Rede derer, welche sich um Erschliessung des Kaisergebirges seit Thurwieser verdient gemacht haben, und schloss mit einem Hoch auf die Section München, welches Herr Max Krieger durch ein Hoch auf die Section Kufstein erwiderte. — Die wohlerhaltene Hütte bedurfte nur einer Adaptirung; den vorderen Theil derselben nimmt eine Küche und rechter Hand das Schlafcabinet für Damen ein, welches seiner Einrichtung nach auch als Schreib- und Lesezimmer zu benützen ist; auch das Touristenbuch ist hier untergebracht. Der rückwärtige Theil der Hütte, der sog. Hag, ist in einen Schlafraum für sechs Personen umgewandelt. Die Einrichtung ist nicht nur comfortabel, sie ist auch sehr praktisch, ja selbst für eine Hüttenapotheke ist gesorgt. Schlüssel zur Hütte haben in Verwahrung: Photograph Karg in Kufstein; Jos. Bichler beim Veitenbauern (dritter Hof) im Kaiserthal; Kaspar Birkner, Führer in Kufstein; Thomas Widauer, Führer am Hintersteiner See; die Hütte hat Vereinsschloss. Wein erhält man beim Jäger, weiterer Proviant ist mitzubringen. — Ueber die von der Hütte aus zu unternehmenden Touren s. Mittheilungen 1883 Nr. 6, S. 172.

Am 29. Juli fand die Eröffnung des von der Section Salzburg erbauten ***Untersberg-Hauses*** statt. Trotz ungünstiger Witterung hatten sich an 70 Theilnehmer, Damen und Herren, eingefunden. Der Aufstieg geschah von Glanegg aus über die Rositten, dann zur Kolowratshöhle, welche in prächtigem bengalischen Licht erglühend einen wirklich zauberischen Anblick bot — schliesslich über den Dopplersteig zur neuerbauten Schutzhütte, einem schmucken Häuschen, welches da in wenigen Wochen, dank dem Interesse und der Aufopferung aller Betheiligten erstanden ist, praktisch und wohnlich, ein willkommener Ruhepunkt für alle Besucher des Untersberges. Eine grosse und eine kleine Stube im Erdgeschoss sowie ein Schlafsaal und drei Zimmer im ersten Stock bieten genügend Raum zur Beherbergung einer stattlichen Zahl von Gästen; ausserdem enthält das Gebäude eine geräumige Küche, Wohnraum für den Pächter und eine für die Klusemann'schen Jäger reservirte Jagdstube. Zur bestimmten Stunde begann die feierliche Eröffnung; der Obmann des Bau-Comités, Herr Bezirks-Commissär J. Stöckl, nahm den Schlüssel zum Haus aus der Hand des Bauunternehmers Herrn Zimmermeister Huber aus Grödig entgegen und überreichte denselben dem Vertreter der Section Salzburg des D. u. Ö. Alpenvereins, Herrn Gemeinderath C. Hinterhuber, in warmer und sympathischer Ansprache die Geschichte des Hausbaues, sowie die Verdienste aller, die daran werkthätig theilgenommen, berührend; er schloss mit einem Hoch auf die Section Salzburg. Herr C. Hinterhuber, II. Vorstand der Section, sprach herzliche Worte des Dankes dem Central-Ausschuss für die namhafte Subvention, dem Bau-Comité, dem Grundbesitzer Herrn v. Klusemann und dessen Oberförster Herrn v. Lidl für Ueberlassung des Bauplatzes und Holzes, dem Zimmermeister Herrn Huber und dessen Arbeitsleuten für ihre mühevolle und unverdrossene Thätigkeit, den Förderern des Baues für die hochherzigen Spenden, den Vertretern fremder Sectionen und Vereine, dem Liedertafel-Quartett und der Musikkapelle von Grödig. Herr Dr. Zeppezauer gab im Namen des Central-Ausschusses der hohen und segensreichen Aufgabe des Vereins, dem warmen Gefühle für die Schönheiten der Gebirgswelt begeisterten Ausdruck. Herr Major und Kammerherr J. v. Unger überbrachte als Vertreter der Section Berchtesgaden freundnachbarlichen Gruss.

Im Fremdenbuch findet sich das folgende sinnige Gedenkblatt:

Im Jahre eintausend achthundert achtzig und drei, als Eduard Richter, k. k. Professor in Salzburg, im ersten Jahre Präsident des Deutschen und Oesterreichischen Alpenvereins und Eberhard Fugger, k. k. Professor in Salzburg, Vorstand der Section Salzburg des Deutschen und Oesterreichischen Alpenvereins, ward dieses Haus durch den am 14. September 1882 eingesetzten Bau-Ausschuss, als: Hans Stöckl, k. k. Bezirks-Commissär in Salzburg, Carl Hinterhuber, Apotheker und Gemeinderath in Salzburg, Eduard Sacher, k. k. Professor in Salzburg, nun Director der k. k. Lehrerbildungsanstalt in Krems, Anton Posselt-Csorich, k. k. Bezirks-Commissär, z. Z. in Bruneck, und Jakob Ceconi, Baumeister in Salzburg, unter dem Zimmermeister Andreas Huber von Grödig zu Nutz und Frommen aller Alpenwanderer auf dem berühmten Untersberge erbauet und ist am heutigen Tage in feierlicher Weise und mit üblichem Gepränge für Jedermann eröffnet worden.

Jahre emsigen Sparens und eifriger Sorge, ergiebige Unterstützungen des ganzen Vereins und zahlreiche Gaben der Freunde des herrlichen Berges, wie nicht minder das Entgegenkommen der Grundbesitzer, haben der Alpenvereins-Section Salzburg die Mittel erschlossen, jenes Unternehmen ins Leben zu rufen, das lange ersehnt wurde, und weithin sichtbar in den zu Füssen liegenden Landen, ein Wahrzeichen des Erfolges vereinter Thätigkeit des Deutschen und Oesterreichischen Alpenvereins immerdar bleiben möge.

Dank vor Allem dem Centrale des Deutschen und Oesterreichischen Alpenvereins für die reichliche Hilfe, Dank Allen, die in ihrem Edelsinne durch hochherzige Gaben das Unternehmen förderten, Dank Allen, die durch ihre vielfache mühevolle und unverdrossene Thätigkeit zum Gelingen des Werkes beitrugen, Dank den Grundbesitzern für die unentgeltliche Ueberlassung des Grundes und Holzes, Dank endlich Allen, die beim Werke des Alpenvereins ihre Kraft, ihr Wissen und ihre Erfahrung aufgewendet haben.

Ein Herz und Auge erfreuender Aufenthaltsort in diesen freien Höhen für alle Bewunderer der hehren Gebirgswelt und eine Zufluchtstätte gegen die Unbilden der Witterung und gegen körperliches Ungemach, sei dieses Haus gewidmet seiner Bestimmung auf ungezählte Jahre, sei es empfohlen der Fürsorge und dem Schutze Aller, die aus- und eingehen, sei es gefeit gegen Unglück und Unverstand. Das walte Gott!

Gegeben am Hohen Geyereck am 29. Juli 1883.

Ampezzo. Am 5. Juli eröffnete die Section einen Steig in die Felsschluchten, genannt »alle grotte di Maria de Zanin« bei Mortisa, etwa 30 Min. von Cortina entfernt. Dieselben bestehen aus verschiedenen von der Natur aus einer Menge von Felstrümmern in wahrhaft grotesker Art aufgethürmten Felsbildungen, wobei noch die seltene Erscheinung hervorzuheben ist, dass unter diesen Felstrümmern gewaltige Vertiefungen vorhanden sind. Die Volkssage erzählt, dass im vorigen Jahrhundert eine Weibsperson, insgemein Maria de Zanin genannt, diese wildromantische Gegend gewählt habe, um dem Drang ihrer frommen Gefühle freien Lauf zu gewähren, daher der Name, welcher aber bei der Eröffnungsfeierlichkeit den officiellen Namen »le grotte di Valpera« erhielt, weil die Oertlichkeit, wo diese Grotten sich befinden, Valpera heisst. Die Section hatte Sorge getragen, dass diese Grotten durch Anlegung von Wegen, Stegen und Treppen für Jedermann zugänglich werden, eine Aufgabe, welche im Verhältniss zu den geringfügigen Kosten, die hiebei erwachsen sind, durch die Ampezzaner Bergführer auf das glänzendste gelöst wurde.

Villach (Gau Tarvis). Die Reconstruction des im October 1882 durch Sturm zerstörten Manhart-Schutzhauses ist seit Juni im Zuge. Eine Giebelmauer (SO.) musste ganz neu aufgeführt und das übrige Mauerwerk an der Krone ergänzt werden. Um die Wiederholung der Schäden, welche Wind und verbrecherische Hände schon mehrfach versuchten, hintanzuhalten, wurde die bisherige Hauseintheilung abgeändert und insbesondere dem Schutzhaus in seinen oberen Theilen durch besseren Verschluss und thunliche Verstärkung der Dachconstruction erhöhte Widerstandsfähigkeit gegeben. So wurde die von der Bergseite unter das Dach führende Bodenstiege, sowie der Eingang selbst aufgelassen und vermauert. Die Stiege wird nunmehr im Innern angebracht. Die Pogratten wird zur Hälfte im Dachraum angebracht werden, damit im Local etwas mehr Raum geschaffen wird. 4 Personen werden somit unten, und 8 Personen im Dachraum Lagerstätte haben. An Stelle der bisherigen 4 Fenster mit schwachen Gittern werden nunmehr 2 grössere Doppelfenster mit starken Eisengittern Licht spenden. Balken und Vorthüre werden mit Blech beschlagen, letztere erhält zwei Querschienen mit Vorlegschlössern. Diese Vorkehrung erheischt allerdings die Beigabe eines zweiten Schlüssels zum Schlüssel des Vereinsschlosses. Das Dach wird fester construirt und weit herab in die Mauern mit Bandeisen verankert. Das Dach wird aus Lärchenbrettorn hergestellt, deren Lieferung bedeutende Kosten verursacht hat. Der Wettersturz am 17. Juli traf das Gebäude in der denkbar ungünstigsten Weise. Das Mauerwerk war am 15. Juli vollendet worden und sollte mit Aufrichtung des Daches begonnen werden. Das noch im vorigen Herbst errichtete Nothdach wurde vom Wind total zerrüttelt und fortgeschleudert, zum Theil sogar bis in die Schlucht. Die über 60 kg schwere Vorthür flog wie ein Kartenblatt über 100 m weit und blieb unversehrt in einer Mulde liegen. So ist vom alten Dach wenig mehr brauchbar und werden die Baukosten erheblich gesteigert. Der Steig zum Schutzhaus wurde reparirt und namentlich an der sogenannten Stiege gangbarer hergestellt. Das Inventar selbst muss zum grösseren Theil neu eingeschafft werden. Was dem Zahn der Zeit nicht erlag, nahmen Diebshände im Herbst. Der Kochherd ist total unbrauchbar geworden. — Manhart-Besteigungen kamen heuer erst 3 zu Stande, jedoch erreichte nur die erste Gesellschaft unter allerlei Fährlichkeiten die Spitze. Auch dem Wischberg war erst spärlichster Besuch zu Theil. An der Wischberg-Hütte sind einige Arbeiten vorzunehmen, wozu circa 60 fl. erforderlich sein werden.

Der Gau Tarvis der Section Villach hat im ersten Halbjahr seines Bestehens allerlei geleistet. Der Steig in der Schliza und eine neue Anlage von Schnableggers Touristenhaus an der Weissenfelser Strasse sind bestens reparirt oder neu angelegt worden; 86 Wegweiser mit reichhaltigster Aufschrift weisen Weg und Steg. 12 Bänke laden zur Rast ein. Eine Lohnwagen-Taxe regelt die früher oft berechtigten Klagen über das Gebahren der Tarviser Kutscher und die Marktgemeinde besorgt eine bessere Reinigung der Gassen. Es entstand ein neues Voll- und Schwimmbad u. s. w. Kurz Tarvis beginnt seine örtliche Situation zu begreifen und bemüht sich, jene Vorkehrungen zu treffen, die geeignet sind, dem Sommergast angenehm zu sein und dem Touristen den Ort und die Gegend an der rauschenden Schliza in jenem Lichte erscheinen zu lassen, zu welchem er vermöge seiner herrlichen Alpenlandschaft und seines reichen Communicationsnetzes berechtigt und berufen ist.

L. M.-M.

Die Section Küstenland hat das ***Schutzhaus am Krainer Schneeberg*** einer gründlichen Reparatur unterziehen lassen. Die eingestürzte rückwärtige Wand wurde neu aufgebaut, die schadhafte vordere Wand abgetragen und wieder aufgebaut, Rauchfang und Feuerheerd reparirt, Thür und Fenster in guten Stand gesetzt, die Pritschen neu hergerichtet und die schadhaften Theile der Bedachung durch neue ersetzt. — Am 5. August findet die festliche Wiedereröffnung statt.

Auf der ***Elmauer Haltspitze*** 2375 m Aner., dem Culminationspunkt des ***Kaisergebirges*** wurde am 30. Juni ein Kreuz aufgestellt. Wieder hatten Mitglieder der Section München, die Herren G. Hofmann, Babenstuber, Kleiber und Schwaiger, den Entschluss gefasst, und durch Unterstützung von Alpenfreunden wurde es auch in Bälde möglich, dasselbe zu beschaffen. Das Kreuz, von Herrn Kernaul in München gefertigt, ist 3 m hoch, von verzinktem Eisen und hat in der Mitte eine kupferne, vergoldete Kugel, in welcher sich die Urkunde über die Aufstellung befindet, am Fuss ist ein Kästchen zur Aufnahme des Fremdenbuchs. Für den Transport ward dasselbe in 10 Stücke zerlegt. Nachdem eine behufs Vorarbeiten am 24. Mai ausgegangene Partie wegen grosser Schneemassen nur bis unter die Achselrinne gelangen konnte, wurde die Aufstellung des Kreuzes auf 30. Juni festgestellt. 12 Mitglieder der Section München fuhren am 28. Juni Mittags mit dem Kreuz nach Kufstein. Nach herzlichem Empfang seitens der Kufsteiner Mitglieder ging es weiter auf die Bärenstatt, wo übernachtet wurde. Des andern Tages gingen sechs Herren mit Führer Widauer und zwei Trägern voraus, um auf der Spitze erst noch die Fundamentirungsarbeiten vorzunehmen; sie langten kurz vor 12 Uhr oben an. Nach entsprechender Rast ging es an die höchst schwierige Arbeit. Die Spitze bietet knapp Platz für drei Personen und stürzt nach allen Seiten, besonders auf der Nordseite, fast senkrecht ab. Leider erwies sich der mitgenommene Steinbohrer als zu weich, so dass nach längerem, vergeblichem Arbeiten nichts übrig blieb, als denselben nach Elmau zu schicken, um ihn da härten zu lassen. Der Träger Seb. Schieslinger brachte ihn auch in der kaum glaublichen Zeit von 2 $^1/_2$ St. ins Dorf hinab, wo der Schmied Abends 8 U. noch bereitwilligst die Arbeit des Härtens vornahm. So blieb den Freiwilligen oben nichts übrig, als die Bohrung der Löcher für Blitzableiter und Haltdrähte vorzunehmen und an Herstellung eines Nachtlagers zu denken. Dieses wurde in einer c. 5 m unter der Spitze sich hinziehenden Rinne errichtet. Durch Hinausschaffen der Steine und Zerschlagen eines Felsblocks, Aufführung einer 1 m hohen Brustwehr zur Abhaltung des Windes und Ausfütterung des Bodens mit auf den nahen Felswänden gesuchtem Moos gelang es auch, eine ziemlich genügende Liegerstätte herzustellen. Der herrliche Sonnenuntergang, sowie nach eingetretener Dunkelheit die auf allen Bergen der Umgebung entflammenden Bergfeuer gewährten einen wundervollen Anblick, während von Elmau Musik herauftönte. Der sehr beschränkte Raum und die nach und nach auf 3^0 R. sinkende Temperatur waren aber Ursache, dass um 1 U. schon wieder aufgestanden wurde. Die Betrachtung des allmählig grauenden Morgens, sowie die Spähe nach den ersten von Elmau ansteigenden Touristen half die Zeit vertreiben, bis endlich der Punkt 4 Uhr über den Höhen des Bairischen Waldes emporsteigende Sonnenball die Gipfel der prachtvoll rein daliegenden Bergriesen zu vergolden anfieng, ein Anblick, der überreichlich für alle vorausgegangene Mühsal entschädigte. Um 5 U. schon kam Träger Schieslinger mit dem sehnlichst erwarteten Steinbohrer und sofort machten sich die Herren Babenstuber, Schwaiger und Mader wieder ans Werk, das 60 cm tiefe und 6 cm weite Loch für die Grundstange zu bohren. — Die Tags vorher auf der Bärenstatt gebliebenen Münchener und Kufsteiner machten sich um 5 U. Morgens mit den Trägern des Kreuzes auf den Marsch nach Elmau, wo nun das Kreuz zusammengestellt und vom hochw. Herrn Vikar von Elmau in feierlicher Weise eingeweiht wurde. Den Nachmittag verbrachte man in Elmau. Des andern Tags um $^1/_2$ 1 Uhr Morgens machten sich die Träger des Kreuzes, sowie die ersten Touristen auf den Weg und erreichten um 6 Uhr den Gipfel der Halt. Truppweise kamen die übrigen nach, die letzten um 10 Uhr. Es waren nach und nach 29 Touristen, 5 Führer und 8 Träger auf der Spitze angelangt. Nach langer, mühevoller Arbeit war inzwischen die Fundamentirung beendigt und nun begann die Aufstellung des Kreuzes. Der Löwenantheil hieran gebührt Herrn Schwaiger, der auf von Zweien gehaltener Leiter die Zusammenstellung ausführte, ein Anblick, der wohl auch manchem Beherzten Grauen einflössen konnte. Hieräuf brachte Herr Hofmann, indem er in schwungvoller Rede allen Spendern zu dem Kreuze den Dank aussprach, ein Hoch auf alle Besteiger aus, in das sämmtliche so begeistert einstimmten, dass es unten in Elmau gehört wurde. Herr Hofphotograph Böttger aus München machte zwei Aufnahmen und erzielte auch von anderen Punkten des Kaisergebirges sehr schöne Photographien.*) Dank dem herrlichen Wetter und den überaus günstigen Schneeverhältnissen verlief die ganze Expedition ohne den geringsten Unfall. — Möge das Kreuz, das die Haltspitze ziert, recht viele Alpenfreunde veranlassen, das Kaisergebirge, das so unendlich schöne und grossartige Reize bietet und dessen Begehung von Jahr zu Jahr zunimmt, zu besuchen; möge es auch gelingen, den Touristen mit der Zeit weitere Erleichterungen durch einen Hüttenbau und weitere Wegverbesserungen zu verschaffen.

Führerwesen.

Die Section ***Salzburg*** stellte ein Verzeichniss zusammen der von der k. k. Bezirkshauptmannschaft Salzburg autorisirten Bergführer und genehmigten Führertarife; dasselbe umfasst 22 Führer in den Orten Salzburg, Hallein, Golling, Abtenau, St. Gilgen und Strobl und tarifirt jede einzelne von diesen aus zu unternehmende Tour. — Auf dem gleichen Princip beruht auch der von der Section ***Imst und Umgebung*** herausgegebene, von der k. k. Bezirkshauptmannschaft Imst genehmigte Bergführertarif für die Umgebung von Imst, der 30 von dort auszuführende Touren sammt Zeitangabe enthält. — Die Section ***Vorarlberg*** hingegen stützt ihren jüngst erschienenen, von der k. k. Bezirkshauptmannschaft Bludenz genehmigten Bergführertarif für diesen Bezirk lediglich auf den Zeittarif und berechnet für den Tag 4 fl. 50 kr., für den halben Tag 2 fl. 25 kr. und an Nachtgeld 1 fl. 30 kr., und stellt besonders beschwerliche oder gefährliche Touren dem freien Uebereinkommen anheim. Der Tarif verzeichnet 19 Touren von Bludenz oder Brand und 70 von Schruns oder Gaschurn aus mit Angabe der jeweiligen Gehzeit in Stunden.

Vent. Am 28. Juli hielt der I. Vereinspräsident Herr Prof. Richter eine Führer-Versammlung ab, an welcher 24 Führer des Oetz- und Pitzthales theilnahmen. Es wurden über verschiedene strittige Angelegenheiten principielle Entscheidungen gefällt.

Personalien.

Aus Thumersbach kommt die Trauerkunde, dass am 22. Juli Herr ***Paul Rudolf Riemann,*** Dr. jur., k. preuss. Kammergerichts-Referendar, Lieutenant a. D. der Reserve, der einzige, vielen Vereinsgenossen bekannte Sohn des hochgeehrten Begründers und jetzigen Ehrenvorstands unserer Section Pinzgau, Herrn Rud. Riemann, verstorben ist.

Mittheilungen und Auszüge.

Die Hausgewerbthätigkeit in Tirol.**) In den ent-

*) Auch Herr Photograph Karg in Kufstein hat eine wohlgelungene Aufnahme der gesammten Kette von S. gefertigt.

**) Mit Genehmigung des Herrn Verfassers wurde zu dieser Arbeit theilweise der in den Mittheilungen mehrfach erwähnte von Dr. Joh. Angerer verfasste Jahresbericht der Handelskammer Bozen benützt.

legenen Alpenthälern, wo der kümmerliche Bodenertrag dem Landwirth eine ausreichende Existenz nicht gewährt, ist es die Hausindustrie, welche den Thalbewohnern die Mittel bietet, sich das Dasein zu erleichtern, und für die Verbesserung der Bodencultur in einer Weise zu sorgen, wie dies aus dem Ergebniss der Landwirthschaft allein nicht möglich wäre. Die Bevölkerung industriereicher Alpengegenden befindet sich sogar bisweilen in besseren Verhältnissen und hat einen froheren Sinn, als die Bewohner ergiebigerer Culturbezirke, die nur allein auf die Landwirthschaft angewiesen sind. — Die neue Zeit mit ihren mächtigen Umwälzungen auf commerciellem und gewerblichem Gebiet, die Eisenbahnen, welche sich jetzt mitten durch die Alpen dahinziehen, haben übermächtige fremde Concurrenz in die Berge geführt. Diese hat bewirkt, dass jetzt mehr auf Eleganz und Billigkeit als auf Güte und Dauerhaftigkeit der Erzeugnisse Rücksicht genommen wird. Dies Alles musste schädigend und störend auf die häusliche Gewerbsthätigkeit in den schlichten Dorfhütten Tirols einwirken und ihren Niedergang herbeiführen, zumal den Arbeitern in den entfernten Alpenthälern sowohl die nothwendigen Kenntnisse, als auch die Geldmittel abgehen, um den fremden Concurrenten mit Erfolg entgegentreten zu können. In Ermanglung erforderlicher Kenntniss und passender Handwerkszeuge werden oft viel Zeit und Kraft vergeudet. Dies gilt besonders von der Drechslerei und Holzschnitzerei. Es werden dabei oft Gegenstände, die man in kurzer Zeit auf einer einfachen Drehbank fast spielend herstellen kann, in der mühseligsten Weise aus freier Hand mit dem Schnitzmesser erzeugt. Um Massen zu produciren, muss der Gebirgsarbeiter sich mit elenden Werkzeugen abquälen und bringt es doch nicht zu dem Erfolg, der andern Orts mit zeitgemässen Geräthschaften leicht und rasch erreicht wird.

Die Hausgewerbthätigkeit in Tirol umfasst folgende Industriezweige: a) in Nordtirol: 1. die Strohhutflechterei im Thal Selrain und im Zillerthal; 2. die Rosenkranzkettelei zu Mieming im Ober-Innthal; 3. die Drechslerei und Holzschnitzerei zu Ehrwald, Lermoos und Biberwier; 4. die Spitzenklöppelei im Ober-Innthal. — b) in Südtirol: 1. die Horndrechslerei im Sterzinger Gebiet; 2. die Deckenweberei zu St. Sigmund im Pusterthal; 3. die Spitzenklöppelei im Tauferer und im Grödener Thal; 4. die Leinenweberei im Pusterthal; 5. die Filzhutmacherei im Sextenthal; 6. die Werkzeugschmiederei im Eggenthal; 7. die Holzschneiderei und Holzmosaikarbeiten in Ampezzo und Gröden; 8. die Filigranarbeiten in Ampezzo; 9. die Seidenspinnerei zu Ala, Lavis und Rovereto sowie in Trient; 10. die Filzhutfabrikation im Ledrothal.

Die Strohhutflechterei in Nordtirol geht nicht weit über den eigenen Bedarf hinaus. Die Hüte werden durch Frauenhände aus den von Kindern vorbereiteten gezackten Geflechten hergestellt. Zum Verkauf gelangen jährlich etwa 3000 Hüte. Die in Mieming und Umgebung gefertigten Rosenkränze finden ihren Absatz in Innsbruck, von wo aus mit denselben ein lebhafter Handel betrieben wird. Die Drechslerei in den Ortschaften am Wettersteingebirge befindet sich, wie vorerwähnt, in bedauerlichem Niedergang. Nicht besser ist es bestellt mit dem im Ober-Innthal heimischen Spitzenklöppeln. Auch da fehlt es an der nöthigen Vorbildung. Talent ist ausreichend vorhanden; dies beweisen die 1875 in Rietz und in Inzing angestellten Versuche. Dort haben die Mädchen unter kundiger Leitung es in kurzer Zeit dahin gebracht, die schwierigsten Muster von Guipürespitzen tadellos auszuführen und hiedurch ihren früheren Verdienst erheblich zu vermehren. Die im Sterzinger Gebiet heimische Horndrechslerei beschränkt sich hauptsächlich auf die Verfertigung von Tabaksdosen, Tabakspfeifen und Löffeln. Die Löffel und Dosen werden aus Ochsenhorn, die Pfeifen aus Birkenholz mit Packfongblech verfertigt. Dieser Industriezweig hatte früher eine bedeutende Ausdehnung. Seine Erzeugnisse wurden alljährlich zu vielen Tausenden nach Oesterreich, Baiern und weiter versandt; denn in früherer Zeit waren jene Erzeugnisse beliebte Artikel im bürgerlichen Hause. Dazu kommt noch, dass Sterzing vor Eröffnung der Brennerbahn ein Hauptstapelplatz des Weltverkehrs war, wo die betr. Erzeugnisse von Reisenden und Fuhrleuten massenhaft gekauft und als Geschenke nach Hause gebracht wurden. In den letzteren Jahren ist die Sterzinger Industrie erheblich zurückgegangen. 1880 sind nur 560 Dutzend Esslöffel und Tabaksdosen und 900 Dutzend Tabakspfeifen ausgeführt worden. Die Wollmanufactur erstreckte sich auf die Teppichweberei zu St. Sigmund und Welsberg im Pusterthal, ferner im Schnalser Thal und im Arbeitshaus zu Bozen. Jetzt werden nur in St. Sigmund noch wollene Decken verfertigt, welche unter dem Namen Deferegger Decken von dortigen Hausirern in die weite Welt hinausgetragen werden. Die Sigmunder Decken werden aus Wolle, sowie aus reinen und vermischten Rinderhaaren erzeugt. Während der fünfziger Jahre wurden davon noch 12 000 Decken hergestellt, gegenwärtig kaum noch 3000 Stück. Die einst weit berühmte Tiroler Handschuh-Fabrikation wurde s. Z. am schwunghaftesten zu Inichen im Pusterthal betrieben. 1850 sind von dort noch gegen 84 000 Paar im Jahr verkauft worden; heute befassen sich nur noch einige wenige Personen mit dem genannten Industriezweig. In Taufers fanden einst die Männer ihren Erwerb in dem Kupferbergwerk zu Prettau und in den Marmorwerkstätten zu Taufers; die Frauen betrieben das Spitzenklöppeln, und die Familien brachten sich auf diese Weise ganz hübsch durch. Die Kupfer- und Marmorwerke sind 1878 theilweise verschüttet worden und auch die bezeichnete Frauenindustrie ist nahezu erstorben; die veränderte Mode in den dortigen Dorftrachten bedarf ihrer nicht mehr. In Gröden hat die Spitzenklöppelei fast ganz der Holzschnitzerei weichen müssen. Die sonst berühmte Pusterthaler Leinenweberei ist durch die ausländische Waare vom Bozener Markt verdrängt worden. In Sexten wird die Hutmacherei betrieben. Dieselbe erstreckt sich auf die Herstellung von Bauernhüten aus Filz, zu welchen die Wolle aus Kärnten bezogen wird. Die neuerdings in Monza und Mailand entstandenen Hutfabriken haben die Preise der Sextener Hüte derart herabgedrückt, dass dieselben heute per

Stück mit nur 80 Kreuzer bezahlt werden. Gleichwohl werden jährlich noch gegen 35 000 Hüte nach Italien verkauft. In den Dörfern des Eggenthals wird seit undenklichen Zeiten das kleine Schmiedgewerbe als Hausindustrie betrieben. Es werden die mannigfaltigsten Werkzeuge des täglichen Bedarfs geschmiedet. Die Eggenthaler besitzen darin eine eigene von Geschlecht zu Geschlecht forterbende Fertigkeit. Ausserdem stehen ihnen billiges Feuerungsmaterial und ausreichende Wasserkräfte zur Disposition, Factoren, welche ihr Gewerbe nicht wenig unterstützen. Der bedeutendste Zweig der hausgewerblichen Thätigkeit Tirols ist die in Gröden und Ampezzo eifrigst betriebene Holzschnitzerei. In Gröden befassen sich mit diesem Industriezweig, obwohl derselbe dort ebenfalls erheblich zurückgegangen ist, immer noch gegen 90% der Bevölkerung, d. i. gegen 2950 Personen. Die Erzeugnisse bestehen meist in Kinderspielwaaren und zum geringeren Theil in religiösen Figuren. Die Kinderspielwaaren werden aus Fichtenholz, die besser bezahlten Heiligenbilder dagegen aus Zirbelholz geschnitzt. Die erforderlichen Hölzer wachsen im Heimathsthal. Leider sind demzufolge die dortigen Wälder arg mitgenommen worden. Die Zirbelkiefer, die früher dort ganze Berghalden bedeckte, ist gegenwärtig selten geworden. Der Holzmangel und fremde Concurrenz haben den Verdienst zu einem äusserst kärglichen gemacht und die Bildschnitzer zu einer Lebensweise gezwungen, welche der kümmerlichsten eine ist und sie nöthigt, in den ärmlichsten Räumen von ihrem mühevoll verdienten kargem Brode zu leben. Die wenigen Aufkäufer der Waaren sind zum grösseren Theil Besitzer alter Firmen, die zur Blüthezeit der Grödener Industrie erheblichen Reichthum erwarben. Der Erlös aus den alljährlich zur Ausfuhr gelangenden Schnitzwaaren beträgt 70 000 Gulden. Um das im Sinken begriffene Schnitzereigewerbe wieder empor zu heben, hat die kaiserliche Regierung eine Holzschnitzereischule für kirchliche Arbeiten in Gröden errichtet. Diese Fachschule widmet sich nur der kirchlichen Bildschnitzerei. In Ampezzo besteht ebenfalls eine Fachschule für Holzschneidekunst. Dieselbe bildet den Mittelpunkt der gesammten dortigen Hausindustrie. Das Schulcomité besorgt den Einkauf des Rohproducts sowie den Verkauf der fertigen Gegenstände, und zwar unentgeltlich. Die bezüglichen Arbeiten erstrecken sich auf: 1. Filigranarbeiten, 2. Holzschnitzerei, 3. Holzeinlegearbeiten (Mosaik). Die Filigranarbeiter verfertigen aus Gold- und Silberfaden weibliche Schmuckgegenstände, Blumen, Bouquets u. dgl. Die Holzschnitzer machen Decorationsgegenstände für Möbel u. s. w. Die Mosaikarbeiter haben es sich zur Aufgabe gemacht, feine Möbel und Geräthschaften mit eingelegten Landschaftsbildern aus der unvergleichlich schönen Dolomitwelt ihrer Heimath herzustellen. Viele dieser hübschen Gegenstände werden von den Ampezzo besuchenden Touristen als sinnreiches Geschenk für die Heimat mitgenommen. Die hieraus erwachsende Jahreseinnahme beläuft sich auf 10 000 fl. Das Rohmaterial zu den Holzarbeiten liefert der Wallnussbaum, die Tanne und die Zirbelkiefer.

Die Filigranarbeiter sind auf die beiden Edelmetalle Gold und Silber angewiesen, welche durch das Handelsministerium in Wien bezogen werden.

Wie sehr die noch junge Ampezzaner Industrie sich empor gehoben hat, erhellt daraus, dass in Wien und in Berlin, sowie in anderen bedeutenden Städten Verkaufslager der Schule von Cortina errichtet sind und schönen Absatz haben.*)

Gera. *W. Kellner.*

Eine Höhle im Wendelstein. Bei Gelegenheit der Eröffnungsfeier des Wendelsteinhauses am 16. Juni unternahm eine Gesellschaft von Vereinsmitgliedern einen Besuch der Höhle auf dem Wendelstein. Das Vorhandensein der Höhle ist längst bekannt, aber obwohl schon Mehrere bis zu deren Ende vordrangen, sind bisher noch wenige klare Vorstellungen in die Oeffentlichkeit gedrungen. Wir machten uns wohl ausgerüstet auf den Weg. Man geht vom Touristenhaus den Steig hinunter, der zur Zeller Scharte führt, wo aber der Zickzack-Weg aufhört, wendet man sich links statt rechts und steigt noch eine kurze Strecke auf Geröllfeld aufwärts bis sich senkrecht die Felswände erheben. Ein Schneefeld verdeckt gegenwärtig den kleinen Eingang zur Höhle, welche vom Haus weg in $^1/_4$ St. erreicht wird. Der Zutritt durch das »Schneeloch« liess sich nur mit Zuhilfenahme des Seiles bewerkstelligen, da der Schnee zuerst 2 Mannshöhen senkrecht abfällt und dann steil ca 30′ hinab führt auf den Grund der Grossen Vorhalle. Wenn hier später der Schnee wegschmilzt, wird jedenfalls Eis zurückbleiben und die Anfertigung von gründlichen Stufen verlangen. Diese Vorhalle, vielleicht 30 bis 40 m hoch und durch das Tageslicht mässig erhellt, ist der grösste Raum der Höhle und überrascht sicherlich alle Besucher. Senkrecht erheben sich die Wände und vereinigen sich in schwarzer Höhe zum Gewölbe. Aus den Nischen hiengen mächtige Eisgebilde. — Durch einen schmalen Ausgang auf immer noch übereistem Boden und an überfrorenen Wänden entlang kommt man schon nach wenigen Schritten zu einem 3 m hohen Felsblock, der das Weiterdringen ernstlich hemmen will. Wir nannten ihn den Gachen Aufschwung. Ist er mit allem Kräfteaufwand überwunden, so belohnt ein grösserer Raum, in dessen Mitte ein Eisstalaktit, durch unser Licht transparent erleuchtet, wie ein Krystallblock schimmerte. Das Eis verliert sich allmälig und man lässt nun auch am besten den Bergstock zurück. In verschiedenen Windungen zieht sich die Höhle in den Berg. Grössere Erweiterungen werden durch mehr oder minder schmale Gänge und Schachte, Spalten und Risse verbunden. Selten geht man auf ebenem Boden, bald auf- bald abwärts, über Blöcke, Klüfte und dunkle Löcher, oft mühsam auf vorstehen-

---

*) Ueber diese und andere Fachschulen in den österreichischen Alpenländern vergl. Mittheilungen 1881, S. 9; wir verweisen aber auch insbesondere auf die von unserer Section Austria veranstaltete Ausstellung von Erzeugnissen der Fachschulen und die damit erzielten grossartigen Erfolge. (Mittheilungen 1880, S. 159, 1881 S. 175 und 212.)

D. Red.

den Ecken einer Steilwand; häufig muss man auch Hände und Füsse zum Emporschieben nach Kaminkehrerart benützen. Oft sind es hohe Gänge, dann wieder sinkt das Gewölbe, dass man nur gebückt vorwärts kommen kann. Mitunter haben sich grosse herabgestürzte Blöcke in den in der Mitte verengten Gang eingekeilt und so allmälig eine zweite Decke gebildet, die nunmehr passirt wird, welche aber zuweilen durch finstere Löcher die untere Etage ahnen lässt. Es seien nur mehr die Hauptformationen angeführt. Nach dem Salamanderloch, das nur auf den Vieren kriechend passirt werden kann, gelangt man am Prometheus-Felsen vorüber zu einer Stelle, wo colossale Felsenstufen aufwärts führen; wir nannten sie die Cyklopenstiege. Die grössere Hälfte des Weges wird durch eine 12 m hohe Halle mit senkrecht aufstrebenden Wänden und einem regelrechten Gewölbe, den Dom, abgeschlossen. Von hier aus verengen sich allmälig die Gänge, Erweiterungen kommen nur mehr selten vor, und gegen den Schluss trifft man nur mehr eine allerdings hohe aber sehr schmale Spalte, die Schneider-Spalte. Den Schluss bildet ein kleiner niedriger Raum: — Wendelsteins Herzkammer. Vom Dom bis hieher sind es immer noch 250 Schritt. Die ganze Höhle hat eine ungefähre Länge von einem halben Kilometer. Es liegt nun allerdings die Ansicht nahe, dass sich der Höhlengang noch weiter in den Berg erstrecken muss. Doch ist davon nirgends etwas sichtbar. Der Stollen ist vollkommen abgeschlossen, auch keine Verwerfung oder Abdämmung durch herabgefallene Stücke bemerkbar. Wir hatten bis hieher sieben Viertelstunden gebraucht; der Rückweg erforderte sechs, so dass man zum Besuch 3 Stunden, bis zum Dom und retour 2 ½ Stunden rechnen muss.

Die Entstehung der Höhle wurde vermuthlich veranlasst, als die Gebirgsmassen zu ihrer jetzigen Höhe emporgepresst wurden. Es ist wohl die Mehrzahl der zugänglichen und bekannten Höhlen durch die allmälige Wirkung des Wassers auf kalksteinhaltige Lager entstanden; doch ist in dem vorliegenden Fall die Wirkung von bedeutenderen Wasserkräften in einer Höhe von 5100′ und bei einem fast senkrechten Aufbau des Gipfelstocks nicht gut denkbar. Die Höhle zeigt in ihrem gegenwärtigen Zustand auch keine Spur von Wasseradern, sie ist namentlich in der ersten Hälfte trocken und nur zuweilen sickert ein Tropfen vom Gewölbe zu Boden, welch letzterer mit von der Decke herabgefallenen kleineren oder grösseren Bruchstücken bedeckt ist. Allerdings finden sich an einigen Stellen durch den gebrochenen Wasseranprall erzeugte Auswaschungen und Sandspuren. Es scheint ganz natürlich, dass in die einmal vorhandene Aushöhlung Wasser eindrang und zwar in grösserem Maasse vielleicht in der Zeit, wo ringsum die Alles bedeckenden Gletscher schmolzen, gewaltige Wassermassen in die Thäler stürzten und auch die erratischen Blöcke auf mächtigen Eisfeldern in die Aiblinger Ebene gegen Au hinabgetragen wurden. So reich sonst der Wendelstein an Formationen ist, so scheint der Gipfelstock doch nur aus reinem Kalkstein zu bestehen, denn in der Höhle tritt keine andere Schichtung zu Tage. Tropfsteingebilde sind in der ersten Hälfte gering, dann reicher und werden namentlich an dem herabgebrochenen Gestein gefunden und in zarten Knospen an den Wänden der Schneiderspalte. Das geringe Vorkommen des Tropfsteins erklärt sich vielleicht dadurch, dass der Felsaufbau über der Höhle keine oder nur wenig Vegetation enthält. Die Richtung der Höhle wechselt fortwährend zwischen SW. und N. Doch ist die Gesammtrichtung, soweit sie sich durch den Kompass rasch ermitteln liess, eine westliche. Vergleicht man damit die Richtung des Wendelsteinrückens, so streicht die Höhle mit demselben parallel. Seitliche Abzweigungen von Höhlengängen, die sich weiter fortsetzen, sind nicht vorhanden. Die Temperatur ist auch hier, wie bei den meisten Höhlen, wo keine örtlichen Ursachen einwirken, die mittlere der Umgegend, in Folge dessen im Sommer frisch, während sie im Winter voraussichtlich wärmer erscheinen wird. Es herrscht kein oder nur ein mässiger Luftzug. Von irgend welcher Fauna war nichts zu bemerken, so wenig wie von fossilen Ueberresten und Knochen, was in der hohen Lage der Höhle und im schwierigen Eingang seine Erklärung findet.

So sehr wir nun die Höhle allen Bergfreunden empfehlen möchten, so können wir doch nur geübte Steiger dazu aufmuntern, bis der Verein Wendelsteinhaus auch hier Verbesserungen durch Anbringung von einigen Leitern etc. vorgenommen und so die Höhle dem allgemeinen Zutritt erschlossen haben wird. Für den Besuch empfiehlt es sich dringend, sich besonders mit genügender Beleuchtung auszurüsten.

Ich hege die sichere Hoffnung, dass diesse Höhle, wie weit und breit die Berge keine aufzuweisen haben, noch wesentlich zu einem öfteren Besuch des so schönen Berggipfels beitragen wird. Namentlich hat derjenige, welcher beim Aufstieg vom Unwetter ereilt wird, nicht umsonst die Tour gemacht, sondern er kann, statt die Aussicht vom Berg aus zu geniessen, einen lohnenden und interessanten Gang unternehmen in das Innere des Berges — durch die Wendelsteinhöhle.

München. *J. Baumann.*

Weiden-Cultur in Südtirol. Das Hilfs- und Actions-Comité der Südtiroler Sectionen hat, da in der ganzen Etsch-Inundation und vorzüglich in den Gemeinden Leifers und Branzoll die meisten Gründe derart versandet sind, dass die Herstellung der bisher landesüblichen Culturen den capitalischen Werth des Bodens übersteigen würde, durch eingehende Informationen in Erfahrung gebracht, dass die einzige Möglichkeit, diese ausgedehnten Grundflächen mit möglichst geringen Kosten und der Aussicht baldigsten Ertrages zu recultiviren, die Weiden-Cultur mit Berücksichtigung edlerer Sorten, die sich für die Korbflecht-Industrie eignen, mit Aussicht auf Erfolg biete. Ein mässiger, mit verhältnissmässig wenig Kosten und Arbeit sich ergebender Nutzen wird dadurch sicher erzielt und ausserdem durch das abfallende Laub in kurzer Zeit (10—12 Jahre) eine Humusschichte gebildet, welche die Möglichkeit der Einführung der früheren Culturen darbietet. Abgesehen davon, dass bereits nach zwei Jahren Stecklinge für die Korbflecht-Industrie verwerthet werden können, dürfte man wohl schon im nächsten Jahre in die Lage kommen, Steckholz und Setzlinge in die Seitenthäler abgeben zu können, da die Weide als vorbereitender Schritt zur geregelten Aufforstung, für Uferschutz, zur Festhaltung brüchiger Lehnen mit Flechtwerk und bei Erdabrutschungen eine wichtige und hervorragende Rolle spielt. Das Comité hat denn in der Gemeinde Leifers einen versandeten unbestellbaren Grund von zwei Joch auf 5 Jahre gepachtet, um eine Musterweiden-Cultur anzupflanzen.

Die landwirthschaftliche Landesanstalt in S. Michele und das Vereinsmitglied Herr Wanderlehrer Frank, der die Anlage und Pflanzung besorgte und die weitere Züchtung freundlichst zusagte, empfahlen nachstehende Weidensorten: Salix purpurea viminalis 20 000 Stück Stecklinge, Salix viminalis 20 000 Stück Stecklinge, Salix purpuri gelbrindig 20 000 Stück Stecklinge, Salix uralensis 10 000 Stück Stecklinge, zusammen 70 000 Stück. Dass sich der Boden für die Weide eignet, beweist, dass Anfang Mai die ganze Pflanzung bereits grünte und angewurzelt hat.

In die alpine Region, wie in Palù im hintersten Fersinathal, wo die Erdbrüche und Abrutschungen die bedenklichsten Dimensionen angenommen haben und im Frühjahr noch in fortwährender Bewegung waren, wurden weitere 10 000 Stück Weiden-Stecklinge gesandt, die nach Anleitung des Forstinspectors Rieder und dessen Bruder, Forstadjunct in Pergine, in Palù durch Ortsleute gepflanzt worden sind.

Eine Gasteiner Badekur eines Müncheners im Jahre 1741. In einem Handschriften-Convolut der Münchener Bibliothek findet sich folgende Aufschreibung:

Ausgab auf die Gasteynerrais 1741.

Den 14. May von München abgeraist und den Salzburger potten Hr. Joseph Schmid für fuhrlohn und cosst bis Salzburg gegeben	fl. 7.—
Zu Salzburg ybernachtet und dem Herrn Öxl, weinwürth aldort bezalt	1.—
Den 19. May dem Salzburger Lohnrössler bis in die Gasteyn fuhrl. bezalt	12.10
Den 20. dito in der Gasteyn ankommen, und für die collation geben	—.23
Den 21. May am H. Pfingsttage die baadcur mit Gott angefangen und erste woch vor cosst bezalt	1. 8
NB. des tags 1 : mal gessen.	
Zweite woch vor cosst	—.42
3te woch aberm. vor cosst	1.12
4te und lesste woch mehrmal cosst.	—.48
Den Herr Straubinger Würth in d. Gasteyn für Zimmer wochentlich 1 fl. 30 kr. mithin bez.	6.—
Baadmaister verehrt	2.—
Sein Leut trinkg.	—.45
Messner aldort verehrt	—.36
Baad zum abschied 1 viertl Birr mit	—. 9

	fl.
Den 16. Juni mit Gott von der Gasteyn abgeraist und bis Salzburg fuhrl. geben	6.—
Auf der Lendt yber mittag verzehrt	—.20
Zu Bischoffshof ybernacht und verzehrt	—.20
Zu Golling mittags vz.	—.18
Den 18. May (recte Juni) nachts umb halbe 10 Uhr zu Salzburg ankommen, und bey dem Thor sperrgelt z.	—. 7½
Zu Salzburg bei obigen Hr. Öxl abermal einkehrt und vor 3 mahlzeiten und 2 nächt bezalt	2.30
Den 19. Juny von Salzburg abgeraist und zu Palling yber mittag verzehrt	—.20
Zu Altenmarkt ybernachtet und verzehrt	—.33
Den 20. zu Wasserburg yber mittag	—.28
Stainring unbillige mautt	—. 5
Ebersperg yber nacht verzehrt	—.58
Den 21. Juni zu München mit Gott ankommen, und dem fuhrmann von Salzburg bis hieher bezalt	8.32
Summa . . fl.	54.24½

Touristische Notizen.

Ober-Innthal.

Tschürgant 2366 m. Was für das Unter-Innthal (den Begriff im alten volksthümlichen Sinn auch auf das tirolische Gebiet der Kitzbühler Ache ausgedehnt) das immer noch viel zu wenig besuchte Kitzbühler Horn, das ist für das jetzt leichter zugängliche Ober-Innthal der Tschürgant nächst Imst, wenigstens was Aussicht und schöne Gruppirung des Panoramas anlangt; während aber der Gang auf das Kitzbühler Horn fast nur ein Spazierweg ist, bietet der Tschürgant nicht unerhebliche Beschwerden und für die Besteigung darf man bei gemächlichem Schritt 5 St. rechnen. Ein Führer (in Imst Jos. Ant. Schrott, Taxe 3 fl.) ist sehr rathsam, zumal um den kürzeren Abstieg neben der SW.-Kante zu finden. Auf Feldwegen von Imst zum Pigerbach gelangt, überschreitet man denselben bei der Papierfabrik und geht thalauf, dann auf schönem Waldweg rechts; dieser Weg wird aber verlassen und pfadlos durch Lärchenbestände einem Kreuz zugesteuert, wo man, schon nahe den Feldern von Karres, den von diesem Ort heraufziehenden Fahrweg erreicht; durch herrlichen Lärchenwald geht es nun an der W.-Seite sehr bequem zum Karreser Alpl (2 St., Galtalpe), ½ St. weiter rinnt eine dürftige Quelle, bei trockenem Wetter das letzte Wasser. In ca. 1 St. vom Alpl erreicht man auf nun weniger gutem Weg einen Graben, aus dem eine breite Graslehne zur Grathöhe hinaufzieht; über sie führt der Anstieg über 1 St. lang fast pfadlos und mühsam, bis man kurz unter dem Grat einen Schafsteig trifft, der vom Simmering herüber kommt (von diesem kann man — aber nicht an der W.-Seite — nach Dormiz und Nassereit absteigen, ein weiter Weg!). Am Grat trifft der Blick das Innthal und die wüsten, da hinabziehenden, von wild zerrissenen Seitenkämmen getrennten Kare. Den ersten felsigen Kopf des langen Tschürgantgrats, wohl Punkt 2183, mit dessen Besteigung sich Viele begnügen, hat man bereits links; bei hellem Wetter dürfte es sich lohnen, ihn zu besuchen, man wird dort besser ins Oetzthal selbst hinein und thalabwärts sehen als vom Gipfel; auf letzteren hat man noch fast 1 St.; an der W.-Seite der den Grat bildenden Felsköpfe führt ein schlechter Steig entlang, man kreuzt zuletzt einen unter Umständen mit Winterschnee erfüllten steilen Graben und hat, dann direct ansteigend, bald den höchsten Punkt erreicht. (Oben Signal von 1883.) Ueber die Aussicht nur Weniges; über der Centralkette lagen Haufenwolken, nur der Fernerkogel, der alte Freund, stand klar da in finsterer Majestät, den Schmuck des Neuschnees verschmähend, der an seinen dunklen Wänden nicht haftet, den Minderen unter den Gewaltigen aber zu erborgtem Ansehen verhilft; neben ihm ragt übermüthig der schief gestellte Schrankogel auf; erhaben thront über dem herrlichen Becken von Oetz der Acherkogel; von der centralen Oetzthaler Gruppe waren nur einzelne Gipfel zeitweilig frei, ebenso von der sich an den Venetberg anschliessenden Silvretta-Gruppe. Die Nordalpen beginnen mit dem ungeschlachten Klotz der Parseyerspitze und den mächtig entfalteten, gegen das Lechthal ziehenden Querketten; den Fernpass beherrscht die Wetterwand, an der Mieminger Kette entlang trifft der Blick die Karwendelketten in colossaler Entfaltung bis in die Gegend von Schwaz, wo am andern Innufer das Kellnerjoch den Beginn der Centralkette für uns markirt. Gross ist die Thalschau, das Innthal hinab bis gegen Zirl, hinauf bis gegen Landeck, das Gurglthal bis Nassereit, das Mieminger Mittelgebirge, der Eingang des Oetzthals mit den gewaltigen Moränenwällen, mit Oetz und dem hochgelegenen in Felsen gebetteten Bipurger See, das äusserste Pitzthal mit zierlichen Dörfchen bis zur finsteren Thalsperre der Klamm, das Pillerthal hinauf, bis fast zur Jochhöhe alles von Häuschen übersät. Uns fast zu Füssen kriecht die alte Poststrasse den Karreser Berg herauf, tief unten am Inn zieht der verwegene Bau der Ober-Innthaler Bahn; dröhnend durchfahren die Züge die Felseinschnitte, wie zierliches Kinderspiel erscheint die gewaltige Oetzbrücke, der Zug, der sie passirt, scheint in der Luft zu schweben.

Der nächste, aber als Anstieg der Steilheit und des Gerölls halber nicht zu empfehlende Weg nach Imst führt unter den zwei Felsköpfen durch, welche der rasch absinkende Grat aufwirft, dann gelangt man (rechts) bald an eine ca. 60 m hohe Wandstufe, an der man nur an einer Stelle gut hinabgelangt (zuerst rechts der Wand entlang, dann aber unerwartet scharf links über ein breites Felsband); nun folgt ein altes Knappenrevier und in einem der Knappenlöcher, 1 St. vom Gipfel, ein ca. 8—10' langes und 4' breites wohl mannstiefes Becken köstlichen Wassers; wenn die Schafe aufgetrieben sind, ist eine Rinne herausgeleitet. Auf heillosen Wegen erreicht man von hier bei raschem Abstieg in $^3/_4$ St. wieder das erwähnte Kreuz, in weiteren $^3/_4$ St. Imst. *T.*

Karwendel-Gruppe.

Schafkarspitze 2470 m, ca. 2500 m nach v. Barth.*) Erste Ersteigung nach H. v. Barth. Nach einem Bivouak, das ich mit Freund A. Zott aus Augsburg am Zwerchbach, $^1/_4$ St. thalein vom herzoglichen Pürschhaus, bezogen hatte, brachen wir früh 4 U. 10 auf und stiegen auf dem gut kenntlichen Jagdsteig aufwärts dem Thalhintergrund zu, in welchen drei Kare ausmünden: links die unzugängliche Schneepfanne, rechts das Lamskar, und in der Mitte das Schafkar, dessen latschenbewachsene steile Abdachung von unserem Standpunkt den Horizont abgrenzt und beiderseits durch Felsköpfe flankirt ist. Gegen die unterste Wandstufe dieser Abdachung windet sich unser Steig hinan, führt mit Drahtseil bequem über dieselbe hinauf und erreicht nach etwa 15 Min. den Fuss des (genannten) linkseitigen Felskopfs, mit welchem der Grat, welcher Schneepfanne und Schafkar trennt, seinen Abschluss findet. Längs dieses Grats zieht eine ausgewaschene Rinne aufwärts, an deren Gehänge wir ausserhalb der Latschen steil anstiegen. Die Rinne führt etwas Wasser, das in ungefähr 1700 m Höhe aus dem »Schafkarbrünnl« entspringt, für uns ein willkommener Haltpunkt (6 U. bis 6 U. 30). Noch einige Minuten verfolgten wir unsere bisherige Richtung, dann wendeten wir uns nach rechts zwischen Felsriegeln der erweiterten und mässiger geneigten Karabdachung hindurch und erreichten die nordöstliche innerste Schneemulde des Schafkars um 8 U. Vor uns hatten wir die plattigen Abstürze der Schafkarspitze und des zur Mitterspitze**) ziehenden Gehänges. Um 9 U. begann der Anstieg, den wir nach Passiren eines steilen Schneefeldes durch eine schneegefüllte Rinne nahmen, die sich unmittelbar rechts vom Massiv der Schafkarspitze hinaufzieht, bis uns eine mächtige halb losgerissene Platte in derselben nöthigte, nach links auszuweichen. Ueber einige sehr schlechte Platten gelangten wir auf das besser gangbare Geschröfe des oberen Gehänges und querten nun, da wir irrthümlich die Mitterspitze für höher hielten, die zahlreichen Rippen und Gräben bis zu einem ausgedehnten Schneefeld nach rechts, über welches wir ohne besondere Schwierigkeit 1 ½ U. die Mitterspitze erreichten. (Ich erwähne dies, weil hiedurch die Gangbarkeit der Südflanke zwischen Schafkar- und Lamsenspitze bewiesen ist.***) Wir hielten uns hier nur wenige Minuten auf und gingen sodann in 1 St. auf demselben Weg zurück, über die letzten spärlich mit Graspäckchen besetzten Schrofen zur richtigen Spitze. Dort fanden wir Barths Steinmann ohne weitere Notiz. Der Abstieg wurde bis zur innersten Karmulde auf gleichem Weg in 3 St. bewerkstelligt.

München. *Jos. Zametzer.*

---

*) Bezüglich der richtigen Nomenclatur verweise ich auf H. v. Barths Horizontalprofil der Vomperkette.

**) Mitterspitze nenne ich den zwischen Schafkar- und Lamsenspitze befindlichen Gipfel, von welchem der Mitterkarspitzgrat abzweigt.

***) H. v. Barth, aus den Nördlichen Kalkalpen, S. 334 Anm. und S. 353 mit Anm.

Berchtesgadener Gruppe.

Hochkalter. Dieser intereressante, auf den bisherigen Anstiegsrichtungen jedoch nicht ohne Schwierigkeit zugängliche Gipfel kann auf einem durch Jakob Gruber, Bergführer in Hintersee (bei Ramsau) ausfindig gemachten Wege verhältnissmässig leicht erstiegen werden. Man verfolgt von Hintersee zunächst die nach Hirschbichl führende Strasse und erreicht dann auf gut angelegtem Reitweg das in der Westflanke des Hochkaltermassivs sich öffnende bis auf den Gipfelgrat hinaufziehende Ofenthal. Nach Aufhören des Reitwegs, der bis an die öden Schuttfelder des oberen Thalabschnittes führt, betritt man die letzteren und steigt über die Geröllmassen hinan bis etwa $\frac{1}{2}$ St. unterhalb des Gipfelgrats. Nun wird links abgeschwenkt und in NO.-Richtung, zumeist über Geröll oder etwa Schnee, ohne jede nennenswerthe Schwierigkeit der Gipfel direct angestiegen. Zeitdauer von Hintersee 5—6 St. Dieselbe Tour ist schon mehrfach unter Führung des obengenannten ausgeführt worden, und kann Jedem einigermaassen Geübten empfohlen werden. Das Ofenthal, besonders die grossartige Wildniss seines oberen Abschnittes, ist an und für sich sehr besuchenswerth. Ein Rudel Gemsen, wie man ihn leicht in der Morgenfrische hier antreffen kann, erhöht, die Bergwand hinaneilend, mit seinen munteren Sprüngen den Reiz der Landschaft. Aus dem Gesagten dürfte hervorgehen, dass die vielfach verbreitete Meinung, weelch den Hochkalter als einen »schwierigen» Gipfel bezeichnet, bei Benutzung des geschilderten Anstieges nicht mehr als zutreffend gelten kann.

München. *Dr. H. Buchner.*

Hohe Tauern.

Kreuzkogel 2325 m, ***Flugkogel*** 2235 m und ***Leitenkogel*** 2432 m. Nachdem ich am Vortage dem Gamskarkogel 2465 m und dem Frauenkogel 2424 m einen Besuch abgestattet hatte, beschloss ich am 17. Juli 1878 das Stück des Kammes zu begehen, der sich in südöstlicher Richtung zwischen den Thälern von Kötschach und Gross-Arl erhebt. Ich verliess die Toferer-Alpe, wo ich genächtigt hatte, 5 U. Morgens. Der Weg führte zuerst über die steilen Grashänge des Arappkogels 2193 m hinan, dann betrat ich den Seitenast des Kamms, der vom Kreuzkogel sich ablösend, in der genannten Erhebung gipfelt. Der Kreuzkogel wurde ohne erhebliche Mühe in 2 St. nach Aufbruch von der Alpe erreicht. Die Wanderung fortsetzend, die nur wegen der wellenförmigen Beschaffenheit des Kamms sich etwas ermüdend gestaltete, gelangte ich in 1 St. auf den Flugkogel. Der Leitenkogel, mein letztes Ziel, präsentirt sich allseitig als schön geformte schlanke Pyramide, deren Felsbau sich kühn über die beiderseitigen Thalhänge erhebt. Er ist von dem vorerwähnten Gipfel ohne Schwierigkeiten in einer weiteren Stunde zu erreichen. — Die Aussicht von all diesen Gipfeln ist der vom Gamskarkogel wenigstens ebenbürtig. Den Glanzpunkt derselben bilden die Glockner-Gruppe, die Rauriser Berge, die Gruppe des Ankogels, die Massive des

Hochkönigs und des Steinernen Meeres, das Tennengebirge, die Dachstein-Gruppe etc. Besonders reizend und grossartig ist der Blick auf die anliegenden Thäler, namentlich auf die tiefeingerissene, wilde Erosionsfurche des Kötschachthals, mit dem auf hoher Terrasse eingebetteten Reedsee. — Den Abstieg bewerkstelligte ich in nordöstlicher Richtung zur nahen Petzach-Alpe, von wo ein guter Weg in 2 St. nach dem traurig vereinsamten Hüttenort Hüttschlag im Gross-Arlthal hinausführt. Ein anderer Abstieg kann in das Kötschachthal genommen werden. Dieser Weg ist jenen besonders zu empfehlen, die den Uebergang von dem Gross-Arlthal in das Gasteiner Thal, in Verbindung mit der eben beschriebenen, höchst genussreichen Kammwanderung auszuführen beabsichtigen.

Heukareck 2096 m und ***Sonnkogel*** ca. 2150 m. Ich begab mich, St. Johann i. P. am 31. Mai 1879 früh verlassend, auf dem gewöhnlichen Weg zur Liechtenstein-Klamm. Eine Brücke führt unterhalb der Klamm über die Gross-Arler Ache auf die jenseitigen Terrassen. Der Weg zieht in einen tief eingebetteten Graben hinein, der von den steilen Hängen des Heukarecks und Tennkogels überragt wird. Der Anstieg zur Tennalpe ist ziemlich steil, doch bei der guten Beschaffenheit des Steigs leicht zu überwinden. In 4 St. von St. Johann gelangte ich zu den oberen Alphütten, die damals noch tief im Schnee vergraben lagen. Der völlig ebene Alpboden wird im Hintergrund von den wild-grossartigen Abstürzen der Höllkarwände amphitheatralisch umschlossen. Die Alpe und ihre Umgebung gehört zu den schönsten des Bezirks. Ueber mässig steile Hänge und Schneelagen ansteigend, erreichte ich in 1 St. den Gipfel des Heukarecks. Die Aussicht ist, wenn auch nicht sehr umfassend, doch überaus lohnend. Die Tauernkette ist durch die vorstehenden Höllkarwände getheilt. Dafür imponiren die prächtigen Formen der letzteren durch ihre wilde Grossartigkeit. Besonders schön zeigen sich die gewaltigen Stöcke des Tennen- und Hagen-Gebirges und die Abstürze des Hochkönigs. Einen reizvollen Gegensatz bildet das zu Füssen liegende Salzachthal mit seinen zahlreichen Ortschaften und farbenbunten Culturen, sowie die schöne Terrasse von Goldegg mit ihren Schlössern und Seen. — Der unmittelbar vor den Höllkarwänden in einer schlank geformten Pyramide sich erhebende Sonnkogel wurde von mir über die breite Sattelmulde in $\frac{1}{2}$ St. erstiegen. — Den Abstieg bewerkstelligte ich über die steilen Nordhänge des Heukarecks und betrat in 2 St. wieder die Sohle des Salzachthals. — Ein anderer empfehlenswerther Abstieg wäre über die Niggl-Alpe in östlicher Richtung in das Gross-Arlthal ausführbar. Beim Rückweg nach St. Johann könnte die Liechtenstein-Klamm, die jetzt in ihrer ganzen Länge zugänglich gemacht worden ist, besichtigt werden.

Haseck 2118 m, ***Arlspitze*** 2209 m und ***Höllkarwände*** 2272 m. Die Besteigung dieser Gipfel, die wie die vorerwähnten dem Seitenkamm angehören, der sich von der Steinwandspitze 2876 m in NW.-Richtung vom Tauern-Hauptkamm ablöst, gehört in die Reihe der lohnendsten und schönsten Touren, die im mittleren Salzachthal ausführbar sind. Mit dem Eisenbahn-Zug in Lend am 24. Juni 1881 eintreffend, betrat ich nach Ueberschreitung der Brücke über die Gasteiner Ache den gegen den Klammberg führenden Steig. Derselbe berührt ein Gehöfte und quert in der Richtung der Isohypse eine östlich sich hinziehende Terrasse, bis er sich nach 1 St. steil ansteigend der Haseck-Alpe zuwendet. Schöner hochstämmiger Wald und grasreiche üppige Wiesenflächen wechseln ab. Nach 3 $\frac{1}{2}$ St. gelangte ich zur Alpenregion und kurz darauf auf die Haseck-Alpe. Die in einer Mulde gelegene Hütte ist erst zu erblicken, wenn man unmittelbar vor ihr steht. Hier traf ich einen noch rüstigen alten Senner, der bereits über 70 Jahre die Wirthschaft auf der Alpe besorgt. Südlich der Alpe erheben sich mehrere untergeordnete Kuppen, deren eine den Namen Säuleck trägt. Etwas mehr östlich liegt die schöne Kuppe des Hasecks, womit der westliche Seitenast des Kamms abbricht. In der hiedurch gegebenen muldenartigen Vertiefung sind die beiden Haseck-Seen, deren oberer (1950 m) noch theilweise mit einer Eiskruste bedeckt war, eingebettet. Ich stieg zunächst auf das Säuleck ca. 2150 m, $\frac{1}{2}$ St., und betrat dann über den Kamm fortschreitend in $\frac{3}{4}$ St. den breitmassigen Gipfel des Hasecks. Die Aussicht ist, wie bereits erwähnt, überaus mannigfaltig. Besonders prachtvoll präsentiren sich die Glockner-Gruppe, die Rauriser und Gasteiner Gebirge, der Ankogel und die Hochalmspitze, die Kette der Niederen Tauern, die Dachstein-Gruppe, das Tennen-Gebirge, die Berchtesgadener Alpen etc. Grossartig baut sich in der nächsten Umgebung, über das tiefe Becken der Oberhofer-Alpe, das Felsgerüst der Höllkarwände auf. (Das Haseck führt in der Gegend von St. Johann auch den Namen Pasérn oder Pasén.) — Auf die Kammtheilung zurückkehrend, wandte ich mich von dort der Arlspitze zu. Die Spitze trägt nach einer hier vorkommenden Sage auch den Namen »Schuhflicker«. Der Gipfel besteht aus zwei schlank geformten Felszinnen. An deren senkrecht abstürzenden N.-Wänden liegt ein kleiner, damals noch ganz zugefrorner See. Die Hauptspitze ist über den steil sich aufschwingenden W.-Grat mit einigen Schwierigkeiten zu erklettern. Die Aussicht ist noch etwas umfassender als auf dem Haseck. Reizend ist der Blick auf das zu Füssen liegende, üppig grüne Gasteiner Thal. Der Abstieg in das Gross-Arl- und Gasteiner Thal könnte von hier über das 1 $\frac{1}{2}$ km entfernte Arlthörl 1802 m auf guten Wegen ausgeführt werden. Die Arlspitze ist als Kammtheilungspunkt bemerkenswerth, der nördliche Ast zieht zu den Höllkarwänden und dem Heukareck, der nordwestliche zu dem Haseck. Der Abstieg über den N.-Grat gegen die Höllkarwände erfordert einige Achtsamkeit. Das Verfehlen der Stelle, die das Absteigen zur Sattelmulde ermöglicht, würde einen zeitraubenden Umweg nach rechts und erheblichen Höhenverlust zur Folge haben. Die Höllkarwände machen von hier (Süden), im Gegensatz zu ihren sonst wildprächtigen Formen, den Eindruck eines zahmen, grasbewachsenen Hanges. Ich erstieg dieselben in 1 $\frac{1}{4}$ St. nach dem Aufbruch von der Arlspitze. Wahrhaft grossartig ist von der schmalen Gratschneide der Wände der Blick in den unmittelbar sich öffnenden weitrachigen Abgrund. — Den Rückweg bewerkstelligte ich gegen die in einer schönen Hochmulde liegende Oberhofer-Alpe. Von dort führte mich ein guter Alpenweg in 3 St. wieder in das Salzachthal hinab.

Salzburg. *L. Purtscheller.*

Meteorologische Berichte aus den Ostalpen

Juli 1883.

Station	Luftdruck					Temperatur					Niederschlagmenge des Monats in Millimetern
	Mittel	Maximum		Minimum		Mittel	Maximum		Minimum		
	mm	mm	am	mm	am	0 C.	0 C.	am	0 C.	am	
Reichenau . . .	717·9	722·9	1.	714·7	14.	17·7	25 6	13.	12·2	24.	46
Salzburg	723·3	729·4	16.	716 0	14.	17·3	33·3	10.	7·9	30.	159
Traunstein . . .	711·8	717·0	17.	707·2	14.	16·8	33 6	13.	5·6	27.	198
Rosenheim .	—	—	—	—	—	17 ·	31·3	13.	5·2	27.	184
Hohenpeissenberg .	677·16	682 3	16.	673·1	14.	13·36	27·4	13	4·7	16.	202
Klagenfurt . . .	722 6	727·6	1.	716 6	15	19 7	32·1	14	7·3	17.	113
Toblach	663·0	665 9	1.	656·3	19.	13·0	25·0	10.	3·0	16.	146
Schmittenhöhe*) .	609·3	614.7	9.	605.0	19	12 3	25·0	12	—1·0	16.	9
Glocknerhaus**) .	—	—	—	—	—	7·0	17·4	13.	—1·2	16.	—
Hochobir	597·4	601 8	2.	593·2	18.	8·1	19 5	12.	—2·8	16.	231

*) 6 Tage mit Schnee. Ueber den Wettersturz am 14. Juli berichtet der Beobachter, Herr Hotelier Hubinger: 2 U. NM. 240 C. im Schatten; gegen 4 U. ziehen leichte weisse Nebelmassen von NW. heran. Temperatur 4 U. 120, 8 U. 90, 9 U 60; 7 U. Morgens 00 und Schneefall.

**) Die Beobachtungen. von Herrn A. Schmidt notirt, begannen erst mit 10. Juli.

Literatur und Kunst.

Frischauf, J., ein Ausflug auf den Monte Baldo. Mit 1 Panorama. Wien 1883.

Ders., **Gebirgsführer durch die österr. Alpen. Oestlicher Theil.** 3. gänzlich umgearbeitete Auflage. Wien 1883. Oesterr. Touristen-Club. Geb. fl. 1.80.

Ein Aquarell von Thomas Ender, welches die Rundschau vom Altissimo des Monte Baldo zum Gegenstand hat, gab Veranlassung zur Reise des Verfassers auf den berühmten und doch so wenig gekannten Berg, welcher das Ostufer des Gardasees so majestätisch beherrscht. Das Panorama wurde genau revidirt und umgezeichnet und liegt nun in einer sauberen Reproduction vor, an der vielleicht nur das allzukleine Format auszustellen wäre. Die Beschreibung des mehrtägigen Aufenthaltes des Verfassers auf dem Gebirge mit zweimaliger Besteigung des Altissimo gibt sowohl eine anschauliche Schilderung der Gegend, als die nöthigen Winke für den Reisenden, der den empfehlenswerthen Entschluss fassen wird, den Spuren des Verfassers zu folgen.

Das zweite Büchlein ist besonders den Reisenden des östlichsten und südöstlichsten Theiles der Alpen schon in den ersten Auflagen ein unentbehrlicher Begleiter geworden. In Folge seiner zahlreichen und eingehenden Reisen, sowie durch seine Sprachkenntnisse ist der Verfasser einer der genauesten Kenner dieser Gebiete. Ermangeln dieselben auch der grossen Gletscherlandschaften, so besitzen sie doch im reichsten Maasse die Schönheiten des Kalkgebirges und an den Südabhängen die besonderen Reize der südlichen Vegetation und der Nähe des Meeres. Die Vereinigung der alpinen Natur mit der des Mittelmeergebietes erzeugt eigenthümliche Naturschönheiten, welche von dem gewöhnlichen alpinen

Typus sehr weit abliegen. Wer ihnen nachstrebt, wird an Frischauf den competentesten Führer besitzen. *R.*

Jahrbuch des Schweizer Alpenclub. 18. Jahrgang 1882/83. Bern, Dalp. 11 M.

Der Mitte Juli erschienene stattliche Band bringt aus dem Clubgebiet (Westliche Berner Alpen) Nachträge zum Itinerar von E. v. Fellenberg, eine Studie zum Blatt Gemmi der Excursionskarte von Fr. Becker, Spaziergänge im Clubgebiet von K. Heumann, Skizzen aus dem Clubgebiet (Lötschthal, Beichgrat und Nesthorn, Hockenhorn, Kastlerhorn, Gizzifurka, von Schiess-Gemuseus, Wetterlücke und Märbegglücke von Montandon, Schilthorn von E. Wartmann, Hahnenschritthorn von A. v. Bonstetten und: zur Nomenclatur des Clubgebiets von Ferd. Vetter. — Unter den Freien Fahrten steht mit Recht eine brillant geschriebene Ersteigung der Dent Blanche von Frau Hermine Tauscher-Geduly voran; A. v. Steiger schildert den Uebergang über das Zinal-Rothhorn (vom Mountet nach Zermatt); es folgen: K. Schulz, Neue und alte Pfade in den Zermatter Bergen (Ober-Gabelhorn, Rofelpass und Neues Weissthor; Fillarkuppe und Altes Weissthor), H. Dübi, Ferientage im Saasthal (Auf der Sarazenenjagd, Feealp), Th. Reinhart, eine Reise auf den Aetna. — An Abhandlungen enthält der Band: Aus der Feder Rütimeyers den Bericht über die Arbeiten am Rhônegletscher in 1882. Diese neunte Campagne dauerte 79 Tage, vom 30. Juni bis 16. September; ein meteorologisches Tagebuch weist unter 64 Tagen 41 mit Niederschlägen auf, worunter 13 mit Schnee; das Maximum der Temperatur betrug + 15·4° C., das Minimum — 6·7°, trotzdem wurden 34 Tage zu Arbeiten im Freien verwendet. Von der schwarzen Steinreihe*) liegen nur mehr 3 Nummersteine auf Eis, von der grünen noch 9, von den gelben sind 12 in den Eissturz vorgerückt, in der rothen Reihe sind von 53 Steinen noch 29 sichtbar. Die Maximalbewegung betrug 120 m, an der Gletscherzunge sind in 376 Tagen 24.525 qm blosgelegt worden; die Tiefe der Spalten wurde bis auf 32 m constatirt, jene der Gletschermühlen bis 20 m. Die Aufnahme des Firngebiets in 1 : 25 000 ist nahezu, jene des obern Gletschers in 1 : 5000 ganz vollendet. — F. A. Forel, les variations périodique des glaciers des Alpes. Troisième rapport 1882 berichtet über die Veränderungen der Gletscher; auf Grund authentischer Berichte wird die Zunahme einiger Gletscher des Bagnes-Thals constatirt; auch ausseralpine Gletscher werden mit in den Bereich der Betrachtung gezogen. — Fr. v. Salis gibt ein Verzeichniss der Gletscher in Graubünden. — Albert Heim schildert in bekannter anregender Weise den grossartigen alten Bergsturz von Flims (Bündner Oberland), Fr. Becker jenen der Diablerets. — Weiter finden sich: Gross-Marcuard, der Jagdbann-Bezirk in Graubünden, G. Meyer von Knonau, die älteste schweizerische Landkarte (von Konrad Türst), Alfr. Ceresole, legendes des alpes Vaudoises, Krüger, die erste Hilfeleistung bei Unglücksfällen auf Bergtouren. — Schliesslich folgt eine Reihe kleinerer Mittheilungen, als Novum eine Rubrik »Neue Bergfahrten in den Schweizer Alpen, 1882«, Besprechungen, und endlich Chronik des S.-A.-C. — Der Band enthält 5 Beilagen in der Mappe, 13 kleinere Ansichten und Textholzschnitte im Buch. Die Excursionskarte konnte wegen Ungunst des Wetters 1882 nicht vollendet werden. *T.*

Studer, G., Ueber Eis und Schnee. Die höchsten Gipfel der Schweiz und die Geschichte ihrer Besteigung. Supplementband. Bern, Dalp.

Wohl den Meisten unerwartet bietet der Altmeister der schweizerischen Bergfreunde mit diesem Band eine willkommene Ergänzung seines classischen Werkes, welches der 1871 erschienene III. Band als abgeschlossen bezeichnet hat. Der Verfasser gibt eine Darstellung der seit dem Erscheinen der drei ersten Bände im Gebiet der Schweizer Alpen bis Ende 1882 ausgeführten wichtigeren Bergfahrten; nach der Vorrede konnte es sich dabei selbstverständlich

*) Siehe Forel, unsere Zeitschrift 1882, Seite 305.

auch nicht darum handeln, jede einzelne Hochtour namhaft zu machen, sondern nur solche mehr oder weniger einlässlich zu berühren, welche als neue montanistische Errungenschaften zu betrachten sind, oder durch die sie begleitenden Umstände ein besonderes Interesse gewähren. Wenn man das enorme Anwachsen der alpin-touristischen Literatur in den 12—15 Jahren, die seit Erscheinen der einzelnen Bände des Hauptwerks verstrichen sind, ins Auge fasst, so kann man dem Bienenfleiss, mit dem hier das registrirt ist, was zu wissen werth, nur seine volle Anerkennung entgegen bringen; dazu kommt dann aber noch das seltene Geschick, mit dem der Verfasser diese kurzen Schilderungen in lesbare, fesselnde Form gebracht hat, in einer Weise, wie man sie heute bei Schilderungen von Hochtouren nur sehr selten findet, kommt scharfe Beurtheilung controverser Punkte und ruhiges sicheres Urtheil in Dingen, die, wie der Fall Brantschen am Matterhorn, s. Z. zu einer erregten Polemik geführt haben. — Das Buch ist, wie seine drei vorangegangenen Bände, unentbehrlich für jeden, der in der Schweiz Hochtouren machen will, sofern sie nicht blos zur Verherrlichung des eigenen Ich dienen sollen; es darf aber als Lectüre an der Hand einer guten Karte auch solchen empfohlen werden, welche an Hochtouren überhaupt Interesse haben, ohne dass es ihnen noch vergönnt gewesen wäre, die hehren Gipfel der Bernina, des Berner Oberlands und des Wallis aus eigener Anschauung kennen zu lernen. Wir schliessen mit dem lebhaften Wunsch, dass auch in den Ostalpen wenigstens einzelne Gruppen eine ähnlich fleissige Bearbeitung finden mögen, so schwierig sich nach manchen Seiten hin ein solches Unterfangen auch gestalten dürfte. *T.*

W. H. Vormann, aus den Fremdenbüchern von Rigi-Kulm. Eine Sammlung der interessantesten Einzeichnungen. Bern 1883.

Wie schon der Titel besagt, bietet obiges Büchlein weniger topographische als vielmehr historische Daten über den besuchtesten aller alpinen Aussichtsberge. In einem kurzen Vorwort gibt Verf. als Quellen für seine Aufzeichnungen 16 numerirte Bände des Rigi-Kulm-Fremdenbuchs an, welche die Jahrgänge 1816 bis 1853, 1856 bis 1869 und 1872 bis 1881 umfassen, und deren manche der Vermittler, Herr Dr. Schreiber, nur mit Mühe den Fäusten der Rigiführer hatte entreissen können, welche dieselben als Pflanzenpressen äusserst praktisch verwendeten, während andere durch Autographensammler in der traurigsten Weise verstümmelt waren. Der erste Abschnitt handelt von der Geschichte der Kulmhäuser, während der zweite und die folgenden unter den Titeln »Stammbuchblätter«, »Schilderungen und Eindrücke«, »die Deutschen auf dem Rigikulm«, »die Schweizer auf dem Rigikulm«, »die Italiener auf dem Rigikulm« und »Vermischtes«, Auszüge aus den erwähnten Fremdenbüchern und zwar mit theilweise ziemlich weitläufiger Einflechtung von historisch-politischen Reminiscenzen enthalten. Hier dürfte nur der erste Abschnitt nähere Erwähnung finden.

Als vermuthlich älteste und die öftere Rigibesteigung wesentlich fördernde Niederlassung wird das 1688 von einem Arther Bürger in einem Hochthal des nördlichen Rigiabhangs, »im Sande« erbaute Kapuziner-Hospiz, das heutige »Klösterli« bezeichnet, wo bis gegen 1781 auch bereits 3 Wirthshäuser entstanden, deren eines aber wieder eingegangen zu sein scheint. Diesen beiden höchst primitiven Wirthshäusern »zum Ochsen« und »zum weissen Ross« gesellten sich dann Ende des 18. Jahrhunderts zwei neue zu, die »Krone« und »Sonne« und der Besitzer des ersteren, Joseph Marti Bürgi aus Arth, fasste 1814 den Entschluss, »e chlynes Hüüseli ufem Cholm obe z'buwen«. Noch im Frühling desselben Jahres begann er mit den entsprechenden Vorarbeiten und hatte so bis zum Sommer bereits den grössten Theil des Bauholzes auf den Kulm geschafft. Leider verhinderten nun aber Bürgis ungünstige pekuniäre Verhältnisse jede weitere selbständige Förderung des Unternehmens, und ist daher die endliche Durchführung des löblichen Projekts in nächster Linie nur dem Zusammenwirken mehrerer Alpenfreunde zu verdanken, vor Allem dem bekannten Züricher Kartographen und Künstler H. Keller, welcher die Züricher Bürger Dr. Ebel,

Conrad Escher, Präsident der Linthkorrektion, C. Escher zum Felsenhof und Hofrath Horner für das Unternehmen zu gewinnen wusste; man vereinigte sich zu einem Comité, welches mit Einladung zu Beiträgen begann, welche am 15. Juni 1815 in Zürich dem grossen Publikum unterbreitet wurde. Als Gründe für die Zweckmässigkeit des Kulm-Hausbaus werden in diesem interessanten Schriftstück u. A. angeführt: 1) Bei dem einstündigem Bergansteigen (vom Klösterli ab) erhitzt man sich bald und kömmt dann oben auf die allen Winden zugängliche Stelle, wo leicht Erkältung entsteht. 2) Der Thau durchnässt die Füsse so sehr, dass das veranstaltete Feuer sie nicht zu trocknen vermag. 3) Um den Aufgang der Sonne zu sehen, muss man sich mit einer Leuchte auf den Weg machen. — Dieser Aufruf war von gutem Erfolg, so dass der Bau bis zum Frühling 1816 unter Dach gebracht werden konnte. Das kleine einstöckige Gebäude, dessen keilförmiges Dach mit schweren Steinen bedeckt war, während drei winzige Fenster im Parterre und vier Fenster im ersten Stock die Front des Hauses zierten, war nun wohl in der Hauptsache fertig, doch fehlte noch die nöthige Einrichtung, und hier musste das Comité nochmals mit einem entsprechenden Aufruf eintreten, der auch dieses Mal ein unerwartet günstiges Resultat erzielte. So ward denn das Haus bis 4. August 1816 fertig gestellt und vom 6. ab dem allgemeinen Besuch übergeben. Durch eine am 1. August 1818 vom Comité im Kulmhaus deponirte »Zuschrift an die Reisenden« wurde an freiwilligen Beiträgen noch soviel aufgebracht, dass die nunmehr der Sorge und Oberaufsicht der Naturforschenden Gesellschaft in Zürich übergebene »Rigikulm-Anstalt« auch mit einem Blitzableiter und den nöthigsten meteorologischen Instrumenten konnte versehen werden. Der Kulmbesuch mehrte sich nun von Jahr zu Jahr, wesshalb das »Hotel« bald zu eng wurde, und es daher der strebsame Bürgi zu Ende der Zwanziger Jahre umbauen, bezw. vergrössern liess. Von 1847 auf 1848 wurde das alte Gasthaus ganz niedergerissen und an dessen Stelle das noch heute als Dépendance existirende Kulmhaus erbaut. Zu letzterem gesellte sich 1856 ein zweites, noch grösseres, welches sodann zugleich mit dem älteren Gebäude 1873 — also nach Eröffnung der Viznau-Rigibahn — von dem Sohn und Nachfolger Martin Bürgis an die Aktiengesellschaft »Regina montium« verkauft wurde. 1875 endlich erfolgte die Eröffnung des von Gebrüder Schreiber im grossartigen Palaststyl erbauten Hotels Schreiber, welches nach dem Bankerott der »Regina montium« 1879 durch Kauf in den Besitz der Gebrüder Schreiber überging. Wie schon aus diesem Auszug zu ersehen, bietet das vorliegende Büchlein in gefälliger Darstellung und Ausstattung, (4 Tafeln und 2 Holzschnitte im Text) Viel des Interessanten für jeden Bergfreund, und ist dasselbe insbesondere allen Rigibesuchern als bleibende Erinnerung zu empfehlen. *K.*

Ratti Carlo, da Torino a Lanzo e per le valli della Stura. Turin 1883. Ein Führer durch das Quellgebiet der Stura, eines Wildbachs, der dem Po zufliesst; es liegt nordwestlich von Turin und wird von den bekannten Bergen der Roccia Melone und La Levanna, thalwärts von dem mit Turin durch eine Eisenbahn verbundenen Städtchen Lanzo begrenzt. Eine äusserst ausführliche Besprechung, welche reiche geschichtliche und naturwissenschaftliche Daten liefert, Gebräuche, Dialect und Industrie des Volkes darstellt und das touristische Material erschöpfend bearbeitet. Beigegeben ist ein Excursions-Kärtchen und 33 meist mittelmässige Illustrationen, unter welchen sonderbarerweise manche ganz interesselose Bahnobjecte, wie Stationsgebäude und Wasserdurchlässe. *Cx.*

Touristisches.

Der öfter erwähnte **Wegweiser** auf der Gisela- und Salzkammergutbahn (Salzburg, Dieter, M. 1.20) ist in fünfter Auflage erschienen. — Für das Verkehrsgebiet zwischen Wien, München, Verona und Klagenfurt bietet **Kerber's Taschen - Fahrplan** (Ausgabe vom 1. August 1883, Salzburg, Kerber, 15 kr.)

eine übersichtliche Zusammenstellung der Eisenbahn- und Dampfschiff-Curse und Einschlägiges in practischer Zusammenstellung.

Kartographisches.

Im Nachgang zu unserm Bericht über neuere Kartenwerke in No. 6 machen wir die Alpenfreunde auf eine soeben veröffentlichte **Karte der Raxalpe und des Schneeberg** aufmerksam, welche im **Maasstab** 1 : 40 000 vom k. k. Militär-geographischen Institut bearbeitet wurde. Die technische Ausführung dieser Karte zeichnet sich durch Klarheit und Schönheit der im lichten Ton gehaltenen Schraffuren und durch gefällige Uebersichtlichkeit der topographischen Details vortheilhaft vor allen Karten aus, welche bislang über das interessante und vielbesuchte Berggebiet der Raxalpe und des Schneeberg erschienen sind. Der sonst geübte dunkle Braundruck für Waldbestand wurde durch einen glücklich gewählten, angenehmen grauen Ton ersetzt, welcher wesentlich zur Uebersichtlichkeit des Kartenbildes beiträgt. Dagegen lässt die Karte in Bezug auf Wegnetz und Namensbezeichnungen manches zu wünschen übrig und ziehen wir in dieser Beziehung die Freytag'sche Karte entschieden vor. Den Anforderungen derer, welche die beiden Wiener Lieblingsberge auf aussergewöhnlichen Wegen besteigen wollen, ist man durch Eintrag der „gefährlichen Steige" mit roth punktirten Linien nachgekommen. *)

München. *A. W.*

Periodische Literatur.

Oesterreichische Alpen-Zeitung. Nr. 118, 119. Eissler, aus den Raibler Bergen. — Herm. Tauscher-Geduly, drei Hochgipfel der Berner Alpen. I. Eiger.

Schweizer Alpen - Zeitung. Nr. 15, 16. Zöhrer, Sang und Tanz in Oesterreichs Alpen. — Fäsy, Sommerfahrt.

Tourist. Nr. 13, 14. Purtscheller, die Vordere Karlspitze im Kaisergebirge. — Makovsky, Ueber das Wandern der Steine. — Zöhnle, Monte Paganella, Bocca di Brenta, Adamello. — Zöhrer, offener Brief an die Tiroler.

Oesterreichische Touristen - Zeitung. Nr. 13, 14. Brunner, Bergbesteigungen in den Balkanländern. — Frischauf, Madonna della Corona. — May de Madiis, Streifzug nach Carnia und Cadore. — Lamberg, am Nockstein. — Berti, Eröffnung des Lambert-Steiges am Nockstein.

*) Vor Schluss der Nummer ist uns eine weitere Publication Freytags zugegangen: **Special - Touristenkarte der Nieder - Oesterreichisch-Steirischen Grenzgebirge:** Nr. 1 Hochschwab, Hochkohr. 1 : 50 000. Wien, Artaria, & Co., welches Blatt das Gebiet zwischen St. Ilgen, Eisenerz, dem Leopoldsteiner See, der Palfau und Weichselboden in gefälliger Darstellung gibt. Gleichwie in der oben erwähnten Karte des Militär-geographischen Instituts sind die (roth eingedruckten) Steige noch durch besondere Signaturen als »Fusssteige«, »Wegrouten« und »schwierige Felsensteige« classificirt. — Hier sei noch auf eine neue Ausgabe von **Bernhards** practischer **Routenkarte in das Bairische Hochland** (Selbstverlag, 80 Pf.) aufmerksam gemacht, welche in 1 : 250 000 das Gebiet zwischen München-Scharnitz und Schliersee-Füssen umfasst und Strassen und theilweise auch Wege nach Poststunden bezeichnet gibt. *T.*

Die Mittheilungen erscheinen jährlich in 10 Nummern zu 2 Bogen. Die Mitglieder des Vereins erhalten dieselben unentgeltlich. Für Nicht-Mitglieder ist der Preis des Jahrgangs im Buchhandel 4 Mark.

Inserate, welche an die Redaction zu senden sind, finden, soweit geeignet, Aufnahme und wird die durchlaufende Petitzeile oder deren Raum mit 25 kr Gold = 50 Pf. berechnet.

Druck von Anton Pustet in Salzburg.

MITTHEILUNGEN

DES

DEUTSCHEN UND OESTERREICHISCHEN ALPENVEREINS.

No. 9. SALZBURG, OCTOBER. 1883.

Vereinsnachrichten.

Circular Nr. 80 des Central-Ausschusses.

Salzburg, September 1883.

I.

Wir beehren uns hiemit über den Verlauf und die Beschlüsse der am 28. August zu Passau abgehaltenen General-Versammlung einen kurzen Bericht vorzulegen.

Dieselbe wurde in der Aula der k. Studienanstalt um 9 U. 30 durch den I. Vereinspräsidenten Professor Eduard Richter unter Anwesenheit von beiläufig 200 Mitgliedern eröffnet, welche 81 Sectionen mit 1042 Stimmen vertraten. Als Ehrengäste wurden begrüsst Herr Decan Heim, Mitglied des Schweizer Alpenclub und Herr Dr. Dietrich, Mitglied des Siebenbürgischen Karpathenvereins.

1. Der vom II. Schriftführer Dr. August Prinzinger verlesene Jahresbericht wird genehmigt. Auf Antrag des Herrn Dr. Petersen (Frankfurt) spricht die General-Versammlung allen jenen Personen, welche sich um die vom Verein ausgegangene Hilfsaction bei den Ueberschwemmungen in Tirol und Kärnten verdient gemacht haben, in feierlicher Weise den Dank und die Anerkennung des Vereins aus, vornehmlich also dem Hilfs- und Actions-Comité der vereinigten Südtiroler Sectionen in Bozen und hier besonders dessen Obmann Herrn Albert Wachtler, ferner dem früheren Central-Ausschuss in Wien, den Vorständen sämmtlicher im Inundationsgebiet gelegenen Sectionen, nämlich Ampezzo, Brixen, Bozen, Bruneck, Hochpusterthal, Iselthal, Meran, Taufers, dann Klagenfurt und Villach, schliesslich allen Spendern und jenen Personen, welche sich um das Einlaufen von Gaben bemüht haben. Die Herren Traunsteiner (Niederdorf), Moritsch (Villach), Dr. Heiss (Klagenfurt) danken im Namen der betroffenen Gebietstheile für die gewidmete Hilfe; Herr Oehm (Bozen) überreicht als Geschenk

der Section Bozen für das Archiv des Central-Ausschusses eine reich ausgestattete Cassette mit Photographien aus dem Ueberschwemmungsgebiet.

2. Der Cassier Herr F. Gugenbichler verliest den Rechenschaftsbericht für 1882, welcher mit 40 749 fl. bilancirt. Derselbe wird genehmigt.

3. An Stelle der Mitglieder des Central-Ausschusses, der Herren Anton Posselt-Csorich, welcher zum k. k. Bezirkscommissär in Bruneck, und Professor Eduard Sacher, welcher zum Director der Lehrerbildungs-Anstalt in Krems ernannt wurde und die daher aus dem Ausschuss scheiden mussten, wurden die Herren Professor Hanns Schmid und Oberbergrath Heinrich Prinzinger, beide als Beisitzer, in den Central-Ausschuss gewählt.

Zu Rechnungsrevisoren wurden gewählt: die Herren Friedrich Radauer und Franz Krieger, zu deren Stellvertretern: die Herren Heinrich Seibert und Richard Düringer, sämmtlich Kaufleute in Salzburg.

4. Der Antrag des C.-A.:

Zum Zweck der Veranstaltung einer neuen Mappirung der Berchtesgadener Gebirgsgruppe (zwischen Saale und Salzach), vorzunehmen durch Herrn Trigonometer A. Waltenberger in München, und zur Herausgabe einer Karte dieser Gruppe sei aus dem Vereinsvermögen für 1883 ein Betrag von 1400 fl. und für 1884 ein Betrag von 2000 fl. dem C.-A. zur Verfügung zu stellen,

wird nach einigen Bemerkungen und Aufklärungen einstimmig angenommen. Ebenso

5. Der Antrag des C.-A.: Es sei dem C.-A. zum Zweck der Beihilfe zur Aufforstung von Wäldern für das Jahr 1884 ein Betrag von 1000 fl. in Gold aus dem Vereinsvermögen zu bewilligen, und

6. Die General-Versammlung wolle beschliessen: Der C.-A. wird ermächtigt, zum Zweck der Unterstützung meteorologischer Beobachtungen aus dem Vereinsvermögen angemessene Beiträge zu verwenden.

7. Der Antrag Riemann und Genossen wird auf Antrag der Herren Professor Seuffert (Breslau) und Dr. Petersen (Frankfurt) in der Form angenommen:

Es werde dem C.-A. für die Gebirgs-Sectionen versuchsweise eine Summe bis zum Höchstbetrag von 200 fl. zur Verfügung gestellt, zum Zweck der Gewährung von Reiseentschädigungen an solche Personen, welche in den Wintermonaten in den Versammlungen dieser Sectionen Vorträge zu halten sich bereit finden lassen.

8. Der Antrag des C.-A.:

Der C.-A. wird ermächtigt, zur Errichtung weiterer Führerbibliotheken und zur besseren Ausstattung der bereits errichteten die Summe von 300 Mark zu verwenden,

wird einstimmig angenommen.

9. Der Voranschlag zur Vertheilung der Vereins-Einkünfte im Jahre 1884:

60 % für die Vereinspublicationen,
25% für Weg- und Hüttenbauten,
10% Regie,
5% Ausserordentliche Ausgaben,

bei welchem der letzte Titel als eine Neuerung gegenüber dem bisherigen »Reserve« erscheint, wird einstimmig genehmigt, nachdem der Herr Cassier die Aufklärung gegeben, dass die grosse Zahl der dem Verein in den letzten Jahren zugewachsenen Agenden wie Aufforstung, Meteorologie, Führerzeichen und Führerversicherung die Aufstellung eines neuen Voranschlag-Titels rechtfertige. Die nothwendige Reserve müsse jeder Titel für sich durch genaue Einhaltung eines niedrig gegriffenen Voranschlages aufbringen.

Zu diesem Punkt der Tagesordnung bringt Herr Dr. Barth v. Wehrenalp (Wien) zwei Resolutionen ein, welche nach längerer Debatte, an der sich besonders die Herren v. Adamek (Wien), Petersen (Frankfurt), Schuster (München) und Sendtner (München) betheiligen, mit Majorität angenommen werden. Dieselben lauten:

Der C.-A. wird aufgefordert, auf Grund sorgfältig zu pflegender Erhebungen in Erwägung zu ziehen, ob nicht vom 1. Januar 1885 an

a) an Stelle der Mittheilungen eine in vierzehntägigen Zwischenräumen erscheinende Zeitung zu setzen sei;
b) ob nicht die Vertheilung der Vereinsmittel dahin geändert werden sollte, dass von den Jahreseinnahmen 60 % für die Publicationen, **20** % für Weg- und Hüttenbauten, 10 % für Regie und **10** % für ausserordentliche Ausgaben gewidmet werden

und der nächstjährigen General - Versammlung entsprechende Anträge zu unterbreiten.

Ebenso wird ein Antrag des Herrn Sendtner (München) einstimmig angenommen, »der C.-A. wird ersucht, sich mit dem Verfasser der botanischen Abtheilung der Anleitung zu wissenschaftlichen Beobachtungen auf Alpenreisen ins Einvernehmen zu setzen, ob dem Atlas der Alpenpflanzen eine kurze Unterweisung in der botanischen Terminologie mit Abbildungen beigegeben werden könnte.«

10. Für Weg- und Hüttenbauten werden aus den Einnahmen von 1884 folgende Subventionen bewilligt:

Section	Gegenstand	Betrag
		M.
Algäu-Kempten	Erbauung einer Unterkunftshütte am Rappensee	800
Berchtesgaden	Wegverbesserung auf den Watzmann, Mitterkaser-Falzalpe-Watzmannanger	200
„	Wegverbesserung v. Trischübel n. Oberlahner	200
Schwarzer Grat	Wegbauten im Argentobel bei Riedholz . .	400
Tölz	Wegbau auf die Benedictenwand	300
Weilheim-Murnau	Wegverbesserungen von Eschenlohe zur Hütte an der Krottenkopfspitze	100
		fl.
Ampezzo	Vorarbeiten zum Hüttenbau auf der Tofana	300
Austria	Umbau der Rudolfs-Hütte	800
„	Wiederherstellung der Schwarzenberg-Hütte .	500
Bozen	Schlern-Haus, I. Rate	1200
Frankfurt	Ausbau des Gepatsch-Hauses und Wegverbesserung dahin	500
Gastein	Wegbau vom Nassfeld zum Schareck . .	200
Golling	Wegbauten auf das Hagengebirge u. Kl. Göll	120
Hochpusterthal	Wegbauten auf den Helm u. den Dürrenstein	150
Imst	Wegverbesserung zur Muttekopf-Hütte, Reparatur der Hütte selbst u. des Weges in die Schlucht beim Calvarienberg . . .	100
Innsbruck	Weg über das Bildstöckl-Joch	400
Kitzbühel	Wegbau vom Kitzbühler Horn zum Gaisstein	100
Kufstein	Wegbau über die Kopfkraxen zum Sonneck und Adaptirung der Hütte auf der Bärenbad-Alpe	300
Oberinnthal	Wegverlegung von der Gepatschbrücke zum Vereinshaus	100
Pinzgau	Unterkunftshaus am Steinernen Meer, I. Rate	800
Pongau	Wegbau von Filzmoos zum Gosausee . .	300
Salzburg	Untersberg-Haus (letzte Rate)	800
Villach	Wiederherstellung der Schutzhütte am Manhart	800
Vorarlberg	Haus am Vermunt-Gletscher. I. Rate . .	1500
Zillerthal	Wegbauten in Dornauberg	250
Hochw. Herr Curat Ing. Gärber	Wegbau Zwieselstein-Gurgl	100
Herren Grüner und Brucker	Wegbauten in Inner-Oetzthal	100
	Im Ganzen 2000 Mark und 9420 fl. Ö.W.	

Der Antrag der Section Pongau: Den Rechnungsabschluss über die Vorarbeiten zur Hochkönig-Hütte zu genehmigen und den Rest der im J. 1880 hiefür bewilligten Subvention mit dem Betrage von 147 fl. 09 kr. zum Wegbau Filzmoos-Gosausee zu verwenden, wird genehmigt.

Der Antrag der Section Lichtenfels: Es sei für Wegweisertafeln, Wegmarkirungen und Wegverbesserungen im Frankenwald eine Subvention von 120 Mark zu bewilligen, wird als statutenwidrig abgelehnt.

11. Die Einladung der Section Constanz, die General-Versammlung des Jahres 1884 in **Constanz** abzuhalten, wird einstimmig angenommen.

II.

Wir beehren uns mitzutheilen, dass die Direction der Kremsthalbahn (Linz — Micheldorf) auf Ansuchen der Section Linz sämmtlichen Mitgliedern unseres Vereins die Fahrpreisermässigung zugestanden hat, dass sie mit Billeten 3. Classe die 2. und mit halben Billeten 2. Classe die 3. Wagenclasse benützen können und zwar gegen Vorweisung der Mitgliedkarte mit Photographie ohne weitere Legitimation. Wir sprechen der genannten Direction hiemit unseren besten Dank für diese Begünstigung aus.

Der Central-Ausschuss
des Deutschen und Oesterreichischen Alpenvereins.
E. Richter,
I. Präsident.

Bericht über die Festlichkeiten und Ausflüge anlässlich der General-Versammlung* in *Passau. Es war dieses Jahr das erstemal, dass man von der statutenmässigen »Regel«, die General-Versammlung in einer Stadt des Alpengebiets zu veranstalten, abging. Man hatte aber diese »Unregelmässigkeit« wahrlich nicht zu bereuen. Nicht leicht ist irgend eine General-Versammlung besser besucht, vergnüglicher und unter grösserer Theilnahme der Bevölkerung verlaufen. Besonders der letzte Umstand erfreute alle fremden Gäste auf das lebhafteste und war überhaupt die eigentliche Signatur des Festes. Nicht blos erheischten die grossartigen Veranstaltungen, so insbesondere die Beleuchtung und das Fest im Rosenberger-Keller zu ihrem Gelingen die Mithilfe der ganzen Bevölkerung, da sie ohne diese überhaupt gar nicht durchführbar gewesen wären, sondern die Bürgerschaft nahm auch in einer wahren Feststimmung an den Unterhaltungen theil, so dass sich zwischen Einheimischen und Gästen bald das herzlichste Verhältniss bildete. Man fühlte, dass im schönen Bayerland nicht blos die Wiege unseres Vereins gestanden, sondern dass er dahier auch festen Grund und weiteste Ausbreitung gefunden hat. Der Abend des 26. August versammelte die zumeist schon eingetroffenen Gäste im festlich geschmückten Rosenberger-Keller, dessen originelle bildliche Decoration grosses Aufsehen und Heiterkeit erregte. Ein mächtiger Fries von 3 m Höhe, durch den ganzen sehr langen Saal hinlaufend, war mit einem köstlichen Bildercyclus geschmückt, welcher die Entstehung der Alpen »unter Mithilfe des Alpenvereins« darstellte; die erklärenden Verse von dem unermüdlichen Schöpfer des diesjährigen Festhumors, Herrn Amtsrichter Niederleuthner. Der Sectionsvorstand Herr v. Schmidt-Zabierow und Herr Straub begrüssten die Gäste auf das herzlichste im Namen der Section und der Stadt. — Am nächsten Morgen versammelten sich um 8 Uhr früh die Festgenossen auf der Donaubrücke und folgten der Führung Herrn v. Schmidts auf die Feste Oberhaus, wo der herrliche Blick auf die im leichten Morgennebel schwimmende Dreiflüssestadt erfreute, dann ging es hinab zur malerischen Ruine Hals, dann durch sehr willkommenen Waldesschatten im Ilzthal bis zum Durchbruch, einem Tunnel, durch welchen eine lange seichte Ilzserpentine für die Holzschwemmung abgekürzt wird, und dann durch Wald und Hügelland in den tiefschattigen Garten des Fuchsloch-Kellers, wo unter den mächtigen Bäumen die nöthige Erholung von dem warmen Morgenspaziergang gefunden wurde. Der Abend dieses Tages brachte das Hauptfest, wieder im Rosenberger-Keller. Es war ein complettes Volksfest. In den sehr ausgedehnten Garten- und Saalräumen drängte sich eine bunte Menge von costümirten und nichtcostümirten Fremden und Einheimischen. Hier producirte sich der Gesangverein Biedersinn von Rahmstrudelhausen, da winkte die Gruppe der Flösser, hier eine Alpenhütte mit Schmarrn und Enzian, die köstliche Gruppe der Schuhplattler, hier Kegelbahn und da der Schiessstand, dazwischen wurden Monumente enthüllt, Reden gehalten, an jeder freien Stelle getanzt — es war ein so lebhaftes und buntes Treiben, wie man es nicht leicht wieder finden wird. Wenn die liebenswürdigen Bewohner von Passau immer so guten Humors, so lebensvoll und munter sind als an diesem Abend, dann muss unter ihnen ein herrliches, sorgenbrechendes Leben sein!

Der nächste Tag gehörte bis gegen Abend den Geschäften. Um 4 Uhr erst versammelten sich die Festtheilnehmer im Redoutensaal zum üblichen Festmahl. Den ersten Toast brachte der I. Vereinspräsident dem Landesherrn Sr. Maj. dem König Ludwig II. von Bayern, den zweiten der II. Präsident auf die verbündeten Monarchen, die Kaiser Wilhelm I. und Franz Joseph I., deren segensvolles Bündniss jedes Jahr von neuem in unserem Kreise mit besonderem Jubel gefeiert wird. Hierauf hielt der Bürgermeister von Passau, Herr Stockbauer, eine sehr gehaltvolle Rede, welche besonders die gemeinnützige Wirksamkeit unseres Vereins hervorhob. Dann folgte Herr Dr. Barth v. Wehrenalp mit einem Toast auf die Stadt Passau, Herr Director Sendtner (München) auf die fremden Ehrengäste, nämlich die Herren Decan Heim vom Schweizer Alpenclub und Dr. Dietrich vom

Siebenbürgischen Karpathenverein, worauf beide antworteten, der erstere mit einer seiner meisterhaften oratorisch vollendeten Reden, worin er den Frieden und die Einigkeit der alpinen Körperschaften feierte, der letztere indem er von den treuen Sachsen des fernen Ostens freudigst aufgenommene Grüsse brachte. Nachdem Dr. Zepezzauer die Section Passau, Herr R. v. Guttenberg (Triest) die Damen gefeiert, folgte noch eine Reihe von Reden in Ernst und Scherz, bis die Aufhebung der Tafel wie immer erst diesen Aeusserungen der Feststimmung ein Ziel setzte. Der Abend wurde wieder in Gesellschaft eines ausserordentlich zahlreichen Publikums im Peschlkeller verbracht.

Der darauffolgende Morgen des 29. versammelte bei 400 Festtheilnehmer an Bord des Dampfers »Kronprinz Rudolf«, welcher unter Böllerschall und Zuruf um $1/2$ 8 Uhr Morgens sich langsam vom Donauquai löste, um leicht und rasch den stattlichen Strom hinabzugleiten. Das reizende Waldthal der Donau zwischen Passau und Linz glänzte abermals im feinem silbergrauen Duft des Morgennebels, durch den wolkenloser Himmel leuchtete, und die stattlichen Schlösser wie Rannariedel, Marsbach, Neuhaus präsentirten sich auf das schönste, ebenso die Ortschaften Obernzell, Engelhartszell u. s. w., welche Flaggenschmuck angethan hatten und das vorbeifahrende Schiff mit Tücherschwenken und Kanonenschüssen begrüssten. Die ruhige Fahrt in der angenehm bewegten kühlen Luft war manchem durch die Verhandlungen und Festlichkeiten abgespannten Gaste eine sehr willkommene Erholung und Erfrischung. Es war bereits $1/2$ 11 Uhr, als das Schiff unter gesteigertem Geschützdonner an dem Landungsplatz des Marktes Aschach anlegte, wo der Bürgermeister mit einer schwungvollen Rede die Landenden begrüsste. Obwohl die Zeit etwas kurz bemessen war und der dunstige Himmel wenig Fernsicht versprach, so erinnerte sich eine Schaar von Alpinisten doch ihrer Ehrenpflicht, Strapazen zu verachten und eilte in heissester Mittagsonne dem etwa 2 St. entfernten Maierhoferberg zu, während die Mehrzahl der Gäste es vorzog, im freundlichen fahnengeschmückten Aschach und dessen prächtigem Park zu verweilen. Schon um 2 Uhr ertönte wieder das Signal zur Abfahrt, da der sehr niedrige Wasserstand eine längere Bergfahrt in Aussicht stellte. Doch auch diese verlängerte Fahrt verstrich rasch und auf das angenehmste, indem der grössere Theil der Mitfahrenden erst jetzt das Mittagmahl nahm, ein anderer das Vorderdeck gar als Tanzboden benützte, wieder andere die Stille der Kajüten zu einem Schläfchen aufsuchten. Inzwischen war der Abend hereingebrochen und in voller Dunkelheit näherte sich das Schiff langsam seinem Ziele, während schon allerlei Gerüchte über eine besondere Ueberraschung sich verbreiteten. Und diese Ueberraschung sollte auch nicht ausbleiben. Wohl noch selten dürfte durch Beleuchtung einer Stadt und ihrer Umgebung ein zauberhafterer und grossartigerer Anblick hervorgebracht worden sein, als diesmal durch die Beleuchtung der Stadt Passau zu Ehren des D. u. Ö. A.-V. Das prächtige Wasserbecken, das durch die Vereinigung der drei Flüsse entsteht, von allen Seiten eingeschlossen von häuserbesetzten Hügeln, Schlössern u. s. w., ist auch eine Bühne für ein solches Schauspiel, wie es fast keine zweite gibt. Die tausende von Lichtern, die zahlreichen bengalischen Flammen, in denen Schlösser und Häusergruppen jetzt grell erglühten, dann wieder in das Dunkel zurücksanken, die glänzend beleuchteten Brücken, die zahlreichen Barken, dazu der tausendstimmige Jubel am Ufer und am Schiffe, Raketen und Kanonendonner: es war wirklich ein überwältigender Schlusseffekt, wie er grossartiger nicht mehr erfunden werden konnte, bis endlich das Schiff wieder am Quai anlegte.

Von weiteren Festpartien kam unseres Wissens nur die in den Bayerischen Wald zu Stande. Unter Führung der Herren Professor Mayenberg aus Hof und Bergmeister Stölzl von Bodenmais reisten 13 Festtheilnehmer am 30. August über Deggendorf in das Quellgebiet des Regen. Von der Bahnstation Ludwigsthal ausgehend, erreichten sie über Regenhütte gegen Abend das Bergwerk am Silberberg, dessen interessante grottenartige Hallen durch den Herrn Bergmeister brillant beleuchtet waren, und ein instruktives Bild des Betriebes darboten. Nach einem sehr heiteren Abend in Bodenmais setzte sich die Gesellschaft um 5 Uhr Morgens auf den Grossen Arber in Bewegung, der nach 3stündiger Wanderung erreicht wurde. Hier trennte man sich. Während ein Theil über den Grossen Arbersee nach der Bahn zurückkehrte, begab sich der andere nach Lohberg und Nachmittags über den Schwarzen See und Spitzberg nach Eisenstein, von wo die Heimfahrt angetreten wurde. Alle Theilnehmer waren von den schönen Waldlandschaften, der guten und billigen Verpflegung und besonders den überaus freundlichen Veranstaltungen des Herrn Bergmeister Stölzl sehr befriedigt.

Ehrengeschenk. Die Section Bozen hat dem Archiv des Central-Ausschusses zum dauernden Andenken an die vom Verein dem Land Tirol geleistete Hilfe in der Ueberschwemmungsnoth ein sehr schönes Geschenk gemacht. In einer mit rothem Seidenstoff ausgefütterten Holzcassette, auf deren Deckel der Tiroler Adler und das Zeichen unseres Vereins sehr geschmackvoll geschnitzt erscheinen, liegt ein Widmungsblatt und 28 Cartons mit je zwei Photographien aus dem Ueberschwemmungsgebiet; Aufnahmen, welche in wahrhaft erschütternder Weise die Grösse des damaligen Unheils verkünden. Eingestürzte Häuser, weggerissene Strassen und Eisenbahnobjecte sind noch nicht das ärgste, fast noch schlimmer erscheinen die stundenweiten Flächen der Stauwässer von Sigmundskron oder Leifers, die colossalen Holzbarrikaden, welche mitten in den herrlichsten Wein- und Obstgärten vom Wildwasser angehäuft worden sind u. dgl. Wenn die Ehre der Vereinsleitung noch so oft in der Reihe unserer Sectionen gewechselt haben wird, so wird dieses schöne Geschenk stets eine Erinnerung und Mahnung an die Nachfolger sein, dass ein grosses Unglück sowohl in dem Wiener Central-Ausschuss von 1882 als in den Vorständen der Tiroler Sectionen, und besonders der Section Bozen, eine Thatkraft und Entschlossenheit und in den Vereinsmitgliedern eine Opferwilligkeit geweckt hat, welche für den festen Zusammenhalt und die Leistungsfähigkeit des Vereins das glänzendste Zeugniss ablegten.

Berichte der Sectionen.

Das Hilfs- und Actions-Comité der vereinigten Südtiroler Sectionen veröffentlicht einen Schlussbericht über seine erfolgreiche Thätigkeit und zwar über die Hilfsaction selbst sowohl als über die Cassegebahrung, letztere mit detailirten Cassenausweisen. Der 82 Seiten starke Bericht wurde unter die Theilnehmer der General-Versammlung in Passau vertheilt und steht ausserdem unseres Wissens den Vereinsgenossen auf Verlangen von der Section Bozen zu Diensten. Wir begnügen uns also damit, an dieser Stelle die Endresultate des Cassenausweises zu verzeichnen.

Nach diesem erhielt das Hilfs-Comité folgende Geldbeträge:

An die Section Bozen als Vorort:		
Vom Central-Ausschuss	fl. 74 513.42	
Von Sectionen	6 958.08	
Von ausserhalb Vereinskreisen . .	27 739.22	fl.
Desgleichen mit speciellen Weisungen	2 798.23	112 008.95
Directe Sendungen an die vereinigten Sectionen:		
Vom Central-Ausschuss	fl. 4 000.—	
Von der Section München . . .	900.—	4 900.—
Eigene Sammlung der vereinigten Sectionen		3 493.48
Directe Sendungen des Central-Ausschusses: nach verschiedenen Inundationsgebieten Deutsch-Tirols	fl. 4 293.73	
an die Società degli Alpinisti Tridentini	7 300.—	11 593.73
Directe Sendungen der Sectionen Innsbruck, Zillerthal und Pinzgau nach verschiedenen Inundationsgebieten		240.18
		fl. 132 236.34

Der Bericht enthält eine genaue Zusammenstellung über Art und Weise der unter strenger Berücksichtigung der besonderen Widmungen erfolgten Vertheilung dieser Gelder.

Austria. Die Monats-Versammlungen der Section finden wie bisher am letzten Mittwoch jeden Monats im grünen Saal der k. k. Akademie der Wissenschaften statt. Nach den Monats-Versammlungen und an allen anderen Mittwochen finden Wochen-Versammlungen im Hôtel »Goldenes Kreuz« VI. Mariahilferstrasse Nr. 99 statt, bei welchen touristische Vorträge gehalten und Vereinsangelegenheiten besprochen werden. In diesem neu festgestellten Versammlungslocal finden auch die geselligen Abende der Section statt. Ein ausführliches Programm sämmtlicher Versammlungen wird Anfang October ausgegeben und versendet werden.

Ueber die im Auftrag der Section Berlin am ***Schwarzensteingletscher gemachten Vermessungen*** ist dem C.-A. folgender Bericht zugekommen: Ein bestimmt umgrenzter Plan war dem Unterzeichneten Seitens der Section nicht mitgegeben worden; es wurde die heurige Unternehmung vielmehr als eine Recognoscirung angesehen, um auf den Bericht hin einen festen Plan aufzustellen. Ich hatte mich jedoch so eingerichtet, dass ich unter geeigneten Umständen sofort weitergehende Untersuchungen hätte anstellen können. Ich war vom 21.—31. Juli auf der Berliner Hütte, hatte aber in dieser Zeit mit Regen, Schnee und Nebel dermaassen zu kämpfen, dass ich nur einige wenige Markirungen machen konnte, um später über den Grad des Gletscherrückgangs ein Urtheil gewinnen zu können. Es wurden die Linien nivellirt und an feste im anstehenden Fels eingehauene Marken beiderseits angeschlossen. Eine Bestimmung der gegenseitigen Lage der drei Linien ist durch das am Schluss der obengenannten Zeit mit frischer Kraft einsetzende Regenwetter verhindert worden. Alle drei Linien sind nahezu senkrecht zur Längsachse der Gletscherzunge. Die unterste läuft über das Schuttfeld unterhalb des Gletschers und wurde zugleich dazu benutzt, die Horizontalprojection des Zungenendes mittels Ordinaten zu fixiren. Hierbei ergab sich die Form desselben, abweichend von den Aufnahmen der k. k. Mappirung, als eine ziemlich länglich zugespitzte, sozusagen schwindsüchtige. Eigentliche Resultate sind bei der geringen Ausdehnung der Messungen nicht gut möglich, die damit verbundene Recognoscirung wird aber gestatten, für das nächstemal einen bestimmten Plan für die Untersuchungen aufzustellen, über den wir dem C.-A. rechtzeitig Mittheilung machen werden, um im vollen Einvernehmen mit demselben weiterarbeiten zu können.

Berlin. *Dr. W. Biermann.*

Meran. Die Section hat bis jetzt folgende Wegbezeichnungen angebracht: 1. Von Mitterbad auf den Laugen in rother Farbe; 2. von Schwend über Videgg auf die Taller-Alpe zur Hirzer-Hütte in rother Farbe; 3. von Forst und von der Töll über Quadrat zum Egger in rother Farbe; 4. von der Töll über Quadrat auf directem Weg zum Jocher (St. Vigili-Joch) in weisser Farbe; 5. vom Schönnaer Fahrweg oberhalb Goien über Gsteier, Saiser-Alpe, Wiesenstein nach Aberstückl in blauer Farbe; Abzweigung von Wiesenstein zum Kratzberger See nach Aberstückl in weisser Farbe; 6. vom Haflinger Fahrweg oberhalb Rametz über Hafling, Maiser-Alpe, Aumer-Joch nach Sarnthein in blauer Farbe.

Nachrichten von anderen Vereinen.

Alpine Club. In Heft 81 des Alpine Journal finden wir wieder drei Aufsätze touristischen Inhalts, welche von der Unermüdlichkeit der Mitglieder des A. C. im Aufsuchen schwieriger Besteigungen Zeugniss ablegen. Herr E. Hultun beschreibt seine in Gemeinschaft mit den Herren C. und L. Pilkington ohne Führer ausgeführte Besteigung des Monte della Disgrazia auf neuem Weg. Dem Aufsatz ist eine Illustration beigegeben, welche die eingeschlagene Richtung und ihre Abweichung von der Route der Herren Pratt-Barlon und Still veranschaulicht. — Herr C. D. Cunningham liefert eine anziehende Beschreibung der Hochalpenthäler Chamonix und Zermatt im Winter und beschreibt seinen Versuch einer Mont Blanc-Besteigung am 19. Januar 1882. Da man jedoch der schwierigen Eisverhältnisse wegen bis zu den Grand Mulets 13 St. benöthigte und die Firnregionen wenig einladend aussahen, beschloss man die Besteigung für dieses Mal aufzugeben. Am 23. Januar wurde eine Umwanderung des Mont Blanc in Begleitung der Führer L. S. und A. Bossoney und E. Cupelin unternommen. Der Col de Bonhomme, der Kleine St. Bernhard und der Col du Géant wurden bei ausgezeichneten Schneeverhältnissen und prachtvollem Wetter überschritten und am 27. langte die Gesellschaft im Hôtel Montanvert an. Da das günstige Wetter anhielt, so beschloss Herr Cunningham den Mont Blanc zum zweiten Mal zu versuchen, welcher Versuch von ausgezeichnetem Erfolg gekrönt war. Nur vom Corridor bis zur Spitze hatte man von intensiver Kälte zu leiden. Das Panorama war unbeschreiblich schön. In der vollständig klaren Winterluft zeichneten sich selbst die entferntesten Spitzen scharf ab. Am 31. wurde dann noch in grösserer Gesellschaft der Mont Buet bestiegen, dann wanderte Herr Cunningham über Tête noir, Martigny und Brieg nach Zermatt, um über den Theodulpass, den Grossen St. Bernhard und den Col du Tour nach Chamonix zurückzukehren. — Herr Percy W. Thomas gibt eine Beschreibung seiner mit den Führern Joseph Imboden und J. M. Lochmatter ausgeführten Besteigung der Aiguille de Chardonnet; seit 1865 war diese Besteigung nicht mehr ausgeführt worden. — Herr Douglas W. Freshfield führt in einer wissenschaftlichen Abhandlung den Nachweis, dass Hannibals Uebergang über die Alpen über den Col de l'Argentière, also keinenfalls über den Kleinen St. Bernhard oder wie Andere meinen, über den Mont Genèvre, stattgefunden hat. Die Arbeit zeugt von genauem Studium der betreffenden Literatur und von durch eigene Anschauung gewonnener Ortskenntniss und verdient die vollste Beachtung der Historiker. — Von kleineren Notizen erwähnen wir die Nachricht, dass Herr W. W. Graham augenblicklich Besteigungen im Himalaja unternimmt und bereits in der Singalilah-Kette Höhen von 18 000 Fuss erreicht hat. — Herr T. S. Kennedy rüstet sich zu einer Reise nach den Hochgebirgen Asiens. Man darf also interessante Berichte dieses gewiegten Bergsteigers demnächst erwarten. — Das Alpine Journal widmet ferner seinem verstorbenen Mitglied Herrn W. Spottiswoode einen warmen Nachruf. — Am 6. Juni fand das jährliche Sommerdiner des Clubs unter Betheiligung von ca. 30 Mitgliedern statt, an welches sich eine gemeinsame Fahrt auf der Themse schloss.

C. W. P.

Club alpin Français. Das jüngst erschienene Jahrbuch dieses Vereins für 1882 bildet einen stattlichen Band von 724 Seiten mit zahlreichen Holzschnitten, einer Karte und einem Mitgliederverzeichniss von 160 Seiten. Am 15. Juni 1883 zählte der Club 4668 Mitglieder in 38 Sectionen und Soussectionen. Aus dem reichen Inhalt des die Besteigungen und Touren behandelnden 512 S. umfassenden Abschnitts heben wir hervor: den Aufsatz von Felix Perrin über die Barre des Écrins; derselbe schildert die Besteigung des Pic Coolidge 3800 m und der Barre des Écrins 4103 m, des höchsten Gipfel des Massivs des Pelvoux und der Alpen des Dauphiné überhaupt, gibt eine Topographie dieses Gebirgsstocks und eine Geschichte der Besteigungen letzteren Gipfels; zwei Ansichten veranschaulichen die Schönheit dieses Theils der Alpen, ein Kärtchen und ein Tableau über sämmtliche 130 Spitzen, deren mittlere Höhe 3290 m beträgt, bezeichnet die Lage der einzelnen Berge. — George Leser beschreibt unter dem Titel »durch die französischen Alpen« seine Touren in derselben Gebirgsgruppe; wir lesen die interessanten Schilderungen der Besteigung der Aiguille du Bec du Canard 3275 m, der Barre des Écrins 4103 m, des Col du Clot des Cavales 3128 m, des Bec de l'homme 3457 m, des Pic des Agneaux 3660 m (erste Besteigung), dessen Ansicht ein schöner Holzschnitt zeigt, und des Grand Pic de la Meije; sohin folgt ein Aufsatz von Claude Verne über die erste Besteigung der Grande-Lance d'Allemont 2844 m in der Kette der Belledonne, mit zwei Ansichten dieser Spitze. — Unter dem Titel »zehn Tage im Dauphiné und in Oisans« erzählt uns Ch. du Boys von den Ersteigungen des Puy-Gris 2940 m im Massiv von Allvard, der Breche de la Meije 3369 m und des Südgipfels der Grandes-Rousses 3475 m (erste Besteigung von der Ostseite aus). — François Arnollet gibt die Beschreibung einer ganzen Reihe von Hochtouren in der Tarentaise und Alfred Revel die eines neuerlichen Versuches der Besteigung der Aiguille du Fruit 3056 m in demselben Gebiet. Lernen wir auf diese Weise das eigentliche Herz der französischen Alpen kennen, so freuen wir uns nunmehr auch einer getreuen und begeisterten Schilderung eines der schönsten Theile unserer Alpen zu begegnen, wie sie E. Scherbeck, der Vertreter des C. A. F. auf dem alpinen Congress zu Salzburg, durch Beschreibung seiner Touren auf den Untersberg, Schafberg und Semmering, E. A. Martel durch die seiner Besteigungen des Venediger, Grossglockner und des Dachsteins gibt; wohlgelungene Abbildungen beider letzterer Spitzen zieren diesen Aufsatz, welcher von dem eingehendsten Studium nicht nur der bestiegenen Berge, sondern auch der sonstigen Verhältnisse zeigt. — Nun verlässt das Jahrbuch das Gebiet der Alpen und führt uns in sieben Aufsätzen Hochtouren in den Pyrenäen, Ausflüge auf Corsica, in den Sevennen und in Spanien vor, welche eine Fülle des Lesenswerthen enthalten. — Die drei nun folgenden Artikel: Geologisches Itinerarium von Sixt nach Chamonix über den Col d'Anterne von Alexandre Vezian, der Pic de Tenneverge von Alfred Wills und Touren um Sixt und Chamonix von Paul Perret versetzen uns wieder in das Hochgebiet der Alpen. Der erstere gibt mit der Beschreibung der Tour eine Zusammenstellung dessen, was über die Geologie der Gruppe, über neue und alte Gletscher bekannt ist, der zweite eine Schilderung der verschiedenen Routen auf genannten Gipfel, mit einer Ansicht von Sixt mit diesem prächtigen Berge im Hintergrund, der dritte beschreibt die Besteigung des Mont Ruan 3078 m, des Pic de Tenneverge

2988 m, der Grande Aiguille des Petits-Charmoz 2920 m, des Mont Mallet 3988 m, des Pic du Tacul 3438 m. Den Schluss dieses Abschnitts bildet der Bericht über das Jahresfest 1881 am Mont Doré in der Auvergne. Wir können die Besprechung dieser so reich ausgestatteten touristischen Artikel nur mit dem Bedauern darüber schliessen, dass der Raum ein näheres Eingehen verbietet. — Der zweite, 175 S. umfassende, Wissenschaft und Kunst überschriebene Theil des Jahrbuchs beginnt mit dem Aufsatz des Präsidenten des C. A. F., M. Daubrée, »Experimentale Studien, um die Umänderungen und Brüche der Erdrinde zu erklären«. Mittels eines sinnreich construirten Apparats zeigt der Verfasser durch Anwendung von verticalem und horizontalem Druck auf Platten verschiedener Dichte die Bildung der in der Natur vorkommenden Gestaltung der Gesteinschichten. — Das in letzterer Zeit viel ventilirte Thema des Ursprungs der Ueberschwemmungen bespricht E. Cardot. Der Verfasser findet denselben im Sammelbecken der Wildbäche und empfiehlt als Gegenmittel Aufforstung und Berasung, sowie Regelung der Viehweide; er erwähnt, dass das Gesetz vom 4. April 1882 der französischen Regierung das Recht zur Expropriation der zu ersteren Zwecken benöthigten Grundflächen einräumt und die Gemeinden zur Regelung der Weideverhältnisse verpflichtet. — Damit steht im Zusammenhang der folgende Artikel, in welchem Baron A. de Saint-Saud die Arbeiten beschreibt, welche die französische Forstverwaltung zur Aufforstung und Verbauung der Wildbäche im Thal des Wildbachs Bastan bei Barèges im Departement der Hautes-Pyrénées wie in vielen andern Thälern Frankreichs unternimmt. Zwei Abbildungen machen uns die Grossartigkeit dieser Unternehmung anschaulich. — A. Degrange-Touzin berichtet über den rapiden und constanten Rückgang der Pyrenäischen Gletscher, insbesondere der grössten derselben, nämlich der der Monts Maudits und der Gegend von Pau. — An der Hand der im Archiv des Bisthums Grenôble aufgefundenen Urkunden schildert H. Ferrand nach einer geschichtlichen Einleitung den Sturz des Berges Granier im Thal von Graisivaudan, welche grossartige Katastrophe im Jahre 1248 die Stadt Saint André und vier Pfarrorte, dann sechzehn Weiler gänzlich verschüttete und wobei 5000 Menschen ums Leben kamen; an dieser Stelle findet man heute nur die Abymes de Myans, eine wüste, mit Felsblöcken und kleinen Seen bedeckte Strecke; der Verfasser zeigt weiter, wie Geschichte und Legende sich über dieses Unglück verwebten und stellt Vergleiche mit neueren Bergstürzen an. — Das Gutachten des Obersten C. M. Goulier über die der gegenwärtigen Publication beigeschlossene treffliche Karte der Centralpyrenäen von Fr. Schrader, eine Note über diese Karte von letzterem selbst, eine Anweisung über die Art der besten Faltung der Karten und eine solche über das Lesen und Ergänzen derselben, beide von C. M. Goulier, dann eine Zusammenstellung barometrischer Höhenbestimmungen, endlich eine Abhandlung über die Etymologie der mehrmals genannten Barre des Écrins von F. Perrin schliessen diesen nicht minder anregenden Abschnitt des Jahrbuchs. Unter der Ueberschrift »Miscellen« begegnen uns noch die Aufsätze: eine Woche in Hochsavoyen, eine Tour in Sicilien und eine Notiz über den Gott der Touristen in Japan sammt einer Abbildung desselben. *Z.*

Club alpino Italiano. Rivista alpina italiana No. 7. Das Clubabzeichen erhielt eine geänderte Form; künftig erscheint der Adler mit dem Stern Italiens in Silber auf einem Schild von oxidirtem Metall. — Ausser einer eingehenden Beschreibung der Ausstellung des Schweizer Alpenclub in Zürich und Berichten über mehrere Bergfahrten enthält das Heft die Beschlüsse der Centraldirection in Turin vom 24. Juni. Der C. A. I. zählte damals 3571 Mitglieder in 32 Sectionen; seine Bilanz für 1882*) weist eine Einnahme von 32 081, eine Ausgabe von 25 404 Lire aus; unter letzteren erscheinen L. 7183.— für das Jahrbuch, L. 5293.— für die (monatliche) Rivista alpina, dann L. 2034.— für Postspesen. Als Unterstützung alpiner Arbeiten und Ankauf diesbezüglicher Werke wurden L. 518.—, an Beihilfen für Sectionen L. 1254.— ausgegeben. Unter diesen Ausgaben erscheinen Beiträge an die Società degli Alpinisti Tridentini für eine Hütte am Cevedale; den Sectionen Florenz des C. A. I. für eine solche nebst Observatorium am Monte Falterona; Aosta, Brescia und dell'Enza für alpine Bauten; Varallo, Bologna und Mailand für Karten. Der verfügbare Cassenrest, welcher Anfang 1882 nur 44 Lire betragen hatte, hob sich im Laufe jenes Jahres auf L. 5232.—. *Cz.*

Ueber die Betheiligung des ***Schweizer Alpenclub*** an der Schweizerischen Landesausstellung in Zürich schreibt Hans Blum in der Allg. Ztg., nachdem er eine kurze Geschichte des S. A. C. vorangeschickt: Der Gesammtverein (das Centralcomité) ist in Zürich vertreten durch ein kleines alpenclubistisches Museum, welches die Werke des Alpenclubs deutlich vor Augen führt: eine Reihe von Excursionskarten, Abbildungen und Modelle von Clubhütten, alle Jahrbücher und die gesammte Literatur des Schweizerischen und der ausländischen Alpenclubs, endlich die bisherigen Resultate der Rhonegletscher-Vermessung in Bild und Wort. Besonders lebendig tritt der Antheil der Zweigvereine an der gemeinsamen Arbeit durch die Ausstellungsbeiträge der einzelnen Sectionen zu Tage. Karten, Reliefs, Panoramen, Photographien, Zeichnungen, Porträts von Vorkämpfern des Alpenclubs und der hervorragendsten Führer, mineralogische, geologische, botanische und zoologische Sammlungen, industrielle und wissenschaftliche Ausrüstungsgegenstände — alles das und vieles Andere ist von den einzelnen Sectionen liebevoll und sorgsam ausgewählt und ausgestellt. Die Preisjury hatte am 25. August ihr Urtheil zu sprechen über die vorzüglichsten Leistungen auf allen Gebieten der Ausstellung, so dass diese Zeilen nur das Urtheil individueller Meinung für sich in Anspruch nehmen. In diesem Sinne sind hier als besonders schön und ansprechend zu nennen: die Steinsammlung der Section Berner Oberland (Blümlisalp), die freilich bei weitem in Schatten gestellt wird durch die herrliche Mine-

*) Aus No. 7 in detailirterer Angabe wiederholt.

raliensammlung, welche die Mineralverwaltung des Kantons Wallis ausgelegt hat; die ausgezeichneten Panoramen vom Rigi-Kulm und Pilatus (von Imfeld), dessgleichen die prächtige Pflanzensammlung vom Rigi und Pilatus, die wir der Section Pilatus verdanken; die Modelle der Clubhütten verschiedener Sectionen (Monte Rosa, Tödi), besonders der Schwarzeck-Hütte (Section Bern); die Rundsicht vom Bachtel (Section Bachtel); dann die alten Bilder von Goldau aus dem Anfang des Jahrhunderts, die den unglücklichen Ort vor und nach dem Bergsturz zeigen (Section Rossberg), und die mehrfachen Abbildungen des Bergsturzes von Elm (Section Tödi), die eine nicht minder unheilvolle Katastrophe unserer Tage darstellen. Auch eine sehr grosse Zahl einzelner Mitglieder und Freunde des Alpenclubs hat sich an dessen Ausstellung betheiligt. Auch wo industrielle Privatinteressen bei den Ausstellern mitgewirkt haben mögen, wie bei Ammann in Winterthur, der eine Sammlung trefflicher Bergschuhe ausstellt, wie bei Isenring in Genf, Grünenwald in Zürich u. A., die praktische, leichte und doch dichte Plaids und Mäntel für Alpenwanderer bieten, und wie bei den Alpenhütten-Apotheken der internationalen Verbandstoff-Fabrik in Schaffhausen, tritt doch jede Reclame und vollends alle Uebertheuerung — wie die äusserst mässigen Preise zeigen — hier völlig beiseite. Dasselbe gilt namentlich von den wundervollen Photographien und sonstigen Vervielfältigungen (z. B. einem eigenthümlichen autographirten Schwarzdruck der Firma Hofer und Burger in Zürich), von Hochgebirgslandschaften und -Aussichten, in denen die berühmtesten Photographen u. s. w. des In- und Auslandes wetteifern: Donkin in London, Braun in Dornach, Beck in Strassburg und eine ganze Reihe Schweizer Photographen, Lithographen u. s. w. Aber die weitaus grösste Mehrzahl dieser Freunde des Alpenclubs hat ohne jedes geschäftliche Interesse ausgestellt. So die Professoren Baltzer und Heim in Zürich, Ingenieur Imfeld in Brieg Reliefs; Professor Brügger in Chur, Förster Caviezel in Pontresina, Notar Dr. Christ in Basel, Forstinspector Davall in Vevey und Dr. Killias in Chur Herbarien; Dr. Gampert in Zürich Stereoscopen; Schulinspector Chavannes in Lausanne und die erratische Commission des Rhônebassins »geologische Documente«; Professor Javelle in Vevey, Ingenieur Rosenmund in Zürich und Ingenieur Simon in Basel Gebirgsphotographien; Rothenschweiler in Zürich und Schneiter in Wasen Panoramen und Dr. Schildbach in Leipzig Aneroïdbarometer. Vor allem aber sind zu den edelmüthigen Förderern der Alpenclub-Ausstellung jene Künstler und Besitzer von Kunstwerken zu zählen, die mit ihren Schöpfungen oder ihrem Besitz die Wände der bescheidenen zwei Zimmer in unvergleichlicher Weise schmückten. Keiner der älteren und jüngeren bedeutenden Schweizer Landschafts-, Thier- und Gebirgsgenremaler ist hier unvertreten. Der ältere A. Calame (Uri-Rothstock, Wetterhorn und Grimselpartie) und sein Genfer Lehrer Diday, wie der ehrwürdige Züricher Thiermaler Kofler erinnern mit einigen ihrer Meisterwerke die jüngere Generation, dass alle Virtuosität der Technik und aller moderne Realismus doch die strenge Zeichnung, fleissige Durchführung und seelenvolle Naturtreue der alten Schule nicht zu ersetzen vermag. Stückelberg in Basel, der geniale Schöpfer der neuen Wandbilder der Tellskapelle, hat hier einige seiner herrlichen Vorstudien (Modellköpfe aus den Urkantonen) ausgestellt. Reuggli hat eine reizende Edelweisspflückerin an schwindelndem Abgrund gemalt. Und die grosse Gruppe der jüngeren Alpen-Landschafter und Alpen-Genremaler, Berthoud, Bocion, Gay, Gos, Diethelm Meyer (München), Leo Paul Robert, Roux, Veillon, sind in vortheilhaftester Weise vertreten.

Der Central-Ausschuss hat in seiner Sitzung vom 23. August beschlossen, dem ***Verein Wendelsteinhaus*** eine Subvention von 400 Mark zur Errichtung einer meteorologischen Station auf dem Wendelstein aus der Dotation von 1883 zu gewähren.

Der ***Siebenbürgische Karpathen-Verein*** hat vor kurzem den III. Jahrgang seines Jahrbuchs versendet. Derselbe enthält neben wissenschaftlichen Abhandlungen (die Gesteine Siebenbürgens von E. Albert Bielz, die Umgebung von Alt-Rodna mit Rücksicht auf ihre botanischen Verhältnisse von Florian v. Porcius) eine Reihe von touristischen Schilderungen, von denen zwei mit Lichtdrucken (Burg Michelsberg und Malajeschter Schlucht) geziert sind. Der sehr strebsame Verein zählte Ende Mai 1883 1305 Mitglieder in 9 Sectionen. Der Voranschlag für 1883 beziffert bei einem Jahresbeitrag von nur 2 fl. eine Einnahme von Ö.W. fl. 2659.53, von welchem Betrag fl. 900 für das Jahrbuch, fl. 1500 als Subventionen für 7 Sectionen verwendet werden sollen. — Das Jahrbuch enthält weiter einen ausführlichen Bericht über den internationalen alpinen Congress in Salzburg und Berichte der Sectionen des Vereins. — Für viele unserer Sectionen dürfte sich wohl der Eintritt in den Verein und damit die Erwerbung des Jahrbuchs für die Bibliothek der Section empfehlen.

Vereins-Hütten und Unterkunftshäuser. Wegbauten.

Am 26. August hat die Section Algäu-Immenstadt den neuen ***Weg auf den Daumen*** 2281 m eröffnet. Früh $4\frac{1}{2}$ U. verliessen die Theilnehmer Sonthofen und Hindelang, von welchen Orten man in 2 St. das sogenannte »Mittlere Haus« (jetzt Alpe) im Retterschwangthal erreicht, wo der verdiente Vorstand der Section Algäu-Immenstadt, Herr Fabrikbesitzer Edmund Probst, die Theilnehmer begrüsste und die Gäste, namentlich die zahlreichen Vertreter der Section Algäu-Kempten auf das freundlichste bewillkommte. Das nächste Ziel war die Haseneck-Alpe. Der Weg dahin führt anfangs ziemlich steil durch Wald und ist durch Tafeln bezeichnet. Dort hielt der Vorstand eine Ansprache, betonend, dass durch den in Folge des Wegbaues nunmehr ermöglichten bezw. erleichterten Aufstieg zum Daumen von dieser Seite, direct von Sonthofen aus, gegen den seither üblichen über Hinterstein ein Zeitgewinn von reichlich 3 St. erzielt sei, abgesehen von dem Vortheil, die Tour leicht in einem Tage machen und von der Bahnstation aus antreten zu können. Das so schön gelegene Sonthofen, seither trotz seiner unmittelbaren Lage am Gebirge nur Durchgangsstation, werde nun Ausgangspunkt, Standquartier für Touren in diese Gebirgsgruppe. Aber auch vom Standquartier Hindelang wird durch diese Weganlage, in Fortsetzung des lieblichen Retterschwangthals, die Daumenbesteigung zu einer kürzeren und angenehmeren; ebenso wird durch dieselbe eine Daumenpartie mit Abstieg nach Oberstdorf, oder umgekehrt, zu einer leichten Tagestour. Herr Probst erinnerte ferner an die Schönheit, welche das Daumengebiet bietet und wünscht, dass der Daumen für die Zukunft recht viele Freunde finden möge. Er versäumte es auch nicht, der bereitwilligen Beihilfe des Central-Ausschusses zu gedenken, sowie derjenigen Männer, welche sich um die Weganlage mit Eifer angenommen haben, der Herren Mitglieder von Hindelang, speciell des Herrn Albert Zillibiller und Herrn Lehrer Rädler von Oberdorf. Am Schluss seiner Rede brachte Herr Probst ein Hoch auf den Alpenverein aus. Hierauf erschien der Bergesalte, der die Theilnehmer mit sinnigen Versen begrüsste. Sodann wurde der neue Weg begangen, der in ganz vorzüglicher Weise angelegt ist, so dass von einer Schwierigkeit nicht die Rede sein kann. An einer Stelle mussten die Felsen ausgehauen werden und ist neben den Stufen zur Erleichterung und Sicherheit ein Drahtseil angebracht worden. Auf dem Grat hat man einen herrlichen Blick auf den Hochvogel; unterhalb liegt in der Tiefe der Erzgundersee, in dessen Nähe man früher in einer Hütte nur nothdürftige Unterkunft finden konnte. Ueber den Grat gelangt man ohne jede Beschwerde zur Spitze.

Am 2. September wurde an der ***Zugspitze*** eine neue Schutzhütte eröffnet. Dieselbe steht unmittelbar unter dem westlichen Gipfel, ist mit zwei Bänken, einem Tisch und mehreren wollenen Decken ausgestattet und gewährt 10 Personen Schutz und Schirm. Man verdankt ihre Erbauung der Münchener Familie Knorr, deren Name schon durch die mit ihrer Beihilfe erbaute und zweimal bereits vergrösserte Knorr-Hütte verewigt ist, und welche jetzt auch dem Zugspitz-Fahrer durch die Zugspitz-Hütte ein Asyl erstellt hat, das ihm auf dem Gipfelgrat selbst Schutz bei Unwetter gewährt. — Bei Gelegenheit der Erbauung der Hütte hat die Section München den Anstieg von der Knorr-Hütte zum Gipfel erheblich verbessert; durch das Weisse Thal zum Ferner führt nun ein gebahnter Weg, ober der Grossen Reisse steigt man jetzt mit Hilfe eines Drahtseils sicher direct dem Grat zu, ohne Kamin und Nase mehr zu berühren, und der weitere Weg geht neben dem Grat theilweise über natürliche Felsstufen zum Gipfel. Die vollständige Sicherung des Uebergangs auf den Ostgipfel dürfte sich des heuer in ungewohnter Häufigkeit und Stärke eingetretenen Schneefalls halber bis zum nächsten Jahr verzögern. Auch beim Abstieg vom Grat zum Schneekarboden wurden Verbesserungen und Verstärkungen der Eisenstifte angebracht, nachdem ein Felssturz mehrere derselben zerstört hat.

Am 2. September wurde die ***Dominicus-Hütte*** im Zamsergrund (Zillerthal), der Mündung des Schlegeisthals gegenüber gelegen, eröffnet, die von dem Prager Buchhändler Herrn H. Dominicus erbaut und nach ihm benannt worden ist. Künftighin soll dort im Sommer eine Wirthschaft eingerichtet sein, so dass der nach Pfitsch Wandernde oder von dort Kommende für Unterkunft und Labung nicht mehr wie bisher auf die dürftigen Zamser Hütten angewiesen sein wird.

Rudolfs-Hütte am Weisssee im Stubachthal. Diese Hütte wurde von der Section Austria einem vollständigen Umbau unterzogen, da sie einerseits zum Theil baufällig geworden war, andererseits dem Verkehr nicht mehr genügte. Die neugebaute Hütte ist doppelt so gross als die frühere, enthält drei grosse Räume, das Mauerwerk ist ganz mit Cement gemauert und die Innenräume vollkommen und zwar grösstentheils mit Zirbenholz vertäfelt. Die Hütte bietet für 12 Reisende Schlafraum und ausserdem Platz für die Führer zum Schlafen im Oberboden. Dem Zimmermeister Eder gebührt für die schnelle und solide Ausführung des Baues, dessen Kosten sich auf 2327 fl. 64 kr. belaufen, alles Lob. Die vergrösserte Rudolfs-Hütte wurde am 15. August durch das Ausschuss-Mitglied Herrn Architekt Ludwig Tischler dem Verkehr übergeben.

Rainer-Hütte im Kapruner Thal. Die Section Austria hat diese Hütte, welche eine Jahresfrequenz von 6—700 Reisenden aufweist und dringend eines wirthsmässigen Betriebes sowie einer ausgiebigen Vergrösserung bedarf, an den bekannten Hotelier in Bruck-Fusch und Ferleiten Herrn Johann Mayr, vulgo Lucashansl, um den eigenen Kostenpreis verkauft, welcher die Hütte Ende October 1883 übernehmen und von 1884 an bewirthschaften wird. Derselbe beabsichtigt, an der Hütte die nöthigen Vergrösserungen vorzunehmen, die Wirthschaft in der Weise wie in Ferleiten einzurichten, an den Zugangswegen gleichfalls Verbesserungen anzubringen und für eine Verbindung der Hütte mit Kaprun zu sorgen. Es ist vertragsmässig durch Festsetzung eines Wiederkaufs- und Vorkaufsrechts der Section Austria dafür vorgesorgt, dass die Hütte ihrer Bestimmung, Reisenden Unterkunft und Verpflegung zu bieten, nicht entzogen werde, und muss der Tarif sowie die Hausordnung der Hütte der Section zur Genehmigung vorgelegt werden. Auf diese Art ist es wieder gelungen, ein prächtiges Thal auch der grösseren reisenden Welt zu erschliessen und aus einer einfachen Schutzhütte ein Gasthaus zu schaffen, und hat hiemit wie seinerzeit auf der Schmittenhöhe und an anderen Orten der Alpenverein seinen Beruf, als Pionnier des Fremdenverkehrs in den Alpen zu wirken, neuerlich in glänzender Weise documentirt.

Schwarzenberg-Hütte am Hochgrubergletscher in der Fusch. Diese durch die Octoberstürme des Jahres 1882 beschädigte Hütte, von welcher nicht nur das Dach vollständig abgetragen und in kleine Stücke zerrissen wurde, sondern auch die beiderseitigen Giebelmauern theilweise zerstört wurden, ist am 13. August d. J. durch das Ausschuss-Mitglied der Section Austria, Herrn Architekt Ludwig Tischler, dem

Verkehr wieder übergeben worden. Die Giebelmauern wurden neu aufgebaut, das Dach vollkommen neu hergestellt, doch wurde die Construction des Dachstuhls bedeutend verstärkt, mit Eisenschliessen und Klammern bis tief ins Mauerwerk verhängt, der Vorsprung des Dachs verkleinert und ausserdem das Dach von aussen mit Steinen beschwert. Die innere Einrichtung hat keinen Schaden gelitten, nachdem Betten, Matrazen und Kotzen gleich nach der Katastrophe zu Thal geschafft und über die Hütte ein Nothdach errichtet wurde. Für die rasche Bergung der Schlafutensilien und die zweckmässige Errichtung des Nothdachs, welche von den Führern in Ferleiten vorgenommen wurde, ist denselben das vollste Lob zu spenden. Wir hoffen, dass nunmehr diese für die Ersteigung des Wiesbachhorns von Fusch aus und für Touren an der Obersten Pasterze so wichtige Hütte, welche von dem Hotelier Herrn Weilguni in Bad Fusch in bester Weise wiederhergestellt wurde, keinen weiteren Fährlichkeiten ausgesetzt sein wird. Diese Wiederherstellung erforderte einen Kostenaufwand von mehr als 1000 fl.

Die von der Section Klagenfurt erbaute ***Salm-Hütte*** am Leiterkees (Glockner) wurde am 16. August eröffnet.

Ampezzo. Am 11. August fand die festliche Eröffnung der aus Mitteln des Herrn Oberst Ritter v. Meerheimb aus Dresden erbauten Unterkunftshütte »Sachsendank« auf dem Nuvolau statt, wobei nahezu 70 Personen theilnahmen. Der grossmüthige Stifter konnte jedoch wegen Kränklichkeit nicht erscheinen. Gegen 5 U. Morgens zog man auf den 4½ St. von Cortina entfernten Festplatz, wo schon von weitem der wunderschön decorirte »Saxendank« freundlichst entgegenwinkte. Die Einweihung der Hütte wurde durch den hochw. Herrn Josef Dasser vorgenommen, wornach der Sectionsvorstand, Herr Josef Ghedina, in schwungvoller Rede die Bedeutung der Feierlichkeit klarlegte, an die grossartigen Wohlthaten, die durch den Deutschen und Oesterreichischen Alpenverein geflossen sind, dankbar erinnerte und mit einem dreifachen Hoch auf den allgeliebten Kaiser und die erlauchte kaiserliche Familie, sowie auf den Deutschen und Oesterreichischen Alpenverein schloss. Der k. k. Bezirkshauptmann, Herr Rudolf Bäumen, hob dann in gewählten Worten den reichen Ehrenkranz von Tugenden und Milde hervor, welcher das sächsische Regentenhaus umschlingt, und die intimen freundschaftlichen Beziehungen, welche zwischen dem österreichischen Kaiserhaus und der sächsischen Regentenfamilie herrschen, und brachte dem König Albert von Sachsen und der erlauchten königlichen Familie und dem Obersten v. Meerheimb als Gründer der Unterkunftshütte und dem sächsischen Volke ein Hoch. — Leider kam, als schon die meisten Festtheilnehmer im Belvedere warteten, die erschütternde Nachricht, dass der Bergführer Josef Ghedina durch einen Sturz über die Ostseite des Berges verunglückt sei. Sein Leichnam wurde andern Tages durch Herrn Issler unter Beihilfe von fünf Führern in den Felsen aufgefunden.

Am 25. August wurde die ***Drei Zinnen-Hütte*** am Toblinger

Riedel, dem Uebergang aus dem Sextenthal nach Höhlenstein (Landro), von der Section Hochpusterthal dem Verkehr übergeben.

Die ***Carlsbader Hütte*** im Matscher Thal wurde am 3. Sept. programmmässig eröffnet.

Personalien.

Unglücksfälle. Der Tod des ausgezeichneten Romanisten Professor Hofrath v. Stintzing aus Bonn auf der Schöllanger Burg bei Oberstdorf kann eigentlich kaum zu den Verunglückungen auf Bergen gerechnet werden, da derselbe bei einem Spaziergang auf einem niedrigen Hügelrücken, der nur auf einer Seite eine etwa 10—12 m hohe Felswand aufweist, sich ereignete. Der Sohn des genannten Herrn strauchelte und fiel nach einer Stelle, wo das Dasein einer Felswand durch kleines Gebüsch verhüllt ist; der Vater sprang dem Sohn zu Hilfe, kam jedoch ebenfalls zu Fall und beide stürzten über die Wand hinab, wo sie liegen blieben. Ein Bauer kam auf das Hilfgeschrei des Sohnes herbei; der Vater starb aber auf dem Transport, ohne das Bewusstsein wieder erlangt zu haben. (13. Sept.) Stintzing gehörte zu den bedeutendsten Rechtslehrern Deutschlands.

Am 25. August verunglückte bei einer Partie auf den Piz Bernina der Graf de la Baune, indem er, wie es scheint, bei Traversirung des Gletschers sammt beiden Führern auf ein und dieselbe Spalte zu stehen kam, worauf diese einbrach, und der Graf vom nachstürzenden Schnee erdrückt wurde. Der eine Führer blieb ganz unbeschädigt, der andere erlitt nur einige Quetschungen, da der Sturz keineswegs sehr tief gewesen zu sein scheint.

Mittheilungen und Auszüge.

Aus ***Kals*** wird uns geschrieben, dass das Wetter in der Reisezeit grösstentheils ungünstig war, und daher die Zahl der Fremden nur ungefähr 500 betragen haben dürfte; die Zahl der gelungenen Glocknerpartien wird auf 70, die der misslungenen auf 30 geschätzt.

Zur Anthropologie Tirols. Dr. Tappeiner in Meran hat unter dem Titel Studien zur Anthropologie in Tirol ein umfassendes Werk veröffentlicht, in welchem er Aufschlüsse über die Abstammung und die Mischungsverhältnisse der Bevölkerung Tirols gibt, und zwar auf Grund von 4935 Schädel- und 3385 Kopfmessungen, die Verfasser vorgenommen hat. Die Ergebnisse seiner Forschung fasst Dr. Tappeiner in folgende Schlussätze zusammen: 1. Das Tiroler Volk ist aus Rhäto-Romanen und Germanen zusammengewachsen. 2. Die Rhäto-Romanen sind Rhätier mit verhältnissmässig nicht zahlreichen römischen Colonisten. 3. Die Ladiner sind reine Rhätier mit keiner oder minimaler römischer Beimischung, welche aber die romanische Sprache angenommen und bis in die gegenwärtige Zeit bewahrt haben. 4. Bei den Deutschtirolern ist der rhäto-romanische Antheil relativ viel grösser, als der germanische. 5. Bei den Wälschtirolern ist umgekehrt der rhäto-romanische Antheil geringer und dafür der germanische Antheil grösser. 6. Die Germanen im Unterinnthal, Wippthal, Eisackthal, West- und Ost-Pusterthal, Etschthal von Wälschmetz bis Spondinig sind Bajuwaren. 7. Die Germanen im Oberinnthal, Lechthal und Obervinstgau bis Spondinig herunter sind Alemannen. 8. Die Germanen im Sarnthal und Hafling sind wahrscheinlich Ostgothen. 9. Die Germanen von Wälschtirol (Fleimsthal, Val Sugana, Nonsberg und Sulzberg, Judicarien, unteres Etschthal von Mezzolombardo abwärts) sind gemischt aus Longobarden, Alemannen, Franken, Rugiern und Herulern. 10. Von wendisch-slavischen Resten findet die Anthropologie im Ost-Pusterthal keine Spur mehr. 11. Die Bewohner der Sette Communi sind, ebenso wie die Valsuganer, Rhäto-Romanen mit viel Alemannen und Longobarden versetzt. *(Nach dem T. B.)*

Waldpflege in der Vorzeit. Die ungeheuern Wasserschäden, welche in immer rascherer Aufeinanderfolge die Alpenländer heimsuchen, werden vornehmlich der fortschreitenden Entwaldung unserer Gebirge zugeschrieben — mit wie viel Recht, soll hier nicht untersucht werden. Aus den Stimmen, welche sich nun vernehmen lassen, und welche mit warmer Theilnahme für das Loos der vom Unglück Betroffenen zur Schonung und Wiederaufrichtung der Wälder mahnen, habe ich nicht selten die Ansicht herausgehört, als hätten unsere Vorfahren durch ihr schonungsloses Vorgehen mit dem Walde die jetzige Calamität hervorgerufen, und wir müssten nun die Unterlassungen unserer unvorsichtigen Ahnen büssen. Diese Meinung mag vielleicht für den Karst zutreffen, für die Länder Oesterreich, Steiermark und Salzburg ist sie entschieden ungerechtfertigt, wie jeder Kenner unserer älteren Gesetzgebung bestätigen wird. Die Erhaltung und der regelmässige Ersatz der Wälder ist für die Regierungen dieser Länder seit mehreren Jahrhunderten der Gegenstand einer beständigen und keineswegs vergeblichen Sorgfalt gewesen. Forstgesetze und Forstaufsicht müssen bei uns nicht, wie man auswärts manchmal zu glauben scheint, erst geschaffen werden, sondern sie haben eine Jahrhunderte alte, nicht unrühmliche Geschichte hinter sich. Eine recht sprechende Illustration dieser Verhältnisse geben die alten Salzburgischen Forstordnungen, deren älteste gedruckte aus dem Jahre 1524 stammt, wenn auch schon weit früher fast alle einzelnen Aufzeichnungen, welche als Weisthümer oder Taidinge die Rechtsverhältnisse der Unterthanen feststellten, einzelne Bestimmungen zum Schutze der Wälder enthielten.

Wir wollen hier nur kurz die Zustände skizziren, wie sie sich nach der Forstordnung von 1524 darstellen. Als oberster Grundsatz, der mit allem Gewicht ausgesprochen wird, erscheint, dass alle Hoch- und Schwarzwälder, d. h. die grossen zusammenhängenden Waldcomplexe von der Culturregion aufwärts, als kaiserliche Lehen und als verbriefter Bestandtheil des Patrimoniums des hl. Rupert Eigenthum des Landesfürsten sind. Diesem Recht des Landesherrn stehen nur die ebenfalls althergebrachten und verbrieften Rechte der Unterthanen auf den Bezug der nothwendigen

Brenn-, Bau- und Zaunhölzer, sowie auf eine ihrem Viehstand entsprechende genau verzeichnete und controlirte Waldweide für ihre Hausthiere gegenüber. Der genauen Fixirung dieser Rechte auf das wirklich nothwendige und altherkömmliche ist nun die ganze Sorgfalt des Gesetzgebers gewidmet, damit, wie unzählige Male wiederholt wird, der Wald nicht verwüstet werde, sondern erhalten bleibe. Da darf kein Stamm ohne Vorzeigung durch den »Vörstner« geschlagen werden, da soll kein Windwurf und kein Reisig liegen bleiben, es sollen keine Blössen gelegt werden, welche Windeinbrüche hervorrufen könnten, es sollen die Bäume nur bis zu einem Drittel ihrer Höhe geschnaitet, es sollen die Gaisen nicht mit Reisig gefüttert werden; kurzum fast alle auch heute geübten forstpolizeilichen Maassregeln sind schon damals bekannt und werden gehandhabt. Aber nicht blos der Schutz der stehenden Wälder sondern auch die Aufforstung wird keineswegs vergessen. Die Hoch- und Schwarzwälder wurden damals hauptsächlich zum Gebrauch in der erzstiftlichen Saline Hallein, sowie in den anderen Bergwerken des Landes verhackt, so z. B. für die Goldbergbaue in Gastein und Rauris, die ja gerade damals glänzend blühten. Die Abholzung geschah durch eine Art Unternehmer, die Bestehholzer. Für diese gilt folgende Gesetzesstelle: »Wann nu also ein Wald, der von unserem Waldmeister verliehen und ausgezeigt, zu hacken angegriffen wird, und derselbe in der Arbeit ist, so sollen die, denen der Wald verliehen ist, bei ihren Holzmeistern und Knechten, dieweil man an dem Wald hackt, und darinnen mit Arbeit steht, darob sein und verordnen, dass dieselben Knechte allweg an gelegentlichen Enden, wie sie wohl zu thuen wissen, rechtmässig und genuegsam Scharbäum und Sambdachsen*) stehen und noch länger wachsen lassen, damit dieselben verhackten Schläg und »Maiss« desto stattlicher beisamm bleiben und widerumben auf ein neues ansetzen und Jungwäld erwachsen mögen. Nachdem je zu Zeiten die Bauern vermeinen ihr Vieh auf verhackte Schläg und Maiss zu schlahen, wir aber glaublich bericht (sind), dass dasselb Viech, wo es darauf gekehrt, den Samen von Holz dieweil es also jung und erst herfür wächst auszeuhet und abbeisst, dardurch sich der Grund von solchem Viehschlag nicht nothdürftig besamen, noch auch das Holz aufschiessen oder erzogen werden mag, als man dann scheinbarlich sieht, wo das Vieh täglich gehet, dass Nadelhölzer daselbs allein ungeschlacht Knoppen und poschat**) Holz und kein fruchtbares wächst: demnach ist unser ernstlicher Befehl, dass unser Waldmeister soviel möglich ist, verhüte und darob sei, dass niemand in verhauten Maissen kainerlei Vieh schlage***) noch darein treibe, noch thuen lasse, es sei dann zuvor das junge Holz soviel erwachsen, dass es gute Massläng hab, damit das Vieh den Gipfl nimmer möge erreichen. Item wo alle Wäld gar verhackt und hergenommen worden wären, so sol er (der Waldmeister) mit allem Fleiss

*) Samenbäume; Dachsen, noch heute allgemein im Dialekt für Nadelhölzer.
**) poschat = buschig.
***) d. h. weiden lasse.

darob halten, damit dasselbs wiederumben jung Wäld erzogen und die verhackten Schläg keineswegs gereutet, gebrennt, eingefangen oder zu Infang noch Alpen gemacht, weder an den Orten*) noch in der Mitte noch ganz ninndert gestattet, sondern was unbillig und von neuem eingefangen wäre, dass dasselb widerum ausgelassen werde.«

So sehen wir hier alle Bestimmungen einer vernünftigen Forstcultur. Die Sorge für die Besamung, das Verbot der Viehweide in dem jungen Walde, und das Verbot der Verwandlung des Waldes in ein anderes Culturland. Durch diese Mittel, vor allem aber durch die strengste Festhaltung des staatlichen Eigenthumsrechts brachte die alte Verwaltung trotz des colossalen Holzverbrauchs in den wenig rationell gebauten Hüttenwerken und Sudhäusern einen sehr stattlichen Waldbestand in unser Jahrhundert. Wie das zugegangen, dass derselbe heute nicht mehr in dieser Ausdehnung vorhanden ist, ist hier nicht der Platz zu untersuchen. Ich wollte nur unsere Vorfahren gegen einen ungerechten Vorwurf in Schutz nehmen, eine Vertheidigung, welche sie um so mehr verdienen, als sie den grossen volkswirthschaftlichen Grundsatz nicht vergessen hatten, dass zwar der Staat verpflichtet sei, aus Rücksicht für das Gemeinwohl auf einen Gewinn zu verzichten, dass man aber dem kleinen Privateigenthümer nicht zumuthen dürfe, aus Rücksicht für das »Allgemeine« seinen Wald ungeschlagen zu lassen, der ihn vor dem drohenden Steuerexecutor rechts, und dem lauernden Hypothekargläubiger links, vielleicht allein noch retten kann.

Salzburg. *Richter.*

Die ***Gesammtleistung im Arlberg-Tunnel*** beträgt:

Gegenstand	Ostseite. Meter bis Ende Juni	Ostseite. Meter bis Ende Juli	Westseite. Meter bis Ende Juni	Westseite. Meter bis Ende Juli
Sohlstollen	4723·7	4909·3	3998·8	4193·4
Firststollen	4525·0	4728·1	3716·3	3915·9
Vollausbruch:				
angefangen	115·6	154·0	158·2	185·2
beendet	3955·2	4091·1	2708·3	2869·0
Mauerung:				
angefangen	108·9	99·9	110·6	119·9
beendet	3830·5	3973·8	2591·8	2741·3

Landeck-Wiesberg. Wer Landeck berührt, sollte nicht versäumen, einen Abstecher nach Wiesberg, 8 km die Arlbergstrasse aufwärts, zu machen, wo jetzt ein grosses Object der Arlbergbahn über das mündende Paznaunthal gebaut wird. Schon der Weg hin lohnt durch land-

*) Am Rande.

schaftliche Reize, besonders malerisch z. B. ist die Lage von Pians, einem kleinen, in eine Felsschlucht eingebauten Ort, durch dessen Mitte der Wildbach herabstürzt, dann der Rückblick auf den schlanken Kegel des Tschürgant; derselbe gestattet einen steten Ueberblick der interessanten Bauarbeiten. Wiesberg, ein altes, auf bewaldetem Felsen fussendes Schloss, erscheint bald hinter Pians, gleich einem Riegel vor das Stanzer- und Paznaunthal gestellt, welche hier zusammenstossen. Tief unten sprudelt und schäumt die Trisanna und Rosanna in ein gemeinsames Bett. Ueber erstere wird eine eiserne Brücke gelegt, welche von dem Schlossberg aus durch drei und gegenüber durch vier gemauerte Bogen erreicht wird und deren Construction, auf zwei gewaltigen Mauerpfeilern ruhend, 86 m über dem Bachbett liegt. Die Spannweite beträgt 130 m. Die Gerüste erreichen eine Höhe von 8 Stockwerken, und ein Dampfaufzug schafft die Bruchsteine rasch zu den Pfeilern empor, an denen fleissig gemauert wird. Am interessantesten ist der Anblick des Baues bei Nacht, wenn drei electrische Lampen zu 2000 Kerzen ihre Lichtkegel von der Höhe des Gerüsts über den Arbeitsplatz ausgiessen und das emsige Treiben der Arbeiter beleuchten. Wer da auf der Höhe der Strasse steht, dem bietet sich ein Bild von märchenhafter Phantastik dar. Zwischen den schwarzen Wald- und Felsprofilen spannt sich das Gerüst gleich einem Netz aus Spinnenwebe, in dem drei strahlende Leuchten schweben. Ein Heer von Gnomen schafft lautlos in allen Schichten des luftigen Baues, hier Steine auf Schienenwegen herbeirollend, die von Anderen kunstvoll zueinander gefügt werden, dort Pfosten und Balken die Berglehne emportragend. Darüber treten mystisch beleuchtet die Mauern der alten Burg aus dem Schatten der steilen Berge, die das Bild tief und dunkel einschliessen. Das Rauschen der Sanna und hie und da ein Commandoruf unterbrechen allein die Stille der Nacht. Da die Fertigstellung des Baus den ganzen kommenden Sommer beanspruchen dürfte, werden noch Viele, welche in die dortige Gegend kommen, das eigenthümliche Bild bewundern können. Die Rückkehr auf der vortrefflichen Strasse nach Landeck ist des Nachts doppelt schön, wenn Mondlicht die Landschaft erhellt. $^3/_4$ St. Fahrt bringen wieder zum Bahnhof in Landeck.

Wien. *R. v. Westland.*

Aus dem Zillerthal. Bezüglich eines Bergsturzes im Tuxer Thal wird uns nachstehendes mitgetheilt: Auf der rechten Seite des Tuxer Baches, ca. 120 m vom Teufelssteg entfernt, gerade Persal gegenüber, stürzte in der Nacht vom 24. auf den 25. Juli ein Theil des steilen 30—40 m hohen felsigen Ufers ein; die Trümmer füllten die grosse Schlucht vollständig auf eine Länge von 100 m aus und bewirkten dadurch eine Stauung des Baches von anfangs bei 1200 m Länge; allmälig erzwang sich das Wasser, ungefähr in der Mitte der Trümmer und des Gerölls, einen Ausweg und stürzt von da in kleinen Cascaden seinem alten Bette zu. Selbstverständlich hat die Länge dieses Sees bedeutend abgenommen, immerhin beträgt sie noch über 400 m und variirt die Tiefe von 3—16 m. Die Untersuchung ergab ferner, dass zuerst die dem Teufelssteg näher liegende, aus Schiefer und Gneis bestehende Wand abstürzte und erst bei Stauung des Wassers die daneben gelagerten Kalkfelsen herabbrachen; von diesen letztern bildet ein Koloss von mehreren tausend Centnern sozusagen den Schlussstein mitten in der Schlucht. Ohne Schwierigkeit gelangt man vom linken auf das rechte Bachufer, an demselben hinaufzukommen ist nicht möglich wegen allzugrosser Steilheit und Gefahr vor dem sich abbröckelnden Gesteine. Zweifelsohne werden die betreffenden Gemeinden gezwungen sein, durch Sprengungen dem Wasser freieren Ablauf zu verschaffen, um einerseits weitere Abstürze und Beschädigungen der angrenzenden Felder zu vermeiden, anderseits um das Triftholz von Tux herausbringen zu können. Für denjenigen, der Hinter-Zillerthal besucht, dürfte es gewiss nicht ohne Interesse sein, dieses merkwürdige Vorkommniss einer kleinen Besichtigung werth zu halten. *(Freundl. Mitthlg. d. Sect. Zillerthal.)*

Das ***Lambrechts-Ofenloch,*** die bekannte an der Strasse von Lofer nach Ober-Weissbach gelegene Höhle, wird nunmehr von der Section für Höhlenkunde des Ö. T.-C. in der Weise zugänglich gemacht, dass zunächst ein Stollen ausgebrochen wird, um dem Bach Ablauf zu verschaffen, durch dessen Bett bisher der Zugang allein möglich war.

Auf der ***neuen Mendelstrasse*** verkehrt vom 5. September bereits ein Stellwagen: ab jeden Sonntag und Mittwoch früh 7 U. von Kaltern bis zum Mendel-Wirthshaus, Nachmittags 4 U. zurück.

Touristische Notizen.

Aus dem Montavon.

Hochjoch 2516 m. Die von Schruns im Montavon zu unternehmende Besteigung des Hochjochs scheint touristisch noch selten ausgeführt worden zu sein, was ich aus den Angaben Waltenbergers und v. Pfisters schliesse, die Beide von einer mit wenig Beschwerde auszuführenden Wanderung vom Vorder-Kapelljoch über den Grat nach dem Hochjoch sprechen. Eine kurze Notiz über meine mit Herrn Hermann Haas von Stuttgart und Führer Zudrell ausgeführte Besteigung dieses Gipfels wird daher für die Besucher des Montavon nicht ohne Interesse sein. Das Hochjoch liegt in dem westlich von Schruns aufsteigenden Gebirgsstock, welcher das Montavon von dem Silberthal trennt. Derselbe bildet einen theilweise sehr scharfen und zerklüfteten Grat, der sich hufeisenförmig vom Vorder-Kapelljoch über das Hinter-Kapelljoch und das Kreuzjoch zu der höchsten Erhebung, dem Hochjoch, hinzieht. Vom Hinter-Kapelljoch zweigt ein nach Süden verlaufender Grat ab, welcher in der Zamangspitze seine höchste Erhebung erreicht und welcher durch das Zamangjoch von dem Pizzeguter Grat getrennt ist. Der Hauptkamm bildet also einen nach N. geöffneten Kessel, in welchem sich zwei kleine Seen und mehrere Wasser-Ansammlungen befinden, deren Ausflüsse dem Litzbach zuströmen. Die kleinen Seen und deren Umgebung haben einige Aehnlichkeit mit den Meeraugen der Hohen Tatra. Zudrell hatte das Hochjoch noch nicht bestiegen, wir waren also auf die Generalstabskarte und die Handbücher von Waltenberger und v. Pfister angewiesen. Wir verliessen Schruns 5 U. 45 Morgens bei leichtem Regen, der aber schon nach kurzer Zeit nachliess. Dagegen blieben die höheren Spitzen fast den ganzen Tag in Nebel gehüllt. Der Weg führt direct von den letzten Häusern von Schruns ansteigend, durch Laub- und Tannenwald in $2^3/_4$ St. zur Vorder-Kapell-Alpe, wo wir kurze Rast in der Sennhütte machten. Von hier zieht sich ein guter Alpenpfad bis an den unteren See, den wir auf der Westseite umgingen, um bald darauf den oberen See zu erreichen. Derselbe ist genau herzförmig und führt dem entsprechend den Namen Herzsee. Nun hielten wir Umschau über die Anstiegrichtung. Leider war der Gipfel des Hochjochs in Nebel gehüllt, sonst wären wir über den Weg wohl kaum im unklaren gewesen. Vom Herzsee zieht nämlich eine steile Gras- und Geröllhalde nach O. aufwärts bis zu einer Einsenkuug im Grat, von wo aus, wie sich später herausstellte, der Gipfel unschwer zu erreichen ist. Da wir jedoch einen Zusammenhang zwischen dem Grat und dem Hauptgipfel nicht erkennen konnten, glaubten wir den Angaben der Handbücher, als sicherer, folgen zu müssen und behielten unsere südliche Anstiegrichtung bei, uns nach und nach nach O. wendend und den Kamm etwas unterhalb des Kreuzjochs erreichend. Auf dem Kamm angelangt, erblickten wir tief unter uns das Silberthal und versuchten nun zunächst das Kreuzjoch auf der Silberthaler Seite zu umgehen, was sich jedoch wegen der überaus plattigen Beschaffenheit und der Steilheit des Abhangs als sehr schwierig erwies. Zudrell ging nun auf Kundschaft aus, kehrte jedoch bald mit dem Bescheid zurück, dass in den nach dem Silberthal abstürzenden Felsen nicht durchzukommen sei und dass wohl nichts Anderes übrig bleibe, als über das Kreuzjoch selbst zu klettern. Zudrells dahingehender Versuch fiel günstiger aus und bald rief er uns, auf dem Grat stehend, zu, ihm zu folgen. Eine kleine Kletterei brachte uns zu ihm und nun seilten wir uns an, da der Grat in seinem weiteren Verlauf doch etwas bedenklich aussah. Ueber die Anwendung des Seils im Felsen sind schon mehrfach Bedenken geäussert worden. Die Art, wie Zudrell sich desselben bedient, bietet jedoch vollkommene Sicherheit, namentlich wenn es sich um eine Kette von drei Personen handelt.*) Wir

*) Man macht mich darauf aufmerksam, dass Zudrells Art des Anseilens wegen ihrer Vortheile allgemein bekannt werden sollte, und ich lasse daher eine Beschreibung folgen. Wenn A, B und C anzuseilen sind, so werden A und C fest gebunden. B trägt einen Gurt mit starkem Eisenring, durch welchen sich das Seil frei bewegt. A steigt nun voraus, während B und C festen Stand nehmen und das Seil nach Bedürfniss nachlassen. Ist A soweit vorgerückt, als das Seil reicht, so sucht er sich einen guten Stand aus, zieht das Seil zwischen

hielten uns möglichst dicht unter oder auf dem Grat, wobei der Eispickel vortreffliche Verwendung zur Verankerung fand. Für Geübtere dürfte diese Gratwanderung keine aussergewöhnlichen Schwierigkeiten bieten. Die Felsbänder sind zwar meist nur hand- oder fussbreit und es sind einige unbequeme Felsrippen zu umklettern, aber das Gestein ist zuverlässig und weicht nur selten aus seiner Lage. Nach zweistündiger Gratwanderung erreichten wir die grasige Einsattlung, die wir auch vom Herzsee aus wahrgenommen hatten und auf welcher wir mit einem Hirten zusammentrafen, der vom Silberthal aus hieher gestiegen war. Schafe und Ziegen hatten hier einen gut gangbaren Pfad ausgetreten, der eine kleine Strecke weit auf der Silberthaler Seite fortführt, sich aber bald wieder in den Abhängen verliert. Unzweifelhaft wird aber dieser Uebergang von Hirten häufiger benützt. Von hier bleibt noch der südliche Gipfel des Hochjochs zu umklettern und ein kurzer, sehr scharfer und stark zerklüfteter Grat balancirend zu überschreiten, wonach man nach wenigen Minuten auf dem mit Steintrümmern bedeckten höchsten (Nord-) Gipfel des **Hochjochs** steht. Die Uhr zeigte 2 U. 15. Ein ganz zerfallener Steinmann gab Zeugniss vorheriger Besteigungen, dagegen fanden wir, trotz eifrigen Suchens, keine Dokumente über frühere Anwesenheit von Touristen. Wir blieben $^{3}/_{4}$ St. auf dem Gipfel, hoffend, dass sich der Nebel, welcher denselben umlagerte, verziehen würde. Da uns derselbe jedoch nur ab und zu Blicke ins Silberthal und nach der Verwall-Gruppe gestattete und bei dem schwachen Südwestwind keine Besserung anzunehmen war, machten wir uns an den Abstieg, nachdem wir noch unsere Namen und die Daten der Ersteigung an geschützter Stelle niedergelegt hatten. Den Angaben des Hirten folgend, stiegen wir direct zum unteren See ab, ein Weg, der der sehr steilen glatten Grashänge wegen einige Vorsicht erforderte. Um 4 U. hatten wir den unteren See erreicht, von wo aus wir den Alpenpfad nach Schruns wieder einschlugen, das wir Abends 7 Uhr erreichten. Aus obigem erhellt, dass der Anstieg zum Hochjoch über den Grat, wie **Waltenberger** und **v. Pfister** angeben, ziemlich beschwerlich und namentlich zeitraubend ist; abgesehen davon, kann der Gang nur von ganz Schwindelfesten unternommen werden. Besteiger des Hochjochs gehen am besten bis zum Herzsee und wenden sich dann der breiten oben beschriebenen Grashalde zu. Die Umkletterung des südlichen Gipfels und der kleine scharfe Grat zwischen diesem und dem nördlichen höchsten Gipfel erfordern einige Uebung und Schwindelfreiheit. Die Passage ist übrigens kurz. Will man das

---

sich und C straff an, worauf B den Weg zu A vollständig sicher zurücklegen kann. Wenn B an dem sichern Standort A angelangt ist und fest steht, so folgt C, während dessen Vorrücken das Seil allmälig hereingenommen wird. Auch bei Gletscherwanderungen kann diese Art des Anseilens meiner Ansicht nach mit Vortheil angewandt werden. Sie gestattet dem Einzelnen freiere Bewegung und bietet unbedingt grössere Sicherheit als die übliche Art, selbst wenn bei letzterer das Seil zwischen den einzelnen Steigern gewissenhaft gespannt gehalten wird.

Kapelljoch mit dem Hochjoch verbinden, so wird man besser von ersterem zum Herzsee absteigen und dann den gleichen Weg einschlagen, als die mindestens 3 St. in Anspruch nehmende Gratwanderung zu wählen. Bei hellem Wetter muss die Aussicht vom Hochjoch eine vorzügliche sein. Wir hatten vom Grat und vom Gipfel aus einige Blicke in die Verwall-Gruppe (Patteriolspitze), die ausserordentlich grossartig waren. Touristen, welche also nicht nur ganz ausgetretene Wege wandern wollen, kann das Hochjoch, als Tagespartie von Schruns aus, gewiss empfohlen werden.

Frankfurt a. M. *C. W. Pfeiffer.*

Literatur und Kunst.

Hann Dr. Julius, Handbuch der Klimatologie. Stuttgart, Engelhorn, 1883. 12 M.

Da wir uns vorbehalten, auf den Inhalt dieses ausgezeichneten und umfangreichen Werkes, soweit er auf die Alpen Bezug hat, noch in ausführlicher Weise zurückzukommen, bemerken wir hier nur, dass Hann's Buch der erste Versuch ist, die Klimate der ganzen Erde übersichtlich zu beschreiben. Die Lücke unserer geographischen Kenntnisse, welche damit ausgefüllt wird, war so bedeutend, dass man mit der Behauptung wohl nicht zu viel sagt, es erscheine kaum begreiflich, wie man sich so lange ohne ein solches Hilfsmittel habe behelfen können. Ist doch der Ablauf der Jahreszeiten in verschiedenen Gegenden einer der wichtigsten geographischen Characterzüge, welcher Bewohnbarkeit und Fruchtbarkeit, die Möglichkeit der Besiedelung und Bereisung der Länder in erster Linie bestimmt; also gerade jene Elemente, welche für die Beziehungen des Menschen zu den Erdstrichen am maassgebendsten sind. Dass Hann, einer der Begründer der neueren Meteorologie, wie fast niemand anderer befähigt war, das beste und vollständigste zu leisten, was überhaupt möglich war, braucht wohl hier nicht erst hervorgehoben zu werden. Das Buch mag somit Jedermann, der gewohnt ist an geographischen Dingen Interesse zu nehmen, als ein kaum entbehrliches Inventarstück bezeichnet werden.

R.

Marinelli, G., l'Area del regno d'Italia. Rom 1883, Separatabdruck aus der Zeitschrift der italien. geograph. Gesellschaft.

Während die officielle italienische Statistik die Oberfläche dieses Königreiches mit 296 323 qkm angibt, calculirt sie der russische General Strelbitzky (Petersburg 1882), und nach ihm Prof. H. Wagner in »Die Bevölkerung der Erde« auf 288 539 qkm. — Professor Marinelli thut nun dar, dass das Kartenmaterial, auf Grund dessen der russische Geograph seine planimetrischen Bemessungen anstellte, zum Theil veraltet und fehlerhaft sei. Er schenkt daher dessen Ziffern keinen Glauben, bezweifelt auch die Richtigkeit einer neuesten, auf der gleichen Grundlage beruhenden provisorischen und annäherungsweisen Berechnung des italienischen Militär-geographischen Instituts, welche die Area des Königreiches mit nur 285 827 qkm angibt; er weist auch die Unrichtigkeit der Arealangabe der officiellen Statistik nach und betont die dringende Nothwendigkeit, in dieser Richtung durch eine verlässliche Vermessung endlich volle Klarheit zu schaffen.

T. *Cx.*

Sonklar v. Innstaedten, k. k. General-Major, **von den Ueberschwemmungen.** Wien, Hartleben, 1883. 3 M.

Ueber der grossen und unheilvollen wirthschaftlichen Bedeutung der vorjährigen Ueberschwemmungen hat man nicht übersehen, dass dieselben auch ein keineswegs uninteressantes physikalisch-geographisches Phänomen vorstellen.

Dieser Seite der Sache ist **Sonklars** Schrift hauptsächlich gewidmet. Besonders deren erster Theil, welcher die Erscheinung rein theoretisch, als physikalischen Vorgang zu fassen sucht, wobei aber auch für den Praktiker reichliche Belehrung abfällt; wie dem Referenten scheint, freilich zünächst eine negative Belehrung, nämlich diejenige, dass der Grösse der hier arbeitenden Naturgewalt keine Menschenkraft gewachsen ist, und dass selbst die sorgfältigsten und kostpieligsten Anlagen sich als vergeblich erweisen, wenn die Niederschlagmengen innerhalb geringer Zeiträume ein bestimmtes Maass überschreiten. Ebenso sicher ist jedoch, dass durch menschliche Arbeit und Vorsicht das Maass dessen, was noch zu bewältigen und unschädlich zu machen ist, wesentlich hinaufgerückt werden kann. Mit den Hilfsmitteln der Eindämmung beschäftigt sich der dritte Theil von **Sonklars** Arbeit, (der zweite bringt eine Chronik der grössten bekannten Ueberschwemmungen). Auch er misst natürlich der Aufforstung entwaldeter Hänge eine grosse Bedeutung bei, ohne jedoch dabei zu verhehlen, dass auch eine sehr vollkommene Walddecke keinen absoluten Schutz gegen Ueberschwemmungen bieten kann, um so mehr, als ja in unseren Alpen nicht selten die Hauptsammelbecken der Hochwasser bereits oberhalb der Baumgrenze sich befinden. Sehr bemerkenswerth erscheint uns ein Auszug aus einem Gutachten einer höheren Tiroler Forstbehörde, welches dieselbe anlässlich der letzten Ueberschwemmungen erstattete (S. 142) und welches an Gründlichkeit der vorgeschlagenen Maassregeln alles übertrifft, was selbst von sehr energischen Gegnern der jetzigen Waldwirthschaft, so z. B. von Professor **Toldt** in der bekannten Broschüre der Section Prag gefordert worden ist. Man sieht hieraus, dass es in Tirol keineswegs an der Einsicht der Regierungsorgane fehlt, wie man ja auch aus der Lectüre der Landtagsverhandlungen leicht erfahren kann, dass es die Nachgiebigkeit der Abgeordneten gegenüber den forstfeindlichen Wünschen ihrer bäuerlichen Wähler ist, welche bisher in Tirol eine sorgfältigere Behandluug des Forstwesens gehindert hat.

Die elegant und sachlich geschriebene Broschüre ist Jedermann auf das Wärmste zu empfehlen, der ein Ereigniss, das so viel schmerzliches Aufsehen gemacht hat, auch als Naturerscheinung im Vergleich mit früheren Vorkommnissen würdigen lernen will. *R.*

Zur Waldfrage in den österreichischen Alpengebieten. Eine Denkschrift des Deutschen und Oesterreichischen Alpenvereins. Prag 1883.

Wie die Section **Prag** von jeher auf allen Gebieten unseres Vereinswesens die grösste Thätigkeit entfaltete, konnte sie auch die durch die vorjährige Hochwasser-Katastrophe gegebene Gelegenheit nicht vorübergehen lassen, ohne ihre Theilnahme für das Schicksal der alpinen Bevölkerung durch einen Beitrag »zur Waldfrage« zu bekunden, und darin ihre Ansicht über Ursache und Abwendung des Unheils zum Ausdruck zu bringen. Die Denkschrift hebt vor allem hervor, wie die Erhaltung und Wiederherstellung der Hochgebirgswaldungen nicht nur für die Bevölkerung der Alpenländer selbst von der grössten Wichtigkeit ist, sondern wie sehr das ganze Reich daran betheiligt ist, dass jenen Grenzgebieten ihre Kraft und Leistungsfähigkeit erhalten bleibe. Ausser den ziemlich allgemein anerkannten Ursachen des traurigen Zustandes der Bewaldung in Tirol, der Zerstückelung des Grundbesitzes, den klimatischen und Terrain-Verhältnissen, dem geringen Wohlstand der Bevölkerung, schreibt Verf. der Denkschrift die dermaligen Verhältnisse der Unkenntniss der Waldbesitzer, der maasslosen Ausbeutung der Hochgebirgswälder durch den Holzhandel und der Unzulänglichkeit der behördlichen Vorkehrungen für den Forstschutz zu. Er schlägt vor, dass die Erhaltung der Waldungen in den Alpengebieten als allgemeines österreichisches Reichsinteresse zu erklären, und dass nicht nur die Forstgesetzgebung, sondern auch der Forstschutz als eine Angelegenheit der Reichsregierung zu behandeln sei. Bis eine neue zweckmässige Organisirung der Forstverwaltung, ähnlich der leider wieder aufgehobenen vom Jahre 1856 durchgeführt sei, solle wenigstens das Forstpersonal vermehrt und auf strikte

Beobachtung der bestehenden Gesetze gehalten werden. Am meisten erwartet aber die Denkschrift von der Erziehung der Jugend für die Waldwirthschaft. Es soll durch Unterricht in der Forstcultur in den Schulen und Lehrerbildungsanstalten, durch Anlage von Pflanzgärten in den Gemeinden, durch Aufklärung über die Bedeutung des Waldes der Sinn für Erhaltung und Pflege desselben zum Gemeingut des Volkes werden, dann werde einst die Zeit kommen, wo die Bevormundung durch den Staat entbehrlich sei.

»Zwei Lose sind es, welche die Zukunft für unsere Alpenländer im Schoose birgt; das eine heisst: Fortdauer des gegenwärtigen Zustands, zunehmende Verwüstung und schliessliche Ausrottung der Wälder, Verödung der Berge und Thäler, Noth, Elend und Entvölkerung. — Das andere: Schonung und Wiederherstellung der Wälder, wirthschaftliche Ausbildung der Bevölkerung, Entwicklung der vorhandenen und Heranziehung neuer reeller Einnahmsquellen, Förderung der Gesittung und des Wohlstandes. Mögen Diejenigen wählen, aber auch die Verantwortung tragen, welche berufen sind, die Geschicke dieser Länder zu lenken!«

Mit diesen Worten, deren Beherzigung sehr zu wünschen wäre, schliesst die Denkschrift der Alpenvereins-Section Prag, deren Lectüre wir unsern Lesern auf's wärmste empfehlen möchten.

M. *v. R.*

Panorama des Zwieselbergs bei Tölz. Herausgegeben von der Section Tölz des D. u. Ö. A.-V. 1883. Selbstverlag.

Die Section, welche den früher sehr schlechten Weg auf diesen reizenden Aussichtspunkt erheblich verbessert und oben eine Windhütte erbaut hat, hat nun auch ein Panorama desselben, gezeichnet von Herrn Paul Gmeiner, herausgegeben, das sich durch getreue Ausführung und reiche Nomenclatur auszeichnet; nur bezüglich der an drei Punkten sichtbaren Centralalpen dürfte die Bezeichnung »Duxer Berge« und »Oetzthaler Gebirge« nicht genügen und bei Gelegenheit eine genauere Präcisirung erwünscht sein. *T.*

Wegmarkirungs- und Distanz-Karte der Schnee-Alpe. Herausgegeben von der alpinen Gesellschaft d'Altenberger. 1 : 45 000. Wien, Artaria & Co. —.40 kr.

Gibt in sauberer Ausführung eine Darstellung des genannten Berggebiets zwischen den Orten Frein, Nasswald, Mürzsteg und Kapellen und in Farben der über dasselbe gezogenen Wegmarkirungen. Zwischen den einzelnen Punkten laufen dann noch feine schwarze Linien, welche in practischer Weise die Entfernungen — bei Niveauunterschieden aufwärts gerechnet — angeben.

Stafflers Topographie von Tirol und Vorarlberg in neuer Ausgabe. Bei dem lebhaften Interesse, welches für das bereits erwähnte Erscheinen der zweiten Auflage dieses Werks allerwärts herrscht, erscheint es angezeigt, einen kurzen Bericht über den Stand des Unternehmens zu erstatten. Durch die längere Krankheit des Herrn Professor Heinrich Jörg, welcher die Bearbeitung der zweiten Auflage übernommen hatte, war in den Vorarbeiten für dieselbe ein unvermeidlicher Stillstand eingetreten. Nach dem leider allzufrühen Tode des Prof. Jörg wurde Herr Dr. Hans Hausotter, Professor der k. k. Lehrer-Bildungsanstalt in Innsbruck, für die Fortführung der Arbeit gewonnen. Herr Dr. Hausotter übernahm das von seinem Vorgänger gesammelte Material und machte sich mit der Liebe und Energie an die Arbeit, welche das Bewusstsein einflösste, mit diesem Werke ein patriotisches, dem Lande zur Ehre gereichendes Unternehmen durchzuführen. Sein Bestreben, die möglichste Vollständigkeit und Verlässlichkeit zu erreichen, fand bei allen maassgebenden Factoren die bereitwilligste Unterstützung; es war für denselben gewiss eine kräftige Ermuthigung, zu erfahren, dass die Chefs der Staats- und Landesbehörden in Tirol und Vorarlberg, besonders auch die hochwürdigsten Herren Landesbischöfe, für das Unternehmen das lebhafteste Interesse zeigten, auf seine Intentionen mit dankenswerthester Bereitwilligkeit eingingen, ihm auch auf sein

Ansuchen jede mögliche Förderung des Werkes zusagten. Ausführliche Fragebogen wurden an sämmtliche Gemeinden hinausgesendet und Verbindungen mit Fachmännern für einzelne Theile des so mannigfache Disciplinen umfassenden Werkes angeknüpft. Wenn auf diese Weise das Material gesammelt sein wird, so beabsichtigt der Herausgeber, soweit als möglich das Land zu bereisen, um durch eigene Anschauung unmittelbare Eindrücke für die Darstellung zu gewinnen. Nach der bisherigen Eintheilung des Werks wird mit Vorarlberg begonnen; das Manuscript für dasselbe soll im Laufe des kommenden Winters vollendet werden, und die Ausgabe im Sommer 1884 erfolgen.

Zunächst wird sich Herr Professor Hausotter auf die Bearbeitung von Vorarlberg und Deutschtirol beschränken, gedenkt jedoch, wenn Zeit und Umstände es gestatten, nach Lösung der ersten Aufgabe auch an die Darstellung von Wälschtirol zu schreiten, die Joh. Staffler ebenfalls beabsichtigt, ja auch schon zu bearbeiten begonnen, aber nicht mehr vollendet hat.

Periodische Literatur.

Oesterreichische Alpen-Zeitung. Nr. 120—122. Herm. Tauscher-Geduly, drei Hochgipfel der Berner Alpen. II. die Jungfrau. III. Finsteraarhorn. — Freshfield, Rathschläge für Reisen im Kaukasus. — Um die Südspitze von Amerika. — Meurer, Franzenshöhe als Standquartier. — K. Schulz, Wanderungen im Berner Oberland: I. Von Ried über den Petersgrat nach Lauterbrunnen. II. Der Eiger. III. Gamchilücke und Weisse Frau. — Statuten des A.-C. Ö.

Schweizer Alpen-Zeitung. Nr. 17, 18. Francke, Rüggisberg-Egg. — Wandfluhlücke. — Dübi, ein Ausflug der Section Bern. — Strasser, aus Grindelwald. — Manni, das Murmelthier der Centralalpen und dessen Jagd.

Carinthia. Nr. 5—7. Hauser, der Markt Ober-Vellach. — Laschitzer, Geschichte der Klosterbibliotheken und Archive Kärntens z. Z. ihrer Aufhebung. — Seeland, der Frühling 1883 in Klagenfurt. — Pichler, archäologische Miscellen aus Kärnten. — Hauer, Chronik 1883.

Tourist. Nr. 15—17. Innsbruck-Landeck. — Hann, Anomalien der vertikalen Temperaturvertheilung im Gebirge. — Reichert, Ersteigung des Risser Falken aus dem Falkenkar. — Zur Geschichte der Venediger-Fahrten. — Ortmann, eine Wanderung durch Nonsberg. — Thurwieser, Reise von Brandberg über das Hörndl- und Feldjoch.

Deutsche Touristen-Zeitung. Nr. 2—5. Ueberschwemmungen und Hochwasserverheerungen. — Dehn, Touristenwesen und Fremdenindustrie. — Pfeiffer, Ausrüstungsgegenstände des Touristen. — Die Aiguille du Géant. — Jabornegg, die Standorte der Wulfenia. — Ein Bergfest in den Alpen. — Die Schweizerische Landesausstellung.

Oesterreichische Touristen-Zeitung. Nr. 15—17. Amonn, aus dem inneren Eisakthale. — Schiffner, der Krumpensee. — Doblhoff, St. Theodulpass. — Breitner, Matasee (Mattsee). — Ivanetič, eine Volkssage aus dem Suganathale. — v. Radics, der Schneeberg im Liede gefeiert vor 50 Jahren. — Frischauf, der Klaffer-Kessel bei Schladming. — Heksch, Ozalj und Samobor. — Much, zur Waldverwüstung in den Alpen.

Eingesandt.

Ich fühle mich gedrungen mit Beziehung auf einen Artikel im Bolletino der Gartenbau-Gesellschaft zu Florenz, in welchem sich der Inspektor des botanischen Gartens in Genf dahin äussert, dass die Ausrottung schön blühender Alpenpflanzen durch Botaniker und Touristen auf solche Weise (wie bisher) nahe bevorstehe, zu erwähnen, dass sich mit einzelnen Arten an einzelnen Standorten diess vielleicht ereignen könne, dass aber ein Botaniker vom Fach diess sicher nicht thut, während anderseits sich der Tourist sicher keine Ladung aufbürdet.

Er rathet entgegen, »die Alpinen Clubs sollten mitunter durch die Führer dem entgegensteuern, oder man sollte auch durch die Cultur der Alpenpflanzen in den Gärten der Ausrottung vorbeugen.« Der Verkauf von Alpenpflänzchen durch Führer und Consorten ist kaum zu hindern, wie wir uns bei zahlloser Feilbietung von Edelweiss auf den Bahnhöfen etc. überzeugen können, und die Verpflanzung von Alpinen in die Gärten schadet stets dem ursprünglichen Habitus und es wird mit diesen Ziehkindern sicher kein Aequivalent für die Hochpflänzchen geboten. Mehr schadet die Herausgabe von Länderfloren, zu denen die Mitarbeiter von jeder einzelnen Art doch mindestens 100 Exemplare liefern müssen, ebenso die Pflanzentausch-Anstalten. Gleichwohl hat man meines Wissens auf die eine oder andere Art dem Tempel Floras hier oder dort auf keine Weise je erwähnenswerth geschadet und die Furcht des Herrn Inspektors dürfte, wenn auch wohlgemeint, dennoch sehr unbegründet sein. Das Sammeln für Herbarien hat sich ohnedies (leider) in der Neuzeit ziemlich überlebt, seit wir Bilderbücher der Ansicht getrockneter Exemplare vorziehen, was nun auch die Ausrottungsgefahr sehr vermindert. Zudem geizt Flora nicht mit ihren Schätzen, und gibt gewöhnlich für die einzelnen Arten eine Unzahl zerstreuter Standorte. Eher als die seltenen Arten dürften die wahren Pflanzenfreunde mit der Laterne zu suchen sein.

Mondsee. *Rudolph Hinterhuber.*

In den Mittheilungen Nr. 8 wird berichtet, dass kürzlich die Elmauer Haltspitze mit einem schönen eisernen Kreuz versehen worden ist. Am Schluss des betreffenden Berichts wird dann noch die Hoffnung ausgesprochen, dass dieses Kreuz recht viele Touristen veranlassen möge, dem Kaisergebirge einen Besuch abzustatten. Ohne der guten Absicht der Stifter zu nahe treten zu wollen, möchte ich doch meine persönliche Ansicht, die wahrscheinlich von manchem Bergsteiger getheilt wird, dahin aussprechen, dass unsere schönen Hochgipfel solcher Verzierungen nicht bedürfen und dass letztere eher geeignet sind, Hochtouristen zu vertreiben, wie anzuziehen. Will man dem frommen Sinn der Umwohner Rechnung tragen und weithin sichtbare Wahrzeichen aufrichten, so ist hiezu auf Vorbergen und Aussichtspunkten gewiss Platz genug; Hochgipfel aber lasse man doch lieber wie sie sind. Ein Steinmann genügt, um anzuzeigen, dass ein menschlicher Fuss deren Gipfel betreten hat, allenfalls ist auch eine Blechbüchse zum Niederlegen von Notizen angebracht. Alles andere ist doch gewiss überflüssig und stört nur den Eindruck, welchen die Erreichung einer luftigen Bergeszinne auf den Bergsteiger hervorbringt. — Auch die vielfach beliebte Zugänglichmachung schwieriger Gipfelpunkte halte ich für ganz überflüssig. Bergsteiger, welche solchen Ersteigungen gewachsen sind, bedürfen der angebrachten Hilfsmittel nicht und weniger Geübte lassen sich durch dieselben vielleicht verleiten, eine Hochtour zu unternehmen, die trotz der Eisenstifte, Drahtseile und Ketten für sie verhängnissvoll werden kann, da gegen Schwindel u. s. w. bekanntlich diese Vorrichtungen nichts helfen. Für Letztere sind gefahrlose Aussichtsberge genug vorhanden, deren Besteigung man durch Wegmarkirung und Verbesserung der Pfade so leicht und angenehm wie möglich machen mag, dagegen lasse man die Hochgipfel in ihrer ursprünglichen Verfassung und verkümmere dem Geübteren nicht das Vergnügen, welches im Ueberwinden von Schwierigkeiten liegt. *C. W. P.*

Die Mittheilungen erscheinen jährlich in 10 Nummern zu 2 Bogen. Die Mitglieder des Vereins erhalten dieselben unentgeltlich. Für Nicht-Mitglieder ist der Preis des Jahrgangs im Buchhandel 4 Mark.

Inserate, welche an die Redaction zu senden sind, finden, soweit geeignet, Aufnahme und wird die durchlaufende Petitzeile oder deren Raum mit 25 kr. Gold = 50 Pf. berechnet.

Druck von Anton Pustet in Salzburg.

MITTHEILUNGEN

DES

DEUTSCHEN UND OESTERREICHISCHEN ALPENVEREINS.

No. 10. SALZBURG, DECEMBER. 1883.

Vereinsnachrichten.

Circular Nr. 81 des Central-Ausschusses.

Salzburg, December 1883.

I.

Wir beehren uns hiemit bekannt zu geben, dass sich vor kurzem die 94. Section unseres Vereins zu Amberg constituirt hat.

II.

Weiter bringen wir zur Anzeige, dass wir durch Rückkauf wieder in den Besitz einer Anzahl von Exemplaren der vergriffen gewesenen Jahrgänge 1874 und 1881 unserer Zeitschrift gelangt sind, sowie von dem Blatt Glockthurm der Specialkarte der Oetzthaler Alpen einen Neudruck veranstaltet haben, so dass die genannten Publicationen, soweit der Vorrath reicht, wieder bezogen werden können. (Preisverzeichniss etc. siehe Mittheilungen 1883, Nr. 3, Umschlag.)

III.

Die Herren Sectionscassiere erlauben wir uns zu ersuchen, die etwa noch offenen Posten ehestens ebnen zu wollen, um den Abschluss der Bücher und die Fertigstellung der Jahresrechnung rechtzeitig zu ermöglichen.

IV.

Da am Schlusse des einen oder zu Beginn des nächsten Jahres in der Regel die Neuwahlen der Sectionsleitungen vorgenommen werden, so ersuchen wir um möglichst schleunige Bekanntgabe der Namen und Wohnorte der Herren Functionäre, und besonders derjenigen, an welche die Zustellungen erfolgen sollen. Wir erbitten auch die gefällige Uebersendung der Jahresberichte und sonstigen Publicationen der Sectionen in wenigstens 2 Exemplaren an uns und in einem Exemplar an die Redaction.

V.

Die Firma Anton Pustet in Salzburg hat eine Original-Einbanddecke (Ganzleinwand) zur Zeitschrift des D. und Ö. Alpenvereins in hübscher Ausstattung, Schwarz-, Gold- und Silberdruck, herstellen lassen, deren Anschaffung wir bestens empfehlen können. Dieselbe ist in drei Farben (Roth, Braun und Grün) zum Preis von 50 kr. = 90 Pf. zu haben, und sind Bestellungen direct an Herrn Anton Pustet zu richten.

Der Central-Ausschuss
des Deutschen und Oesterreichischen Alpenvereins.

E. Richter,
I. Präsident.

Berichte der Sectionen.

Algäu-Immenstadt. Auch während der Sommersaison war reges Vereinsleben bemerkbar; abgesehen von einer Plenar- und mehreren Ausschussitzungen waren die wöchentlichen Gesellschaftsabende sehr gut besucht. — Die Reihe der Vereinsausflüge eröffnete ein Rendezvous mit der Nachbarsection Kempten auf dem Rottachberg und gesellige Unterhaltung auf der Schiesstätte am 1. Juli. — Diesem schloss sich am 3. und 4. Juli eine Besteigung des Gaishorns durch 10 Vereinsmitglieder an, wobei dieselben zu ihrer Ueberraschung noch ziemlich viel mit Schnee zu kämpfen hatten; dagegen war die Aussicht eine ganz brillante. Bei dieser Gelegenheit wurde die Verbesserung des Aufstiegs von der Willersalpe zum Grat angeregt und im Lauf des Sommers auch ausgeführt. — Den Glanzpunkt des Sommers bildete die Feier zur Eröffnung des von der Section angelegten Weges durch das Retterschwanger Thal über die Haseneck-Alpe auf den Daumen, über welche wir bereits in Nr. 9 berichtet haben. — Aus dem Monat Juli ist noch nachzutragen, dass mehrere Ausschussmitglieder die Strecke Oythal-Himmeleck wegen Anlage eines Weges begingen und dass dieser Steig, der einen bequemen Aufstieg von Oberstdorf zum Hochvogel bildet, noch im Lauf des Sommers in Angriff genommen wurde.

Austria. Monats-Versammlung am 31. October. Der Sectionsvorstand Exc. Freiherr v. Hofmann eröffnet die Sitzung mit einer Uebersicht der alpinistisch wichtigsten Ereignisse der abgelaufenen Sommersaison und mit einer Reihe geschäftlicher Bekanntmachungen. Hierauf hält Prof. Dr. R. Perkmann seinen Vortrag über Tirolisches Bergknappenleben im Mittelalter, in welchem derselbe von der historischen Entwicklung des Bergbaues ausgehend dessen Vorwärtsschreiten von Ost nach West geographisch erläuterte, den Tauernbergbau schilderte und, die ersten behördlichen Anordnungen über den Bergbau im 11. und 12. Jahrhundert berührend, die örtliche Ausdehnung des Bergbaues in Tirol, unter Aufzählung der einzelnen Stätten desselben, eingehend darlegte. Redner schildert darauf die Zeit der Blüthe des Bergbaues in Tirol unter Maximilian I., kurze Zeit vor der Entdeckung Amerikas, besprach die Zahl der in den Bergwerken Tirols beschäftigten Knappen, welche in Schwaz allein damals 30 000 betrug, die Art der Bezahlung der Knappen, die reiche Ausbeute der Gruben und den unter den Gewerken herrschenden Luxus, und entwarf ein lebendiges Bild des Lebens und Treibens der Bergknappen, ihrer hervorragenden Eigenschaften, vor Allem aber der Thätigkeit derselben in religiöser Beziehung als Unterstützer und Förderer des Protestantismus und als disciplinirter Hilfskräfte im Kriege. Der Sprecher schilderte noch das Leben der Knappen im Martellthal und schloss mit einer dort im Volke lebenden, der Sage von der Martinswand sehr ähnelnden Erzählung, die er kritisch beleuchtete. — Zur Ausstellung gelangten die Oelgemälde Kotschna bei Vellach von Georg Geyer, und Drei Zinnen von Leopold Munsch, die Studien Polinikfall, aus Mallnitz, Ankogel, Zechner- und Groppensteinerfall bei Obervellach von Georg Geyer, die Skizzen Rosegggletscher, Morteratschgletscher und Tischlkar im Kötschachthal von Joh. Varrone; die Bleistiftzeichnung Prägraten vom verstorbenen Dr. Anton Sattler, das Relief des Schafberges vom verstorbenen k. k. Hauptmann Josef Balka und das Ehrengeschenk der Mitglieder und Sectionen an den abgetretenen Wiener Central-Ausschuss.

Wochen-Versammlungen in dem neuen Versammlungslocal im Hotel Goldenes Kreuz, VI, Mariahilferstrasse 99, fanden am 3., 10., 17., 24. und 31. October 1883 statt, bei welchen Besprechungen und Discussionen über die Einrichtung der Versammlungen, den Verkauf der Abonnementskarten und sonstige Vereinsangelegenheiten gepflogen wurden und auch ein Bericht über die General-Versammlung in Passau erstattet wurde. — Am 7. November 1883 fand der erste gesellige Abend mit declamatorischen und musikalischen Vorträgen statt.

Berlin. In der Sitzung vom 11. October sprach Herr Dr. Maschke über das Wettersteingebirge. Nach einer orographischen Beschreibung desselben empfiehlt er allen Besuchern dieses Gebirges die Lectüre des Werkes: »Aus den nördlichen Kalkalpen« des 1876 verstorbenen Herm. v. Barth, und berichtet über seine Besteigung der Zugspitze mit Abstieg durch das Schneekar, des Frauenalple mit Uebergang über das Wettersteingatterl und jene des Schneefernerkopfs.

In der Sitzung vom 9. November sprach Herr Dr. Darmstädter über seine Touren im Dauphiné, die er mit dem ausgezeichneten Grindelwalder Führer Chr. Almer unternommen hat. Nach einer kurzen Beschreibung seiner Reise durch die südlichen Wallisthäler, die Grajischen Alpen und Chamonix, aus der er namentlich die Pigne d'Arolla, Becca di Nona, Col de Seïlon und Col du Géant hervorhebt, gibt er an der Hand einer selbstgefertigten Karte eine orographische Skizze des Pelvouxgebiets und weist dabei namentlich auf die bedeutende Anzahl hoher Gipfel, die schroffen, zackigen Felsformationen, die vielen, zum Theil sehr grossen Gletscher, und die in Folge von Entwaldung mit Steintrümmern bedeckten und verödeten Thäler hin. Der Vortragende wanderte von la Grave im Romanchethal über die Brèche de la Meije nach la Bérarde, über den grossartigen Gletscherpass Col du Seli nach der Schutzhütte de Puiseux, erstieg von dieser aus den Mont Pelvoux und kehrte durch das Val Louise und den Col du Lautaret nach la Grave zurück. Schliesslich ging er über den hochinteressanten Col Lombard mit Abstecher auf die 3429 m hohen Roches du Goléon und beendete seine Reise mit dem Uebergang über den schwierigen Col des Aiguilles d'Arve. Der Vortrag wurde durch eine grosse Anzahl Bleistiftskizzen erläutert.

Breslau. In der Monats-Versammlung am 26. October berichtete der Vorsitzende Herr Prof. Dr. Seuffert über den Verlauf der General-Versammlung zu Passau und über den nach der ersten Ueberwinterung ganz vortrefflich befundenen Zustand der Breslauer Hütte am Oetzthaler Urkund, welche im letzten Sommer von 64 Personen, darunter 8 Damen, besucht ward. Hierauf gab Herr Referendarius Reitzenstein eine lichtvolle Uebersicht der Oetzthaler Gebirgsgruppe und knüpfte an die specielle Schilderung des Oetzthals, seiner Natur und seiner Bevölkerung eine Erzählung seiner Tour über das bisher noch nie mit Erfolg angegriffene Similaunjoch und die damit verbundene Besteigung der Hinteren Schwärze. Wir bringen dieselbe nach.

Dresden. Am 10. October erstattete Herr Rechtsanwalt G. Schmidt Bericht über die General-Versammlung in Passau. Der Vorsitzende gab hierauf interessante Daten über die Touristenfrequenz der Zufall-Hütte im Martell-Thal, die schon im ersten Jahre ihres Bestehens ein ungemein beliebtes Reiseziel geworden ist und von Vielen für die schönste Unterkunftshütte in ganz Tirol gehalten wird. — Die Section zählt gegenwärtig 212 Mitglieder. — Am 17. October berichtete Herr Amtsrichter Munkel über eine Durchwanderung des Ultenthals. Von dem nicht besonders schön gelegenen, aber behaglichen Mitterbad aus wurde die durch ihre Fernsicht berühmte Laugenspitze erstiegen und hierauf St. Gertraud am Thalschluss erreicht. Der Uebergang über das Soyjoch ins Martell gestaltete sich durch tiefen Neuschnee und Unkenntniss des Führers zu einer beschwerlichen, nicht ungefährlichen Aufgabe. — Das wenig günstige Wetter vereitelte manche Hochtour, immerhin wurde eine Reihe Hochgipfel genommen, so u. a. Monte Rosa, Ortler, Glockner, Kitzsteinhorn, Schwarzenstein, Riffler, Brenta alta, Alpspitze, Zugspitze. Auch gelang es dem Sectionsmitglied Dr. Weingart, in der Brenta-Gruppe eine bisher nicht besuchte Spitze zu erreichen, die er Cima di Dresda taufte.

Hochpusterthal. Die Section hat unter dem Titel die Hochwasser-Verheerungen im Pusterthale im Jahre 1882 eine Brochüre herausgegeben, welche eine authentische Darstellung des Hereinbruchs der Katastrophe im allgemeinen, wie im besondern von den einzelnen Ortschaften des Thales, durch 4 Ansichten illustrirt, gibt und die Situation in Rücksicht auf den Fremdenverkehr bespricht; sodann bringt dieselbe die amtlich erhobenen Schadenziffern der einzelnen Gemeinden und widmet insbesondere den grossartig ausgefallenen Sammlungen des Deutschen und Oesterreichischen Alpenvereins die anerkennendste Dankbarkeit. Die Section ladet die Vereinsgenossen zur Subscription auf die Broschüre ein. (Preis 50 kr., siehe Inserat.)

Die Section ***Klagenfurt*** hat in diesem Jahre nicht nur die vom Central-Ausschuss gespendeten Unterstützungsgelder an die durch die vorjährige Katastrophe hart betroffenen Möllthaler vertheilt, sondern hat auch bereits die Voranstalten für Aufforstung getroffen, um ähnlichen Katastrophen in Hinkunft nach Möglichkeit vorzubeugen. Auf einem frei überlassenen Gemeindeplatz in Winkel-Heiligenblut »am Himmel« wurde bereits eine Pflanzschule hergestellt und eingezäunt; und ebenso wurde auf der Margaritzen, nahe der Pasterze, eine solche Pflanzschule vorbereitet und mit Mauer umgeben. An beiden Localitäten wird im Frühjahr Waldsamen gesäet, um für niedere und hohe Alpenregion Setzlinge zu erhalten. Ebenso werden im Frühjahr von der Section am Südabhang des Obirgebirges Fichten- und Lärchenpflanzen angesetzt werden, welche aus der k. k. Landespflanzschule in Zell verabfolgt werden. Die Section wird bei diesem Unternehmen vom C.-A. kräftigst unterstützt.

Küstenland. In der Sections-Versammlung vom 21. Sept., mit welcher die Herbstsaison und die jeden Freitag stattfindenden Vereinsabende wieder eröffnet wurden, machte Professor Dr. Moser einige sehr interessante Mittheilungen über seine erfolgreichen Nachgrabungen und merkwürdigen Funde in der prähistorischen Gräberstätte von Vermo in Istrien. Aus schwerwiegenden Rücksichten müssen wir es uns versagen, schon jetzt ausführlicher über diesen Vortrag zu berichten, doch hoffen wir binnen kurzem darauf zurückkommen zu können.

In der Sections-Versammlung vom 28. September wurde ein Antrag eingebracht und begründet, bezweckend die Errichtung einer Subsection für Durchforschung der Grotten des Karstes; derselbe führte zuvörderst zur Ernennung eines Comités, welchem der Auftrag gegeben wurde, den Plan einer solchen Subsection auszuarbeiten und einer competenten Versammlung zur Genehmigung vorzulegen. In der, mit den Rechten einer ordentlichen Jahres-Versammlung einberufenen Sections-Versammlung vom 19. October gelangte das Elaborat des Comités zur statutenmässigen Behandlung und wurde nach eingehender Discussion ein Regulativ genehmigt, dessen wesentliche Bestimmungen folgende sind: Um Mitglied dieser Abtheilung werden zu können, muss man dem D. und Ö. Alpenverein angehören. — Jedes Mitglied hat das Recht, an den Excursionen und Unternehmungen derselben theilzunehmen. — Die Vertretung der Abtheilung nach aussen kommt dem Ausschuss der Section Küstenland zu. — Das leitende Comité hat die Objecte der Durchforschung zu bestimmen, die betreffenden Expeditionen zusammenzurufen und zu führen und für die Beschaffung und sorgfältige Aufbewahrung der nöthigen Instrumente und Geräthschaften sowie dafür zu sorgen, dass über alle wichtigeren Unternehmungen und Resultate der Abtheilung in den Sections-

Versammlungen Bericht erstattet werde. — Zur Bestreitung der Ausgaben für Grottenforschung dienen: a) die Jahresbeiträge der Abtheilungsmitglieder, welche auf 2 fl. festgesetzt sind; b) eventuelle freiwillige Beiträge; c) Zuschüsse der Section Küstenland, welche von Fall zu Fall auf Antrag des Comités bewilligt werden. — Die aus den Mitteln der Abtheilung zu bestreitenden Auslagen betreffen ausschliesslich die Entlohnung der Führer und Arbeiter und die zur eigentlichen Untersuchung nöthigen Vorkehrungen. — Die Publicationen der Abtheilung geschehen durch Vermittelung des Ausschusses der Section Küstenland, welche die eventuellen Kosten derselben bestreitet.

Nachdem sich über 20 Mitglieder zum Beitritt in die Abtheilung für Grottenforschung angemeldet, wurde sofort zur Constituirung derselben geschritten und in das leitende Comité die Herren: Dr. Ed. Graeffe, Hermann Ritter v. Guttenberg, Anton Hanke, Dr. Karl Moser, Heinrich Müller, Peter Pignoli und Dr. Josef Susa gewählt, welche die Herren v. Guttenberg zum Obmann, Dr. Moser zum Obmann-Stellvertreter, Pignoli zum Cassier und Hanke zum Zeugwart ernannten.

Am 5. October schilderte Herr Dr. R. F. Solla seine botanischen Excursionen in der römischen Campagna und im Sabiner-Gebirge, die Besteigungen des Monte Gennaro und des Soracte, und seine Wanderung über den weltberühmten Apennin-Pass von Pistoja nach Bologna. Besonderes Interesse erregte noch die Vergleichung der dort vorgefundenen Flora mit der küstenländischen; während er in der Campagna und im Sabiner-Gebirge nicht viele Repräsentanten der Karstflora auffand, begegnete er denselben ungemein häufig am Apennin.

München. Der I. Vorstand Herr Advocat Schuster berichtete am 3. October über die General-Versammlung in Passau, am 10. October über eine Tour von Tauffers im Münsterthal über das interessante und wilde Scarljöchl am gewaltigen Piz Pisoc vorbei nach Tarasp im Unter-Engadin und schilderte sodann den Uebergang von Ardetz über den Futschölpass zur Jamthaler Hütte, für welche Tour übrigens in Ardetz kein Führer zu finden war. Beabsichtigte Touren im Gebiet des Jamthaler Ferners wurden durch Unwetter vereitelt.

Am 17. October berichtete Herr Oberamtsrichter Nibler über seine Excursion ins Zillerthal, erwähnte den damals c. 400 m langen, 4—16 m tiefen, durch den Felssturz im Bett des Tuxer Bachs entstandenen See (s. Nr. 9, S. 298), schilderte den Besuch der Thäler Gunkl und Floite, in welche, seitdem das Sterzinger Moos entwässert ist, die alten Jungfern Tirols verbannt sind, das lustige Touristenleben in Rosshaag, welches, wie Redner bemerkte, erst seit 1853 ein Hof ist, bis dahin aber Rossalpe war; sodann folgte ein Besuch der Berliner Hütte und des Schwarzen Sees mit practischen Anweisungen für Nachfolgende; den Schluss bildete eine Schilderung der Erlebnisse des Herrn Oberlieutenant Rehm bei seinen Arbeiten für die europäische Gradmessung am Schwarzensteingipfel.

Am 24. October berichtete Herr Rechtscandidat v. Fuchs über eine mit seltenem Glück und ebensoviel Ausdauer unternommene Tour in die Tauern und die Zillerthaler Gruppe. Am dritten Tag der Reise mit dem Kitzsteinhorn beginnend, wurde zur Rainer-Hütte ab- und zur Kaindl-Hütte angestiegen, anderen Tags das Wiesbachhorn erreicht. Der fünfte Tag brachte den Reisenden über das Riffelthor, die Pasterze und den Hofmannsweg zur Erzherzog Johanns-Hütte; vor Sonnenaufgang war dann der Glockner, am Abend noch Windisch-Matrei erreicht. Am siebenten Tag zur Prager Hütte aufbrechend, wurde der Venediger nach Prägraten traversirt; der Sonntag gebot hier Ruhe, doch war man Abends in der Clara-Hütte, andern Tags via Dreiherrenspitze in Steinhaus. Der 12. u. 13. Tag brachte den Unermüdlichen über die Neveserjoch-Hütte und den Hochfeiler ins Zamser Thal und auf die Olperer-Hütte, der nächste sodann auf den Olperer. Jetzt schien das Wetter umzuschlagen, der Schwarzenstein war in dichten Nebel gehüllt, und nur der Uebergang in den Rothbach konnte nach unfreiwilliger Rast in der Berliner Hütte ausgeführt werden. Am 17. Tag schloss, wiederum bei herrlichstem Wetter, eine Hochgall-Ersteigung die Hochgebirgsreise.

Am 31. October gab Herr Rechtspracticant Ritter v. Lössl eine anschauliche Beschreibung der reizenden Umgebung von Aussee im näheren und weiteren Umkreis, unter Vorlage einer selbst in grossem Maasstab und mit Isohypsen von 10 zu 10 m aufgenommenen und sauber ausgeführten Karte. Die Schilderung einzelner Bergtouren erhielt durch Einflechtung eigener Erlebnisse besonderen Reiz.

Nachrichten von anderen Vereinen.

Club alpin Français. Den im Bulletin mensuel Nr. 7 enthaltenen Mittheilungen der Central-Direction entnehmen wir, dass das nächste Jahresfest des C. A. F. in den Bergen Algiers stattfindet, und dass sich eine neue Section zu Tizi-Ouzou unter dem Namen Djurjura-Kabylien bildete. Hierauf wird der glänzende Verlauf geschildert, welchen das heurige Jahresfest des C. A. F. zu Samöens, Sixt und Chamonix genommen hat. Dann folgen Berichte der Sectionen Paris über ihre Versammlungen, Gap und Embrun über einen Gesammtausflug auf den Morgon 2323 m im Thal der Durance, Isère über Touren ihrer Mitglieder, Aix les Bains über Gründung eines Führer-Vereins und über einen Ausflug in die Feengrotte bei Aix; Vals und Sevennen über die gemeinsame Besteigung des Berges Tanargue, Maurienne über den Tod des Sectionsmitgliedes Bezuliez, welcher am Mont Thabor durch Abrutschen über den Gletscher erfolgte, Seealpen über Besteigung des Brech 1608 m und Tournairet 2085 m, Ain und Forez über von ihren Mitgliedern ausgeführte Touren. Aus dem Bericht der Section Mont Blanc heben wir hervor, dass der Mont Blanc in diesem Jahre von 81 Personen und zwar von 35 Franzosen, 23 Engländern, 12 Americanern, 6 Deutschen,

2 Italienern, je einem Schweizer und Oesterreicher und einer Ungarin erstiegen wurde. Die Schilderung der Besteigung des Ventoux 1928 m durch eine Schülercarawane aus Avignon und Referate über alpine Aufsätze schliessen das Heft.

Z.

Club alpino Italiano. Rivista alpina italiana, Augustheft 1883. L. Barale schildert die erste Ersteigung der Corna 2953 m, eines nicht allzu schwierigen Felsengipfels zwischen den Thälern Arnas und Servin (Piemont). — Für die Errichtung eines Hotels am Gardasee plaidirt L. Bettoni-Cazzago, und zwar denkt er es zwischen Salo und Limone S. Giovanni am Brescianer Ufer. Besonders Deutsche und Oesterreicher würden nach des Verf. Ansicht diese Station besuchen, die sich sowohl im Sommer als im Winter für längeren Aufenthalt zum Standort eigne. — Die Section Vicenza des C. A. I. kündigt die erfolgte Herausgabe einer »Guida alpina« (200 Seiten mit 7 Illustrationen) über den von Italienern vielbesuchten Curort Recoaro an.

T. *Cz.*

Schweizer Alpenclub. Das Jahresfest fand am 25. August in Bern statt. Die Delegirten-Versammlung war von 45 Abgeordneten aus 22 Sectionen besucht; ein officieller Bericht über ihre Verhandlungen liegt noch nicht vor; es wurde als Ort der Versammlung für 1884 Altorf gewählt und für Abfassung einer Schrift, welche die Gefahren der Bergbesteigungen behandelt, und die Mittel zur möglichsten Vermeidung von Unglücksfällen aufführt, wurden Preise im Betrag von 400 Fr. festgesetzt (s. Nr. 9, S. 248). — Schliesslich hielt noch Professor Bachmann (Bern) einen mit grossem Interesse angehörten Vortrag über die geologischen Verhältnisse in der Umgebung von Bern. — Die Einnahme des Club betrug 1882 16 572 Fr., die Ausgabe 14 725 Fr.; das Vereinsvermögen Ende December 1881 13 682 Fr., Ende December 1882 nur mehr 11 747 Fr.

Das Banket fand in dem überaus reich und geschmackvoll decorirten grossen Casinosaal statt. Seitens des Deutschen und Oesterreichischen Alpenvereins langten telegraphisch sympathische Grüsse ein. — Den Schluss des zweiten Festtages bildete die gesellige Vereinigung auf dem »Schänzli«. — Am Montag früh entführte ein hübsch decorirter Bahnzug gegen 200 Alpenclubisten nach Langnau behufs einer Excursion auf die Rafrüti.

Ein ***Bayrischer Waldverein*** hat sich auf Anregung unseres langjährigen Mitglieds, des k. Bergmeister Herrn Stölzl in Bodenmais (früher in Maxhütte bei Traunstein) gegründet; er verfolgt den Zweck, die schönen Mittelgebirgslandschaften des Waldes durch Anlage und Markirung von Wegen leichter zugänglich zu machen; auch der Bau einer Schutzhütte auf dem Arber wird projectirt; auf Veranlassung des genannten Herrn ist ferner heuer zu Gunsten dieser Hütte in Pilsen ein Panorama vom Arber erschienen. — Der junge Verein zählte schon bei der am 25. November in Deggendorf abgehaltenen ersten General-Versammlung 142 Mitglieder. Die Section Bodenmais wurde zum Vorort und Herr Stölzl zum Vorstande gewählt.

Siebenbürgischer Karpathenverein. Programmgemäss fand die V. Hauptversammlung dieses jungen Alpenvereins zu Bistritz am 8. August 1883 statt. Aus allen 9 Sectionen waren Mitglieder erschienen, und so konnte der Vereinsvorstand Herr Dr. Carl Conradt eine recht zahlreiche Versammlung willkommen heissen. Derselbe skizzirte dann die Thätigkeit des Vereins im abgelaufenen Jahr, woraus zu entnehmen, dass nicht nur die Zahl der Mitglieder in stetem Wachsen ist, sondern dass auch alle Mitglieder warmen Antheil an dem Verein nehmen und bestrebt sind, allüberall seine Interessen zu wahren. Die Anzahl der Schutzhütten ist bereits auf 12 gestiegen; Wegbauten und Wegmarkirungen wurden an verschiedenen Orten vorgenommen und an der Regelung des Führerwesens weiter gearbeitet. — Der Central-Ausschuss berichtete hierauf über eine Mehrausgabe von 209 fl. 76 kr. an Kosten des III. Jahrbuchs — verursacht hauptsächlich durch das stete Wachsen der Vereinsmitglieder, wodurch eine Erhöhung der Auflage von 1500 auf 1700 Exemplare nöthig erschien. Die Mehrausgabe wurde von der Versammlung gebilligt und belaufen sich sonach die Kosten des Jahrbuchs III. auf 1109 fl. 81 kr. Ebenso wurde der Voranschlag für 1884 angenommen. Den Sectionen wurden 1550 fl. für Hütten und Wegbauten votirt. Mit lebhafter Zustimmung wurde der Vorschlag des Ausschusses: mehrere um den Verein und den Alpinismus im allgemeinen verdiente Männer zu Ehrenmitgliedern zu ernennen, aufgenommen. Die Wahlen unterliegen noch statutenmässig der Genehmigung des kgl. Ministerium des Inneren.

Schliesslich fand die Wahl des Ausschusses und der Functionäre für die nächsten 3 Jahre statt. Zum Vorstand wurde Herr Dr. Carl Conradt, zum Sekretär Herr E. Sigerus, zum Cassier Herr C. Lüdecke, sämmmtliche in Hermannstadt, wieder gewählt. An die Hauptversammlung schlossen sich Ausflüge ins Hochgebirge, die aber zum Theil verregnet wurden. — Die nächste Hauptversammlung wird im August 1884 zu Hermannstadt abgehalten werden, bei welcher Gelegenheit voraussichtlich auch viele auswärtige Freunde des Vereins sich einfinden werden.

Der ***Ungarische Karpathenverein*** hat durch Herrn F. Dénes zur Gedenkfeier seines zehnjährigen Bestandes eine Festschrift veröffentlicht, welche in übersichtlicher Weise ein Bild der Entwicklung desselben nach jeder Richtung bietet. Seit seiner Gründung am 10. August 1873 durch Herrn Anton Döller in Kesmark, wo noch jetzt der Sitz des Ausschusses ist, hob sich der Verein von 361 zu 2801 Mitgliedern und zählt zur Zeit 6 Sectionen innerhalb seines Verbandes. Von den Einkünften werden nach Abzug der Regiekosten 40 % auf culturelle, 60 % auf practische Zwecke verwendet. Die Gesammtausgaben in den 10 Jahren belaufen sich auf 44 160 fl.; ausserdem sind 12 890 fl. als Gründerkapital, Führerfond und Museumbaufond angelegt. Die Bestrebungen des Vereins werden durch materielle Unterstützung allseits gefördert, z. B. gewährt Alt-Schmecks, wo die Jahres-Versammlung am zweiten Sonntag im August tagt, dem Verein ebenso wie Neu-Schmecks $^1/_3$ der Kurtaxen. Derzeit ist ein besonderes Ziel des Vereins der Bau eines Museums in Poprad, zu dessen Fond Widmungen, Sammlungen und Lotterie (bisher 7590 fl.) herangezogen wurden. Das Jahrbuch, unter einem eigenen Redactionsobmann, erscheint ungarisch und deutsch, und zwar seit 1882 in 4 Quartalheften. 1880 gab der Verein durch Hugo Payer eine Bibliotheca Carpathica heraus, d. i. eine Zusammenstellung der ganzen, auf die Karpathen bezüglichen, bis 1878 herabreichenden Literatur. Neben Weg- und Hüttenbauten und Sorge für das Führerwesen pflegte der Verein in wissenschaftlicher Beziehung Seemessungen und Höhlendurchforschung (in Dobschau, Azztelek und Bela) und unterstützte meteorologische Beobachtungen. Sein Interesse für Pflanzen- und Thierschutz zeigt sich in Heranziehung der Zirbelkiefer in Baumschulen und in Einsetzung von Steinhühnern in der Tatra. — Schliesslich wirft die Denkschrift einen Streifblick auf die volkswirthschaftlichen Leistungen des Vereins, z. B. Entwicklung der Unterkunftstätten, Besuche, Industrieförderung u. s. w. Den Schlusswunsch des Verfassers, dass die Mitgliederanzahl, und zwar an »Arbeitern«, stetig und rasch zunehme, theilen auch wir in freundlichster Gesinnung.

Vereins-Hütten und Unterkunftshäuser. Wegbauten.

Neue Hütte an der Scesaplana. Die Section Rhätia des S. A. C. hat heuer an der Schweizer Seite der Scesaplana auf der vorspringenden Ecke von Schamella 2350 m eine Schutzhütte erbaut und eröffnet. Dieselbe, welche für etwa 15 Personen, theils auf Pritschen, theils auf Heu Lager bietet, ist von Seewis über Alp Palus in 4 St. bequem zu erreichen; zum Gipfel hat man dann noch 2 St. steilen Steigens, aber »auf gut gebahntem markirten Weg, der kein Gefühl des Schwindels, den die steile Felswand erwecken könnte, aufkommen lässt«, während der frühere Weg von der Alp Fasons durch das Schaafloch 5 St. schwierigen Wegs erforderte.

S. A. Z.

Kufstein. Der Besuch der ***Bärenbad-Hütte*** während zweier Monate hat gezeigt, dass das Kaiserthal nicht blos ein beliebter Ausflugsort für Touristen, sondern auch Gemeingut der einheimischen Bevölkerung geworden ist. Bei der Hütteneröffnung (s. Mittheilungen 1883, S. 250) haben sich 50 Personen in das Fremdenbuch eingetragen und seitdem weist dasselbe 65 auswärtige und 90 Kufsteiner Gäste aus. Laut Ausweis des Tourenbuchs bestiegen 28 Personen die Elmauer Haltspitze, 12 das Sonneck, 37 das Stripsenjoch und 2 das Kopfthörl. Ein gleich schönes Resultat erzielte die Section mit der Weganlage zur ***Pyramiden-***

spitze am Zahmen Kaiser, wo das Tourenbuch bis zum 28. October 140 Besucher ausweist. Die Section blickt mit Freuden auf diese erzielten Erfolge und hofft durch Ausdauer und Muth die vielen Widerwärtigkeiten und Hindernisse,*) welche derselben gemacht worden sind, zu beseitigen, um gestützt auf das Vertrauen der Mitglieder des Gesammtvereins die zwar schwierige, jedoch gewiss lohnende Arbeit zum Nutzen und Gedeihen Aller im kommenden Jahr fortzusetzen.

Eröffnung der Carlsbader Hütte im Matscher Thal am 3. September 1883. Wie bekannt, fassten die in Carlsbad domicilirenden Mitglieder unserer Section Prag vor zwei Jahren den Entschluss, eine Schutzhütte im Matscher Thal zu erbauen, um die Besteigung der Weisskugel 3741 m zu erleichtern und den Touristen die Möglichkeit zu verschaffen, aus dem Oetzthal und Schnalser Thal auf dem kürzesten Weg zur Ortler-Gruppe zu gelangen. Es gelang den Carlsbader Mitgliedern, 30 an der Zahl, diese Aufgabe ohne weitere Beihilfe als eine Subvention von 400 fl. aus der Centralcasse durchzuführen. Dies ist besonders der unermüdlichen Ausdauer, dem praktischen Sinn und der Opferwilligkeit des Herrn Franz Höller, Kaufmann in Carlsbad, zu verdanken. Und zwar wird die Carlsbader Hütte an praktischer Ausführung, reicher Ausstattung und Einrichtung mit allem, was den Aufenthalt angenehm machen kann, nicht leicht von einer andern bestehenden Touristen-Hütte übertroffen. Bei der andauernd schlechten Witterung liess erst der Monat August den Beginn der Mauerarbeiten zu. Trotzdem wurde der Bau unter Leitung des Baumeisters Wallnöfer aus Tartsch in etwa vier Wochen zur vollsten Zu-

*) In dieser Beziehung wird uns folgendes Eingesandt im Tiroler Grenzboten mitgetheilt, aus dem wir mit Befriedigung ersehen, dass das Gebahren der erzherzoglichen Jäger von competenter Seite missbilligt wird. »Herr Redakteur! In Nr. 41 Ihrer Zeitschrift erscheint unter der Aufschrift »Vermischte Nachrichten« (Alpines) eine Notiz, welche einiger Berichtigung bedarf. Es geht nämlich dort die Rede von den Hindernissen, welche die erzherzoglichen Jäger dem Alpenverein bereitet haben sollen. Wir können hierauf nur Nachstehendes erwidern: Es wird nämlich Niemanden einfallen, Touristen, welche die erzherzoglichen Jagdgebiete auf schonende Art für den so mühsam emporgebrachten Wildstand betreten, hindernd in den Weg zu treten, um so weniger als ja schon vorausgesetzt werden muss, dass die Vereinsmitglieder Freunde der Natur und der Wissenschaft sind, daher es ihnen ja lieb und angenehm sein muss, auf ihren Touristen-Touren Gemsrudel ansichtig zu werden, weil ja eben diese eine Haupt-Decoration der Alpenwelt bilden. Auch haben die Jäger den gemessensten Auftrag, Jedermann höflichst zu begegnen und ist der Jagdverwaltung bis jetzt keine Anzeige zugekommen, in welcher Klage gegen das Benehmen der Jäger geführt worden wäre, welches, ungebührlich, sicherlich geahndet worden wäre. Uebrigens kann es wohl andererseits auch dem Jagdpersonal nicht verargt werden, wenn sich dasselbe darüber aufhält und beklagt, dass durch absichtliches Lärmen, ja sogar Abfeuern von Revolverschüssen mancher Touristen die Gemsstände beunruhigt werden, was ja sicher am allerwenigsten in den Intentionen des Alpenvereins gelegen ist. Gewiss liesse sich durch freundliches Uebereinkommen Vieles zu Gunsten des Jagdschutzes und der Wildhege, wie überhaupt in gegenseitigem Interesse beitragen. v. Bischoff.«

friedenheit vollendet. Die Hütte, 2740 m hoch am Rande des Oberetten-*) Gletschers gelegen, ist von Stein, mit Cement gemauert und verputzt, der Dachstuhl besonders widerstandskräftig konstruirt. Die Bedachung hat vierfache Schindellage, die Hütte ist mit Doppelthüre und Doppelfenster versehen, der Innenraum mit Holz ausgetäfelt. Sie enthält acht Schlafstellen im unteren, 16 im Bodenraum und kann somit 24, im Nothfall bis 30 Personen Unterkunft gewähren. Die Schlafstellen im unteren Raum sind durchwegs mit Rosshaarmatrazen, Keil-, Feder- und Rosshaarpolstern, nebst starken wollenen Decken, die Schlafstellen im Bodenraum mit Strohsäcken und wollenen Kotzen versehen. Was die übrige Einrichtung anbelangt, so ist dieselbe äusserst comfortabel und von seltener Vollständigkeit, welche so weit geht, dass sogar elegantes Speise-, Cafe-, Thee- und Wasch-Service geziert mit dem Vereinszeichen und der Randschrift »Carlsbader Hütte« nicht fehlt. An Instrumenten und Geräthschaften zu Excursionen besitzt die Hütte ein Aneroïd-Barometer, ein Thermometer, eine Weckuhr, drei Gletscherseile, zwei Eispickel, Bergstöcke, Steigeisen, Schneebrillen, Hauen, Schaufeln, Aexte, einen eingerichteten Werkzeugkasten, ferner eine vollständige Hüttenapotheke mit Gebrauchsanweisung, Verbandtüchern, Bandagen, Gummibinden, Carbolwatte, Schienen für Arm- und Beinbrüche, sowie Nothtragbahren. Für die leibliche Nothdurft ist für die erste Zeit durch ein kleines Proviantdepot gesorgt und befindet sich ein grösseres Proviantdepot der Section Prag in Matsch. An den Wänden ist eine Anzahl Photographien, Panorama, Hüttenordnung, Führertarife zu sehen. Gegen Langweile namentlich bei längerem Aufenthalt in der Hütte ist eine ziemlich reichhaltige Bibliothek eingerichtet, die nebst vorwiegend alpinen Werken, die sämmtlichen Sectionen der neuen Generalstabskarte von Tirol, die Ravenstein'sche Uebersichtskarte und eine Wandkarte der Oetzthaler Gruppe im Maasstab 1 : 25 000 umfasst. Zur weiteren Unterhaltung finden sich Spielkarten, Schach und Domino; für die müden Füsse Filzschuhe, für unbequeme Gäste Insektenpulver vor. Ein prachtvolles Gedenkbuch, dessen erste Blätter von Künstlerhand geziert sind, vervollständigt diese Hütteneinrichtung.

Zur Eröffnung dieser reizenden Hütte fanden sich am 2. September zahlreiche Festtheilnehmer sowie Honoratioren von Mals in dem festlich dekorirten Saal des »Hôtel Flora« in Mals zusammen. Ein in der Nacht losbrechendes Gewitter gestaltete zwar die Aussichten auf schönes Wetter für den folgenden Morgen sehr fraglich; am nächsten Tage lag wohl Neuschnee auf den Bergen, darüber aber blaute ein wolkenloser Himmel. Unter Musikklängen zogen 6 U. früh die Gäste und Festgeber nach Matsch.

*) Nach mehrfachen von uns erholten Informationen ist dies — und nicht Dobretten oder gar Tabaraten — die richtige Schreibweise; die Gegend heisst in der »Oberen Etten«. Nach Schmeller dürfte sich Etten auf das Stammwort *öd*, sehr oft auch *ed*, *edt* geschrieben, zurückführen lassen, wenn man nicht an das allemannische Etter (Zaun) denken will. Dies festgestellt, wird es mit der Zeit auch erlaubt sein, dem gewiss ebenfalls widerrechtlich im kerndeutschen Sulden eingeführten »Tabaretta« zu Leib zu gehen. D. Red.

Auf halbem Wege kamen der Gemeindevorstand und der hochw. Pfarrer von Matsch entgegen, um die Festgäste zu begrüssen, denen zu Ehren die gleichfalls ausgerückte Schützenkompagnie von Matsch einige Salven abgab. Unter Vorantritt der Musikkapelle und Schützenkompagnie erfolgte nach einstündigem Marsch der Einzug im festlich beflaggten Dörfchen Matsch, an dessen Eingang die Matscher eine Ehrenpforte errichtet hatten und ein Männerchor die Festgäste empfing. In dem reich dekorirten Gasthaus »zur Stadt Carlsbad« erwartete die Gäste ein Frühstück. In Matsch schlossen sich weitere Festtheilnehmer an, so dass der Zug die stattliche Zahl von 60 Personen erreichte, als man nach 1 $1/2$ stündiger Rast den Weg zur Carlsbader Hütte fortsetzte. Gegen 11 U. waren die Glieshöfe erreicht, wo die Theilnehmer von Herrn Fondsverwalter Folic aus Bozen, einem warmen Freund des Matscher Thals, der den Hüttenbau nach Kräften gefördert hatte, begrüsst wurden. Auf neuhergestelltem bequemem Thalweg wanderte man bis zum Thalschluss und betrat alsdann den vom Alpenverein angelegten Reitsteig, um die Carlsbader Hütte um 3 U. zu erreichen, deren treffliche Einrichtung allseitig den grössten Beifall fand, so dass alle Anwesenden behaupteten, es sei dies die bestgebaute und besteingerichtete Hütte, die man bis jetzt gesehen. Beim Festmahl drückte Herr Folic im Namen der Bevölkerung von Matsch dem Deutschen und Oesterreichischen Alpenverein, insbesondere der Filiale Carlsbad und dem unermüdlichen Förderer des Hüttenbaues, Herrn Höller, den herzlichsten Dank aus mit der Versicherung, dass jeder Bewohner von Matsch allen Touristen gewiss auf das freundlichste entgegenkommen werde. Hierauf ergriff Namens der Nachbarsection Meran Herr Apotheker Pöll aus Mals das Wort und gab Namens der Section das Versprechen, für Erhaltung der Hütte das Möglichste beizutragen. Hierauf sprach der hochw. Pfarrer von Matsch Herr P. Poly den Dank an die Filiale Carlsbad und insbesondere dem Gönner der Matscher, Herrn Höller aus, mit seinem Wort einstehend, dass die Bewohner von Matsch diese schöne Hütte gewiss schützen werden. Gleichzeitig dankte der Herr Pfarrer der Section Meran für die im Vorjahr den armen verunglückten Matschern so reichlich gespendete Hilfe.

Am andern Morgen um 4 U. unternahmen 23 Touristen und Führer trotz meterhohem Neuschnee den Aufstieg zur Weisskugel; der ungünstigen Schneeverhältnisse und heftigen Sturms halber erreichten jedoch leider nicht alle die Spitze. Diejenigen, welchen dies gelang, waren reichlich entschädigt durch die prachtvolle Aussicht, welche sie genossen. Allen aber, auch Jenen, die diesen Hochgenuss sich versagen mussten, blieben die Eindrücke der Eröffnungsfeier in der freudigsten Erinnerung. — Wir erfüllen nur eine angenehme Pflicht, wenn wir zum Schluss dankend des liebenswürdigen Entgegenkommens und der regen Unterstützung gedenken, welche unser Alpenverein bei den massgebenden Personen im oberen Vintschgau fand und sei namentlich hievon folgenden Herren und zwar Verwalter Folic aus Bozen, Dr. Flora, Postmeister Flora, Telegraphenleiter Thanay, Apotheker Pöll aus Mals, Sr. Hochw. Pfarrer Poly und der Gemeindevorstehung von Matsch der wärmste Dank ausgesprochen; ebenso Herrn Photograph H. Lotze aus Bozen, welcher sich beeilt hatte, auf eigene Gefahr im Matscher Thal Aufnahmen zu machen. Den wackeren Carlsbadern aber wird der Gesammtverein und die Touristenwelt für ihre hochherzige That zu innigstem Danke verpflichtet sein und bleiben.

Das ***Glocknerhaus*** wurde heuer früher als sonst, nämlich am 23. Juni, durch Herrn A. Dolar eröffnet, weil da Verschiedenes an Betten u. s. w. zu richten und ausserdem die Salms-Hütte zu inspiciren war. Bis 24. Juni hatten schon 16 Touristen die Pasterze besucht. Die Frequenz im Glocknerhaus ist wieder eine recht gute zu nennen, da 1403 Touristen zukehrten. Leider war die zweite Septemberhälfte dem Verkehr weniger günstig und gab der Section Veranlassung, schon am 28. September das Haus zu schliessen. Wie gewöhnlich wurde diese Sperre von dem Hausvater A. Dolar und Bergrath Seeland vorgenommen. A. Dolar besorgte die Ordnung im Hause, Seeland nahm wieder die Messungen am Pasterzengletscher vor. Das Ergebniss der letzteren war, dass in diesem Jahre das Eis um 70·7 % weniger schwand, als in dem Mittel der drei vergangenen Jahre; ja auf der Nordseite (Freiwand) zeigte sich sogar ein Vorschreiten, was auf ein baldiges allgemeines Wachsen des Pasterzengletschers deutet. Der dicht lagernde Nebel, Regen und Schneesturm verhinderten diesmal das Abscissenmessen für die Gletscherbewegung bei der höher gelegenen Hofmanns-Hütte, und musste diese Arbeit auf den nächsten Sommer verschoben werden.

Die meteorologischen Beobachtungen wurden heuer von Herrn A. Schmidl geführt, da derselbe aus Gefälligkeit die Stelle des Hauswartes für den kränkelnden Hermann Schober versah. Aus denselben resultirt eine mittlere Julitemperatur von 7·0 ° C. Die höchste Lufttemperatur 17·4° C. hatte der 13. und die tiefste —1·2 ° C. der 16. Juli. Die Bewölkung war 7·1 und der herrschende Wind West. — Im August war das Wärmemittel sogar 8° C. Die höchste Wärme 17.4° C. zeigte der 15. und die tiefste 1·0° C. der 17. und 18. August. Die mittlere Bewölkung war nur 4·4 und der Wind blies vornemlich aus N. — Im September war das Luftwärmemittel 4·9 ° C., mit der höchsten Wärme 13·4° C. am 1. und der tiefsten —1.2° C. am 10. Die mittlere Bewölkung war 5·8 und der herrschende W. kam von N. Im allgemeinen zählt der heurige Sommer auf der Pasterze zu den günstigen und mittelwarmen.

Für Bequemlichkeit der Touristen ist in diesem Jahr der Weg von Heiligenblut zum Glocknerhaus recht solid und gut hergestellt und verbreitert worden. An jedem schönen Aussichtspunkt wurden von den Heiligenbluter Führern Rastbänke aufgestellt. In Heiligenblut hat Herr Schober in seinem Gasthaus Verschiedenes verbessert. In Döllach hat Herr Sauper das Ortner'sche Gasthaus übernommen, und von der Section wurden die Wege und Stege zur Zirknitzgrotte reparirt. In Winklern hat Herr Dr. v. Aichenegg bestens für Verpflegung und Fahrgelegenheiten gesorgt.

Die ***Salms-Hütte*** wurde in diesem Jahr gänzlich beendet und am 16. August eröffnet. Die Sectionsmitglieder A. Dolar und J. Pokorny aus Klagenfurt, der Schulleiter A. Zussner, dann die Führer Kramser und Wallner aus Heiligenblut brachen zu diesem Zweck 7 U. früh in Heiligenblut auf und kamen 9 ½ U. in der Leiterhütte an. Da entlud sich plötzlich ein heftiges Gewitter, dem bald Regen und Schnee folgten. Um 3 U. Nachmittags wurde während des fortdauernden Schneesturms wieder aufgebrochen und 5 ½ U. die in den Kalkwänden des Schwertecks ausgebrochene Salmshütte 2815·7 m erreicht. Nachdem sich hier die Gesellschaft mit einer Tasse Thee erwärmt, und durch die auf Momente zerrissenen Wolken an der Aussicht auf die umstehenden Bergriesen ergötzt hatte, erhob der Hausvater A. Dolar ein Glas Wein und sprach: »Hiemit sei die Salms-Hütte eröffnet, deren weittragende touristische Bedeutung schon im Jahre 1806 von dem edelmüthigen und hochherzigen Cardinal-Fürstbischof Altgraf von Salm erkannt wurde. Zwar ist die alte Salms-Hütte (2676 m) zerfallen, aber aus ihren Ruinen erhob sich der gegenwärtige Neubau, der allen Glocknerfahrern ein schützendes Heim und ein sicherer Hort sein möge. Auf dass die Salmshütte eine gerne aufgesuchte Hochwarte in unseren Alpen sei, darauf leere ich mein Glas.« — Man übernachtete in der Salms-Hütte und begab sich am 17. über die Erzherzog Johanns-Hütte und auf dem Hofmannsweg nach dem Glocknerhause, weil an eine Besteigung des Grossglockner des andauernden Sturms und Nebels wegen nicht zu denken war. — In der kurzen Zeit vom 16. Aug. bis 28. Sept. wurde die Salms-Hütte von 67 Touristen besucht.

Ueber die Eröffnung der ***Drei Zinnen-Hütte*** am Toblinger Riedel am 25. Juli kommt uns ein Bericht zu, dem wir als Ergänzung der Notiz in Nr. 9 Einiges entnehmen. Trotz des eingetretenen Regens wurde unter Vorantritt der Sextner Musikkapelle und zahlreicher Begleitung der Bevölkerung von Sexten der Weg durch das vielbesuchte Fischleinthal und Altensteinthal angetreten, und wirklich klärte sich bis zur Ankunft auf der Höhe des Toblinger Riedels der Himmel zur grossen Freude aller noch vollständig auf. Bei der festlich beflaggten Hütte angekommen, hatte man auch noch die Freude, zwei Mitglieder der Section Berlin, welche ein schönes Angebinde mitgebracht hatten, begrüssen zu können. — Der Obmann der Section Hochpusterthal hielt nun eine Ansprache, worin er den freudigen Festanlass feierte, die Hütte als einen grossen Erfolg der Section und als eine allgemeine bedeutungsvolle Errungenschaft bezeichnete, Allen, die zum Zustandekommen derselben mitgewirkt, insbesondere den Bauführern Rienzner und Stemberger, sowie dem anwesenden Gemeindevorsteher von Sexten für die unentgeltliche Abtretung des Grundes dankte, und brachte schliesslich auf den D. u. Ö. Alpenverein, dessen segensreichem Wirken vor allem auch diese Hütte zu verdanken, ein Hoch aus.

— Der prächtige Anblick der grossartig schönen Gebirgswelt, die fröhlichen Weisen der Musik erhöhten die Festesfreude, so dass man schliesslich gemeinsam sammt Musik nach Landro abstieg. — Bau und Einrichtung der Hütte fanden allgemeinen Beifall. Sie ist solid gemauert und besteht aus einem unteren und einem oberen (Dach-) Raum. Der untere Raum enthält eine Pritsche mit 6 Strohsacklagern, einen Tisch und einen eisernen Herd und ist mit allen nöthigen Geräthschaften ausgestattet. Der obere Raum enthält ein Strohlager für nöthigen Falls 12 Personen und bleibt stets unverschlossen, während im unteren Raum das Vereinsschloss angelegt ist. Den vielen Besuchern des Toblinger Riedels wird die Hütte ein gewiss willkommenes Obdach bieten, sowie sie auch für die Ersteiger der umstehenden Felsenhäupter, besonders der Drei Zinnen, der Schusterplatte u. A., eine Station bildet.

Mit der Reparatur der ***Wischberg-Hütte*** der Section Villach wurde diesen Herbst angefangen; sie erstreckt sich vorläufig blos auf die Herstellung eines besseren Verschlusses von Thür und Fenstern. Im Sommer 1884 muss das Haus gegen N. eine Wand-Verschalung und eine in den Felsen gehauene Wasserrinne erhalten, damit nicht Regen- und Schneewasser wie bisher in das Haus dringen. Ferner wurde durch die ununterbrochene Traufe vom Felsen herab und die dadurch bedingte Eislast das Haus in seiner Grundmauer unter der Holzwand zerrüttet und muss aufgekeilt und frisch untermauert werden. Inventar sollte auch unbedingt ergänzt und die Lagerstätte anders eingerichtet werden. Die Renovirungskosten für dieses Schutzhaus werden 1884 bei der General-Versammlung durch die Section Villach angesprochen werden. — Die Besucherzahl beträgt 1883 nur 17 Personen, von welchen 11 den Wischberg bestiegen haben. Unbegreiflich ist die geringe Frequenz dieser in so schöner Lage befindlichen und leicht zugänglichen Schutzhütte in den Raibler Alpen. — Tarvis und Raibl hatten heuer einen ganz ansehnlichen Fremden-Verkehr zu verzeichnen und fanden die zu Gunsten der Fremden von Seite des Gaues Tarvis der Section Villach getroffenen Veranstaltungen allgemeine Anerkennung. *L. M. M.*

Das ***Manhart-Haus*** der Section Villach ist seit Ende August fertig gebaut und sieht nun innen und aussen viel wohnlicher aus, als vorher. Durch Adaptirung des Dachraums und bessere Eintheilung im Innern wurde wesentlich an Raum gewonnen. Die Lagerstätte bilden einfache Strohsäcke, welche den stets feuchten und harten Seegras-Matrazen weitaus vorzuziehen sind. An Stelle der gewesenen 4 kleinen Lichtöffnungen kamen 2 neue grosse Fenster mit Doppelrahmen und sehr starken Eisengittern. Balken und Vorthüre sind mit Blech beschlagen und braun gestrichen. Das Zimmer ist über 1 m hoch vom Boden mit Lärchenbrettern vertäfelt und mit Bildern etc. geschmückt, das Dach ist mit kurzen gehobelten Dachbrettern gedeckt, genau verzapft und mit 6 Bandschliessen verankert. Die Aussenseite des Hauses ziert eine Aufschrifttafel und ein Christusbild, versehen mit deutscher und slovenischer Schrift »Schutz dem

Hause«. Im Haus war ähnlich wie in den Häusern des Ö. T.-C. auf Grintouz und Stou im vergangenen Sommer Wein und Bier gelagert im neu hergestellten Keller, was allgemeinen Beifall fand. — Der Neubau des Manhart-Hauses hat bedeutend mehr Kosten verursacht, als für 1883 von der General-Versammlung bewilligt wurde und muss die Section 1884 um einen Nachtrag ansprechen. — Die Besucherzahl ist 36, wovon 17 Personen den Manhart selbst bestiegen haben. *L. M. M.*

Postmeister Stainer in ***Golling*** liess den Weg zu den Lammeröfen verbessern und hat den Aubach- oder Pichlfall an der neuen Golling-Abtenauer-Strasse zugänglich gemacht und damit einen der schönsten Wasserfälle erschlossen.

Aus Langtaufers. Der Bergführer Joh. Patscheider in Hinterkirch hat den Wegbau am linken Ufer des Malagbachs bis zum Weissseejoch in vortrefflicher Weise zur Ausführung gebracht.

Die Section ***Gastein*** hat sich noch im Herbst mit der Herstellung des Wegs vom Nassfeld auf das Schareck beschäftigt, wodurch bekanntlich die directe Besteigung dieses Gipfels von Gastein aus ermöglicht wird.

Führerwesen.

Führerversicherung. Die Versicherungsgesellschaft Zürich hat auf Grund des mit dem D. u. Ö. Alpenverein abgeschlossenen Vertrags am 12. October in coulanter Weise den Versicherungsbetrag von 500 fl. für die Erben des am 11. August am Nuvolau verunglückten Ampezzaner Führers Giuseppe Ghedina an die Section Austria entrichtet.

Mittheilungen und Auszüge.

Ueber das vermuthete Vorrücken der Gletscher des Schwarzensteingrunds. In den Mittheilungen 1883 Nr. 3 (Seite 77) hat Herr Dr. C. Diener berichtet, dass die drei Hauptgletscher des Schwarzensteingrunds nach dem Jahre 1871 einen Vorstoss gemacht haben und gründet seine Behauptung auf eine Vergleichung der Höhenmessungen an den Gletscherenden, sowie auf Beobachtungen an den Moränen. Ein solches Vorrücken in der Periode allgemeinsten Rückganges wäre eine sehr bemerkenswerthe Erscheinung, und um so auffälliger ist es, dass dieselbe erst nach 6 Jahren nachträglich entdeckt worden sein sollte. Seit der Gründung des Alpenvereins ist das Gebiet so viel besucht worden, dass es kaum denkbar erscheint, dass eine so eigenthümliche Erscheinung unbemerkt vorübergehen könne.

Da der Unterzeichnete sich heuer auf der Berliner Hütte einige Zeit aufhielt, nahm er Gelegenheit, die in der obigen Notiz angeführten Thatsachen zu prüfen, wenigstens soweit sie den Schwarzensteingletscher betrafen. Ein Hereinziehen der beiden anderen Gletscher wurde durch das schlechte Wetter der zweiten Julihälfte verhindert.

Das Vorfeld des Schwarzensteingletschers ist durch einen fast ununterbrochenen Moränenwall umschlossen, und es ist eigenthümlich, dass der Gletscher zur Zeit seiner grössten Ausdehnung sein Thal bis zu Ende ausfüllte. Wäre er noch weiter gewachsen, so hätte eine bedeutende Aufstauung stattfinden müssen, ehe derselbe die Hügel überfliessen konnte, welche sich seinem weiteren Vorgehen entgegenstellten. Der Gletscherbach durchbricht diese Thalsperre in einer tiefen Klamm. An der Aussenseite der genannten Moräne ist an vier verschiedenen Stellen eine ältere Moräne getrennt erkennbar, an anderen Stellen kann man sehen, dass sie durch die jüngere Moräne völlig überbaut wurde, nirgend ist das kleine Thälchen zwischen beiden Moränen mehr als drei Meter breit. Vergleicht man diese Thatsachen mit den Anführungen des Herrn Dr. Diener, so muss nach ihm der Schwarzensteingletscher um das Jahr 1875 fast genau dieselbe Ausdehnung erlangt haben, wie im Jahre 1845. (Auch ober der Waxeck-Alpe ist die Entfernung der beiden Moränenringe nicht bedeutend.) Wäre es denkbar, dass zu einer Zeit, wo das Zillerthal schon so intelligente Führer wie David Fankhauser und Hans Hörhager besass, eine so grossartige Umwälzung unbemerkt vor sich gehen konnte? Ueberdies ist die ältere Moräne so dicht mit Vegetation bekleidet, dass schon einige Aufmerksamkeit dazu gehört, ihre Zusammensetzung aus losen Felsblöcken zu erkennen. Ich bin leider nicht Botaniker und kann über die Zeit nicht urtheilen, welche die Vegetation im alpinen Klima braucht, um den kahlen Fels zu erobern, aber ich glaube nicht, dass diese Eroberung in 30 Jahren schon eine so vollständige sein werde, ich möchte die ältere Moräne etwa mit dem doppelten Alter abschätzen.

Aber nun zu den Zahlen, die doch sonst Beweiskraft haben sollen. Nach denselben müsste 1882 das Ende des Horngletschers 29 m tiefer gelegen haben als 1871, bei den andern beiden Gletschern ist die Differenz nicht ganz so gross. Sieht man aber, dass Herr Edgar Rehm in seiner Brochüre: Aus dem Zillerthal (Wien 1883) der Berliner Hütte auf Grund jedenfalls genauer Messungen eine Höhe von 2007 m zuweist — unmittelbar neben der Hütte steht ein Steinmann als Höhenmarke —, während dieselbe früher stets mit 2041 m angegeben wurde, so klärt sich wohl ohne Mühe die Differenz der a. a. O. gegebenen Zahlen auf.*) Die Herren Rehm und Diener haben nämlich offenbar für die ganze Gegend um etwa 30 m geringere Höhen gefunden, als die Mappirung von 1871. Es muss das wieder eine Mahnung sein und eine Erinnerung, dass die durch die Kartenaufnahmen festgelegten Daten bei weitem nicht ausreichen, um ein Urtheil über die Bewegungen in der Gletscherwelt darauf zu gründen. Verlieren wir keine Zeit, um ein möglichst reiches Material an zweck-

*) Der von der k. k. Militärmappirung mit 2010 m bezeichnete Punkt liegt noch etwas unterhalb der Schwarzensteinalphütte.

gemässen Messungen herbeizuschaffen, um im Falle eines Wiedervorrückens der Gletscher gerüstet zu sein!

Berlin. *Dr. Wilhelm Biermann.*

Vom Schwarzensteinkees. Der Rückgang des Schwarzensteingletschers vom September 1882 bis Anfang Juli 1883 betrug am Gletscherende 3 m, an zwei anderen Punkten an der linken Seite der Gletscherzunge je 1 $^1/_2$ m und 2 m. Der Gletscher ist somit nahezu stationär geblieben, was auch aus der Bildung einer neuen, 1 bis 2 m hohen Stirnmoräne zu entnehmen ist. An manchen Stellen liess sich die Umlagerung der Moräne durch Oberflächenströme des Gletschers sehr schön beobachten. Im Firngebiet der drei Gletscher des Schwarzensteingrunds war in Folge der starken Niederschläge des Spätwinters und Frühjahrs eine nicht unbeträchtliche Zunahme zu constatiren. Die grossen Bergschründe unter den Wänden des Thurnerkamp und Mösele blieben diesen Sommer bis Ende August geschlossen.

Wien. *Dr. Carl Diener.*

Eröffnung der meteorologischen Hochstation am Wendelstein. Der Verein Wendelsteinhaus hat im Laufe des Monats October die meteorologische Hochstation auf dem Wendelstein eröffnet. Es wurde dieselbe ausgestattet mit einem grossen Barometer von Wiedemann in München, mit einem Maximal- und Minimal-Thermographen, einem Haarhygrometer von Hottinger in Zürich, einem Rotationspsychrometer von Kopenhagen, einem Regenmesser und sechs Pegeln zum Schneemessen. Es ist Fürsorge getroffen, dass die Beobachtungen*) regelmässig das ganze Jahr hindurch fortgesetzt werden. — Die Anschaffungskosten der Instrumente wurden grösstentheils durch den vom C.-A. bewilligten Beitrag von 400 M. gedeckt.

Auf dem ***Hochobir*** wurde nunmehr auch ein Anemometer aufgestellt, d. i. ein Instrument, welches durch einen Mechanismus Windrichtung und Windstärke auf einem Papierstreifen graphisch darstellt, so dass nur alle vier Tage eine Ablösung nöthig ist. Die 4 m hohe Pyramide steht 14 m gegen NO. und 2.57 m unter dem Gipfel. Im Novemberheft der Oesterreichischen Zeitschrift für Meteorologie findet sich eine Abbildung und Beschreibung des am Sentis aufgestellten Anemometor, dessen Functionen übrigens durch Nebel und Frost erheblich beeinträchtigt werden.

Aus Partenkirchen schreibt man den N. N.: Der vergangene Sommer brachte uns eine so grosse Anzahl Gäste wie noch nie; der hiesige Ort allein wurde von 1700 Personen mehr besucht als im vorigen Jahr. Wir können es aber nicht unterlassen, bei dieser Gelegenheit der Alpenvereins-Section München unseren besten und herzlichen Dank zu sagen für ihre erspriessliche Thätigkeit und die nutzbringenden Schöpfungen, welche dieselbe in unseren Thälern ins Leben rief. Ganz besonders ist es

*) Wir werden in der Lage sein, die monatlichen Zusammenstellungen in den Mittheilungen zu veröffentlichen. D. Red.

die Zugspitze, welche jetzt durch die vielen Verbesserungen eine grosse Anziehungskraft hat, und war deren Besuch gegen früher ein sehr bedeutender. An schönen aussichtreichen Tagen traf sich auf der Knorr-Hütte immer eine Gesellschaft von 6—10 Personen; die vergrösserte Hütte bietet ja jetzt Platz für 12—15 Personen und ist so gut und gemüthlich ausgestattet, dass man fast nichts zu entbehren braucht. Ende September wurden die grossen Steigarbeiten vom Schneeferner über den so unangenehmen Kamin und die sogenannte Nase bis zur Spitze vollendet. Es führen nun eine Menge eiserner Tritte, in die Felsen eingebohrt, an der Hand eines etwa 100 m langen Drahtseils sicher empor, so dass dadurch die Besteigung der Zugspitze ausserordentlich erleichtert ist und alle schwierigen Stellen beseitigt sind. Es ist dies eine sehr schöne und solide Arbeit. Gleichzeitig wurde auch ein gut zu passirender Weg zur östlichen Spitze hergestellt und ebenfalls mit Drahtseilgeländer versehen. Weitere Annehmlichkeiten sind noch die auf Veranlassung des Herrn Knorr in München erbaute Schutzhütte auf der West-Spitze, sowie zwei Schirmhütten zum Schutz gegen Wind und Wetter im Brunnthal und am Schneefernereck. Auch beim Abstieg in das Schneekar und zum Eibsee wurden grosse Erleichterungen durch Wegverbesserungen und Anbringung von Drahtseilen geschaffen. — Das Höllenthal wurde gleichfalls bedacht, indem die dort befindliche Brücke, durch weitere Anbringung von Strebepfeilern gestützt, jetzt volle Sicherheit bietet und jede Gefahr ausschliesst. — Wir fügen dem an, dass die Section München die bessere Gangbarmachung des Uebergangs vom Höllenthalanger über die Riffel an den Eibsee in Aussicht genommen hat.

Aus dem Oetzthal liegen uns von Reisenden und Einwohnern mehrere Berichte vor, denen wir folgendes entnehmen. Der Besuch des Oetzthals war in Folge der Eröffnung der Oberinnthaler Bahn trotz des sehr schlechten überaus schneereichen Wetters, welches von Mitte Juli bis gegen Mitte August, sowie Ende September herrschte, ein ausserordentlich starker. Besonders Norddeutsche, und unter diesen wieder vorwiegend Sachsen benützen die bequemen Gletscherpässe des Hoch- und Niederjochs als Uebergang nach Südtirol, zur Ortler-Gruppe und nach Italien. In Folge dieses überaus starken Besuches erwiesen sich die Anlagen zur Beherbergung der Reisenden im inneren Oetzthal, besonders in Gurgl, als räumlich durchaus unzureichend, so dass die Reisenden nicht selten nur dadurch Unterkunft finden konnten, dass sie mit Uebergehung von Gurgl und Vent in der vom Führer Scheiber erbauten Unterkunftshütte am Ramoljoch, oder in den von Gastwirth Grüner in Sölden recht gut bewirthschafteten Hochjoch- und Niederjoch-Hospizen (Sanmoar-Hütte) Nachtlager nahmen. Letztere bedarf aber dringend einer bedeutenden Erweiterung, wie auch eine Herabsetzung der Preise recht wünschenswerth wäre. Die Hauptcalamität des Oetzthals ist aber der Mangel einer guten Fahrstrasse, wenigstens bis Sölden, auf welcher sich sofort ohne Zweifel in der Reisezeit ein sehr bedeutender Wagenverkehr einstellen würde. Auf diese Weise könnte nach der Schätzung erfahrener Personen der Fremdenverkehr des Oetzthals verdoppelt, ja verdreifacht werden. Nachdem die k. k. Staatsbahn durch die dem Oetzthal überaus günstige Anlage des Bahnhofs »Oetzthal« demselben eine so bedeutende Förderung zugewendet, wäre es Sache des Landes, einem so schönen und berühmten Thal, einer Perle Tirols, in ausgiebiger Weise zu Hilfe zu kommen, da die armen und schwer belasteten Gemeinden unmöglich im Stande sein können, so schwierige und kostpielige Strassenbauten im wildesten Hochgebirge auszuführen. Freilich zeigen auch die Gemeinden selbst nicht durchweg denselben Eifer wie etwa Längenfeld, welches bereits ein sehr schönes Strassenstück hergestellt hat. Die Anlage einer guten Fahrstrasse in das Oetzthal würde sich durch die Hebung des Fremdenverkehrs für das ganze Land Tirol glänzend rentiren. Besonders dringlich erscheint aber eine Reparatur des einst von Herrn Curat Senn so gut hergestellten Weges von Zwieselstein nach Vent, der z. B. bei Heiligenkreuz in einem geradezu unglaublichen Zustande sich befindet. — Von Spitzenersteigungen ist zu melden, dass die als sehr leicht bekannte Kreuzspitze heuer durch die grossen Schneemengen ungewöhnliche Schwierigkeiten bot, während der Similaun aus dem gleichen Grund leichter zu machen war als sonst. — An Stelle des Herrn Curaten D. Kuprian in Vent trat Herr F. Gritsch, während Herr Curat Ingenuin Gärber in Gurgl noch immer seit 20 Jahren seinen Posten inne hat, und allen Besuchern wie stets als der liebenswürdigste Wirth und Rathgeber dient. — Der Führer-Obmann Praxmarer aus Sölden wurde im Windacherthal tod aufgefunden.

Aus der Zillerthaler Gebirgsgruppe. Mit der Ausbreitung jener Wegbauten, welche die Sectionen Berlin, Prag und Zillerthal in der genannten Gruppe ausführten und auszuführen noch im Begriff sind, hat auch die Touristenfrequenz zugenommen. Insbesondere hat die Berliner Hütte auf der Schwarzensteinalm heuer einen sehr zahlreichen Besuch (343 Personen) zu verzeichnen. Aber auch die Dominicus-Hütte hat gegen 100 Personen als willkommene Rast im Angesicht der herrlichen Gletscherwelt des Schlegeisthals gedient. Der neue von der Section Prag von Zams zum Pfitscher Joch im Vorjahr fertig gestellte Weg hat sich durch seine solide Herstellung und praktische Anlage den vollen Beifall Aller erworben, die denselben betreten haben. Es ist nur zu bedauern, dass dieser Weg nicht schon heuer seine Fortsetzung gegen Pfitsch gefunden hat, da man der Meinung war, dass der Alpenclub »Oesterreich« dieselbe heuer ausführen würde. Erst in diesem Sommer wurde der Section Prag die Eröffnung gemacht, dass der genannte Verein eine Fortsetzung des Weges nicht mehr beabsichtige, und so trat an die Section Prag die Aufgabe heran, für eine Fortsetzung des Wegbaues vom Pfitscher Joch gegen Inner-Pfitsch zu sorgen. Zu diesem Zweck begab sich der Obmann der Section Prag Anfang September nach St. Jacob, um die diesbezüglichen Verhandlungen zu pflegen. Noch stehen der Ausführung einige Schwierigkeiten durch einen Grundbesitzer entgegen, betreffend eine absolut nothwendige theilweise Verlegung des Weges im obersten Waldterrain. Hoffentlich wird zur nächsten Reisesaison dieser Wegbau vollendet sein, und damit eine Leistung des Deutschen und Oesterreichischen Alpenvereins zum Abschluss gebracht, welche — was die Weglänge (12 Stunden) und Solidität der Anlage anbelangt — kaum von einem anderen Alpenverein erreicht werden dürfte.

Die günstigere Saison, namentlich die zweite Hälfte August wurde zu grösseren Bergbesteigungen benützt. Sogar Damen versuchten sich an Gipfeln, die mit zu den schwierigeren gerechnet werden müssen. So wurde der Olperer heuer zweimal von Damen von der Olperer-Hütte aus glücklich erstiegen, von denen eine wenige Tage darnach den Hochfeiler von der Wiener Hütte aus bestieg. Immerhin erschwerte der wiederholt gefallene Neuschnee die Besteigung von Gipfeln, wo vorwiegend Felskletterei nöthig ist.

Die Unterkunftsverhältnisse verbessern sich von Jahr zu Jahr. Derjenige, der vor 5 Jahren dort gewandert und jetzt wieder einmal dahin kommt, wird staunen, welche vortheilhafte Veränderung durch die Einflussnahme des D. u. Ö. Alpenvereins sich dort geltend gemacht haben, welche grossen Bequemlichkeiten in den Wegen zu Tage treten, welche gute Verpflegung man in Mayrhofen, in Ginzling, in Rosshag, Breitlahner, in Lanersbach und Hinterdux findet, und wie sich die Leute bemühen, den Wünschen der Touristen gerecht zu werden. In Mayrhofen und Rosshag soll sogar nächstes Jahr ein Badehaus errichtet werden, das nicht wenig zur Annehmlichkeit des dortigen Aufenthalts dienen wird. Auch ist Vorsorge getroffen, dass während der nächsten Reisesaison von Mayrhofen bis Breitlahner täglich ein Bote verkehrt und die Briefschaften der im Zemmthal sich aufhaltenden Touristen besorgt.

Leider hat die Section Zillerthal einen schweren Verlust durch den Tod ihres Mitgliedes Herrn Michael Eberharter, Handelsmanns und langjährigen Gemeindevorstehers in Zell a. Z., erlitten. Derselbe wurde am 11. September bei Scheuwerden des Pferdes aus dem Wagen geschleudert und fiel so unglücklich, dass sein Kopf an einem Felsstück zerschmettert wurde. In ihm verliert die Section ein eifriges, stets opferwilliges Mitglied, seine Mitbürger einen der intelligentesten und tüchtigsten von ihnen.

J. S.

Aus Zermatt. 1882 kam ich zu spät nach Zermatt, um noch etwas Wesentliches zu leisten; daher machte ich mich in diesem Jahre frühzeitiger auf den Weg. Ich wählte diesmal die Tour von Sion durch Val d'Herens nach Evolena, besah mir das prachtvolle Panorama des Pic d'Arzinol und wanderte über den Ferpècle-Gletscher auf die Tête Blanche und über Col d'Herens auf den Zmuttgletscher und nach Zermatt, wo ich am 3. August anlangte. Zermatt war überfüllt von Touristen, es war jedoch noch keine der schwierigeren Spitzen versucht worden. Nur Monte Rosa und Breithorn, besonders letzteres, erfreuten sich häufigen Besuchs. Den Monte Rosa bestieg ich am 5. August bei prachtvollster Witterung. Am 8. zog ich mit den Führern Brantschen und Imboden aus, um das Matterhorn zu ersteigen. Man zweifelte allgemein in Zermatt, dass uns die Eisverhältnisse dies gestatten würden. Wir übernachteten in der untern Hütte am Beginn des Nordostgrats 3275 m. Von den Hütten des S. A. C., die ich kenne, ist diese die bestgebaute, doch fehlt auch hier fast jegliches Inventar. Eine Pfanne zum Wasserkochen und eine Trinkschale war Alles. Auch ist kein Herd vorhanden, sondern das Feuer wird in einer Ecke des äusseren Raumes angemacht, und der Rauch sucht sich den Weg, wohin es ihm beliebt, diesmal wählte er mit Vorliebe unseren Schlafraum. Die ganze Nacht tobte ein orkanartiger Wind, um 2 Uhr brachen wir auf, und Brantschen meinte, dass sich der Wind bei Tagesanbruch legen werde. Der Sturm war uns jedoch sehr hinderlich, so dass wir bis zur alten Hütte fast 3 St. brauchten. Dieselbe klebt wie ein Schwalbennest an einer Felswand. Die letzte Partie im vorigen Jahr hatte versäumt, die Thüre zu schliessen, und jetzt war der ganze Innenraum vom Boden bis zur Decke ein Eisstock. Der Sturm hatte aber noch immer nicht nachgelassen, hingegen hatte sich noch ein Schneegestöber zugesellt, und wir waren fortwährend gezwungen, uns wo es ging an die Felsen zu klammern oder niederzukauern, um nicht mitgerissen zu werden. Gegen 8 U. waren wir an die Schulter gelangt, und hier erklärten die Führer, dass es unter diesen Umständen ganz unmöglich sei einen Schritt weiter zu gehen. Ich war, so nahe am Ziel, zur Umkehr gezwungen, mit welchen Gefühlen kann sich jeder denken, der einmal in ähnlicher Lage war. Sturm und Schneegestöber währten bis zum Schwarzsee hinab, dort verwandelte sich das letzte allgemach in Regen. Mein zweiter Versuch auf das Matterhorn am 13. August gelang dafür um so besser. Wir verliessen wieder um 2 U. die Hütte, eine zweite Partie, die Herren Hartley und Hill aus Schottland, hatte sich angeschlossen, und um 8 U. 35 stand ich als erster in diesem Jahr auf der Spitze. Wir hatten diesmal bis zur Spitze wenig mehr Zeit gebraucht, als das erste Mal bis zur Schulter, obwohl gerade dieses letzte Stück sehr erhebliche Schwierigkeiten machte. Die Ketten und Seilverbindungen, die dort angebracht sind, waren hie und da unterbrochen, auch zum Theil tief im Schnee verborgen. Ich war für meinen früheren Misserfolg reich entschädigt, da ich einen ebenso herrlichen Tag hatte wie 8 Tage früher auf dem Monte Rosa. Die genügend beschriebene gewaltige Rundsicht war nach allen Seiten völlig rein.

Es war, als ob wir durch unsere gelungene Tour die in Zermatt versammelten Touristen erst aufgerüttelt hätten. Denn gleich darauf ging es nach allen Seiten los. Dent blanche, Weisshorn, (bei welcher Partie sich Köderbacher die Finger erfror), Rothhorn, Gabelhorn etc. kamen alle an die Reihe.

Ich pilgerte am 15. zum Riffelhaus, nächsten Tag auf die Cima di Jazzi und über das Weissthor nach Macugnaga.

Steyr. *J. Reichl.*

Aus der Wochein. Nach der Ö. T.-Z. ist die Krainische Industrie-Gesellschaft im Begriff, von der Höhe der Komarcawand hinab zur Savica eine Drahtseilbahn zu erbauen, welche die Förderung von Sägklötzen und Kohlensäcken ermöglichen wird. Diese vom forsttechnischen Standpunkt sehr interessante Bringungsweise wird die ehrwürdigen, zuweilen 300jährigen Stämme der überreifen Bestände lohnender Verwerthung zuführen. Von der Höhe der Komarca führt heute schon ein Fahrweg bis zu den Ufern des Schwarzsees und schon erheben sich dort die Sölden uud Kohlbarren. Die Dimensionen der projectirten Seilbahn sind folgende: Höhe 593 m, Länge des Tragseils 860 m, Seilgewicht 2500 kg; das Tragseil besteht aus zwei Stücken und wurde von je 78 Mann zur Höhe empor getragen, um sodann von oben in der Richtung der Trace über die Wände herabgelassen werden zu können. Behufs Ermöglichung des Seiltransports und der Lieferung von zahlreichen, oft gewichtigen Eisentheilen für die Bremsstation an der oberen Kante der Komarcawand wurde der 1878 vom Ö. T. C. angelegte Fussteig durchaus erweitert, ja theilweise umgelegt und an steilen Punkten mit Holztreppen versehen. Die mit vielem Fleiss und Sachkenntniss von Herrn R. Issler vor 4 Jahren vorgenommene Wegmarkirung ist in diesem Rayon zum Theil verschwunden oder unrichtig geworden. — Einzelne vorzügliche Bäume aus dem Urwald am Schwarzsee wurden schon seit Jahren für Resonanz- und Binderholz (Wasserschaffeln) verwerthet und trotz der mehrstündigen Lieferung durch Träger an Ort und Stelle mit 20—40 fl. bezahlt.

Strassenbau über den Kreuzberg in Sexten. In Comelico fand im October neuerdings eine commissionelle Bereisung der nach dem Kreuzberg projectirten Strassentrace statt. Seit längerem besteht die Absicht, die stark bevölkerten Thäler von Auronzo und Comelico, sowie die von der Belluneser Strasse nördlich gelegenen karnischen Theile der Provinz Udine durch eine Kunststrasse mit der Pusterthaler Eisenbahnlinie kürzer zu verbinden, als es bisher mittels der Ampezzaner Strasse möglich ist. Von dieser, der sogen. Strada d'Allemagna bei Tai abzweigend, führt schon seit den Zeiten der österreichischen Herrschaft eine zum Theil sehr künstlich und mit grossem Aufwand angelegte Strasse über Pieve di Cadore nach Auronzo und S. Stefano di Comelico; es handelte sich also darum, die Strasse entweder von ersterem über Misurina fortzusetzen, um die Ampezzaner Strasse bei Schluderbach zu erreichen, oder von S. Stefano durch Comelico superiore die Trace auf den die Grenze zwischen Italien und Oesterreich bildenden Kreuzberg zu ziehen und auf die Fortsetzung im österreichischen Sextenthal zu hoffen. Von S. Stefano bis zum obersten Dorf Padola besteht auch bereits seit länger eine gute Fahrstrasse, und so beschloss man vor mehreren Jahren, diese fortzusetzen. Nachdem schon ein bedeutendes Stück neuer Strasse gebaut, wurde die Fortsetzung wieder zweifelhaft, indem Auronzo sich grosse Mühe gab, Regierung und Parlament doch noch für den Bau über Auronzo und Misurina nach Schluderbach umzustimmen. Allein schliesslich wurde doch der

Ausbau der Comelicaner Strasse bis auf die Grenze am Kreuzberg definitiv beschlossen. Was die Fortsetzung der Kreuzbergstrasse auf tirolischem Gebiet durch das Sextenthal anbelangt, so ist noch nicht bekannt, ob Land und Staat diesbezüglich etwas thun oder es lediglich der Gemeinde Sexten eventuell mit Inichen überlassen werden, den Bau auf eigene Kosten auszuführen. Abgesehen von ihrer sonstigen Bedeutung für den Verkehr, würden wir diese Strasse mit Rücksicht auf den Fremdenverkehr freudigst begrüssen, denn damit wären die Gebiete von Auronzo und Comelico auch dem grossen Touristenzug eröffnet, der eben nur auf der gebahnten Strasse der Bequemlichkeit sich zu bewegen gewohnt ist.

T. B.

Tieferlegung des Chiemsees. Dem Landrath von Oberbayern lag heuer ein Project vor, nach welchem der Wasserspiegel des Chiemsees um 0,60 m tiefer gelegt würde; die Kosten für die Ausführung des Unternehmens waren auf 120 000 M. veranschlagt. Nun haben von den 14 betheiligten, am Chiemsee gelegenen Gemeinden die 4 nördlichen, Breitbrunn, Gstadt, Seebruck und Tabing erklärt, dass die dortigen Grundbesitzer eine Tieferlegung nicht wünschen und sich auf keine Kosten einlassen; dagegen haben 44 Grundeigenthümer von 6 südlichen Gemeinden erklärt, dass sie bereit sind, die auf sie treffenden Kosten zu tragen, wenn $^2/_3$ der Kosten, also 80 000 M., auf Kreisfonds übernommen werden. Dieselben sind insofern hiebei interessirt, als die Zuflüsse des Chiemsees, Prien und Ache, alljährlich ein ganz erhebliches Areal »verlanden«, wodurch das Grundwasser steigt und die Melioration der weiten Wiesenflächen illusorisch wird. — Da die von der k. Regierung zur Durchführung des Projects in Vorschlag gebrachte Constituirung einer Genossenschaft zum Schutz gegen Ueberschwemmungen noch nicht erfolgt und über Vertheilung und Aufbringen der Kosten noch nichts Näheres bestimmt ist, so hat der Landrath zunächst die Einstellung eines Postens in den Etat für 1884 abgelehnt.

Vom Steinernen Meer. Im October wurden die Leichen zweier Enzianwurzelgräber, Scharterer und Miteregger von Alm, die vor drei Jahren im Spätherbst von einem Schneesturm überrascht wurden, von dem am Funtensee stationirten k. b. Jagdgehilfen Wanner in der Nähe der Wildalm aufgefunden, nachdem alle s. Z. angestellten Nachforschungen erfolglos geblieben waren. Die beiden Leichen sollen sich im Schnee ziemlich gut erhalten haben, was darauf schliessen lässt, dass die Männer in eine Vertiefung in diesem ungeheuern weit verzweigten Gebiet gelangten und dort total zugeweht wurden und die Leichen erst heuer ausaperten. — Man will überhaupt auch in den Kalkalpen eine Abnahme der perennirenden Schneefelder bemerken.

Der schiefe Thurm von Terlan. Diesem interessanten Bauwerk dürfte wahrscheinlich nur mehr eine kurze Lebensdauer beschieden sein. Der Thurm, welcher wohl erst im Laufe der Zeit in seine gegenwärtige schiefe Stellung zu den übrigen Terlaner Gebäulichkeiten gerathen ist und desshalb schon unzählige Witzeleien über sich ergehen lassen musste, neigt sich nämlich immer mehr nach Südwest, so dass vor einiger Zeit schon eine behördlich angeordnete Commission den äusserst bedenklichen Zustand desselben constatirte und neuerdings in Fachkreisen wieder Stimmen laut werden, welche die Abtragung des für seine Umgebung gefährlichen Bauwerkes in Aussicht stellen, falls nicht doch noch irgend ein Mittel gefunden werden kann, um in irgend einer Weise dessen Erhaltung zu ermöglichen. Das Etschthal würde durch Abtragung desselben eine seiner interessantesten Sehenswürdigkeiten verlieren.

T. B.

Herr Dr. Paul Güssfeldt hat die Güte gehabt, uns die Schilderung einer seiner Hochtouren in Südamerika, sowie eine seiner photographischen Aufnahmen zur Reproduction für die Zeitschrift zuzusagen. Die wissenschaftlichen Resultate seiner Expedition wird derselbe in einem besonderen Werk veröffentlichen.

Touren im Himalaya. In den »Times« liegen jetzt Berichte des Herrn Graham vor, der mit den Führern Boss und Kaufmann, die im vorigen Jahre mit Herrn Green die Ersteigung des Mount Cook auf Neuseeland unternommen hatten, den Dunagiri und andere Hochgipfel des Himalaya bezwingen wollte. Trotzdem die Dünne der Luft überraschender Weise sich nicht hinderlich erwies, eine Höhe von 22 500 engl. Fuss (c. 6750 m) zu erreichen, musste in Folge Schneesturms die Partie auf den Dunagiri nach sechsmaligem Campiren, zuletzt in Höhen von 5000—6000 m, und nach Uebersteigung mehrerer Vorgipfel, aufgegeben werden. Die Gipfel des Himalaya sind nach Grahams Urtheil viel steiler als die der Alpen; die Schwierigkeiten, in dem wegelosen und menschenleeren, auch wildarmen Gebirge mit den unverlässlichen und viel essenden indischen Trägern vorwärts zu kommen, enorme.

Unglücksfall und Fund. Im heurigen Sommer verletzte sich ein englischer Tourist, dessen Name unbekannt geblieben ist, beim Uebergang vom Frossnitzthal ins Iselthal, indem er über einen Abhang stürzend, sich sehr stark im Gesicht, an Händen und Beinen beschädigte. Bei dieser Gelegenheit verlor derselbe einen werthvollen Ring, der anfänglich nicht gefunden werden konnte, jetzt aber zu Tage gekommen ist. Derselbe konnte bisher seinem Eigenthümer nicht zugestellt werden, da der letztere nach seiner Heilung ohne Angabe seiner Adresse abreiste. Der Ring liegt beim k. k. Bezirksgericht Windisch-Matrey. Vielleicht gelingt es durch diese Veröffentlichung den Verlustträger von diesem Umstand zu verständigen.

Touristische Notizen.

Kaisergebirge.

Elmauer Haltspitze ca. 2375 m aus dem Kaiserthal. Am 3. November mit Freund M. van Hees, Herrn A. Hild von Kufstein und mit Führer Kaspar **Pirkner** als Begleiter 4 U. 5 morgens von Kufstein aufbrechend gelangten wir, abgerechnet $^3/_4$ stündige Einkehr beim Veitenbauern durch das Kaiserthal 7 U. zur Unterkunftshütte **Hinterbärenbad** der Section **Kufstein**. Der Thalboden war hart gefroren und allenthalben von starkem Reif bedeckt. 8 U. 10 von hier ab, waren wir 9 U. 34 auf dem Oberen Scharlingerboden. Rechts ausbiegend trafen wir sofort auf Schnee, der ungemein hart gefroren in seinen oberen Lagen die grösste Vorsicht erheischte, da wir leider mit Ausnahme des Herrn **Hild** der Steigeisen entbehrten. 12 U. 2 standen wir auf der Scharte. Die Rothe Rinne bot die gleichen Schneeverhältnisse wie der Scharlingerboden und musste bis zum Einstieg in die Felsen (ein ganz kurzes Stück) das Seil benützt werden. 1 U. 29 war der Gipfel erreicht. Zeitdauer im Ganzen 9 St. 24 Min. incl. Rasten. Die Aussicht war herrlich, nur im Flachland lag leichter Nebel. Temp. + 7° R. im Schatten, + 9° in der Sonne. Völlige Windstille. — 3 U. gegen Elmau absteigend, erreichten wir 4 U. 45 das Gruttenbründl und von der Wochenbrunner Alm aus die Laterne benützend, 6 U. 35 Elmau. — Ist also schon die Möglichkeit gegeben, von Kufstein aus direct die Haltspitze in verhältnissmässig kurzer Zeit zu erreichen,*) so ist dies um so leichter der Fall, wenn die Unterkunfts-Hütte Hinterbärenbad als Ausgangspunkt benützt wird. Der Tourist, der von München mittags nach Kufstein wegfährt, kann gegen Abend noch Hinterbärenbad erreichen und die Haltspitze besuchend auf demselben Wege zurück mit dem Abendzug wieder nach München gelangen. In Kaspar **Pirkner** von Kufstein wird Jeder einen zuverlässigen und sehr dienstfreundlichen Führer finden.

München. *Jul. Seibert.*

Stubaier Gruppe.

Hocheder 2794 m. Am 14. August Nachts 10 U. 15 verliess ich mit den Herren A. **Siegl** und B. **Tütscher** das hübsch gelegene, nur wenige Minuten von der Bahnstation Telfs entfernte Dörfchen **Pfaffenhofen**. Auf gut gebahntem Weg, der jedoch in einer grossen Wiese zu einem kaum auffindbaren Steig wird, wurde 12 U. 17 die Pfaffenhofner Alpe erreicht. Bis hieher ist wegen vielfach abzweigender Seitenwege ein Wegweiser rathsam. Am Herdfeuer erwarteten wir den Morgen. Aufbruch 4 U. 30. Anfangs kennbarer Steig über Matten, dann folgen Felstrümmer und Schneefelder. Der Narrenkopf bleibt zur rechten, dicht unter demselben vorbei auf einen grünen Sattel; 6 U. 35; ab 7 U. Der weitere Aufstieg nicht zu fehlen. Man verfolge getrost den wildzer-

*) Wenn kein Schnee liegt, bereitet das überaus feine Geröll beim Anstieg zur Scharte einige Schwierigkeit, die man aber vermeidet, wenn man sich vom Oberen Scharlinger Boden weg rechts hält. Es sei hier bemerkt, dass die Scharlinger Böden ein Haupt-Gemsrevier sind, also die nöthige Rücksicht geboten ist. — Bei einer heuer von einigen Münchener und Kufsteiner Herren versuchten Ersteigung der Haltspitze vom Hohen Winkel aus konnte wegen unüberwindlicher Felspartien der Gipfel nicht erreicht werden. D. Red.

rissen aussehenden Grat; ungangbare Stellen lassen sich auf der einen oder anderen Seite leicht umgehen. Nach 1 St. wechselvoller Gratwanderung wurde die Spitze 8 U. erreicht. Fernsicht höchst lohnend. Zu Füssen das liebliche, grüne Innthal, umsäumt von den schroff sich aufbauenden Mieminger Bergen, welche wieder von der Zugspitze überragt werden; Wetterstein, ein grosser Theil der Karwendel-Gruppe, Lechthaler, Algäuer, Vorarlberger und Schweizer Berge. Der staunende Blick kann sich kaum abwenden von diesem unbeschreiblich wilden Felsengewirr. Gegen S. und SW. die eisgepanzerten Riesenhäupter des Stubai- und Oetzthals. 4 St. weilten wir auf der Spitze. Ein schweres von W. heranziehendes Gewitter mahnte zum Aufbruch; ab 12 U., Alpe 1 U. 35. Unter strömendem Regen 2 U. 40 weiter nach Pfaffenhofen, welches wir 3 U. vor Ausbruch eines entsetzlichen Wolkenbruchs erreichten.

Innsbruck. *Julius Pock.*

Zillerthaler Gruppe.

Grosser Greiner 3196 m (mit neuem Abstieg). Am 10. Juli 1883 bestieg ich mit dem Führeraspiranten Daniel Cologna aus Mairhofen den Grossen Greiner in 5 St. von der Berliner Hütte aus. Um 10 U. 55 verliessen wir den Gipfel und beschlossen, über den Westgrat ins Schlegeisthal abzusteigen. Es ist dies jener wild zersplitterte Grat, der von Breitlahner oder der Kaserler Alpe aus gesehen, den Abschluss der imposanten Nordabstürze des Berges bildet. Ueber scharfe Felsschneiden erreichten wir 12 U. 35 eine wenig markirte Scharte und nach Umgehung einer Reihe thurmähnlicher Zacken auf der Schlegeisseite 2 U. 30 jenen Punkt, wo der das Reischbergkar vom Wechselkar trennende Kamm vom Greinerkamm abzweigt. Von hier aus wäre über den letzteren eventuell in die Einsattlung zwischen Kleinem und Grossem Greiner und zur Schwemm-Alpe zu gelangen. Wir jedoch nahmen den Abstieg durch die plattigen Wände ins Reischbergkar, dessen obersten Boden wir 3 U. 45 betraten. Hochgewitter, St. Elmsfeuer. Sohle des Schlegeisthals 4 U. 45, Herberg-Alpe 5 U. 12, Rosshag 7 U. 35 Abends. Die Ersteigung des Grossen Greiner über den Westgrat kann als die interessanteste Kletterpartie in den Zillerthaler Alpen bezeichnet werden. Daniel Cologna ist als vortrefflicher Felsensteiger zu empfehlen.

Wien. *Dr. Carl Diener.*

Dolomit-Alpen.

Rosengartenspitze 2986 m. Die höchste Erhebung der Rosengarten-Gruppe wurde von Herrn Dr. Carl Diener aus Wien und mir am 15. Juli 1883 erstiegen. Wir verliessen Tiers 2 U. 55 morgens und wanderten durch das Purgametsch-Thal auf die Terrasse der Baumann-Schwaige. Ein von Schneefall begleitetes Gewitter nöthigte uns, in einer der leer stehenden Hütten Schutz zu suchen. Nach 9 U. den Marsch fortsetzend, betraten wir 10 U. 40, etwas unterhalb des Tchagerjochs, den Fuss der Felsen. Dieselben in der Richtung S.-N. durchquerend, erreichten wir 11 U. 15 die breite Schneerinne, die den Aufstieg zur oberen Terrasse, dem »Rosengartl« vermittelt. Die Ueberwindung der Rinne kostete 2 St. Von dem »Gartl« thürmt sich die Wand, welche auf den zur Rosengarten-Spitze hinziehenden Grat führt, noch ca. 300 m nahezu senkrecht empor. Eine scharf eingeschnittene Rinne bezeichnet den Anstieg über die Felsmauer. Einen Theil des Gepäcks zurücklassend, stiegen wir ein Stück aufwärts in die Rinne, wandten uns aber fast unmittelbar, wo dieselbe senkrecht abfällt, nach rechts (S.-W.). Hier ergab sich eine ebenso schwierige, als anstrengende Kletterei auf der frei in schwindlige Tiefe abfallenden Felswand. Oben betraten wir wieder, nach links abbiegend, die Rinne und gleich darauf die Gratscharte. Von nun an hielten wir uns ohne weitere Schwierigkeiten zu finden auf der O.-Seite des Kamms und erreichten den Gipfel 4 U. nachmittags. — Die Aussicht, die wir bei prächtiger Witterung genossen, gehört zu den grossartigsten, glanzvollsten und weitgedehntesten im Bereich der Dolomit-Alpen. Der Abstieg auf unseren Depotplatz wurde in 2 $1/_2$ St. auf gleiche Weise, doch etwas näher der Rinne, ausgeführt. Den weiteren Weg nahmen wir über die Schlucht des Vajolett-Thals, erreichten die Alphütten um 7 U. 45 und trafen erst bei völliger Dunkelheit in Perra ein.

Boéspitze 3151 m. Herr Dr. Carl Diener und ich verliessen Campidello am 17. Juli 1883 3 U. 40 morgens. Bei Canazei betraten wir, von der Hauptstrasse abbiegend, den zur Alpe Mortitsch führenden Seitengraben. Auf gutem Waldweg, der prachtvolle Ausblicke auf die umstehenden grossartigen Dolomit-Gruppen eröffnet, gelangten wir 6 U. 10 auf den Sattel des Pordoi-Jochs. Der bereits hier massenhaft auftretende Neuschnee, sowie ein eisiger Wind, bereitete dem Fortkommen Schwierigkeiten. Wir benützten die östlich von der Cima di Pordoi hinanziehende Schneerinne zum Anstieg auf die Plateauhöhe, die wir erst nach dreistündiger Arbeit erreichten. Von der Scharte wandten wir uns, den Kamm nordöstlich verfolgend, gegen die im Centrum des Massivs gelegene Gipfelpyramide. Der Kamm, der das tief eingeschnittene Val la Sties in einem weiten Halbbogen umschliesst, gestattet ein schnelles, müheloses Fortkommen. 9 U. 55 standen wir am Fuss der Spitze, die wir in 25 Min. erklommen. Die Aussicht von der Boéspitze ist eben so grossartig als umfassend und dürfte nur von sehr wenig anderen Dolomit-Gipfeln erreicht werden. Dieser Umstand, sowie die leichte Ersteiglichkeit, welche diesen Berg vor allen anderen höheren Dolomiten auszeichnet, prädestiniren denselben für die Zukunft zu einem der besuchenswerthesten und lohnendsten in jenem Alpengebiet. — Den Abstieg nahmen wir in das Corvara-Thal. Wir stiegen zuerst, 11 U. 15, die steilen Schneelehnen nördlich des Gipfels herab, mussten aber dann, da das weitere Vordringen in dieser Richtung durch den in senkrechten Stufen abstürzenden Cassianer Dolomit verwehrt war, östlich abbiegen. Eine steile Schneerinne ermöglichte den Abstieg in die unteren Terrassenbänder. Nun ein langes

Traversiren der westlichen Gras- und Felshänge in nördlicher Richtung, wobei wir uns fast immer auf derselben Isohypse hielten. 1 U. 25 erreichten wir den das Buchensteiner- vom Corvara-Thal trennenden Rücken. Zur rechten unseres Uebergangspunkts erhebt sich eine Gruppe höchst seltsam geformter Felsnadeln. Das grüne, mattenreiche Hochthal von Campolungo führte uns in 1 St. 40 in den prächtigen Kessel von Corvara. Das sich hier dem Auge eröffnende Landschaftsbild gehört vermöge seiner grossartigen Architektur, des wundervollen Contrasts zwischen den grünen Culturen und den gewaltigsten Felsbildungen — worunter besonders hervortretend der unübertroffene Aufbau des Sass-Songer — wohl zu den prächtigsten und schönsten im Dolomit-Gebiet. — In 1 St. erreichten wir den kleinen Ort Stern, wo sich mein Reisegenosse verabschiedete.

La Verella 3030 m. Erste Ersteigung. Ich nächtigte in Valle, einer kleinen Häusergruppe unweit St. Cassian und stieg am 18. Juli 1883. $4\frac{1}{4}$ U. morgens die waldigen Vorstufen und das grosse Steinkar hinan, die zur Höhe des La Verella-Sattels emporführen. Dieser selten besuchte Pass führt vom Abtei-Thal in das Gebiet der Klein-Fanes-Alpe. Er trennt die nördlich gelegene Kreuzkofel-Gruppe von dem südlich gelegenen Massiv der Cuturines-Spitze und der La Verella. — $7\frac{1}{2}$ U., nach Betreten des Sattels, erreichte ich die unteren Hänge des in mächtigen Stufen sich aufbauenden Gipfelkörpers. Den Versuch, die oberen Terrassenscheitel durch Erklimmen der dazwischen gelagerten senkrechten Stufenabsätze zu gewinnen, im voraus als vergeblich erkennend, wandte ich mich gegen das steile Geröllfeld zur rechten, umging die sich entgegenstellenden Felspfeiler westlich und erkletterte eine Reihe kleiner, brüchiger, völlig vereister Wände, die mich zu den Gratzacken emporführten. Letzteren möglichst ausweichend, stand ich bald vor einem grossen, stark geneigten Schneefeld, das unmittelbar bis zur Gipfelkuppe sich hinanzieht. Das letzte Stück führt über die rechts senkrecht abfallende Gratschneide. Auf dem Gipfel, den ich $9\frac{3}{4}$ U. betrat, erbaute ich einen kleinen Steinmann. Die Aussicht von dieser Spitze ist von einer seltenen Vollständigkeit. Sie erstreckt sich auf alle grösseren Dolomit-Gruppen der näheren und weiteren Umgebung. Die Spitze wetteifert an umfassender Uebersichtlichkeit und Schönheit ihres Panoramas mit der nachbarlichen Cuturines-Spitze. Auch auf die Centralkette, die mir zwar grösstentheils verschleiert blieb, bietet der Gipfel einen prächtigen Ausblick. Den Abstieg nahm ich durch eine steile Schneerinne in NO.-Richtung. Dieselbe mündet in ein grosses Kar, das beiderseits von hohen Felskämmen, die auf der Sp.-K. mit den Höhenziffern 2740 und 2695 cotirt sind, eingeschlossen ist. Nach einstündiger Schneewanderung betrat ich das mit spärlicher Vegetation bedeckte obere Fanes-Plateau. Zu Füssen ein kleiner Seespiegel olivenfarbigen Wassers. Nun eine Strecke nordöstlich, dann über ein grosses 4 km breites, prächtig entwickeltes Karrenfeld zu dem hochgelegenen Fanes-See. Der Grün-See und die Hütten der Kleinen Fanes-Alpe blieben links. Um 2 U., $3\frac{1}{2}$ St. seit Verlassen des Gipfels, erreichte ich das Gebiet von Gross-Fanes. Das an grossartigen Schönheiten und erhabenen Naturphänomenen ausgezeichnete Fanes-Thal durchwandernd, traf ich abends in Ampezzo ein.

Monte Cristallo 3231 m. Am 19. Juli 1883 bestieg ich über Tre Croci auf gewöhnlichem Weg den Mte. Cristallo. Uebermächtige Schneemassen machten schon den Anstieg auf den Cristallo-Pass zu einem sehr mühevöllen. Noch schwieriger und theilweise sogar gefährlich gestaltete sich die Begehung der schmalen, mit Schnee förmlich überdeckten Felsbänder, die oft nur kriechend zu passiren waren. An den Gesimsen mussten erst das Eis und der Schnee mit dem Pickel entfernt werden. Der abschmelzende Schnee durchnässte die Felsen und verwandelte sich in herabtropfenden Regen. Nach 7 ½ St., wovon ca. ¾ St. auf das Wegsuchen entfielen, erreichte ich die mit einem hohen Schneekegel bedeckte Spitze. — Der Abstieg wurde in 3 ¼ St. wieder nach Tre Croci bewerkstelligt.

Salzburg. *L. Purtscheller.*

Vordere Zinne. Ich erstieg am 4. September 1883 mit Hanns Innerkofler die Vordere Zinne mit theilweiser Abweichung von der bisher eingeschlagenen Route. Oberhalb jenes characteristischen breiten Felsbandes nämlich, wo man von der Südseite auf die zum erstenmal den Blick auf Landro eröffnende Westseite übergeht, wurde bisher über stark eingefurchte Hänge zu dem obersten, schwierigen Kamin emporgestiegen, durch welchen man zum Gipfelgrat gelangte. Statt diesen Kamin zu benutzen, bogen wir ungefähr ½ St. unterhalb der Spitze rechts ab und kletterten zu einer in eine schmale Scharte ausmündenden Rinne empor, deren beide Seitenwände sich in ihrem oberen Rand auf höchstens 5 Fuss nähern. Die linke Seite bildet eine ungefähr 4⁰ hohe fast glatte und nur mit kleinen Absätzen versehene senkrechte Wand. Ueber diese ziemlich vereiste Wand gewannen wir nach einigen Versuchen ein ebenes Plateau, stiegen dann, die obersten Gipfelriffe nach rechts statt nach links umgehend, zu einer kleinen Einkerbung des Grats hinunter und von hier über ein schmales, gegen Landro zu gelegenes Band und sohin eine Schneide zum Gipfel. Der Zeitaufwand betrug von der die Mittlere und Vordere Zinne trennenden Schlucht an gerechnet 2 ½ St. Eine halbe Stunde hatten wir verloren, da wir uns weiter unterhalb in den Felsen verstiegen hatten. Gleichzeitig mit mir gelangte meine Frau, Rose Wagner, mit Michel Innerkofler auf die Mittlere (höchste) Zinne, welche sie direct von der Schutthalde aus mit Umgehung des ersten Kamins (Mittheilungen 1881 Nr. 8) erstiegen hatte. Im Abstieg mussten an der vorerwähnten Wand die Schuhe ausgezogen werden. Von den unteren Partien des Anstiegs, der sich bis zum Felsband in einem von der obersten Gabelung zwischen der Mittleren und Vorderen Zinne links abzweigenden tiefen Einriss vollzieht, ist besonders der mittlere Kamin wegen seiner Schwierigkeit bemerkenswerth. Eine theilweise Umgehung desselben nach links dürfte jedoch möglich sein. Ich fand die Vordere Zinne ungleich schwerer als die Mittlere, wenngleich hier die imposanten Ausblicke beim Klettern (wenigstens bis zum Felsband) fehlen.

Wien. *Dr. Bruno Wagner.*

Meteorologische Berichte aus den Ostalpen.

Station	Luftdruck					Temperatur					Niederschlagmenge des Monats in Millimetern
	Mittel	Maximum		Minimum		Mittel	Maximum		Minimum		
	mm	mm	am	mm	am	°C	°C	am	°C	am	
August 1883.											
Reichenau . . .	720 6	724·7	18	716 0	10	17 7	22·5	15.	13·4	16	53
Windisch-Garsten .	710·8	716 1	19	704·2	31	15·7	35·0	15.	2·0	19.	170
Traunstein	713 5	718·5	18	708·5	9	16 3	30·8	14.	5 5	19	139
Rosenheim	—	—	—	—	—	16·35	28 3	14	4·9	20.	86
Hohenpeissenberg	680·02	683 5	12.	673·0	9	13·6	26 4	14	4·5	17	3
Lindau	—	—	-	—	—	16 9	25 9	29.	7 8	18	80
Klagenfurt	725 0	730·7	19	718 7	16.	18 2	27·3	29	9 6	17	48
Judenburg	699 8	704 1	19	693 7	7	15·3	27 7	15	3 9	19.	75
Toblach	664·4	667 5	22.	656.0	10	15·0	23 0	15.	2·0	18	88
Innsbruck	712·7	717 8	19	706 7	9.	16 4	27·0	14	6 0	6.	45
Tüffer	743 6	748·7	13.	737 5	10	19 0	29·8	15	10 2	17	59
Schmittenhöhe *) .	6 0 8	6 4·0	21.	606·0	10.	7·05	16·0	16	0·0	17.	—
Hochobir	599 5	602·5	22.	593 0	16.	8 05	19·4	14.	—1·0	17.	98
September 1883.											
Reichenau	717·8	723·4	17.	708 5	30.	14·5	20·5,	4.	9 9	29.	46
Windisch-Garsten .	707 7	712 8	18.	695·0	30.	14 4	37·5	2	—1·0	10.	63
Traunstein	712·2	716·0	17.	700·5	30.	13 0	26 7	2	2·4	11.	163
Rosenheim . . .	720 6	725 0	17.	712·0	30.	13.5	26 8	2	1·4	12.	157
Hohenpeissenberg .	676·44	681·7	17.	665 7	30	10·7	22·3	4.	3·0	30.	115
Lindau	—	—	—	—	—	14·7	25 4	4.	4.6	11.	138
Klagenfurt . . .	722·9	728·3	17.	712 2	30.	13 7	24·8	1.	5 8	24.	104
Judenburg . . .	696·7	701·8	7.	686 2	30.	12 0	24·2	2.	1·9	11.	112
Toblach	659·0	666·3	17.	648·0	30.	9 0	20 0	1.	—2·0	24	82
Innsbruck	710 1	715·6	17.	700 4	29.	13·4	25 0	1.	4·0	11	49
Tüffer	741·4	747 1	16.	731·4	30.	15·2	27 8	1.	7·0	11.	130
Schmittenhöhe . .	—	—	17.	—	29.	15 4	15 4	1.	1·0	29.	150
Hochobir	595·9	601·0	16.	586·7	30	4·6	13 9	27.	—0 5	10.	167
October 1883.											
Reichenau	719 7	728·5	30	709·6	1.	9·6	12 8	9.	5·5	7.	24
Windisch-Garsten .	707·7	720 7	8.	697 1	4.	8·3	30·0	11.	—2·0	28	63
Salzburg	725·6	737·0	8.	7 0·9	4.	7·6	18 8	17.	—2·1	8.	66
Traunstein	712·1	722·0	8.	700 5	4.	6·83	17·4	20.	—2·9	18.	80
Rosenheim . . .	—	—	-	—	—	6·9	18 4	20.	—1·1	8.	59
Hohenpeissenberg .	677 9	688·4	8.	665·1	5.	—	15 7	17.	—3·0	23.	52
Lindau	-	—	—	—	—	8·8	17·5	20.	—0·1	8.	82
Klagenfurt	725.5	734 6	31.	714·3	1.	9·3	17 4	18.	3·3	26	141
Judenburg . . .	699 3	709·9	8.	688·0	1	7·1	15 8	18.	—2·3	8.	76
Toblach	662·2	669·0	31.	651·0	1.	5 0	12·0	18.	—5·0	7.	35
Innsbruck	712·1	722 9	8.	706·3	4.	7·2	17·0	20.	—1·0	28.	41
Tüffer	744·3	754·8	8	732 6	5.	11·1	19 1	21.	4 0	8.	71
Hochobir	596·1	604·1	30.	585·8	5.	1.4	9.5	12.	—5·8	7.	76

*) Am 15. August Nm. 4 U. Temp. +20° C. im Schatten, dann Gewitter, früh am 16. Schneefall, Niederschlagmenge 32·5 mm. — Am 29. September bei prachtvollem Wetter starker Barometerfall: am 27. 609, am 28. 605, am 29. 597 mm.

Literatur und Kunst.

Edlbacher, Ludwig, Landeskunde von Ober-Oesterreich. Geschichtlich-geographisches Handbuch für Leser aller Stände. Zweite Auflage. Wien 1883. Graeser. 8 M.

Die erste Auflage dieses Werkes erschien 1872, jetzt liegt die zweite, bedeutend vermehrt und verbessert, in einem stattlichen Band vor. Es ist ein gut gearbeitetes Handbuch der Geschichte, Geographie, Topographie und Statistik des schönen Landes ob der Enns. Auf Seite 5 bis 427 wird die Geschichte dieser Provinz in populärem, aber immer würdigem Ton erzählt, von der Urzeit an, wo mit Recht der prähistorischen Funde, wenn auch nur ganz kurz, gedacht wird, bis zum Jahre 1873. Verf. berücksichtigt dabei nicht blos die politische Geschichte, es werden auch die inneren und Cultur-Verhältnisse eingehend gewürdigt. Von der ersteren werden besonders die Bauernkriege von 1594 bis 1597 und von 1626 ausführlich erzählt; in der Darstellung der letzteren finden wir zahlreiche biographische Notizen von Männern, welche, aus Oberösterreich gebürtig, sich auf den verschiedensten Gebieten der Wissenschaft und der Kunst hervorgethan haben. — Der geographisch-statistische Theil beginnt mit der Beschreibung der Bodenbeschaffenheit, der Gewässer und des Klimas des Landes, geht dann auf die Schilderung der Bevölkerung, sowie der materiellen und geistigen Cultur und der Verfassung und Verwaltung über und schliesst mit einer ausführlichen Topographie. Ein umfangreiches und, den Stichproben nach zu urtheilen, vollständiges Register erleichtert die Benützung des sorgfältig und geschickt gearbeiteten Buches, welches jedem, der das Land ob der Enns genauer kennen lernen will, zur Lectüre, dem, welcher über Einzelnes sich belehren will, zum Nachschlagen bestens empfohlen werden kann. Papier und Druck sind tadellos.

Graz. *Franz Jlwof.*

Kartographisches.

Reliefkarte der nördlichen Kalkalpen zwischen Salzach und Lech. Herr Professor Dr. Winkler in München hat ein Relief der Alpen von Oberbayern mit angrenzenden Theilen Tirols und Salzburgs, also der Kalkalpenzone zwischen Salzach und Lech, im Maasstab 1 : 25 000 hergestellt, auf das wir in den Mittheilungen wiederholt aufmerksam gemacht haben. Dasselbe, Eigenthum des bayerischen Staates, ist die Frucht 25jähriger Begehung und Untersuchung des Gebirges in geologischer und topographischer Beziehung, dann von Zeichnungen speciell für den Zweck plastischer Darstellung desselben. Theile dieses Reliefs waren auf der Wiener Weltausstellung 1873, und wurde ihnen dort von der österreichischen geographischen Gesellschaft das Zeugniss, dass sie, was Naturtreue und charakteristische Wiedergabe der Formen betrifft, die bekannten Reliefs Fr. Keils wenn nicht übertreffen, doch denselben gleichkommen. Professor Winkler hat nun dasselbe Terrain, ungefähr 160 Qu.-Meilen Bodenfläche, im kleineren Maasstab, 1 : 100 000 bearbeitet. Dieser Maasstab macht es möglich, das ganze Gebiet in 4 Sectionen zu geben, ohne dass dasselbe an Naturtreue und Charakteristik etwas einbüsst. Da es ferner gelungen ist, eine Masse aufzutreiben, die sich vermöge ihrer Leichtigkeit und damit verbundenen Zähigkeit vorzüglich zur Vervielfältigung eignet, so entstehen sehr handliche praktikable Tableaus, die nicht viel Raum einnehmen und sich ebenso bequem aufhängen als legen lassen. Diese Arbeiten gewähren nun gewiss hohes Interesse als wirksamste Veranschaulichung eines grossen Theiles der nördlichen Kalkalpen; sie geben ein treffliches Material für geographischen Unterricht und eignen sich andererseits auch zur Ausschmückung häuslicher Räume.

Die 4 Sectionen sind betitelt: 1. Berchtesgaden. 2. Chiemgauer Gebirge. 3. Tegernsee. 4. Werdenfels, und umfassen das ganze bayrische Hochland, dann von Salzburg das untere Saalachthal, von Tirol das Gebirge südlich der bayrischen Grenze bis zu einer Linie Kitzbühel-Rattenberg.

Herr Professor Winkler ist erbötig, auf vorausgehende Bestellung Abgüsse anfertigen und coloriren zu lassen und zwar unter folgenden Bedingungen:

Abgüsse der Sectionen Berchtesgaden und Werdenfels colorirt zu je 16 M., mit Schutzrahmen 16 M. 80, die Sectionen Tegernsee und Chiemgauer Gebirge je 18 M. bezw. 18 M. 80. Uncolorirte Abgüsse je 10 M. Bestellungen vermittelt die Buchhandlung von Max Kellerer, München, Damenstiftsgasse.

Wir glauben diese Reliefs, deren Verbreitung bisher nur der sehr hohe Preis und das difficile Material hinderlich waren, nunmehr den Vereinsgenossen auf das beste empfehlen zu können.

Periodische Literatur.

Oesterreichische Alpen-Zeitung. Nr. 123—126. K. Schulz, Wanderungen im Berner Oberland. (Schluss.) — Katastrophe am Piz Bernina. — O. Zsigmondy, Pala di S. Martino. — Ausstellung des S. A. C. — Dent, das Bergsteigen im alten Stil. — Meurer, von Trient über die Cima Tosa nach Sulden.

Schweizer Alpen-Zeitung. Nr. 19—22. Lavater, das Clubfest in Bern. — Gelpke, neue Scesaplana-Hütte. — Hirzel, durch die Bergamaska und das Oberveltlin nach Graubünden. — Der S. A. C. an der Landesausstellung. — Lavater, Professor Dr. Oswald Heer †. — Wartmann, Herbstausflug nach der Gemmi.

Echo des Alpes. Nr. 3. Marcet, le mal de montagne. — Ferrand, Charmat-Som. — Assemblèe des delégués.

Mittheilungen der Section für Höhlenkunde des Ö. T.-C. Nr. 3. v. Chauvin, über das Wesen des Proteus anguineus und seine Fortpflanzungsweise.

Tourist. Nr. 18—21. Hadwiger, in die Jachenau. — Mountaineer, die Kellerwand. — Hartmann, der Ossiacher See. — Erler, ein Spaziergang durch Liechtenstein. — Krischker, das Birnhorn bei Leogang. — P. K. Thurwiesers Birnhornbesteigungen (1831 und 1834.) — Waizer, eine kärntnerische Sommerfrische (Weissensee). — Fruhwirth, Oberort im Tragössthal. — Vaeni, Ausflug nach dem Val di Genova. — Wolfsberg im Lavantthal.

Deutsche Touristen-Zeitung. Nr. 6.—7. Das Observatorium auf dem Pic du Midi. — Die renovirte Tellskapelle. — Pfeiffer, Adlerjagd im Hochgebirge.

Oesterreichische Touristen-Zeitung. Nr. 18—21. Biedermann, ein vergessener Volksstamm. — Amonn, der Rosengarten. — Erler, Feldkirch. — Gegenbauer, abseits vom Wege. — Schmitt, eine merkwürdige Gletscher-Erscheinung. — Waizer, Treffen. — L. May de Madiis, eine Wasserfahrt in Kärntens Bergen. — Maurer, der Alpenhase. — Frischauf, das Gebiet des Stoder-Zinken. — Treu, ein Maientag im Kremsthal. — Maurer, Allerseelen in Tirol. — Bauer, die Hochalpe bei Leoben. (Mit Panorama von Geyer.) — Der Römerthurm bei Landeck. — Kleinecke, von Kaprun nach Windisch-Matrei. — Oberleitner, Excursion auf den Kasberg in Steyrling.

Die Mittheilungen erscheinen jährlich in 10 Nummern zu 2 Bogen. Die Mitglieder des Vereins erhalten dieselben unentgeltlich. Für Nicht-Mitglieder ist der Preis des Jahrgangs im Buchhandel 4 Mark.

Inserate, welche an die Redaction zu senden sind, finden, soweit geeignet, Aufnahme und wird die durchlaufende Petitzeile oder deren Raum mit 25 kr. Gold = 50 Pf. berechnet.

Druck von Anton Pustet in Salzburg.